MIDDLE SCHOOL

ENGLISH2 자습서

민찬규 교과서편

Features 구성과 특징

자기 주도 학습이 가능한 기본 학습 → 실력 향상 → 확인 학습 → 실력 점검 → 최종 점검 프로그램으로 구성하였습니다. 학생들 스스로 예습 · 복습을 할 수 있도록 교과서의 학습 순서와 내용에 따라 모든 내용을 쉽고 자세하게 해설하였으며 내신 대비 문제를 단계별로 수록하였습니다.

기본 학습

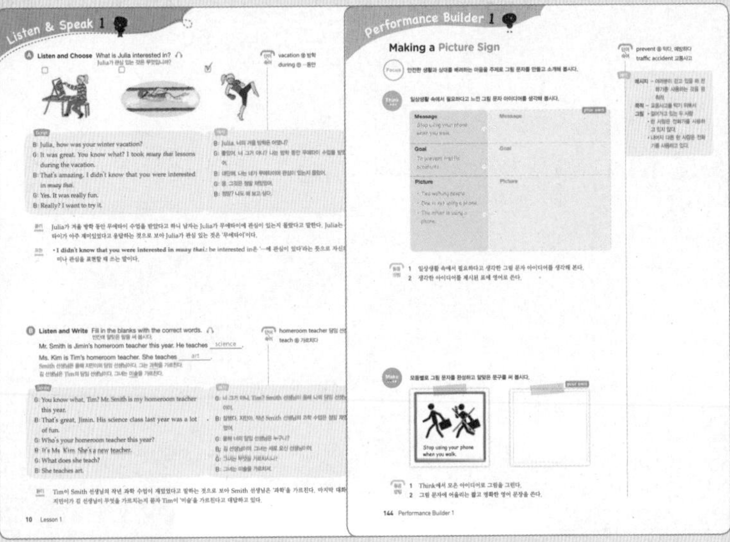

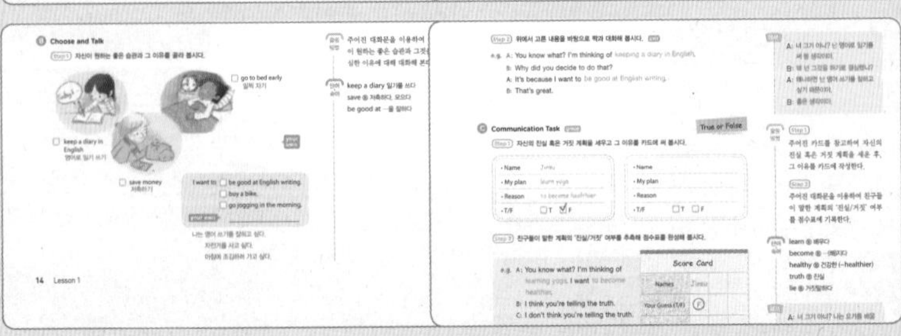

▶ 정답과 해설

- 교과서의 모든 활동에 대한 자세한 해설과 정답(예시 정답과 대화 포함)을 제시하였습니다.

▶ 듣기 대본과 해석

- 교과서의 듣기 대본과 해석을 제시하여, 듣기 문제와 활동에 따른 내용을 바로 확인하고 이해할 수 있도록 하였습니다.

▶ 활동 방법, 풀이, 표현, 단어 · 숙어

- 교과서의 모든 활동에 대한 자세한 방법과 이에 따른 풀이나 표현 등을 제시하였습니다.
- 문제와 활동 등에 대한 단어와 숙어도 제시하였습니다.

실력 향상

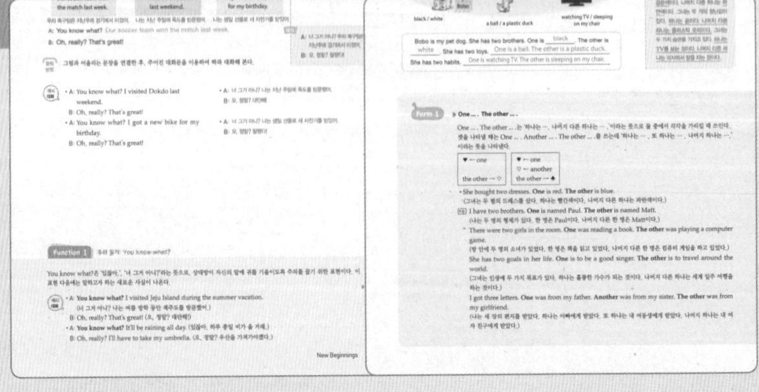

▶ Functions

- 교과서의 단원별 주요 의사소통 기능에 대한 설명과 추가적인 표현들을 제공하여 다양한 표현들을 익힐 수 있도록 하였습니다.

▶ Forms

- 교과서 본문에 나오는 언어 형식(문법)을 자세한 설명과 예문을 통해 익힐 수 있도록 하였습니다.

Contents 차례

Middle School

English 2

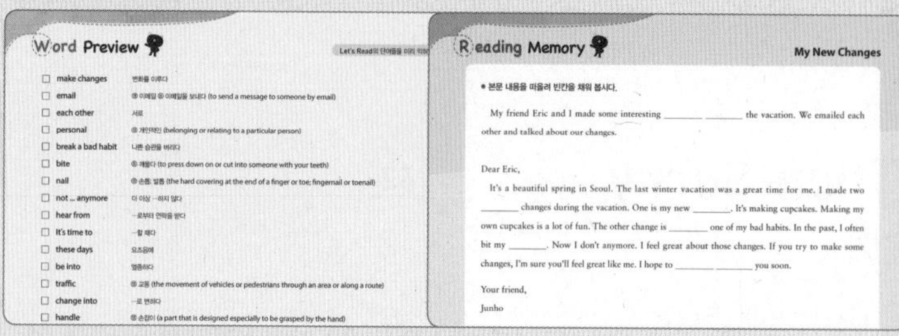

확인 학습

▶ Word Preview

- 교과서 본문의 단어와 숙어를 미리 익히고 간단한 미니 테스트를 통해서 확인할 수 있도록 하였습니다.

▶ Reading Memory

- 교과서 본문의 내용을 직접 써 보면서 독해력을 키울 수 있도록 하였습니다.

▶ Word Check / Grammar Check

- 단원의 주요 단어와 숙어를 확인하고 점검할 수 있는 문제입니다.
- 단원의 주요 언어 형식(문법)을 확인하고 점검할 수 있는 다양한 문제입니다.

실력 점검

▶ 단원 종합 평가 / 서술형 평가

- 다양한 문제를 통해 단원의 전체 내용을 종합적으로 점검할 수 있도록 하였습니다.
- 서술형 평가 문제를 별도로 제시하여 수시평가와 수행평가를 철저하게 대비할 수 있도록 하였습니다.

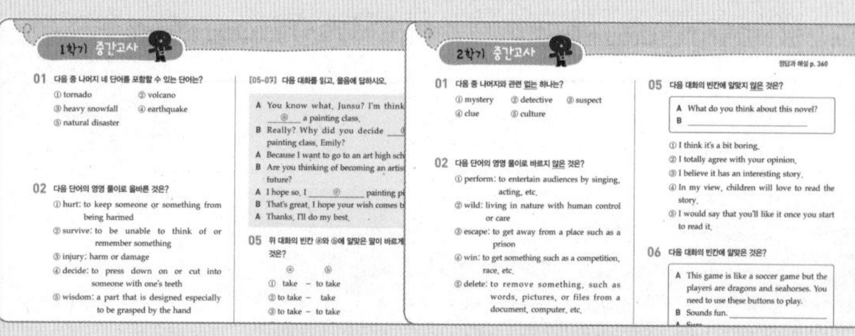

최종 점검

▶ 1, 2학기 중간·기말고사

- 1학기와 2학기 중간·기말고사로 구성한 지필평가 대비 종합 문제를 풀면서 내신 만점을 기대할 수 있도록 하였습니다.

Middle School

English 2

자기 주도 학습을 위한

이 책의 활용 순서와 방법

Ⓣ Textbook　Ⓦ Workbook　▼ Learning & Review

Ⓣ Warm up	단원의 도입부로 단어와 숙어 미리보기	☐ 해석 ☐ 단어 ☐ 활동 복습
Ⓣ Listen & Speak 1, 2	의사소통 표현 익히기	
Ⓣ Real Life Communication	Listen & Speak 1과 2에서 학습한 표현을 실생활에서 적용하기	
Word Preview	Let's Read의 단어 영영 풀이와 미니 테스트	☐ 해석 ☐ 단어 ☐ 문제 점검
Ⓣ Before You Read	본문 내용을 대략적으로 이해할 수 있는 읽기 전 활동	☐ 해석 ☐ 단어 ☐ 활동 복습
Ⓣ Let's Read	다양한 형식과 주제의 글 읽기	
Ⓣ After You Read	읽기 학습과 관련된 읽기 후 활동	
Reading Memory	Let's Read 전체 내용 복습	☐ 해석 ☐ 단어 ☐ 문제 점검
Ⓦ Word Builder	워크북의 단어 복습 활동	☐ 해석 ☐ 단어 ☐ 활동 복습
Word Check	기본 단어 외에 핵심 단어 문제	☐ 해석 ☐ 단어 ☐ 문제 점검

Middle School

English 2

Ⓣ Textbook　Ⓦ Workbook　▼ Learning & Review

Ⓣ **Language in Use**	주요 언어 형식을 이용한 쓰기와 말하기 활동	☐ 해석 ☐ 단어 ☐ 활동 복습
Ⓦ **Grammar Builder A, B**	워크북의 언어 형식 복습 활동	
Grammar Check	교과서에 수록된 필수 어법 문제	☐ 해석 ☐ 단어 ☐ 문제 점검
Ⓣ **Let's Write**	단원 주제와 관련된 쓰기 활동	☐ 해석 ☐ 단어 ☐ 활동 복습
Ⓣ **Let's Check**	단원 전체 듣기, 말하기, 읽기, 쓰기 점검 활동	
Ⓣ **Culture & Life**	타 문화와 우리 문화 이해 활동	
Ⓣ **Culture & Life Project**	창의적이고 종합적인 과업 활동	
단원 종합 평가 서술형 평가	교과서에 수록되지 않은 내신 대비 단원 평가와 서술형 평가 문제	☐ 해석 ☐ 단어 ☐ 문제 점검
Ⓣ **Performance Builder**	네 단원에 한 번씩 나오는 수행평가 대비 활동	☐ 해석 ☐ 단어 ☐ 활동 복습
중간·기말고사	중간고사와 기말고사 대비 평가 문제	☐ 해석 ☐ 단어 ☐ 문제 점검

Lesson 1 New Beginnings

Functions

- 주의 끌기 **You know what?** 너 그거 아니?
- 의도 표현하기 **I'm thinking of** learning taekwondo. 나는 태권도를 배울 생각이다.

Forms

- I have two pets. **One** is a dog. **The other** is a cat.
  나는 애완동물 두 마리가 있다. 하나는 강아지다. 나머지 다른 하나는 고양이다.
- **If** you exercise every day, you **will** become healthier.
  만약 네가 매일 운동한다면, 너는 더 건강해질 것이다.

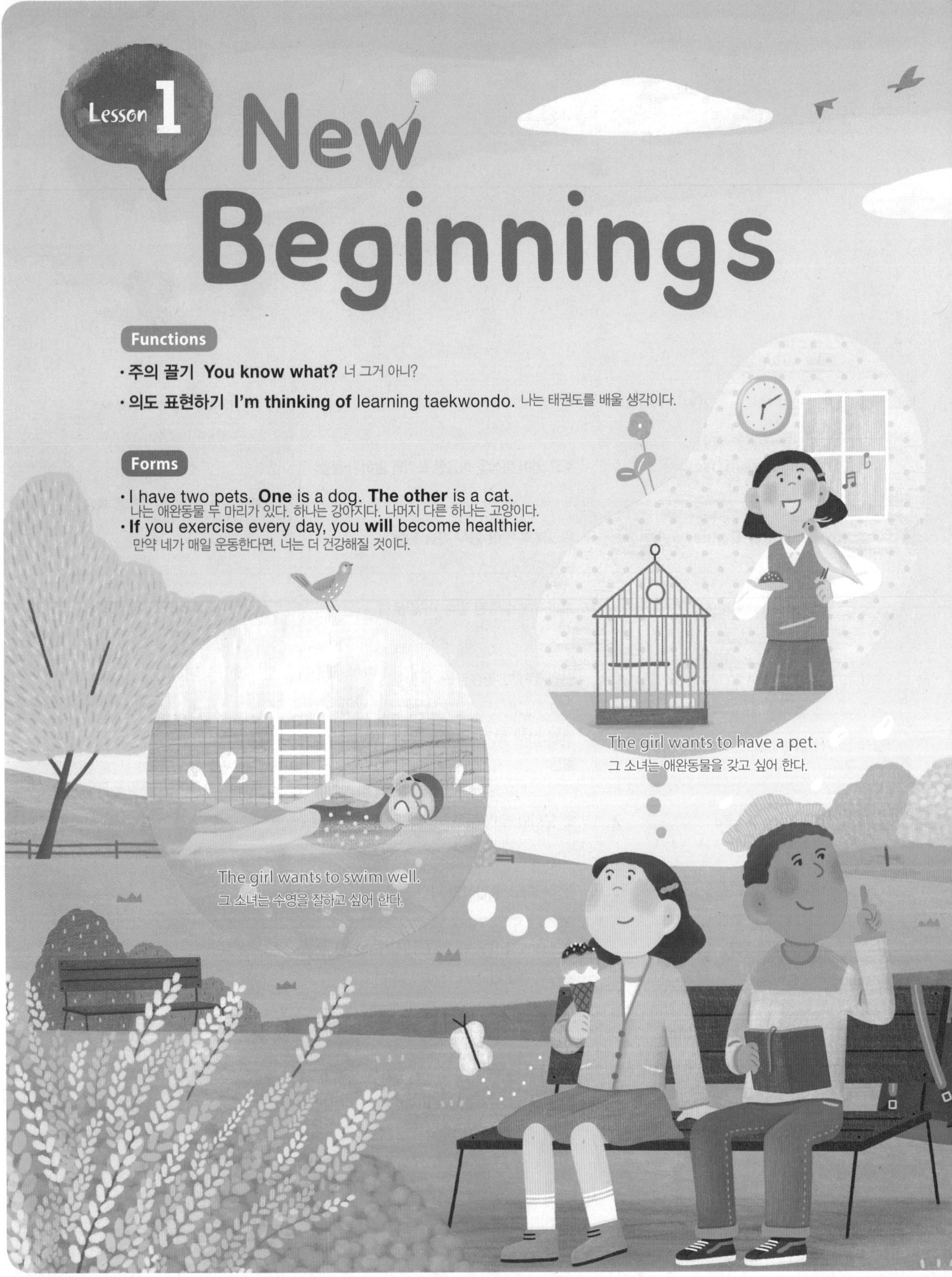

The girl wants to have a pet.
그 소녀는 애완동물을 갖고 싶어 한다.

The girl wants to swim well.
그 소녀는 수영을 잘하고 싶어 한다.

Warm Up

그림 속 친구들이 무엇을 하고 싶어 하는지 말해 봅시다.

e.g. The boy wants to dance well.
그 소년은 춤을 잘 추고 싶어 한다.

The boy wants to learn Chinese.
그 소년은 중국어를 배우고 싶어 한다.

Communication	Reading	Writing	Culture & Project
True or False 진실 혹은 거짓	My New Changes 나의 새로운 변화	Dear Me Card 나에게 보내는 카드	My Words of Wisdom 지혜의 말

A Listen and Choose What is Julia interested in?
Julia가 관심 있는 것은 무엇입니까?

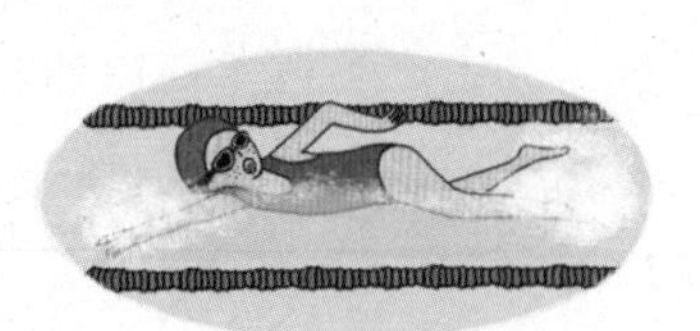

단어·숙어
vacation 명 방학
during 전 …동안

Script

B: Julia, how was your winter vacation?
G: It was great. You know what? I took *muay thai* lessons during the vacation.
B: That's amazing. I didn't know that you were interested in *muay thai*.
G: Yes. It was really fun.
B: Really? I want to try it.

해석

B: Julia, 너의 겨울 방학은 어땠니?
G: 좋았어. 너 그거 아니? 나는 방학 동안 무에타이 수업을 받았어.
B: 대단해. 나는 네가 무에타이에 관심이 있는지 몰랐어.
G: 응. 그것은 정말 재밌었어.
B: 정말? 나도 해 보고 싶다.

풀이 Julia가 겨울 방학 동안 무에타이 수업을 받았다고 하니 남자는 Julia가 무에타이에 관심이 있는지 몰랐다고 말한다. Julia는 무에타이가 아주 재미있었다고 응답하는 것으로 보아 Julia가 관심 있는 것은 '무에타이'이다.

표현 • **I didn't know that you were interested in *muay thai*.:** be interested in은 '…에 관심이 있다'라는 뜻으로 자신의 흥미나 관심을 표현할 때 쓰는 말이다.

B Listen and Write Fill in the blanks with the correct words.
빈칸에 알맞은 말을 써 봅시다.

Mr. Smith is Jimin's homeroom teacher this year. He teaches science.
Ms. Kim is Tim's homeroom teacher. She teaches art.
Smith 선생님은 올해 지민이의 담임 선생님이다. 그는 과학을 가르친다.
김 선생님은 Tim의 담임 선생님이다. 그녀는 미술을 가르친다.

단어·숙어
homeroom teacher 담임 선생님
teach 동 가르치다

Script

G: You know what, Tim? Mr. Smith is my homeroom teacher this year.
B: That's great, Jimin. His science class last year was a lot of fun.
G: Who's your homeroom teacher this year?
B: It's Ms. Kim. She's a new teacher.
G: What does she teach?
B: She teaches art.

해석

G: 너 그거 아니, Tim? Smith 선생님이 올해 나의 담임 선생님이야.
B: 잘됐다, 지민아. 작년 Smith 선생님의 과학 수업은 정말 재밌었어.
G: 올해 너의 담임 선생님은 누구니?
B: 김 선생님이야. 그녀는 새로 오신 선생님이야.
G: 그녀는 무엇을 가르치시니?
B: 그녀는 미술을 가르치셔.

풀이 Tim이 Smith 선생님의 작년 과학 수업이 재밌었다고 말하는 것으로 보아 Smith 선생님은 '과학'을 가르친다. 마지막 대화에서 지민이가 김 선생님이 무엇을 가르치는지 묻자 Tim이 '미술'을 가르친다고 대답하고 있다.

C **Talk Together** Match the picture with the sentence and talk with your partner.
그림과 문장을 연결하고, 짝과 대화해 봅시다. pair

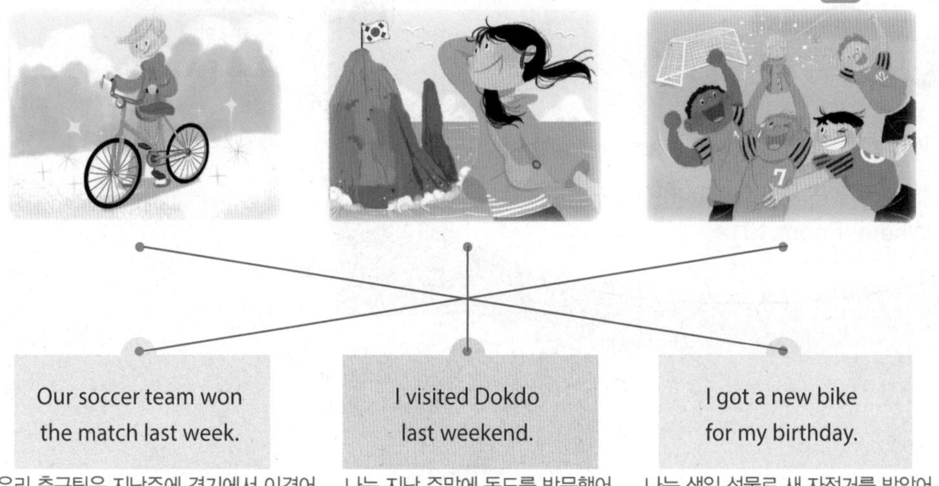

Our soccer team won the match last week.	I visited Dokdo last weekend.	I got a new bike for my birthday.
우리 축구팀은 지난주에 경기에서 이겼어.	나는 지난 주말에 독도를 방문했어.	나는 생일 선물로 새 자전거를 받았어.

A: You know what? Our soccer team won the match last week.

B: Oh, really? That's great!

단어·숙어
win 동 이기다
match 명 경기
visit 동 방문하다

해석
A: 너 그거 아니? 우리 축구팀이 지난주에 경기에서 이겼어.
B: 오, 정말? 잘됐다!

활동 방법 그림과 어울리는 문장을 연결한 후, 주어진 대화문을 이용하여 짝과 대화해 본다.

- A: You know what? I visited Dokdo last weekend.
  B: Oh, really? That's great!
- A: You know what? I got a new bike for my birthday.
  B: Oh, really? That's great!

- A: 너 그거 아니? 나는 지난 주말에 독도를 방문했어.
  B: 오, 정말? 대단해!
- A: 너 그거 아니? 나는 생일 선물로 새 자전거를 받았어.
  B: 오, 정말? 잘됐다!

Function 1 주의 끌기: You know what?

You know what?은 '있잖아.', '너 그거 아니?'라는 뜻으로, 상대방이 자신의 말에 귀를 기울이도록 주의를 끌기 위한 표현이다. 이 표현 다음에는 말하고자 하는 새로운 사실이 나온다.

- A: **You know what?** I visited Jeju Island during the summer vacation.
  (너 그거 아니? 나는 여름 방학 동안 제주도를 방문했어.)
  B: Oh, really? That's great! (오, 정말? 대단해!)
- A: **You know what?** It'll be raining all day. (있잖아. 하루 종일 비가 올 거래.)
  B: Oh, really? I'll have to take my umbrella. (오, 정말? 우산을 가져가야겠다.)

Listen & Speak 2

A Listen and Find Which information on the poster is NOT true?
포스터에 있는 정보 중 어떤 것이 사실이 아닙니까?

Space Science Club
우주 과학 동아리

- ☐ What: Learning about stars and planets
  무엇: 별과 행성에 관해 배우기
- ☑ How often: Once a month
  얼마나 자주: 한 달에 한 번
- ☐ Where: Room 101
  어디서: 101호

단어 숙어
planet ⓜ 행성
kind ⓜ 종류
meet ⓢ 만나다
join ⓢ 가입하다

'I'm thinking of ... .'에서 of 다음에 동작을 나타내는 말이 올 때는 –ing 형태를 씁니다.

Script

G: Minsu, Sujin and I are thinking of starting a club.
B: Really? What kind of club?
G: We want to learn about stars and planets. So, we're thinking of starting a space science club.
B: Sounds good. How often are you going to meet?
G: Maybe once a week.
B: I see. Where will you meet?
G: In Room 101. Minsu, do you want to join our club?
B: Yes, I'm interested in space, too.

해석

G: 민수야, 수진이와 나는 동아리를 만들 생각이야.
B: 정말? 어떤 종류의 동아리야?
G: 우리는 별과 행성에 관해 배우고 싶어. 그래서 우리는 우주 과학 동아리를 만들 생각이야.
B: 좋은 생각이다. 너희들은 얼마나 자주 모일 거야?
G: 아마도 일주일에 한 번쯤.
B: 그렇구나. 너희들은 어디서 모일 거니?
G: 101호에서. 민수야, 우리 동아리에 가입할래?
B: 응, 나도 우주에 관심이 있어.

풀이 민수가 얼마나 자주 모일 것인지 물었을 때, 여자는 아마도 '일주일에 한 번(once a week)' 모일 거라고 대답하고 있으므로 포스터에 있는 '한 달에 한 번(once a month)'이라는 정보는 사실과 다르다.

B Listen and Talk Fill in the blanks and talk with your partner. pair
빈칸을 채우고 짝과 대화해 봅시다.

Alex: Mom, I'm thinking of __cooking/making__ *bulgogi* for dinner. 엄마, 저는 저녁으로 불고기를 요리할/만들 생각이에요.
Do we have any __beef__ at home? 우리 집에 소고기 있어요?
Mom: No, I'll __buy__ some on my way home. 아니, 내가 집에 가는 길에 좀 살게.

단어 숙어
on one's way home 집에 가는 길에
vegetable ⓜ 채소
beef ⓜ 소고기

Script

B: Mom, I made *bulgogi* at school today. I'm thinking of cooking *bulgogi* for dinner.
W: That sounds great, Alex.
B: Do we have any vegetables at home, Mom? What about beef?
W: We have some vegetables, but we don't have beef. I'll buy some for you on my way home.
B: Great.

해석

B: 엄마, 저 오늘 학교에서 불고기 만들었어요. 저는 저녁으로 불고기를 요리할 생각이에요.
W: 좋은 생각이구나, Alex.
B: 엄마, 우리 집에 채소 있어요? 소고기는요?
W: 채소는 조금 있어, 그런데 소고기는 없어. 내가 집에 가는 길에 너를 위해 조금 사갈게.
B: 좋아요.

풀이 Alex가 저녁으로 불고기를 요리할[만들] 것이라고 말하는 상황에서 엄마에게 집에 소고기가 있는지 물었고, 엄마는 집에 가는 길에 소고기를 사간다고 말하고 있다.

표현 • **What about beef?:** What about ... ?은 '…는 어때?'라는 뜻으로 상대방에게 다른 대상에 관해 의견을 물어볼 때 쓰는 표현이다.

C Talk Together What are your classmates' plans for this weekend? class
반 친구들의 이번 주말 계획은 무엇입니까?

A: What is your plan for this weekend, Sejun?

B: I'm thinking of visiting my grandparents.

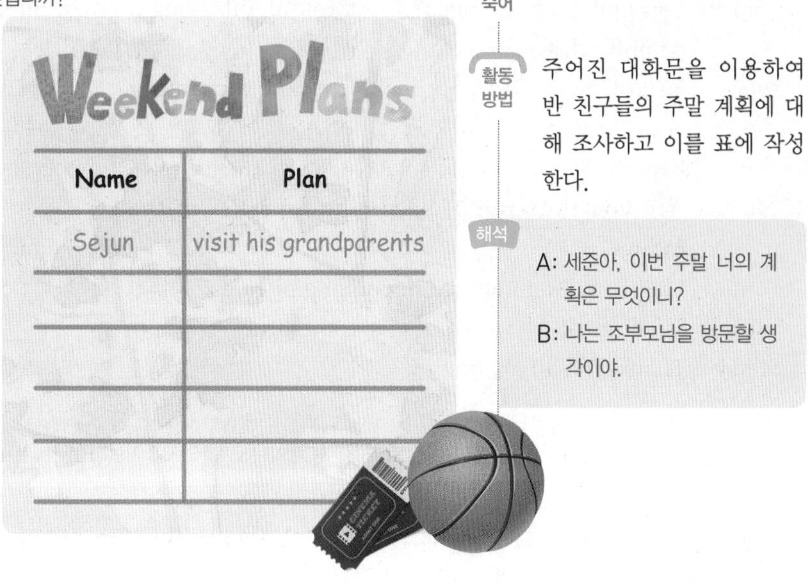

Name	Plan
Sejun	visit his grandparents

대화가 끝나면 반 친구들의 주말 계획을 발표해 봅시다.
e.g. Sejun is thinking of visiting his grandparents.
세준이는 그의 조부모님을 방문할 생각이다.

단어·숙어 grandparents ⑲ 조부모

활동 방법 주어진 대화문을 이용하여 반 친구들의 주말 계획에 대해 조사하고 이를 표에 작성한다.

해석
A: 세준아, 이번 주말 너의 계획은 무엇이니?
B: 나는 조부모님을 방문할 생각이야.

예시 대화
- A: What is your plan for this weekend, Kevin?
  B: I'm thinking of playing basketball with my friends.
- A: What is your plan for this weekend, Jane?
  B: I'm thinking of going camping with my family.

- A: Kevin, 이번 주말 너의 계획은 무엇이니?
  B: 나는 내 친구들과 농구를 할 생각이야.
- A: Jane, 이번 주말 너의 계획은 무엇이니?
  B: 나는 나의 가족들과 캠핑하러 갈 생각이야.

Function 2 의도 표현하기: I'm thinking of ... .

I'm thinking of ... .는 '나는 …할 생각이다.'라는 뜻으로 의도를 나타낼 때 쓰는 표현이다. of는 전치사이므로 뒤에 명사 또는 동명사가 와야 한다.

• 유사 표현 – I'm planning to ... . (이때 to 뒤에는 동사원형이 와야 한다.)

예시 대화
• A: What are you going to do this weekend? (넌 이번 주말에 무엇을 할 거니?)
B: **I'm thinking of** going to see the cherry blossom. (나는 벚꽃을 보러 갈 생각이야.)

Real Life Communication

A Watch and Choose 동영상을 보고, Emily의 희망 직업을 골라 봅시다.

☐ 

☑ 

☐ 

단어·숙어
decide ⓢ 결정하다
take a class 수업을 듣다
in the future 미래에, 장래에
I hope so. 그러길 바라.
wish ⓜ 소망 ⓢ 바라다
come true 실현되다
do one's best 최선을 다하다

Script

Emily: You know what, Junsu? I'm thinking of taking a painting class.
Junsu: Really? Why did you decide to take a painting class, Emily?
Emily: Because I want to go to an art high school.
Junsu: Are you thinking of becoming an artist in the future?
Emily: I hope so. I'm interested in painting pictures.
Junsu: That's great. I hope your wish comes true.
Emily: Thanks. I'll do my best.

해석

Emily: 준수야, 너 그거 아니? 나는 그림 수업을 들을 생각이야.
준수: 정말? Emily, 너는 왜 그림 수업을 들으려고 결심했니?
Emily: 예술 고등학교에 가고 싶어서야.
준수: 너는 장래에 예술가가 될 생각이니?
Emily: 그러길 바라. 나는 그림 그리는 것에 관심이 있거든.
준수: 그거 잘됐다. 네 꿈이 이뤄지기를 바라.
Emily: 고마워. 최선을 다할게.

풀이 준수가 Emily에게 장래에 예술가가 될 생각이냐고 물었고, 이에 Emily는 그러길 바라며 그림 그리는 것에 관심이 있다고 말하고 있다.

표현 • **I hope your wish comes true.:** 자신의 소망이나 희망을 나타내는 표현으로 I hope 다음에는 '주어+동사'의 문장 형태가 와야 한다.

B Choose and Talk

Step 1 자신이 원하는 좋은 습관과 그 이유를 골라 봅시다.

활동 방법 주어진 대화문을 이용하여 자신이 원하는 좋은 습관과 그것을 결심한 이유에 대해 대화해 본다.

단어·숙어
keep a diary 일기를 쓰다
save ⓢ 저축하다, 모으다
be good at …을 잘하다

I want to ☐ be good at English writing.
☐ buy a bike.
☐ go jogging in the morning.
your own ____________

나는 영어 쓰기를 잘하고 싶다.
자전거를 사고 싶다.
아침에 조깅하러 가고 싶다.

Step 2 위에서 고른 내용을 바탕으로 짝과 대화해 봅시다. pair

e.g. A: You know what? I'm thinking of keeping a diary in English.
B: Why did you decide to do that?
A: It's because I want to be good at English writing.
B: That's great.

해석
A: 너 그거 아니? 난 영어로 일기를 써 볼 생각이야.
B: 왜 넌 그것을 하기로 결심했니?
A: 왜냐하면 난 영어 쓰기를 잘하고 싶기 때문이야.
B: 좋은 생각이야.

C Communication Task group

True or False

Step 1 자신의 진실 혹은 거짓 계획을 세우고 그 이유를 카드에 써 봅시다.

• Name	Jinsu
• My plan	learn yoga
• Reason	to become healthier
• T/F	☐ T ☑ F

• Name	
• My plan	
• Reason	
• T/F	☐ T ☐ F

Step 2 친구들이 말한 계획의 '진실/거짓' 여부를 추측해 점수표를 완성해 봅시다.

e.g. A: You know what? I'm thinking of learning yoga. I want to become healthier.
B: I think you're telling the truth.
C: I don't think you're telling the truth.
⋮
A: I was lying.

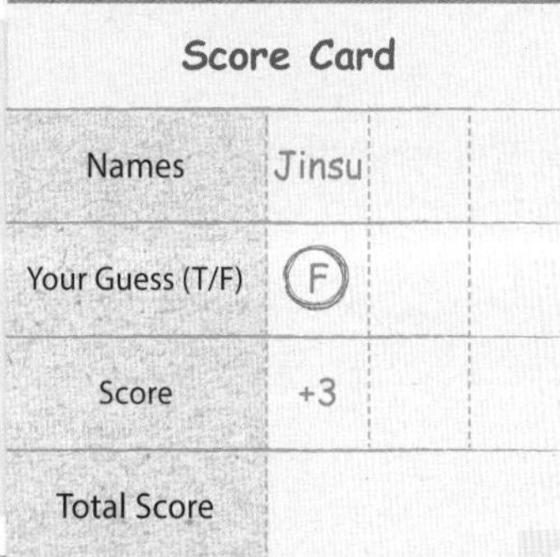

Score Card

Names	Jinsu		
Your Guess (T/F)	F		
Score	+3		
Total Score			

How to play
1. 계획을 말할 때는 친구들이 '진실/거짓'을 추측할 수 없도록 최대한 표정을 숨깁니다.
2. 각자 Step 1에서 작성한 카드를 보여 주며, 정답을 확인합니다.
3. 친구 계획의 '진실/거짓'을 맞히면 3점을 얻게 됩니다.

활동 방법
Step 1
주어진 카드를 참고하여 자신의 진실 혹은 거짓 계획을 세운 후, 그 이유를 카드에 작성한다.
Step 2
주어진 대화문을 이용하여 친구들이 말한 계획의 '진실/거짓' 여부를 점수표에 기록한다.

단어 숙어
learn ⓢ 배우다
become ⓢ …(해)지다
healthy ⓗ 건강한 (–healthier)
truth ⓜ 진실
lie ⓢ 거짓말하다

해석
A: 너 그거 아니? 나는 요가를 배울 생각이야. 나는 더 건강해지고 싶어.
B: 나는 네가 진실을 말하고 있다고 생각해.
C: 나는 네가 진실을 말하고 있다고 생각하지 않아.
⋮
A: 나는 거짓말을 하고 있었어.

Sounds 다음을 듣고, 표시된 선의 높낮이에 유의하여 따라 말해 봅시다.

1. You know what?
너 그거 아니?

2. I'm thinking of taking a painting class.
나는 그림 수업을 들을 생각이야.

Tip
문장에서 중요한 의미를 전달하는 단어는 강조하기 위해 높낮이를 높여 말한다.
1 You know what?의 경우, 뒤에 새로운 정보가 이어지므로 what을 높이는 rising intonation(상승 억양)을 사용한다.
2 I'm thinking of taking a painting class.의 경우, painting이라는 정보가 중요하므로 이를 강조하고 문장의 끝은 falling intonation(하강 억양)을 사용한다.

Self-check	☺	☹
• I can use 'You know what?'	☐	☐
• I can use 'I'm thinking of ... .'	☐	☐

Let's Read의 단어들을 미리 익혀 보세요.

- ☐ make changes　변화를 이루다
- ☐ email　명 이메일 동 이메일을 보내다 (to send a message to someone by email)
- ☐ each other　서로
- ☐ personal　형 개인적인 (belonging or relating to a particular person)
- ☐ break a bad habit　나쁜 습관을 버리다
- ☐ bite　동 깨물다 (to press down on or cut into someone with your teeth)
- ☐ nail　명 손톱; 발톱 (the hard covering at the end of a finger or toe; fingernail or toenail)
- ☐ not ... anymore　더 이상 …하지 않다
- ☐ hear from　…로부터 연락을 받다
- ☐ It's time to　…할 때다
- ☐ these days　요즈음에
- ☐ be into　열중하다
- ☐ traffic　명 교통 (the movement of vehicles or pedestrians through an area or along a route)
- ☐ change into　…로 변하다
- ☐ handle　명 손잡이 (a part that is designed especially to be grasped by the hand)
- ☐ by the way　그건 그렇고, 그런데
- ☐ Take care.　잘 있어.

Mini Test

정답과 해설 p. 308

A 다음 빈칸에 알맞은 단어를 [보기]에서 골라 쓰시오.

보기: bite / break / changes / time / hear

1. I got a letter from my old friend. I was so glad to ____________ from her.
2. I ____________ my nails when I feel nervous.
3. It's 7 o'clock. It's ____________ to get up.
4. The school made some ____________ during the winter vacation.
5. I tried hard to ____________ my old habit.

B 다음 영영 풀이에 해당하는 단어를 [보기]에서 골라 쓰시오.

보기: nail / email / traffic / handle / personal

1. ____________: belonging or relating to a particular person
2. ____________: to send a message to someone by email
3. ____________: a part that is designed especially to be grasped by the hand
4. ____________: the hard covering at the end of a finger or toe; fingernail or toenail
5. ____________: the movement of vehicles or pedestrians through an area or along a route

교과서 p.16

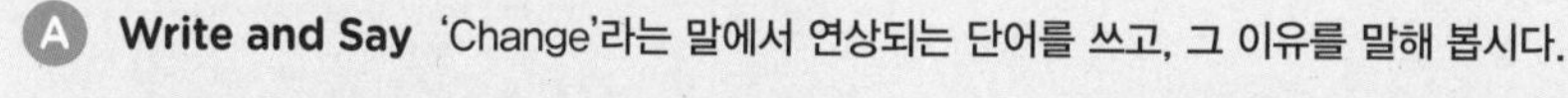

A Write and Say 'Change'라는 말에서 연상되는 단어를 쓰고, 그 이유를 말해 봅시다.

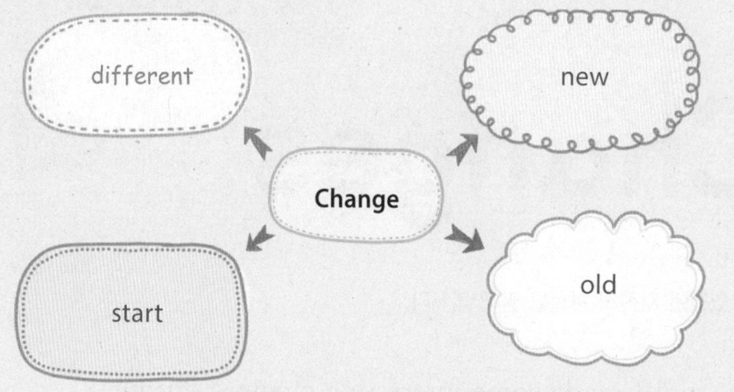

e.g. I wrote the word "different." Something becomes different after a change.
나는 '다른'이라는 단어를 썼다. 변화 후에는 무언가가 달라진다.

- I wrote the word "new" because all change leads to something new.
나는 '새로운'이라는 단어를 썼는데 왜냐하면 모든 변화는 새로운 것으로 이어지기 때문이다.
- I wrote the word "start" because we need to start something to make a change. 나는 '시작하다'라는 단어를 썼는데 왜냐하면 우리는 변화를 이루기 위해서 무언가를 시작해야만 하기 때문이다.
- I wrote the word "old." Something old disappears when we make a change. 나는 '오래된'이라는 단어를 썼다. 오래된 것은 우리가 변화를 이룰 때 사라진다.

단어·숙어
change 명 변화 동 변하다
different 형 다른

활동 방법
change를 떠올렸을 때 생각나는 단어들을 쓰고, 그 이유를 주어진 예문처럼 말해 본다.

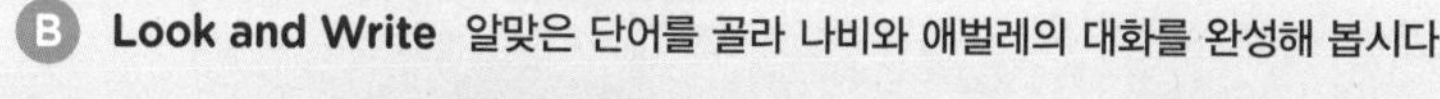

B Look and Write 알맞은 단어를 골라 나비와 애벌레의 대화를 완성해 봅시다.

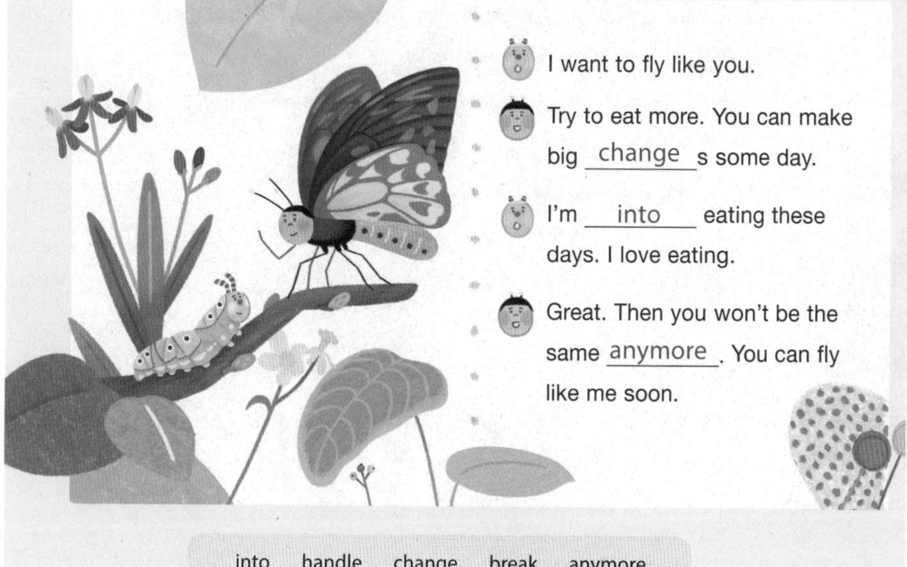

I want to fly like you.
Try to eat more. You can make big change s some day.
I'm into eating these days. I love eating.
Great. Then you won't be the same anymore. You can fly like me soon.
into handle change break anymore

풀이
첫 번째 빈칸에는 형용사 big 다음에 명사 change(변화)가 알맞다.
두 번째 빈칸에는 be동사와 함께 쓰여서 be into(…에 열중하다)가 되어야 한다.
세 번째 빈칸에는 '더 이상 …하지 않다'라는 의미의 not ... anymore가 되어야 하므로 anymore가 알맞다.

단어·숙어
want 동 …을 원하다
like 전 …처럼
try to …을 노력하다
some day 언젠가
be into …에 열중하다
same 형 똑같은

해석
애벌레: 나는 너처럼 날고 싶어.
나비: 더 먹으려고 노력해. 너는 언젠가 큰 변화를 이룰 수 있어.
애벌레: 나는 요즘에 먹는 것에 열중하고 있어. 나는 먹는 것을 좋아해.
나비: 좋아. 그러면 너는 더 이상 똑같지 않을 거야. 너는 곧 나처럼 날 수 있어.

Let's Read

My New Changes

겨울 방학 동안 있었던 자신의 변화를 말해 봅시다.

❶ My friend Eric and I made some interesting changes during the vacation. ❷ We emailed each other and talked about our changes.

make changes 변화를 이루다 each other 서로

해석

나의 새로운 변화

①나의 친구 Eric과 나는 방학 동안 몇몇 흥미로운 변화가 있었다. ②우리는 서로에게 이메일을 보냈고 우리의 변화에 관해 이야기했다.

구문

❶ **My friend Eric** and I made some interesting changes **during** the vacation.
My friend와 Eric은 동격으로 동일 인물을 나타낸다.
during은 '…동안'이라는 뜻으로 뒤에는 보통 숫자를 포함하지 않은 특정한 기간이 나온다. 같은 뜻을 지닌 for의 경우, 뒤에 특정한 숫자를 포함한 기간이 나온다.
e.g. during the summer vacation 여름 방학 동안
for two weeks 2주 동안

❷ We **emailed** each other **and talked** about our changes.
and는 '…와/과', '그리고'라는 뜻으로 같은 문법적 기능을 지닌 단어를 이어주는 등위 접속사이다. 이 문장의 경우 원래 We emailed each other. / We talked about our changes. 두 문장을 and를 이용하여 한 문장으로 합친 것이다.

단어 숙어

- **make changes** 변화를 이루다 e.g. I wanted my room to feel new, so I **made** some **changes**.
- **interesting** ⓗ 흥미로운 e.g. I'm looking for something **interesting** to read in the library.
- **during** ⓟ …동안 e.g. I am thinking of visiting my grandparents **during** the Christmas holiday.
- **vacation** ⓝ 방학 e.g. What are you going to do this **vacation**?
- **email** ⓥ 이메일을 보내다 e.g. When I want to communicate with my foreign friends, I **email** them.
- **each other** 서로 e.g. The game gives us a chance to get to know **each other** better.

Grammar+

during vs. for (…동안)

during은 일이 일어난 때/기간을 나타낼 때 쓰며, 뒤에 보통 숫자를 포함하지 않은 기간이 온다.
for는 How long ... ?에 대한 대답을 나타낼 때 쓰며, 뒤에 숫자를 포함한 시간의 길이가 온다.

- I stayed in London **for** a week. (O) (나는 런던에 일주일 동안 머물렀다.)
  I stayed in London **during** a week. (X)
- The students were quiet **during** the lecture. (학생들은 강의 동안 조용했다.)
  The restaurant is open **during** the day. (그 음식점은 하루 동안 영업 중이다.)
  She swims every day **during** the summer. (그녀는 여름 동안 매일 수영한다.)
- We waited in line **for** a long time. (우리는 오랫동안 줄을 서있었다.)
  You've been studying **for** three hours. (너는 3시간 동안 공부하고 있다.)
  I have lived in Seoul **for** 10 years. (나는 십년 동안 서울에서 살고 있다.)

Mini Test

정답과 해설 p. 308

다음 글을 읽고, 물음에 답하시오.

> My friend Eric and I made some interesting changes ________ the vacation. We emailed each other and <u>talk</u> about our changes.

1. 윗글의 빈칸에 알맞은 말을 쓰시오. ____________

2. 윗글의 밑줄 친 talk의 알맞은 형태를 고르시오.
① talks ② talked ③ to talk ④ talking ⑤ have talked

Dear Eric,

❶ It's a beautiful spring in Seoul. ❷ The last winter vacation was a great time for me. ❸ I made two personal changes during the vacation. ❹ One is my new hobby. ❺ It's making cupcakes. ❻ Making my own cupcakes is a lot of fun. ❼ The other change is breaking one of my bad habits. ❽ In the past, I often bit my nails. ❾ Now I don't anymore. ❿ I feel great about those changes. ⓫ If you try to make some changes, I'm sure you'll feel great like me. ⓬ I hope to hear from you soon.

Your friend,

Junho

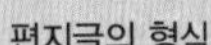

편지글의 형식
시작할 때는 'Dear Eric,' 처럼 쓰고, 마지막에는 'Your friend,' 같은 맺는말과 자신의 이름을 씁니다.

'One ... . The other ... .'는 '(둘 중) 하나는 …. 나머지 다른 하나는 ….'이라는 뜻입니다.

Q1 What is Junho's new hobby?

Think Did you ever break a bad habit?

personal　break a bad habit 나쁜 습관을 버리다　bite　nail
not ... anymore 더 이상 …하지 않다　hear from …로부터 연락을 받다

Q1 What is Junho's new hobby? 준호의 새로운 취미는 무엇입니까?
A1 It's making cupcakes. 컵케이크를 만드는 것입니다.

해설 One is my new hobby. It's making cupcakes.에서 준호의 새로운 취미는 컵케이크를 만드는 것임을 알 수 있다.

Think Did you ever break a bad habit? 당신은 나쁜 습관을 버린 적이 있었습니까?
→ Yes, I'm not late for school anymore. 네, 저는 더 이상 학교에 지각하지 않습니다.

해석

안녕 Eric,
①서울은 아름다운 봄이야. ②지난겨울 방학은 나에게 멋진 시간이었어. ③나는 방학 동안 두 가지 개인적인 변화가 있었어. ④하나는 나의 새로운 취미야. ⑤그것은 컵케이크를 만드는 거야. ⑥나만의 컵케이크를 만드는 것은 정말 재미있어. ⑦나머지 다른 변화는 나의 나쁜 습관 중 하나를 없애는 거야. ⑧예전에 나는 종종 손톱을 물어뜯곤 했어. ⑨이제 나는 더 이상 그러지 않아. ⑩나는 그런 변화가 정말 기분 좋아. ⑪만약 네가 변화하려고 노력한다면, 너도 나처럼 기분이 좋을 거라고 확신해. ⑫곧 소식 전해 줘.
진정한 친구,
준호가

구문

④ **One** is my new hobby.
One ... . The other ... . 구문은 '(둘 중) 하나는 …. 나머지 다른 하나는 ….'이라는 뜻으로, one은 앞 문장의 two personal changes 중 '하나'를 가리킨다.

⑥ **Making my own cupcakes** is a lot of fun.
Making my own cupcakes는 동명사의 명사적 용법 중 주어의 역할을 하며, 이때 동사는 단수 동사를 사용해야 하므로 is가 와야 한다.

⑦ **The other change** is breaking **one of my bad habits**.
The other change는 two personal changes 중 나머지 다른 하나를 가리키며, The other one, The other로 바꿔 쓸 수 있다. 'one of+복수 명사'는 '…중 하나'라는 뜻의 표현이다.

⑧ In the past, I **often bit** my nails.
often은 빈도부사로 '종종, 자주'라는 뜻을 나타내며, 조동사나 be동사 뒤에, 일반동사 앞에 위치한다. bit은 bite의 과거형이다. (-bit-bitten)

⑪ **If** you try to make some changes, I'm sure you'**ll** feel great like me.
If ..., ~ will ... .은 '만약 …한다면, …할 것이다.'라는 뜻으로 조건을 나타낸다.

Grammar 

동명사의 명사적 용법

동명사는 '동사원형+-ing'의 형태로 명사적 용법(주어, 목적어, 보어)으로 쓰일 수 있다.

- 주어: **Playing** baseball is a lot of fun. (야구하는 것은 정말 재미있다.)
- 목적어: I enjoy **playing** baseball. (나는 야구하는 것을 즐긴다.)
- 보어: My hobby is **playing** baseball. (내 취미는 야구하는 것이다.)

단어·숙어

- **personal** ⓗ 개인적인 e.g. The novel is based on the writer's **personal** experience.
- **break a bad habit** 나쁜 습관을 버리다 e.g. It is very important to **break bad habits** and cultivate good ones.
- **bite** ⓢ 깨물다 e.g. Does your dog **bite**?
- **nail** ⓜ 손톱 e.g. Stop biting your **nails**!
- **not ... anymore** 더 이상 …하지 않다 e.g. She does**n't** talk to him **anymore**.
- **hear from** …로부터 연락을 받다 e.g. How often do you **hear from** your sister in England?

Mini Test

정답과 해설 p. 308

A 본문의 내용과 일치하면 T, 일치하지 않으면 F를 쓰시오.

1. Junho made two personal changes during the winter vacation. (   )
2. Junho has a bad habit of biting his nails now. (   )

B 다음 질문에 대한 답을 본문에서 찾아 빈칸에 알맞은 말을 쓰시오.

Q. What are the two personal changes Junho made during the vacation?

A. One is finding a new ________. The ________ is breaking one of his bad habits.

Dear Junho,

❶ In Sydney, it's fall in March. ❷ You talked about your changes in your email. ❸ Now, it's time to talk about my new changes. ❹ These days, I'm into 3D printing. ❺ I printed two things with a 3D printer. ❻ One is a model of my dream car. ❼ If the traffic is heavy, it will change into a flying car. ❽ The other is a special cup for my grandfather. ❾ He can't hold his cup well because he's sick. ❿ My special cup has three handles, so it is easy to hold. ⓫ My grandfather is very happy.

⓬ By the way, I want to try your cupcakes some day, Junho.

⓭ Take care.

'If ..., ~ will ... .'은 '만약 … 한다면, …할 것이다.'라는 뜻입니다.

Best wishes,

Eric

Q2 What did Eric make with a 3D printer?

Think What do you want to make with a 3D printer?

It's time to …할 때다 these days 요즈음에 be into 열중하다 handle

How fast can you read?

- **1st:** ____ min. ____ sec.
- **2nd:** ____ min. ____ sec.

Q2 What did Eric make with a 3D printer? Eric은 3D 프린터로 무엇을 만들었습니까?

A2 He made a model of his dream car and a special cup with a 3D printer. 그는 3D 프린터로 모형 드림 자동차와 특수 컵을 만들었습니다.

해설 One is a model of my dream car.와 The other is a special cup for my grandfather.에서 Eric이 3D 프린터로 만든 것은 모형 드림 자동차와 특수 컵임을 알 수 있다.

Think What do you want to make with a 3D printer? 당신은 3D 프린터로 무엇을 만들고 싶습니까?

→ I want to make my own robot with a 3D printer. 저는 3D 프린터로 저만의 로봇을 만들고 싶습니다.

해석

안녕 준호,
①시드니에서는 3월이 가을이야. ②너는 이메일에서 너에게 일어난 변화들을 말해 주었지. ③이제 나의 새로운 변화를 말해 줄 차례야. ④요즈음, 나는 3D 프린팅에 열중하고 있어. ⑤나는 3D 프린터로 두 가지를 인쇄했어. ⑥하나는 모형 드림 자동차야. ⑦만약 교통이 혼잡하면, 그것은 날 수 있는 차로 바뀌어. ⑧나머지 다른 하나는 우리 할아버지를 위한 특수 컵이야. ⑨할아버지는 편찮으셔서 컵을 잘 들지 못하셔. ⑩나의 특수 컵은 손잡이가 3개 있어서 들기 쉬워. ⑪할아버지는 아주 행복해하셔. ⑫그건 그렇고, 나는 너의 컵케이크를 언젠가 맛보고 싶다, 준호야. ⑬잘 지내길.
행운을 빌어,
Eric

구문

③ Now, **it's time to** talk about my new changes.
It's time to ...는 '…할 때(시간)이다'라는 뜻으로 to 뒤에는 동사원형이 온다.

④ These days, I'**m into** 3D printing.
be into ...는 '…에 열중하다'라는 뜻으로 into 뒤에는 명사(구)나 동명사가 온다.

⑥ **One** is a model of my dream car.
One ... . The other ... . 구문에서 One에 해당하며, 앞 문장의 two things 중 하나를 가리킨다.

⑦ **If** the traffic **is** heavy, it **will** change into a flying car.
조건을 나타내는 부사절에서는 미래 시제가 아닌 현재 시제를 써야 하므로 is가 와야 하고, 주절에서는 미래 시제를 나타내는 'will+동사원형'으로 써야 한다.

⑧ **The other** is a special cup for my grandfather.
The other는 '(둘 중) 나머지 다른 하나'라는 의미로 One을 언급한 후에 나머지 다른 하나를 설명할 때 쓴다.

⑨ He can't hold his cup well **because** he's sick.
because는 이유를 나타내는 접속사로서 뒤에 '주어+동사'를 지닌 문장이 온다.

⑫ **By the way**, I **want to try** your cupcakes some day, Junho.
by the way는 '그런데, 그건 그렇고'의 뜻으로 쓰인다. want는 to부정사를 목적어로 취하는 동사이다.

단어 숙어

- **these days** 요즈음에 e.g. **These days**, I enjoy reading fantasy novels.
- **traffic** ⑲ 교통 e.g. There is always heavy **traffic** in the morning.
- **change into** …로 변하다 e.g. The box can **change into** a table.
- **handle** ⑲ 손잡이 e.g. When you pull the **handle**, it will open.

Grammar+

if, when, until 등 시간이나 조건을 나타내는 부사절에서는 현재 시제가 미래 시제를 대신한다.

- **If** you **see** Ann tomorrow, can you ask her to call me? (만약 네가 내일 Ann을 만난다면, 그녀에게 나한테 전화해 달라고 말해줄 수 있니?)
- **If** I **don't see** you tomorrow morning, I will call you in the evening. (만약 내가 내일 아침 너를 볼 수 없다면, 나는 저녁에 너에게 전화할 것이다.)
- I'm going to bed **when** I **finish** my work. (나는 일을 마칠 때 잠자리에 들 것이다.)
- Don't go out yet. Wait **until** the rain **stops**. (아직 나가지 마라. 비가 멈출 때까지 기다려라.)

Mini Test

정답과 해설 p. 308

다음 글을 읽고, 물음에 답하시오.

I printed two things with a 3D printer. One is a model of my dream car. If the traffic (is / will be) heavy, it will change into a flying car. The other is a special cup for my grandfather. He can't hold his cup well ________ he's sick. My special cup has three handles, so it is easy to hold. My grandfather is very happy.

1. 윗글의 괄호 안에서 알맞은 말을 골라 쓰시오. ________________

2. 윗글의 빈칸에 알맞은 것을 고르시오.
① after ② because ③ when ④ if ⑤ until

교과서 p.20

A Look and Find 준호와 관련 있는 그림에는 J를, Eric과 관련 있는 그림에는 E를 써 봅시다.

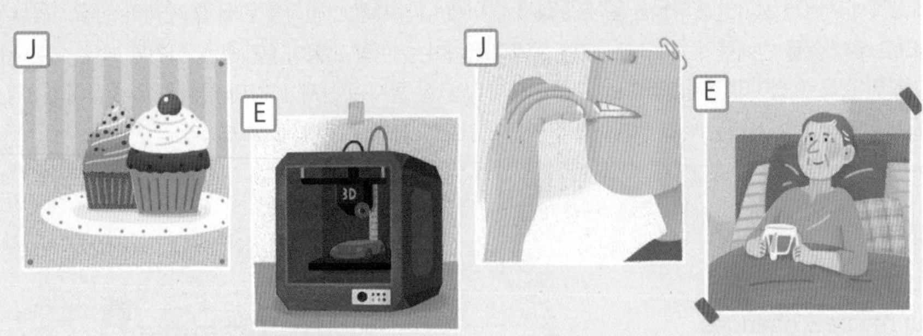

활동 방법 주어진 그림을 보고 준호와 관련된 것에는 J, Eric과 관련된 것에는 E를 쓴다.

풀이
- 첫 번째 그림은 컵케이크로 준호가 쓴 이메일에서 방학 동안 가진 새로운 취미가 컵케이크 만들기라고 했으므로 준호와 관련된 그림임을 알 수 있다.
- 두 번째 그림은 3D 프린터로 Eric이 요즈음에 열중하고 있는 것이 3D 프린팅이라고 했으므로 Eric과 관련된 그림임을 알 수 있다.
- 세 번째 그림은 손톱을 물어뜯는 모습으로 준호의 나쁜 습관 중 하나였으므로 준호와 관련된 그림임을 알 수 있다.
- 네 번째 그림은 할아버지가 컵을 들고 계신 모습으로 Eric의 할아버지가 컵을 잘 들지 못하셔서 3D 프린터로 특수 컵을 만들었다고 했으므로 Eric과 관련된 그림임을 알 수 있다.

B Read and Write 준호와 Eric이 서로를 다른 사람에게 소개하는 글을 완성해 봅시다.

My Friend Junho

Eric

Junho lives in Seoul. His new hobby is making cupcakes. Making his own cupcakes is a lot of fun. Junho says he doesn't bite his nails anymore. I think he tried very hard to break that bad habit.

My Friend Eric

Junho

Eric lives in Sydney. He is interested in 3D printing. He made a model of his dream car with a 3D printer. If the traffic is heavy, it will change into a flying car. He also made a special cup for his sick grandfather. I think Eric did a wonderful job in helping him.

활동 방법 준호에 관한 내용은 교과서 본문 18쪽에, Eric에 관한 내용은 19쪽에 있으므로 주어진 글의 빈칸에 들어갈 말은 본문의 내용을 참고하여 완성한다.

 친구에게 일어난 변화를 알아보고 소개해 봅시다.

단어 숙어
be interested in …에 흥미가 있다
wonderful ⓗ 멋진, 대단한

해석

내 친구 준호

Eric

준호는 서울에 산다. 그의 새로운 취미는 컵케이크를 만드는 것이다. 자신만의 컵케이크를 만드는 것은 정말 재미있다. 준호는 더 이상 손톱을 물어뜯지 않는다고 말한다. 나는 그가 그 나쁜 습관을 버리기 위해 매우 열심히 노력했다고 생각한다.

내 친구 Eric

준호

Eric은 시드니에 산다. 그는 3D 프린팅에 흥미가 있다. 그는 3D 프린터로 모형 드림 자동차를 만들었다. 만약 교통이 혼잡하면, 그것은 날 수 있는 차로 바뀐다. 그는 또한 편찮으신 할아버지를 위해 특수 컵도 만들었다. 나는 Eric이 할아버지를 돕는데 멋진 일을 했다고 생각한다.

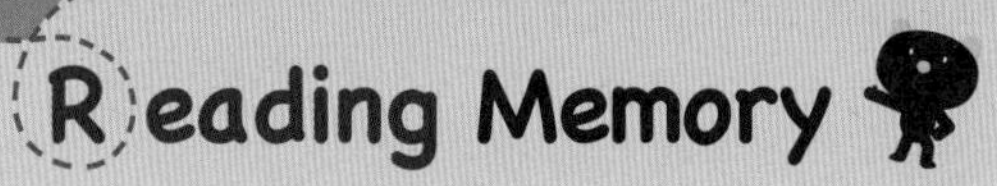

● 본문 내용을 떠올려 빈칸을 채워 봅시다.

My friend Eric and I made some interesting ________ ________ the vacation. We emailed each other and talked about our changes.

Dear Eric,

It's a beautiful spring in Seoul. The last winter vacation was a great time for me. I made two ________ changes during the vacation. One is my new ________. It's making cupcakes. Making my own cupcakes is a lot of fun. The other change is ________ one of my bad habits. In the past, I often bit my ________. Now I don't anymore. I feel great about those changes. If you try to make some changes, I'm sure you'll feel great like me. I hope to ________ ________ you soon.

Your friend,

Junho

Dear Junho,

In Sydney, it's fall in March. You talked about your changes in your email. Now, it's time to talk about my new changes. These days, I'm into ________ ________. I printed two things with a 3D printer. One is a model of my ________ ________. If the traffic is heavy, it will change into a ________ car. The other is a special ________ for my grandfather. He can't hold his cup well because he's sick. My special cup has three ________, so it is easy to hold. My grandfather is very happy. By the way, I want to try your cupcakes some day, Junho. Take care.

Best wishes,

Eric

정답 I changes, during, personal, hobby, breaking, nails, hear, from, 3D, printing, dream, car, flying, cup, handles

교과서 p.146

A 빈칸에 공통으로 들어갈 철자를 쓰고, 그 철자들을 모아 어떤 단어가 되는지 알아봅시다.

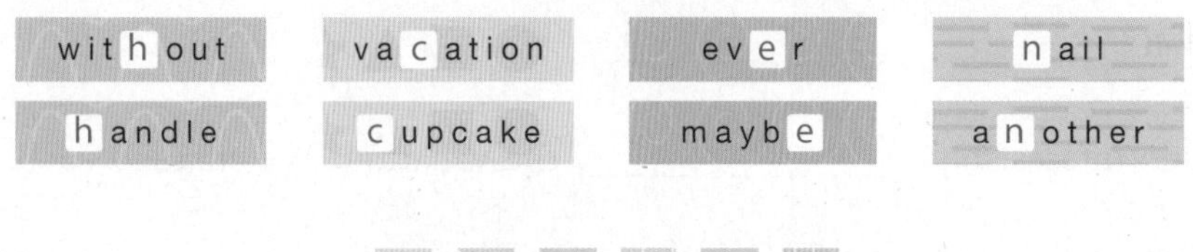

c h a n g e

풀이 without …없이 | vacation 방학 | ever 한번이라도 | nail 손톱
handle 손잡이 | cupcake 컵케이크 | maybe 아마도 | another 다른
각 빈칸에 들어갈 철자는 c, h, n, e로 change(변화)가 된다.

B 서로 어울리는 말끼리 연결한 후, 빈칸에 표현과 그 뜻을 써 봅시다.

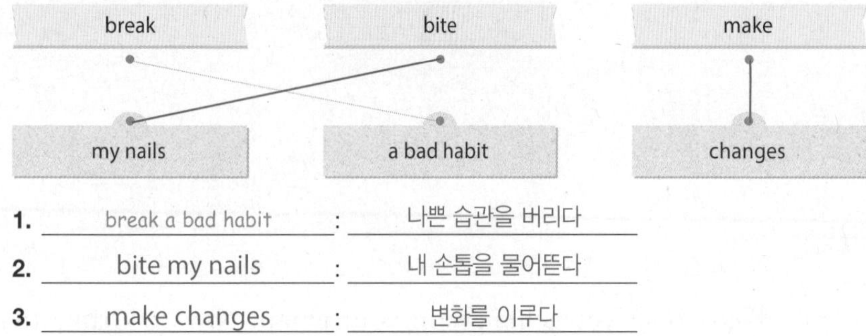

1. break a bad habit : 나쁜 습관을 버리다
2. bite my nails : 내 손톱을 물어뜯다
3. make changes : 변화를 이루다

풀이
1 break a bad habit은 '나쁜 습관을 버리다'라는 뜻이다.
2 bite my nails는 '내 손톱을 물어뜯다'라는 뜻이다.
3 make changes는 '변화를 이루다'라는 뜻이다.

단어·숙어
break 동 깨다, 부수다
habit 명 습관, 버릇

C 빈칸에 알맞은 말을 단어 상자에서 골라 써 봅시다.

1. Is it true or false? Can you guess?
2. I don't want to talk about my personal problems.
3. She lost her bag. She is very upset now.
4. Dear Peter, thank you for your letter.

personal upset print false dear

풀이
1 빈칸 뒤 문장에서 추측할 수 있는지 묻고 있고, 진실과 어울리는 말은 false(거짓)이 적절하다.
2 이야기하고 싶지 않은 것으로는 personal(개인적인) 문제가 되어야 적절하다.
3 빈칸 앞 문장에서 가방을 잃어버렸다고 했으므로 upset(속상한)이 와야 적절하다.
4 '…에게'라는 의미가 되어야 하므로 Dear(…에게)가 와야 적절하다.

단어·숙어
guess 동 추측하다
problem 명 문제
thank A for B A에게 B에 대해 고마워하다

해석
1 그것은 진실이니 거짓이니? 너는 추측할 수 있니?
2 나는 나의 개인적인 문제들에 관해 이야기하고 싶지 않다.
3 그녀는 가방을 잃어버렸다. 그녀는 지금 매우 속상해 한다.
4 Peter에게, 너의 편지 고마워.

Word Check

정답과 해설 p. 308

A 다음 영어 표현은 우리말로, 우리말은 영어로 쓰시오.

1. bite ____________
2. personal ____________
3. email ____________
4. nail ____________
5. homeroom teacher ____________
6. 요즈음에 ____________
7. 손잡이 ____________
8. 교통 ____________
9. 서로 ____________
10. 결정하다 ____________

B 다음 빈칸에 공통으로 알맞은 단어를 쓰시오.

- The government is worried about the ____________ traffic.
- I saw the old lady carrying a(n) ____________ bag. I helped her.

C 다음 빈칸에 알맞은 단어를 [보기]에서 골라 쓰시오.

보기
into changes miss time break

1. Technology will bring ____________ in the future.
2. I have a bad habit of using my smartphone while I study. I want to ____________ this habit.
3. The English test is coming. It's ____________ to study English.
4. I ____________ my best friend who lives in New York.
5. These days I am ____________ K-pop.

One .... The other ....

A Read and Write 다음 그림을 보고, 주어진 표현을 사용하여 Bobo에 관한 글을 완성해 봅시다.

My Dog Bobo

black / white

a ball / a plastic duck

watching TV / sleeping on my chair

Bobo is my pet dog. She has two brothers. One is black. The other is white. She has two toys. One is a ball. The other is a plastic duck. She has two habits. One is watching TV. The other is sleeping on my chair.

단어 숙어
plastic ⓐ 플라스틱의
duck ⓝ 오리
pet ⓝ 애완동물

해석

Bobo는 나의 애완동물 강아지이다. 그녀는 두 형제가 있다. 하나는 검은색이다. 나머지 다른 하나는 하얀색이다. 그녀는 두 개의 장난감이 있다. 하나는 공이다. 나머지 다른 하나는 플라스틱 오리이다. 그녀는 두 가지 습관을 가지고 있다. 하나는 TV를 보는 것이다. 나머지 다른 하나는 의자에서 잠을 자는 것이다.

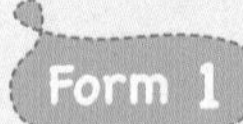

Form 1 ▶ **One .... The other ....**

One ... . The other ... .는 '하나는 …. 나머지 다른 하나는 … .'이라는 뜻으로 둘 중에서 각각을 가리킬 때 쓰인다. 셋을 나타낼 때는 One ... . Another ... . The other ... .를 쓰는데 '하나는 … . 또 하나는 … . 나머지 하나는 ….'이라는 뜻을 나타낸다.

♥ ← one the other → ♡	♥ ← one ♡ ← another the other → ♣

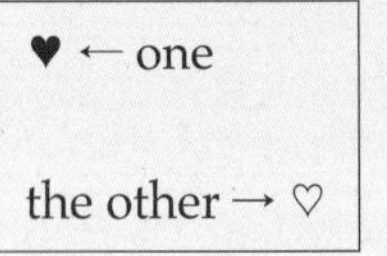

• She bought two dresses. **One** is red. **The other** is blue.
(그녀는 두 벌의 드레스를 샀다. 하나는 빨간색이다. 나머지 다른 하나는 파란색이다.)

e.g. I have two brothers. **One** is named Paul. **The other** is named Matt.
(나는 두 명의 형제가 있다. 한 명은 Paul이다. 나머지 다른 한 명은 Matt이다.)

There were two girls in the room. **One** was reading a book. **The other** was playing a computer game.
(방 안에 두 명의 소녀가 있었다. 한 명은 책을 읽고 있었다. 나머지 다른 한 명은 컴퓨터 게임을 하고 있었다.)

She has two goals in her life. **One** is to be a good singer. **The other** is to travel around the world.
(그녀는 인생에 두 가지 목표가 있다. 하나는 훌륭한 가수가 되는 것이다. 나머지 다른 하나는 세계 일주 여행을 하는 것이다.)

I got three letters. **One** was from my father. **Another** was from my sister. **The other** was from my girlfriend.
(나는 세 장의 편지를 받았다. 하나는 아빠에게 받았다. 또 하나는 내 여동생에게 받았다. 나머지 하나는 내 여자 친구에게 받았다.)

If ..., ~ will ... .

B Look and Say 다음 그림을 보고, 숙제를 일찍 끝내고 하고 싶은 일을 말해 봅시다.

e.g. If I finish my homework early today, I will watch a movie.
If I finish my homework early today, I will clean my room.
If I finish my homework early today, I will read a book.

watch
clean
read

단어·숙어
early 부 일찍
clean 동 청소하다

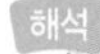

해석
- 만약 내가 오늘 숙제를 일찍 끝낸다면, 나는 영화를 볼 것이다.
- 만약 내가 오늘 숙제를 일찍 끝낸다면, 나는 내 방을 청소할 것이다.
- 만약 내가 오늘 숙제를 일찍 끝낸다면, 나는 책을 읽을 것이다.

Form 2 ▶ **If ..., ~ will ... .**

If ..., ~ will ... .은 '만약 …한다면, …할 것이다.'라는 뜻으로 조건을 나타낸다. 'If+주어+동사(현재 시제) …, 주어+will+동사원형 … .'의 형태로 쓰이며, 조건을 나타내는 if절에서는 미래 시제 대신에 현재 시제를 써야 한다. if 조건절은 주절의 앞이나 뒤에 올 수 있다.

- If it snows tomorrow, I will go skiing. (○)
  If it will snow tomorrow, I will go skiing. (×)
  (만약 내일 눈이 온다면, 나는 스키를 타러 갈 것이다.)

e.g. **If** there is a fire, the alarm **will** ring.
(만약 불이 난다면, 경보기가 울릴 것이다.)
If you take a taxi, it **will** take only 5 minutes.
(만약 네가 택시를 탄다면, 5분밖에 걸리지 않을 것이다.)
Will you go to the party **if** they invite you?
(만약 그들이 너를 초대한다면, 너는 파티에 갈 거니?)
If school finishes early today, I **will** go shopping with my mother.
(만약 오늘 학교가 일찍 끝난다면, 나는 엄마와 함께 쇼핑을 하러 갈 것이다.)
If he visits us today, we **will** cook *bulgogi* for him.
(만약 오늘 그가 우리를 방문한다면, 우리는 그를 위해서 불고기를 요리할 것이다.)

Self-check

- I can use 'One ... . The other ... .' ☐ ☐
- I can use 'If ..., ~ will ... .' ☐ ☐

Grammar Builder p.147 p.148

교과서 p.147

Point 1 One ... . The other ... .

A 설명을 읽고, 괄호 안의 표현을 사용하여 빈칸에 알맞은 말을 써 봅시다.

- **One ... . The other ... .: '(둘 중) 하나는 …. 나머지 다른 하나는 ….'이라는 뜻이다.**
  There are two apples in the basket. One is red. The other is green.
  I have two cats. One has blue eyes. The other has yellow eyes.
- **One ... . Another ... . The other ... .: '(셋 중) 하나는 …. 또 하나는 …. 나머지 하나는 ….'이라는 뜻이다.**
  There are three balls in the box.
  One is white. Another is blue. The other is black.

1. I have two bikes. One ___is new___. The other ___is old___. (new, old)
2. My mom has two sisters. ___One is a doctor___.
___The other is an artist___. (a doctor, an artist)
3. Sejin has two best friends. ___One has long hair___.
___The other has short hair___. (long hair, short hair)

풀이
1 two bikes를 설명할 때 One ... . The other ... . 구문을 사용하여 One is new. The other is old.로 완성할 수 있다.
2 two sisters를 설명할 때 One ... . The other ... . 구문을 사용하여 One is a doctor. The other is an artist.로 완성할 수 있다.
3 two best friends를 설명할 때 One ... . The other ... .구문을 사용하여 One has long hair. The other has short hair.로 완성할 수 있다.

단어·숙어 basket ⓝ 바구니

해석
- 바구니에 두 개의 사과가 있다. 하나는 빨간색이다. 나머지 다른 하나는 초록색이다.
  나는 두 마리의 고양이가 있다. 하나는 파란 눈을 가지고 있다. 나머지 다른 하나는 노란 눈을 가지고 있다.
- 상자에 세 개의 공이 있다. 하나는 하얀색이다. 또 하나는 파란색이다. 나머지 하나는 검은색이다.

1 나는 두 대의 자전거가 있다. 하나는 새것이다. 나머지 다른 하나는 헌것이다.
2 우리 엄마는 두 명의 자매가 있다. 한 분은 의사이시다. 나머지 다른 한 분은 화가이시다.
3 세진이는 두 명의 가장 친한 친구가 있다. 한 명은 머리가 길다. 나머지 다른 한 명은 머리가 짧다.

Point 2 If ..., ~ will ... .

B 설명을 읽고, 괄호 안의 단어를 활용하여 문장을 완성해 봅시다.

- **If ..., ~ will ... .: '만약 …한다면, …할 것이다.'라는 뜻으로 조건을 나타낸다.**
  If you hear the news, you will be very happy.
- **조건을 나타내는 if 문장은 현재형으로 미래의 의미를 대신한다.**
  If you leave home earlier, you will catch the train.
- **if가 이끄는 문장은 중심 문장 뒤에 올 수도 있다.**
  You'll get healthier if you exercise more often.

1. If she ___goes___ shopping, I'll go with her. (go)
2. If it rains tomorrow, we ___will___ ___stay___ at home. (stay)

풀이
1 조건을 나타내는 if절에서는 현재 시제가 미래의 의미를 대신하기 때문에 현재 시제 goes가 빈칸에 들어가야 한다.
2 조건을 나타내는 if절에서는 현재 시제가 미래의 의미를 대신하지만 주절에서는 미래 시제인 will stay가 빈칸에 들어가야 한다.

단어·숙어 catch ⓥ (버스, 기차 등을) 타다
often ⓐ 자주, 종종

해석
- 만약 네가 그 소식을 듣는다면, 너는 매우 행복할 것이다.
- 만약 네가 더 일찍 집에서 나온다면, 너는 그 기차를 탈 것이다.
- 만약 네가 운동을 더 자주 한다면, 너는 더 건강해질 것이다.

1 만약 그녀가 쇼핑을 간다면, 나는 그녀와 함께 갈 것이다.
2 만약 내일 비가 온다면, 우리는 집에 머무를 것이다.

Grammar Builder B

Point 1 One … . The other … .

A 다음 그림을 보고, 그림 속 상황을 묘사하는 문장을 써 봅시다.

e.g. There are two tables in the restaurant.
One is small. The other is big.

1. There are two people at the table. One is a man. The other is a woman.
2. There are two plants in the restaurant. One has red flowers. The other has yellow flowers.
3. There are two people in the kitchen. One is making food. The other is washing the dishes.

단어·숙어 early 부 일찍

해석 식당에 두 개의 식탁이 있다. 하나는 작다. 나머지 다른 하나는 크다.

1 식탁에 두 사람이 있다. 한 사람은 남자이다. 나머지 다른 한 사람은 여자이다.
2 식당에 두 개의 식물이 있다. 하나에는 빨간 꽃들이 있다. 나머지 다른 하나에는 노란 꽃들이 있다.
3 주방에 두 사람이 있다. 한 사람은 음식을 만들고 있다. 나머지 다른 한 사람은 설거지를 하고 있다.

풀이
1 two people을 설명할 때 One … . The other … . 구문을 사용하여 One is a man. The other is a woman.으로 완성할 수 있다.
2 two plants를 설명할 때 One … . The other … . 구문을 사용하여 One has red flowers. The other has yellow flowers.로 완성할 수 있다.
3 two people을 설명할 때 One … . The other … . 구문을 사용하여 One is making food. The other is washing the dishes.로 완성할 수 있다.

Point 2 If …, ~ will … .

B 빈칸에 알맞은 표현을 단어 상자에서 골라 문장을 완성해 봅시다.

1. If you don't get up now, you'll be late for school.
2. If you don't wear warm clothes, you'll catch a cold.
3. If you sleep only three hours at night, you'll feel sleepy all day.
4. If you go jogging every morning, you'll get healthier.

feel sleepy all day	get healthier
be late for school	catch a cold

단어·숙어
warm 형 따뜻한
go jogging 조깅하러 가다
sleepy 형 졸린
all day 하루 종일
be late for …에 늦다
catch a cold 감기에 걸리다

해석
1 만약 네가 지금 일어나지 않는다면, 너는 학교에 늦을 것이다.
2 만약 네가 따뜻한 옷을 입지 않는다면, 너는 감기에 걸릴 것이다.
3 만약 네가 밤에 3시간만 잔다면, 너는 하루 종일 졸릴 것이다.
4 만약 네가 매일 아침 조깅하러 간다면, 너는 더 건강해질 것이다.

풀이
1 if 조건절의 의미가 '지금 일어나지 않는다면'이므로 주절에는 '학교에 늦을 것이다'가 들어가야 한다.
2 if 조건절의 의미가 '따뜻한 옷을 입지 않는다면'이므로 주절에는 '감기에 걸릴 것이다'가 들어가야 하며 미래 시제를 사용해야 한다.
3 if 조건절의 의미가 '밤에 3시간만 잔다면'이므로 주절에는 '하루 종일 졸릴 것이다'가 들어가야 하며 미래 시제를 사용해야 한다.
4 if 조건절의 의미가 '매일 아침 조깅하러 간다면'이므로 주절에는 '더 건강해질 것이다'가 들어가야 하며 미래 시제를 사용해야 한다.

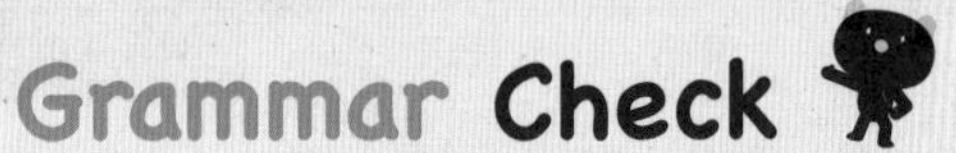

정답과 해설 p. 308

A 다음 괄호 안에서 알맞은 말을 고르시오.

1. I have two caps. One is red. (The other / Another) is black.
2. He has two sons. One lives in the USA. (The other / Other) lives in Canada.
3. If you (will study / study) harder, you will pass the exam.
4. If he (goes / will go) to China, he will see the Great Wall.

Grammar Tip

3, 4. if 조건절에서는 현재 시제가 미래의 의미를 대신한다.

B 다음 괄호 안에 주어진 표현을 활용하여 문장을 완성하시오.

1. If it is hot and sunny, ______________________________.
   (I, go swimming)
2. If school finishes early, ______________________________.
   (I, play, computer games)
3. If you put others first, ______________________________.
   (you, feel, happier)

• if 조건절에서는 현재 시제가 미래의 의미를 대신하지만, 주절에서는 미래 시제를 써야 한다.

C 다음 문장에서 어법상 <u>어색한</u> 것을 바르게 고쳐 쓰시오.

1. I have two books to read. One is *Harry Potter*. Other is *The Lord of the Rings*.
   ______________ → ______________
2. If I will get a pet dog, I will walk him every day.
   ______________ → ______________
3. There are three people in the room. One is reading a book. Other is listening to music. The other is watching TV.
   ______________ → ______________

1. One ... . The other ... . 구문은 둘 중에서 각각을 지칭할 때, '하나는 …. 나머지 다른 하나는 ….'이라는 뜻으로 쓰인다.
2. 조건을 나타내는 if 문장은 'If+주어+동사 …, 주어+will+동사원형 ….'의 형태로 쓴다.

D 괄호 안에 주어진 표현을 활용하여 다음 글을 완성하시오.

> If I ______________(get up) early tomorrow, I ______________ (do) two things. One is cleaning my room. ______________ (other) is finishing my homework.

Ready 자신의 현재 장점과 앞으로 자신에게 바라는 점, 노력할 점을 각각 두 가지씩 써 봅시다.

I am	I want to	I'll try to
· smart · funny	· have more good friends · become healthier	· be nicer to others · eat more vegetables

단어·숙어
smart ㉻ 똑똑한
vegetable ㉷ 채소

활동 방법 자신의 현재 장점과 앞으로 자신에게 바라는 점, 노력할 점을 각각 두 가지씩 쓴다.

Write 위의 내용을 바탕으로 자신에게 쓰는 사랑의 격려 카드를 완성해 봅시다.

Dear me,

You are very smart and funny. However, you still want to make two changes, don't you? One is to have more good friends. The other is to become healthier. Here are my tips for your wishes. If you are nicer to others and eat more vegetables, you'll make these changes.

Love,

Me

Dear me,

You are very __kind__ and __positive__. However, you still want to make two changes, don't you? One is to __get a high score in the English test__. The other is to __be closer to your friends__. Here are my tips for your wishes. If you __read many English books__ and __spend more time with your friends__, you'll make these changes.

Love,

Me

단어·숙어
positive ㉻ 긍정적인
be closer to …와 더 가까워지다

활동 방법 Ready에서 정리한 내용으로 각각의 빈칸을 채워 카드를 완성한다.

해석

나에게,

너는 매우 똑똑하고 재미있어. 그러나 너는 여전히 두 가지 변화를 이루고 싶어 해, 그렇지 않니? 하나는 좋은 친구를 더 많이 사귀는 거야. 나머지 다른 하나는 더 건강해지는 거야. 너의 소망을 위한 나의 조언이 여기에 있어. 만약 네가 다른 사람들에게 더 잘해주고 더 많은 채소를 먹는다면, 너는 이러한 변화들을 이룰 거야.

사랑을 담아서,
나로부터

해석

나에게,

너는 매우 친절하고 긍정적이야. 그러나 너는 여전히 두 가지 변화를 이루고 싶어 해, 그렇지 않니? 하나는 영어 시험에서 높은 성적을 받는 거야. 나머지 다른 하나는 너의 친구들과 더 가까워지는 거야. 너의 소망을 위한 나의 조언이 여기에 있어. 만약 네가 영어 책을 많이 읽고 친구들과 더 많은 시간을 보낸다면 너는 이러한 변화들을 이룰 거야.

사랑을 담아서,
나로부터

Peer Review

	☺	☹
· 'Dear Me Card'에 넣을 내용을 잘 정리하여 카드를 완성하였나요?	☐	☐
· 'One .... The other ....'와 'If ..., ~ will ....' 표현을 이해하고 잘 사용하였나요?	☐	☐

Let's Check

1 대화를 듣고, Jenny의 심정을 골라 봅시다.

☑ 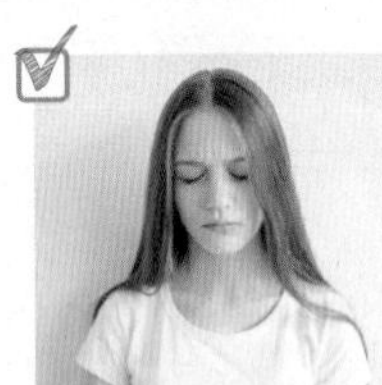

☐ 

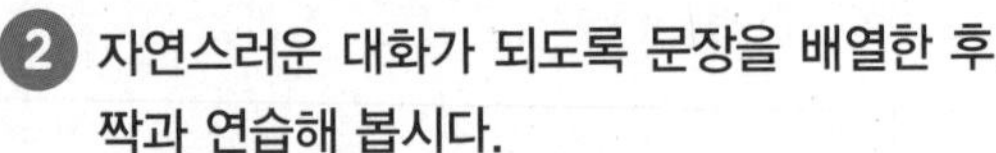

2 자연스러운 대화가 되도록 문장을 배열한 후, 짝과 연습해 봅시다.

[3] Who are you going with?

[2] I'm thinking of going hiking.

[4] My friend Minu will join me.

[1] What's your plan for this weekend?

3 다음 글을 읽고, 이후에 나올 내용을 골라 봅시다.

It's a beautiful spring in Seoul. The last winter vacation was a great time for me. I made two personal changes during the vacation. One is my new hobby. It's making cupcakes. Making my own cupcakes is a lot of fun.

☑ the other personal change

☐ the weather in Seoul

4 다음 글을 읽고, 물음에 답해 봅시다.

I printed two things with a 3D printer. One is a model of my dream car. The other is a special cup for my grandfather. He can't hold his cup well because he's sick. My special cup has three handles, so it is easy to hold. My grandfather is very happy.

Q. Why is the special cup easy to hold?

A. It's because it has three handles.

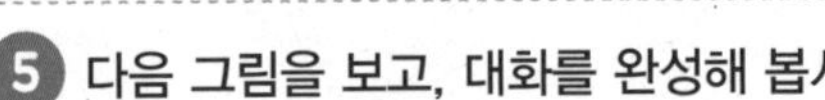

5 다음 그림을 보고, 대화를 완성해 봅시다.

A: Can you tell me about Hojun's sisters?

B: He has two sisters. One can sing well and the other can dance well. (dance)

your own

6 일찍 일어나게 되면 하고 싶은 일을 쓴 후, 말해 봅시다.

e.g. If I get up early, I will eat breakfast.

• If I get up early, I will read a book.

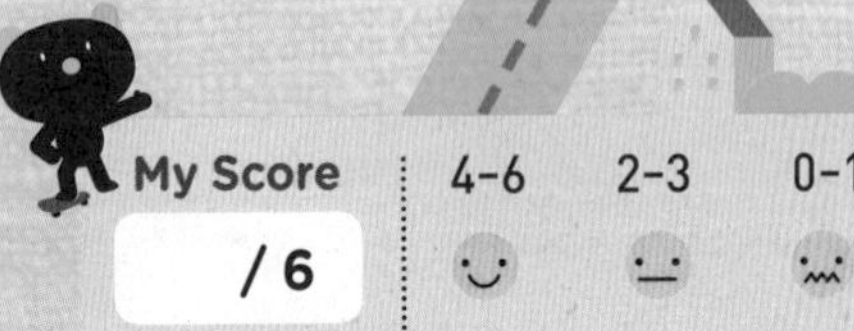

1

Script
G: You know what? Jenny's family is going to move to Japan.
B: Is that right? Jenny didn't tell me about it.
G: She learned about it just last week and she's very upset now.
B: I can understand her feelings. I am going to miss her so much.
G: Me, too. She said she would keep in touch with us.

해석
G: 있잖아. Jenny네 가족이 일본으로 이사 갈 예정이래.
B: 정말이야? Jenny는 그것에 관해 말하지 않았는데.
G: 그녀도 지난주에 알아서 지금 매우 속상해 하고 있어.
B: 나는 그녀의 감정을 이해할 수 있어. 그녀가 정말 그리울 거야.
G: 나도 그래. 그녀는 우리와 계속 연락할 거라고 말했어.

풀이 Jenny는 일본으로 이사를 가게 될 사실을 지난주에 알았고, 친구들과 헤어지는 것에 속상해하고 있다.

단어·숙어
upset ⓗ 속상한
understand ⓢ 이해하다
feelings ⓜ 감정
miss ⓢ 그리워하다
keep in touch with …와 연락하다

2

해석
A: 이번 주말에 뭐 할 계획이니?
B: 하이킹 갈까 생각하고 있어.
A: 누구랑 같이 가는데?
B: 내 친구 민우랑 같이 갈 거야.

풀이 주말 계획을 묻고 답하는 대화이므로 What's your plan for this weekend?에 대한 대답은 의도/계획을 표현하는 I'm thinking of going hiking.이 이어져야 한다.

단어·숙어
go hiking 하이킹 가다
join ⓢ 함께 하다

3

해석 서울은 아름다운 봄이야. 지난겨울 방학은 나에게 멋진 시간이었어. 나는 방학 동안 두 가지 개인적인 변화가 있었어. 하나는 나의 새로운 취미야. 그것은 컵케이크를 만드는 거야. 나만의 컵케이크를 만드는 것은 정말 재미있어.

풀이 I made two personal changes during the vacation.에서 two personal changes(두 가지 개인적인 변화) 중 하나가 글에 언급되었기 때문에 이후에 나올 내용은 '나머지 다른 개인적인 변화'를 설명하는 내용이 이어져야 한다.

4

해석 나는 3D 프린터로 두 가지를 인쇄했어. 하나는 모형 드림 자동차야. 나머지 다른 하나는 우리 할아버지를 위한 특수 컵이야. 할아버지는 편찮으셔서 컵을 잘 들지 못하셔. 나의 특수 컵은 손잡이가 3개 있어서 들기 쉬워. 할아버지는 아주 행복해하셔.
Q. 왜 그 특수 컵은 들기 쉽습니까?
A. 그것은 손잡이가 세 개 달려 있기 때문입니다.

풀이 특수 컵을 설명하는 부분에 My special cup has three handles, so it is easy to hold.라고 했으므로 손잡이가 세 개 달려 있어서 컵을 잘 들지 못하는 할아버지도 들기가 쉽다고 했다.

5

해석
A: 호준이의 여자 자매에 관해 말해 줄래?
B: 그는 두 명의 자매가 있어. 한 명은 노래를 잘하고 나머지 다른 한 명은 춤을 잘 춰.

풀이 둘 중에서 각각을 가리킬 때는 One ... . The other ... . 구문을 사용하여 표현할 수 있다. 앞부분에 One ... .의 내용이 제시되어 있으므로 다른 한 명의 자매를 설명하기 위해 The other ... . 구문이 와야 하므로 주어진 동사를 사용하여 the other can dance well로 대화를 완성할 수 있다.

6

해석 만약 내가 일찍 일어난다면, 나는 아침을 먹을 것이다.
• 만약 내가 일찍 일어난다면, 나는 책을 읽을 것이다.

풀이 If ..., ~ will ... . 구문을 활용하여 '일찍 일어나다'라는 조건절의 의미와 연결되도록 미래를 나타내는 조동사 will을 써서 주절에 자신의 생각을 쓴다.

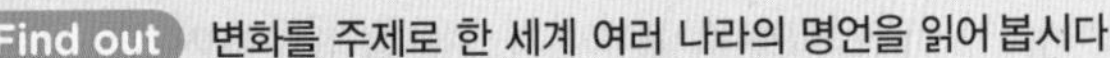

Words of Wisdom

교과서 p.24

Find out 변화를 주제로 한 세계 여러 나라의 명언을 읽어 봅시다.

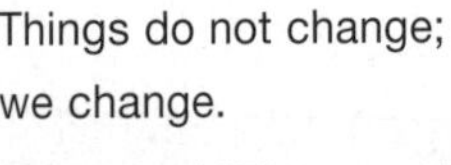

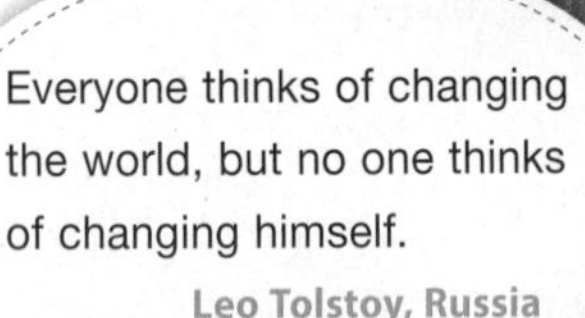

> Everyone thinks of changing the world, but no one thinks of changing himself.
> **Leo Tolstoy, Russia**

> Things do not change; we change.
> **Henry David Thoreau, USA**

> Change in all things is sweet.
> **Aristotle, Greece**

Try out 모둠별로 변화를 주제로 한 명언을 찾아 영어로 발표해 봅시다. group

e.g. Real change is difficult at the beginning.

단어 숙어

- everyone 대 모든 사람, 모두
- himself 대 자신, 본인
- real 형 진짜의, 진정한

예시 정답

- Well begun is half done.
  시작이 반이다
- A frog in a well doesn't know the great sea.
  우물 안 개구리

해석

Find out

- 모든 사람은 세상을 변화시킬 생각을 하지만, 아무도 자신을 변화시킬 생각을 하지 않는다.
  – Leo Tolstoy, 러시아
- 사물은 변하지 않는다; 우리가 변하는 것이다.
  – Henry David Thoreau, 미국
- 모든 것의 변화는 달콤하다.
  – Aristotle, 그리스

Try out

진정한 변화는 처음에 어렵다.

Ready 변화를 주제로 한 자신만의 좌우명을 써 봅시다.

e.g.

My Words of Wisdom

If you don't change, you won't grow.

Create 자신의 좌우명을 책갈피로 만들고, 그 내용을 소개하는 글을 써 봅시다.

If you don't change, you won't grow.

My words of wisdom are, "If you don't change, you won't grow." Without a change, we'll stay the same. Making a change is very hard. However, if I make a small change every day, I will grow little by little.

Share 완성한 좌우명 책갈피를 모아 학급에 전시해 봅시다.

MEMO

Ready

활동 방법 변화와 관련 있는 자신만의 좌우명을 생각해 본 후 써 본다.

해석

나의 좌우명

네가 변하지 않으면, 너는 성장하지 않을 것이다.

단어·숙어
- wisdom ⓜ 지혜
- grow ⓢ 성장하다

Create

활동 방법 Ready에서 적은 좌우명을 책갈피로 만든 후, 이를 소개하는 글을 써 본다.

해석

저의 좌우명은 '네가 변하지 않으면, 너는 성장하지 않을 것이다.'입니다. 변화가 없으면, 우리는 똑같은 상태를 유지할 것입니다. 변화를 하는 것은 매우 힘듭니다. 하지만 만약 제가 매일 작은 변화를 만든다면, 저는 조금씩 성장할 것입니다.

단어·숙어
- without ⓟ …없이
- stay ⓢ 유지하다, 머물다
- same ⓓ 똑같은 것
- little by little 조금씩

Share

활동 방법 완성한 좌우명 책갈피를 모아 학급에 전시하고, 반 친구들의 좌우명을 읽어 본 후 의견을 말해 본다.

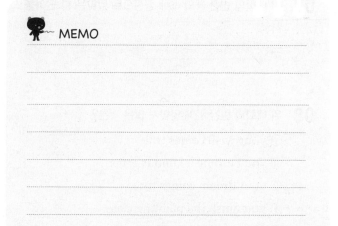

단원 종합 평가

01 대화를 듣고, 남자가 이번 주 토요일에 할 일로 가장 적절한 것을 고르시오.

① 꽃에 물 주기 ② 나무 심기
③ 벚꽃 보러 가기 ④ 공원 가기
⑤ 영화 보러 가기

02 대화를 듣고, 여자의 심정으로 가장 적절한 것을 고르시오.

① proud ② surprised ③ sad
④ interested ⑤ scared

03 대화를 듣고, 남자의 마지막 말에 이어질 여자의 응답으로 가장 적절한 것을 고르시오.

① I'm thinking of writing a thank-you letter.
② Congratulations! I'm happy to hear that.
③ Why don't you have a surprise party?
④ I think so, too.
⑤ Not bad.

04 다음 말에 이어질 대화의 순서를 바르게 배열하시오.

You know what? I'm thinking of taking a singing lesson.

(A) Are you thinking of becoming a singer?
(B) Because I want to sing like K-pop singers.
(C) Really? Why did you decide to do that?
(D) I hope so.

[05-06] 다음 대화를 읽고, 물음에 답하시오.

A Minsu, Sujin and I are thinking of starting a club.
B Really? What kind of club?
A We want to learn about stars and planets. So, we're thinking of ________ a space science club.
B Sounds good. How often are you going to meet?
A Maybe once a week.
B I see. Where will you meet?
A In Room 101. Minsu, do you want to join our club?
B Yes, I'm interested in space, too.

05 위 대화의 빈칸에 알맞은 것은?

① start ② to start
③ started ④ starting
⑤ starts

06 위 대화의 내용과 일치하지 않는 것은?

① 수진이는 별과 행성에 관심이 있다.
② 우주 과학 동아리는 일주일에 한 번 모일 것이다.
③ 우주 과학 동아리는 101호에서 모일 것이다.
④ 민수는 우주에 관심이 있다.
⑤ 민수는 이미 우주 과학 동아리에 가입했다.

[07-08] 다음 대화를 읽고, 물음에 답하시오.

A You know what, Junsu? I'm ____ⓐ____ of taking a painting class.
B Really? Why did you decide to take a painting class, Emily?
A Because I want to go to an art high school.
B Are you ____ⓑ____ of becoming an artist in the future?
A I hope so. I'm interested in painting pictures.
B That's great. I hope ________ⓒ________.
A Thanks. I'll do my best.

07 위 대화의 빈칸 ⓐ와 ⓑ에 공통으로 알맞은 한 단어를 쓰시오.

→ ____________________

08 위 대화의 빈칸 ⓒ에 알맞지 않은 것은?

① your wish comes true
② you become a famous artist
③ your dream comes true
④ you finish the painting class
⑤ you achieve your dream

정답과 해설 p. 309

09 다음 단어의 영영 풀이로 바르지 않은 것은?

① decide: to make a choice about something
② handle: a part of something that is designed to be held by your hand
③ bite: to use your teeth to cut into something
④ email: to send a message to someone by email
⑤ traffic: the hard covering at the end of a finger or toe

10 다음 빈칸에 알맞은 것은?

> We'll ________ you so much. I hope to see you soon.

① break ② hear ③ miss
④ make ⑤ prefer

11 우리말과 일치하도록 빈칸에 알맞은 말을 쓰시오.

> 나는 긴장할 때, 손톱을 깨문다.
> → When I feel nervous, I ________ ________ ________.

12 다음 글의 빈칸에 알맞은 것은?

> Do you know the game manito? There are two rules to the game. One is giving your manito a gift in secret. ________ is helping your manito before the game ends.

① Another ② Other ③ Others
④ The others ⑤ The other

13 우리말과 일치하도록 괄호 안에 주어진 단어를 바르게 배열하시오.

> 만약 학교가 일찍 끝난다면, 그는 공원에서 자전거를 탈 것이다.
> → ________________________________
> (finishes, he, bike, his, early, ride, school, if, will)

14 다음 중 어법상 올바른 문장은?

① I can't tell the twins one from another.
② If I will have free time, I will do volunteer work.
③ If you don't submit your homework tomorrow, you get minus points.
④ There are three caps. One is red, another is blue, and the other is black.
⑤ Tom borrowed two notebooks. One was mine, and another was Jane's.

15 어법상 어색한 부분을 모두 찾아 바르게 고쳐 쓰시오.

> If I will finish lunch early, I play basketball with friends.

16 다음 중 어법상 어색한 문장은?

① If it rain tomorrow, I will stay home.
② If you don't do your best, you will lose the game.
③ Will you come over to the party if they invite you?
④ She has two sons. One lives in Paris. The other lives in Tokyo.
⑤ I got two gifts. One was from my sister. The other was from my brother.

[17-18] 다음 글을 읽고, 물음에 답하시오.

> My friend Eric and I ___ⓐ___ some interesting changes ___ⓑ___ the vacation. We emailed each other and talked about our changes.

17 윗글의 빈칸 ⓐ에 알맞은 것은?

① made ② bit ③ did
④ missed ⑤ broke

18 윗글의 빈칸 ⓑ에 알맞은 말을 주어진 철자로 시작하여 쓰시오.

→ d________________

[19-21] 다음 글을 읽고, 물음에 답하시오.

Dear Eric,

It's a beautiful spring in Seoul. The last winter vacation was a great time for me. I made two personal changes during the vacation. ___ⓐ___ is my new hobby. It's making cupcakes. Making my own cupcakes is a lot of fun. ___ⓑ___ change is breaking one of my bad habits. In the past, I often bit my nails. Now I don't anymore. I feel great about those changes. If you try to make some changes, I'm sure you'll feel great like me. I hope to hear from you soon.

Your friend,
Junho

19 윗글의 종류로 알맞은 것은?

① diary ② newspaper
③ story ④ email
⑤ play

20 윗글의 빈칸 ⓐ와 ⓑ에 알맞은 말을 쓰시오.

ⓐ ________________

ⓑ ________________

21 윗글을 읽고, 대답할 수 없는 질문은?

① What's the season in Seoul?
② What changes did Junho make during the vacation?
③ What is Junho's new hobby?
④ What was Junho's bad habit?
⑤ How did Junho break his bad habit?

[22-25] 다음 글을 읽고, 물음에 답하시오.

Dear Junho,

In Sydney, it's fall in March. You talked about your changes in your email. Now, it's time to talk about my new changes. These days, I'm ___ⓐ___ 3D printing. I printed two things with a 3D printer. One is a model of my dream car. If the traffic ___ⓑ___ heavy, it will change into a flying car. (①) The other is a special cup for my grandfather. (②) He can't hold his cup well because he's sick. (③) My special cup has three handles, so it is easy to hold. (④) By the way, I want to try your cupcakes some day, Junho. (⑤) Take care.

Best wishes,
Eric

22 윗글의 빈칸 ⓐ에 알맞은 것은?

① into ② about ③ in
④ at ⑤ for

23 윗글의 빈칸 ⓑ에 알맞은 것은?

① was ② is
③ will be ④ has been
⑤ is going to be

24 윗글의 ①~⑤ 중 다음 문장이 들어갈 알맞은 곳은?

My grandfather is very happy.

① ② ③ ④ ⑤

25 윗글의 내용과 일치하지 않는 것은?

① 시드니는 3월에 가을이다.
② Eric은 3D 프린팅에 관심이 있다.
③ Eric은 모형 드림 자동차를 실제로 만들었다.
④ Eric은 할아버지를 위해 특수 컵을 만들었다.
⑤ Eric은 준호와 이메일을 주고받았다.

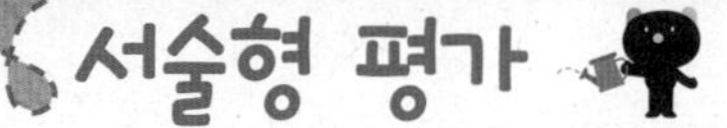

정답과 해설 p. 312

01 다음은 지수의 생일 파티를 위한 친구들의 계획표이다. 예시문을 참고하여 문장을 완성하시오.

For Jisu's Birthday Party	
Jane – watch animation movies	Tom – make pizza and spaghetti
Kevin – play board games	Junsu – write a card

e.g. Jane is thinking of watching animation movies.

(1) Tom is ____________________.

(2) Kevin is ____________________.

(3) Junsu is ____________________.

02 다음은 Jack이 내일 해야 할 일을 쓴 메모이다. 메모를 참고하여 글을 완성하시오.

To-Do List
- meet Jisu
  → talk about our group project
- free time after school
  → play soccer with friends
- in the evening
  → exercise, visit grandparents

If I meet Jisu tomorrow, I __________ ________________. If I have some ____________________, I __________ with friends. In the evening, I want to do two special things. __________ is exercising. __________ is visiting my grandparents.

03 자신의 현재 장점과 자신에게 바라는 점, 이를 위해 노력할 점을 각각 두 개씩 쓰고, 자신에게 쓰는 격려 카드를 완성하시오.

- I am ____________________.
- I want to ____________________.
- I'll try to ____________________.

Dear Me,

You are very ________ and ________. However, you still want to make two changes. One is __________. __________ is ________________. Here are my tips for your wishes. If you ________________ and ________________, your wishes will come true!

Love,
Me

Lesson 2

Better Safe Than Sorry

Functions

- 걱정 표현하기 **I'm worried about** my leg. 나는 내 다리가 걱정돼.
- 충고하기 **You should** clean your room. 너는 네 방을 청소해야만 해.

Forms

- I don't know **what to** do. 나는 무엇을 할지 모르겠다.
- Here are some tips **which** can be helpful. 도움이 될 수 있는 몇 가지 조언이 있다.

Warm Up

그림 속 표지판이 무엇을 의미하는지 골라 써 봅시다.

wear a helmet
헬멧을 써라

wear a life jacket
구명조끼를 입어라

don't run
뛰지 마라

Communication
Worries and Advice
걱정과 충고

Reading
Prepare for the Shake
지진을 대비하라

Writing
Our Safety Guide
우리의 안전 가이드

Culture & Project
Our Survival Bag
우리의 생존 가방

Listen & Speak 1

A Listen and Choose What is Yujin worried about?
유진이가 걱정하고 있는 것은 무엇입니까?

☑  ☐  ☐ 

단어·숙어
hurt 동 다치다, 아프다
go see a doctor 병원에 가다
feel better 기분이 나아지다

Script

B: Yujin, what's wrong?
G: I'm worried about my leg. It hurts a lot.
B: Why don't you go see a doctor?
G: I'm going to go after school today.
B: I hope you feel better soon.
G: I hope so, too.

해석

B: 유진아, 무슨 일이니?
G: 내 다리가 걱정돼. 많이 아프거든.
B: 병원에 가보는 게 어때?
G: 오늘 방과 후에 갈 거야.
B: 곧 괜찮아지기를 바라.
G: 나도 그러길 바라.

풀이 유진이가 다리를 걱정하고 있고 많이 아프다고 말하고 있으므로 걱정하고 있는 것은 '다리'이다.

표현 • **Why don't you go see a doctor?:** Why don't you(we) ... ?는 '…하는 게 어때?'라는 뜻으로 상대방에게 제안을 할 때 쓰는 표현이다. Why don't you 뒤에는 동사원형이 온다.

B Listen and Write Fill in the blanks with the correct words.
빈칸에 알맞은 말을 써 봅시다.

Earthquake Safety 지진 안전

Are you worried about earthquakes?
여러분은 지진을 걱정하고 있습니까?
Follow these __helpful__ tips!
이 도움이 되는 조언을 따르세요!
When things start to shake,
물건들이 흔들리기 시작할 때,
take __cover__ under a __table__.
탁자 아래로 숨으세요.
⋮

단어·숙어
earthquake 명 지진
shake 동 흔들리다
take cover 숨다, 피난하다
under 전 아래로
helpful 형 도움이 되는

Script

B: What are you watching?
G: It's a program about earthquakes.
B: Sounds interesting. I'm worried about earthquakes these days.
G: Me, too. This program has some helpful tips.
B: Really? What does it say?
G: When things start to shake, you need to take cover under a table.
B: Oh, I didn't know that.

해석

B: 너는 무엇을 보고 있니?
G: 지진에 관한 프로그램이야.
B: 흥미롭게 들리네. 나는 요즘 지진이 걱정돼.
G: 나도 그래. 이 프로그램에는 도움이 되는 몇 가지 조언이 있어.
B: 정말? 뭐라고 하는데?
G: 물건들이 흔들리기 시작하면 너는 탁자 아래로 숨어야 해.
B: 오, 난 그건 몰랐어.

풀이 여자가 보고 있는 프로그램은 지진에 관한 것이며, '도움이 되는' 조언들이 있다고 말하고 있다. 구체적으로 물건들이 흔들리기 시작할 때 '탁자' 아래로 '숨어야 한다'고 언급했다.

C Talk Together For each worry, think about the advice and talk about it with your partner. pair
각각의 걱정에 관한 충고를 생각해 보고, 짝과 대화해 봅시다.

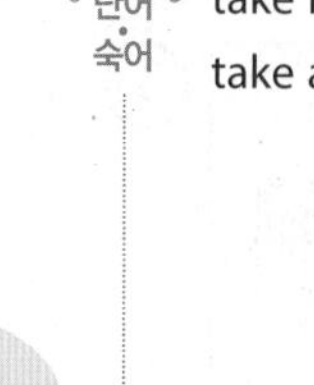

단어·숙어 take medicine 약을 먹다
take a rest 휴식을 취하다

sore throat
아픈 목

bad cold
독감

red eyes
충혈된 눈

A: I'm worried about my sore throat.
B: Why don't you take some medicine?
A: Okay, I'll try.

take some medicine
go see a doctor
take a rest

해석
A: 나는 내 목 아픈 게 걱정돼.
B: 약 좀 먹어보는 게 어때?
A: 그래, 시도해 볼게.

활동 방법 각각의 걱정에 맞는 충고를 찾고 주어진 대화문을 이용하여 짝과 대화해 본다.

예시 대화
- A: I'm worried about my bad cold.
  B: Why don't you take a rest?
  A: Okay, I'll try.
- A: I'm worried about my red eyes.
  B: Why don't you go see a doctor?
  A: Okay, I'll try.

- A: 나는 내 독감이 걱정돼.
  B: 휴식을 취하는 게 어때?
  A: 그래, 시도해 볼게.
- A: 나는 내 충혈된 눈이 걱정돼.
  B: 병원에 가보는 게 어때?
  A: 그래, 시도해 볼게.

Function 1 걱정 표현하기: I'm worried about ... .

I'm worried about ... .은 걱정이나 두려움을 나타내는 표현으로 '나는 …을 걱정하고 있다.'라는 뜻이다. about 다음에는 걱정에 해당하는 명사 형태의 표현이 와야 한다.

예시 대화
- A: **I'm worried about** air pollution these days. (나는 요즈음에 대기 오염을 걱정하고 있어.)
  B: Me too. We should wear masks every day. (나도 그래. 우리는 매일 마스크를 써야만 해.)
- A: **I'm worried about** the English speech test. (나는 영어 말하기 시험을 걱정하고 있어.)
  B: You should practice a lot. (너는 연습을 많이 해야만 해.)

A **Listen and Number** What will the boy do? Number the pictures.
소년은 무엇을 할 것입니까? 그림에 순서를 매겨 봅시다.

3

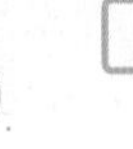

1

2

단어 숙어
go out 외출하다
finish ⓢ …을 끝내다
forget ⓢ 잊다
by ⓟ …까지

Script

B: Dad, I'm going out to play basketball with Minu.
M: Did you finish cleaning your room?
B: No, not yet. Can I do it later?
M: No. You should clean your room first.
B: Okay. I'll clean my room and then play basketball.
M: Good. Don't forget to be home by six o'clock.
B: Okay.

해석

B: 아빠, 저 민우와 농구하러 나갈 거예요.
M: 네 방 청소하는 건 끝냈니?
B: 아니요, 아직요. 나중에 해도 되나요?
M: 아니. 너는 네 방 청소를 먼저 해야 해.
B: 알았어요. 방 청소하고 나서 농구할게요.
M: 좋아. 6시까지 집에 오는 것을 잊지 마라.
B: 네.

풀이 아빠가 방 청소를 먼저 하라고 말했으므로 방 청소하는 그림이 1번이고, 그 다음 민우와 농구하는 그림이 2번이 되어야 한다. 아빠가 6시까지 집에 들어오라고 했으므로 집에 6시까지 들어가는 그림이 3번이 된다.

표현 • **Don't forget to be home by six o'clock.:** Don't forget to ...는 '…할 것을 잊지 마'라는 뜻으로 to 뒤에는 동사원형이 와야 한다.

B **Listen and Talk** Fill in the blanks and talk with your partner. pair
빈칸을 채우고 짝과 대화해 봅시다.

A: The __movie__ starts in 20 minutes. Let's run. 영화가 20분 후에 시작해. 뛰자.

B: No! You might __fall__ and hurt yourself. You should __walk__ on the stairs. 안 돼! 너는 넘어져서 다칠 수 있어. 계단에서는 걸어가야 해.

단어 숙어
might ⓩ …일지도 모른다
fall ⓢ 넘어지다
a little 약간, 조금
late ⓗ 늦은
Better safe than sorry. 후회하는 것보다 안전한 것이 더 낫다.

Script

G: What time is the movie?
B: It starts at 4:30.
G: Oh, no. We only have 20 minutes left. Let's run!
B: No! You might fall and hurt yourself. You should walk on the stairs.
G: You're right. We can be a little late.
B: Yes. Better safe than sorry.

해석

G: 영화는 몇 시에 하니?
B: 4시 30분에 시작해.
G: 아, 안 돼, 우리는 20분밖에 안 남았어. 뛰자!
B: 안 돼! 너는 넘어져서 다칠 수 있어. 계단에서는 걸어가야 해.
G: 네 말이 맞아. 우리 좀 늦을 수도 있겠다.
B: 그래. 후회하는 것보다 안전한 게 더 낫지.

풀이 여자가 '영화' 시작이 20분밖에 남지 않았으니 뛰자고 했지만, 남자는 '넘어져서' 다칠 수 있으니 계단에서는 '걸어야' 한다고 말하고 있다.

교과서 p.29

C **Talk Together** Choose the correct advice for each situation and talk with your partner. pair
각 상황에 대한 올바른 충고를 고르고, 짝과 대화해 봅시다.

단어·숙어
floor 명 바닥
slippery 형 미끄러운
ride a bike 자전거를 타다

It's raining a lot outside.
밖에 비가 많이 내린다.

The floor is slippery.
바닥이 미끄럽다.

I'm going to ride my bike.
나는 자전거를 탈 것이다.

A: It's raining a lot outside.
B: You should take an umbrella.

wear a helmet
watch your step
take an umbrella

해석
A: 밖에 비가 많이 내려.
B: 너는 우산을 챙겨야 해.

활동 방법 각 그림의 상황에 맞는 적절한 충고를 골라 주어진 대화문을 이용하여 짝과 대화해 본다.

예시 대화
- A: The floor is slippery.
  B: You should watch your step.
- A: I'm going to ride my bike.
  B: You should wear a helmet.

- A: 바닥이 미끄러워.
  B: 너는 조심해서 걸어야 해.
- A: 나는 자전거를 탈 거야.
  B: 너는 헬멧을 써야 해.

Function 2 충고하기: You should ... .

You should ... .는 충고를 할 때 쓰는 표현으로 '너는 …해야 해.'라는 뜻이다. should 뒤에는 동사원형이 와야 한다.
• 유사 표현 – Why don't you ... ? / How about -ing ... ?

예시 대화
- A: I'm worried about my toothache. It hurts. (나는 내 치통이 걱정돼. 아프거든.)
  B: **You should** go to the dentist. (너는 치과에 가야 해.)
- A: It'll be sunny tomorrow. (내일은 화창할 거야.)
  B: **You should** take your sunglasses. (너는 선글라스를 가져가야 해.)
- A: I'm worried about my health. I think I've gained weight recently.
  (나는 내 건강을 걱정하고 있어. 최근에 살이 찐 것 같아.)
  B: **You should** exercise every morning. (너는 매일 아침 운동해야 해.)

A Watch and Choose 동영상을 보고, 남학생이 말한 행동 요령을 골라 봅시다.

단어 숙어
follow ⓢ 따르다
safety rules 안전 규칙
cover ⓢ 덮다, 가리다
wet ⓗ 젖은
low ⓗ 낮은
keep ... in mind …을 명심하다

Script

Brian: There was a big fire at the city library yesterday.
Mina: Yes, I heard about it. I was worried about the people there.
Brian: Don't worry. Everybody was okay. They all followed the safety rules.
Mina: Really? What are the rules?
Brian: You need to cover your nose and mouth with a wet towel. Then stay low and escape.
Mina: Oh, I didn't know that.
Brian: You should keep that in mind. It might be helpful some day.

해석

Brian: 어제 시립 도서관에서 큰 화재가 있었어.
미나: 응, 들었어. 거기에 있었던 사람들이 걱정이 됐어.
Brian: 걱정하지 마. 모두 괜찮대. 사람들이 모두 안전 규칙을 따랐대.
미나: 정말? 그 규칙이 뭔데?
Brian: 너는 젖은 수건으로 코와 입을 가려야만 해. 그러고 나서 낮은 자세로 탈출해야 해.
미나: 아, 그건 몰랐네.
Brian: 너는 그것을 명심해야 해. 언젠가 도움이 될 수도 있어.

풀이 Brian이 젖은 수건으로 코와 입을 가리고 낮은 자세로 탈출하라고 말하고 있다.

B Match and Talk

Step 1 빈칸에 알맞은 말을 쓰고, 그림과 어울리는 상황을 연결해 봅시다.

head
fingers
hands

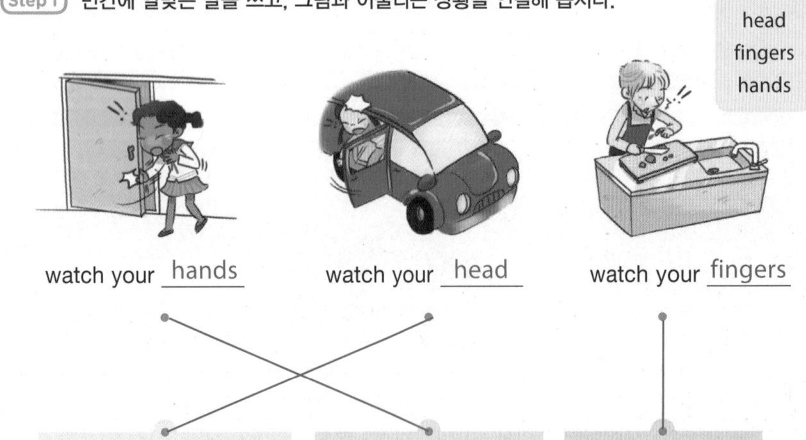

watch your hands　watch your head　watch your fingers

when you get out of the car 차에서 내릴 때
when you close the door 문을 닫을 때
when you use a knife 칼을 사용할 때

Step 2 위의 내용을 바탕으로 짝과 대화해 봅시다. pair

A: I heard about your accident. I was worried about you.
B: Thanks. I hurt my hand, but it's not serious. I'll be okay.
A: Good. You should watch your hands when you close the door.
B: You're right. I will.

활동 방법 주어진 그림에 맞는 단어를 골라 쓰고 그림과 어울리는 상황을 연결한 다음, 주어진 대화문을 이용하여 짝과 대화해 본다.

단어 숙어
accident ⓜ 사고
serious ⓗ 심각한

해석

A: 나는 너의 사고에 대해 들었어. 나는 네가 걱정됐어.
B: 고마워. 나는 손을 다쳤는데 심각하지 않아. 괜찮을 거야.
A: 다행이다. 너는 문을 닫을 때 손을 조심해야 해.
B: 네 말이 맞아. 그렇게.

- A: I heard about your accident. I was worried about you. 나는 너의 사고에 대해 들었어. 나는 네가 걱정됐어.
  B: Thanks. I hurt my head, but it's not serious. I'll be okay. 고마워. 나는 머리를 다쳤는데 심각하지 않아. 괜찮을 거야.
  A: Good. You should watch your head when you get out of the car. 다행이다. 너는 차에서 내릴 때 머리를 조심해야 해.
  B: You're right. I will. 네 말이 맞아. 그럴게.
- A: I heard about your accident. I was worried about you. 나는 너의 사고에 대해 들었어. 나는 네가 걱정됐어.
  B: Thanks. I hurt my finger, but it's not serious. I'll be okay. 고마워. 나는 손가락을 다쳤는데 심각하지 않아. 괜찮을 거야.
  A: Good. You should watch your fingers when you use a knife. 다행이다. 너는 칼을 사용할 때 손가락을 조심해야 해.
  B: You're right. I will. 네 말이 맞아. 그럴게.

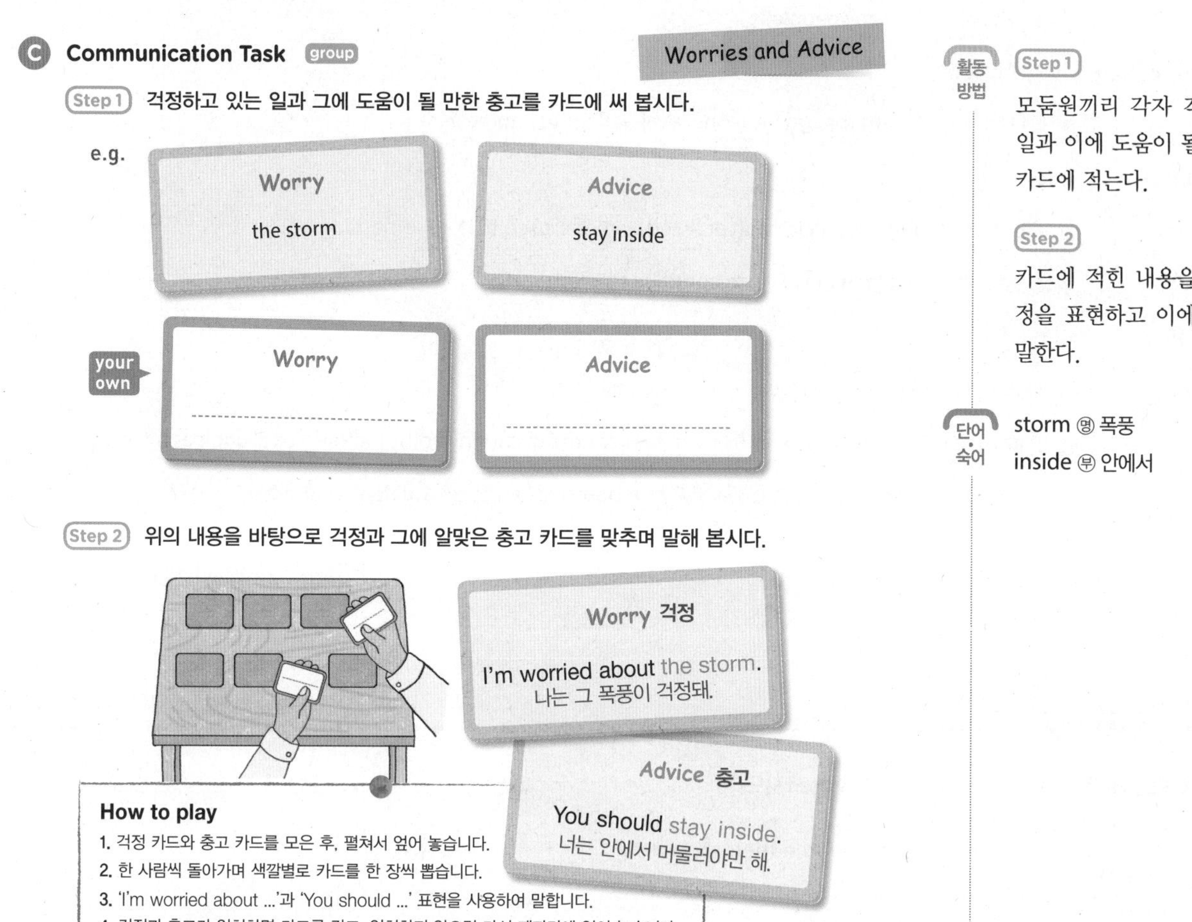

C Communication Task group
Worries and Advice
Step 1 걱정하고 있는 일과 그에 도움이 될 만한 충고를 카드에 써 봅시다.
e.g.
Worry
the storm
Advice
stay inside
your own
Worry
Advice
Step 2 위의 내용을 바탕으로 걱정과 그에 알맞은 충고 카드를 맞추며 말해 봅시다.

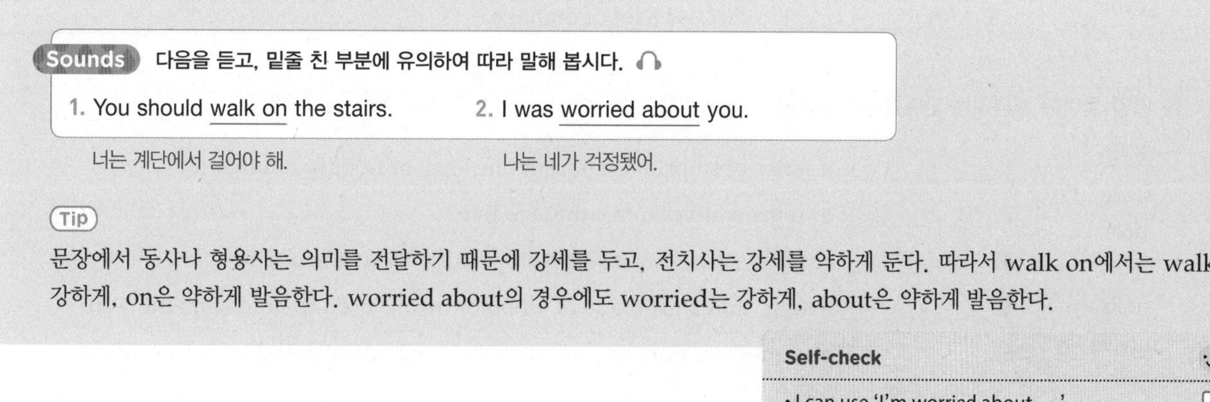

Worry 걱정
I'm worried about the storm.
나는 그 폭풍이 걱정돼.
Advice 충고
You should stay inside.
너는 안에서 머물러야만 해.

How to play
1. 걱정 카드와 충고 카드를 모은 후, 펼쳐서 엎어 놓습니다.
2. 한 사람씩 돌아가며 색깔별로 카드를 한 장씩 뽑습니다.
3. 'I'm worried about ...'과 'You should ...' 표현을 사용하여 말합니다.
4. 걱정과 충고가 일치하면 카드를 갖고, 일치하지 않으면 다시 제자리에 엎어 놓습니다.
5. 카드를 가장 많이 모은 사람이 이깁니다. (걱정 카드와 충고 카드는 p.192에 있습니다.)

활동 방법

Step 1
모둠원끼리 각자 걱정하고 있는 일과 이에 도움이 될 만한 충고를 카드에 적는다.

Step 2
카드에 적힌 내용을 바탕으로 걱정을 표현하고 이에 대한 충고를 말한다.

단어 숙어
storm 명 폭풍
inside 부 안에서

Sounds 다음을 듣고, 밑줄 친 부분에 유의하여 따라 말해 봅시다.

1. You should walk on the stairs. 너는 계단에서 걸어야 해.
2. I was worried about you. 나는 네가 걱정됐어.

Tip
문장에서 동사나 형용사는 의미를 전달하기 때문에 강세를 두고, 전치사는 강세를 약하게 둔다. 따라서 walk on에서는 walk는 강하게, on은 약하게 발음한다. worried about의 경우에도 worried는 강하게, about은 약하게 발음한다.

Self-check	☺	☹
• I can use 'I'm worried about ... .'	☐	☐
• I can use 'You should ... .'	☐	☐

Word Preview

Let's Read의 단어들을 미리 익혀 보세요.

- ☐ shake — ⓜ 흔들림, 떨림 (short, quick movement back and forth or up and down) ⓢ 흔들리다
- ☐ earthquake — ⓜ 지진 (a shaking of a part of the Earth's surface that often causes great damage)
- ☐ strike — ⓢ 발생하다 (to affect someone or something suddenly in a bad way; to cause damage, harm, illness, etc., to someone or something)
- ☐ disaster — ⓜ 재난, 재해 (something such as a flood, tornado, fire, plane crash, etc. that happens suddenly and causes much suffering or loss to many people)
- ☐ stay away from — …에서 떨어져 있다
- ☐ stairs — ⓜ 계단 (a series of steps that go from one level or floor to another)
- ☐ hold on to — 꼭 잡다
- ☐ pole — ⓜ 기둥, 막대기 (a long, thin stick made of wood or metal, used to hold something up)
- ☐ survive — ⓢ 살아남다, 생존하다 (to remain alive; to continue to live)
- ☐ take cover — 숨다
- ☐ empty — ⓗ 비어 있는, 빈 (not having any people, not occupied)
- ☐ avoid — ⓢ 방지하다, 막다, 피하다 (to stay away from; to prevent the occurrence of something bad, unpleasant, etc.)
- ☐ injury — ⓜ 상처, 부상 (a wound or damage to part of your body caused by an accident or attack)

Mini Test

정답과 해설 p. 313

A 다음 빈칸에 알맞은 단어를 [보기]에서 골라 쓰시오.

보기: disaster / earthquake / empty / shake / avoid

1. Some people watch their steps to ____________ danger.
2. I could feel the ground ____________ when the train passed by.
3. He felt lonely in the ____________ house.
4. We need to prepare for natural ____________s.
5. A(n) ____________ can cause a lot of damage.

B 다음 영영 풀이에 해당하는 단어를 [보기]에서 골라 쓰시오.

보기: strike / pole / injury / stairs / survive

1. ____________: a series of steps that go from one level or floor to another
2. ____________: to remain alive; to continue to live
3. ____________: to affect someone or something suddenly in a bad way
4. ____________: a long, thin stick made of wood or metal, used to hold something up
5. ____________: a wound or damage to part of your body caused by an accident or attack

단어·숙어
earthquake ⓜ 지진
snowstorm ⓜ 눈보라

Ⓐ **Think and Say** 다음 영화의 한 장면을 보고, 어떤 재난을 다루고 있는지 말해 봅시다.

e.g. The movie is about an earthquake.
그 영화는 지진에 관한 것이다.

활동 방법 주어진 영화의 한 장면을 보고 어떤 재난 상황인지 주어진 예문처럼 말해 본다.

예시 정답
- The movie is about a snowstorm.
  그 영화는 눈보라에 관한 것이다.

Ⓑ **Look and Write** 각 단어의 의미에 해당하는 모습을 찾아 단어를 써 봅시다.

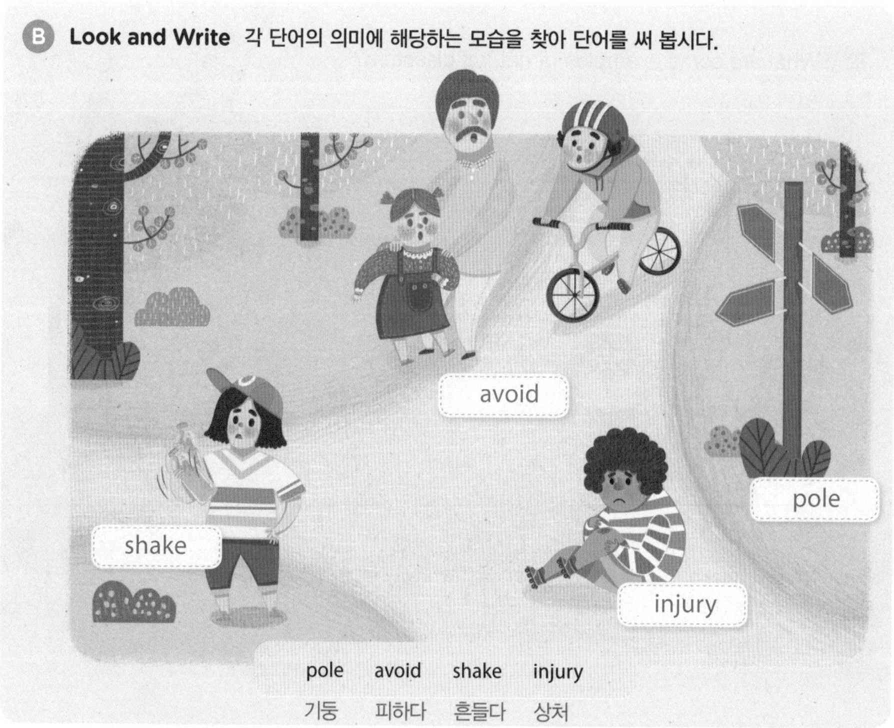

pole	avoid	shake	injury
기둥	피하다	흔들다	상처

풀이 첫 번째 빈칸은 학생이 병을 흔들고 있으므로 shake(흔들다)가 알맞다.
두 번째 빈칸은 아버지와 딸이 자전거 탄 학생을 피하고 있으므로 avoid(피하다)가 알맞다.
세 번째 빈칸은 무릎을 다친 학생이므로 injury(상처)가 알맞다.
네 번째 빈칸은 위치를 나타내는 기둥이므로 pole(기둥)이 알맞다.

Prepare for the Shake

지진이 발생할 때 대처하는 행동 요령을 아는 대로 말해 봅시다.

❶ Do you know what to do when an earthquake strikes? ❷ Take this quiz and think about how to be safe during this kind of natural disaster.

'what/how to ...'는 '무엇을/어떻게 …할지'라는 뜻입니다.

❸ 1. When things start to shake, run outside quickly. o / x

❹ 2. Stay away from windows. o / x

❺ 3. Use the stairs to get out of buildings. o / x

❻ 4. When you are outside, hold on to a pole or a tree. o / x

Think What are some examples of natural disasters?

INFORMATION

shake earthquake strike disaster stay away from …에서 떨어져 있다
stairs hold on to 꼭 잡다 pole

Think What are some examples of natural disasters?
자연재해의 몇 가지 예시로 무엇이 있습니까?

→ An earthquake, a flood, and a storm are examples of natural disasters.
지진, 홍수와 폭풍이 자연재해의 예시들입니다.

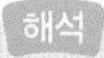

지진을 대비하라

①지진이 발생할 때 해야 할 일을 알고 있습니까? ②이 퀴즈를 풀며 이러한 종류의 자연재해가 발생하는 동안 어떻게 해야 안전할 수 있는지를 생각해 보세요.

③1. 물건들이 흔들리기 시작하면, 빨리 밖으로 뛰어나가세요.

④2. 창문으로부터 멀리 떨어지세요.

⑤3. 건물에서 나갈 때는 계단을 이용하세요.

⑥4. 밖에 나가서는 기둥이나 나무를 붙들고 있으세요.

구문

❶ Do you know **what to** do when an earthquake strikes?
what to ...는 '무엇을 …할지'라는 뜻으로 to 뒤에는 동사원형이 온다.

❷ Take this quiz and think about **how to** be safe **during** this kind of natural disaster.
동사원형으로 시작하는 명령문이며, how to ...는 '어떻게 …할지'라는 뜻으로 to 뒤에는 동사원형이 온다. during은 '…동안'이라는 뜻으로 뒤에 숫자가 포함되지 않은 특정한 기간이 나온다.

❹ Stay away **from** windows.
stay away from은 '…에서 떨어져 있다'라는 뜻으로 from 다음에는 명사가 와야 한다.

❺ Use the stairs **to get out of** buildings.
to get은 목적을 나타내는 to부정사의 부사적 용법으로 쓰여서 '…하기 위해서'라는 의미를 나타낸다. get out of는 '…에서 나가다'라는 뜻으로 of는 전치사이므로 뒤에 명사가 와야 한다.

- **shake** 명 흔들림, 떨림 동 흔들다, 흔들리다 e.g. **Shake** the bottle before use.
- **earthquake** 명 지진 e.g. Korea should prepare for **earthquakes**.
- **strike** 동 발생하다 e.g. The city was destroyed because an earthquake **struck** it.
- **disaster** 명 재난, 재해 e.g. A nuclear war will bring **disaster**.
- **stay away from** …에서 떨어져 있다 e.g. **Stay away from** the dog. It will bite you.
- **stairs** 명 계단 e.g. While I was running on the **stairs**, I broke my legs.
- **hold on to** 꼭 잡다 e.g. **Hold on to** this rope when you cross the lake.
- **pole** 명 기둥, 막대기 e.g. I locked my bike to the **pole**.

Grammar

what/how to ...

'what/how+to부정사'는 문장 속에서 명사구로 주어, 목적어, 보어의 역할을 한다.

- Tell me **what to do**. (무엇을 해야 할지 나에게 말해줘.)
  Tell me what do. (X)
- I want to learn **how to play** tennis. (나는 테니스 치는 법을 배우고 싶다.)
  I want to learn how to playing tennis. (X)

Mini Test

정답과 해설 p. 313

다음 밑줄 친 ⓐ~ⓔ 중 어법상 어색한 것을 찾아 바르게 고쳐 쓰시오.

Do you know what ⓐ to do when an earthquake ⓑ strikes? Take this quiz and think about how ⓒ to be safe during this kind of natural disaster.
1. When things start ⓓ to shake, run outside quickly.
2. Stay away from windows.
3. Use the stairs ⓔ to getting out of buildings.
4. When you are outside, hold on to a pole or a tree.

________ → ________

Let's Read ❷

❶ How did you do on the quiz? ❷ Can you survive an earthquake safely? ❸ Here are some safety tips which can be helpful in an earthquake. ❹ Let's check them one by one and learn what to do.

'tips which can be helpful ...'에서 which 다음에 오는 말은 앞에 나오는 tips를 자세히 설명해 줍니다.

❺ Don't run outside when things are shaking. ❻ Find a table or a desk and take cover under it. ❼ You can hold on to the legs to protect yourself. ❽ Also, stay away from windows. ❾ They can break during an earthquake and hurt you.

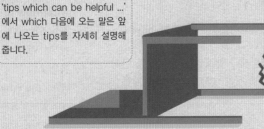

Q1 When things are shaking, where can you take cover?

survive take cover 숨다

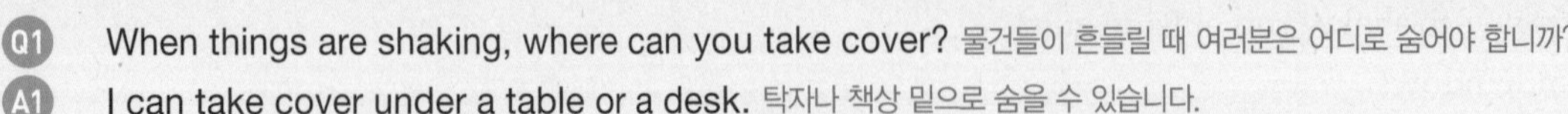

Q1 When things are shaking, where can you take cover? 물건들이 흔들릴 때 여러분은 어디로 숨어야 합니까?

A1 I can take cover under a table or a desk. 탁자나 책상 밑으로 숨을 수 있습니다.

해설 두 번째 단락의 Find a table or a desk and take cover under it.에서 물건들이 흔들릴 때 탁자나 책상 밑으로 숨어야 한다는 것을 알 수 있다.

해석

①퀴즈가 어떠셨나요? ②당신은 지진에서 안전하게 살아남을 수 있나요? ③여기에 지진 발생 시 도움이 될 수 있는 안전 팁이 몇 가지 있습니다. ④하나하나 확인하면서 (지진이 발생하면) 무엇을 해야 하는지를 배워 봅시다.
⑤물건들이 흔들리기 시작할 때 밖으로 뛰어나가지 마세요. ⑥탁자나 책상을 찾아서 그 밑에 숨으세요. ⑦자신을 보호하기 위해 탁자나 책상 다리를 붙들고 있으세요. ⑧또한, 창문으로부터 멀리 떨어지세요. ⑨지진이 일어나는 동안 창문들이 깨져 다칠 수 있으니까요.

구문

❸ **Here are** some safety tips **which** can be helpful in an earthquake.
Here is/are ...는 '여기에 …이 있다'라는 뜻으로 'Here is+단수 명사' / 'Here are+복수 명사'의 형태로 쓰인다. which는 주격 관계대명사로 앞에 있는 명사인 some safety tips를 꾸며 주며, which 대신 that을 쓸 수 있다.

❺ Don't run outside **when** things are shaking.
when은 시간을 나타내는 부사절로 쓰여서 '…할 때'라는 뜻이다.

❼ You can hold on to the legs **to protect yourself**.
to protect는 to부정사의 부사적 용법 중 '목적'을 나타내며, '…하기 위해서'라는 뜻이다. yourself는 재귀대명사로 문장의 주어와 목적어가 같을 경우에 쓴다.

❾ **They** can break during an earthquake and hurt you.
They는 앞 문장에 나온 windows를 가리킨다.

단어·숙어

- **survive** ⓢ 살아남다, 생존하다 e.g. People can't **survive** without water.
- **safely** ⓟ 안전하게 e.g. I was thankful to see you all arrive **safely**.
- **safety** ⓜ 안전 e.g. If you keep the **safety** rules in mind, they will be helpful.
- **take cover** 숨다 e.g. People **took cover** from the storm in a cave.
- **protect** ⓢ 보호하다 e.g. You should **protect** yourself from the strong sunlight.
- **break** ⓢ 깨다, 부수다, 부서지다 e.g. I dropped the cup and it **broke** into pieces.
- **hurt** ⓢ 다치게 하다, 아프게 하다 e.g. I **hurt** my hands when I closed the door.

Grammar

주격 관계대명사 who / which / that

주격 관계대명사는 두 문장을 한 문장으로 연결하며, 중복되는 명사, 즉 선행사가 뒤 문장에서 주어 역할을 한다. 선행사가 사람일 경우 who를 쓰고, that은 which와 who 둘 다 대체하여 쓸 수 있으나 생략할 수는 없다.

- I met **a boy**.
  + **The boy** could speak many languages.
  → I met a boy **who** could speak many languages.
  (나는 많은 언어를 말할 수 있었던 소년을 만났다.)

Mini Test

정답과 해설 p. 313

A 본문의 내용과 일치하면 T, 일치하지 않으면 F를 쓰시오.

1. When things are shaking, you should stay inside. (　　)
2. Windows can protect you from an earthquake. (　　)

B 다음 질문에 대한 답을 본문에서 찾아 문장을 완성하시오.

Q. Where should you take cover when things are shaking?

A. I should take cover under a ____________ or a ____________ when things are shaking.

Let's Read ❸

①You can go outside when the shaking stops. ②To get out of buildings, don't use the elevator. ③Take the stairs. ④It's much safer. ⑤Once you are outside, find an empty space that is far from buildings. ⑥There may be people who want to hold on to a pole or a tree, but think again. ⑦That's a bad idea because it can fall on you.

⑧Earthquakes can strike anytime. ⑨They can be scary experiences for everyone. ⑩So learn how to be safe in an earthquake. ⑪You can avoid injuries and protect yourself. ⑫Follow these tips and be safe!

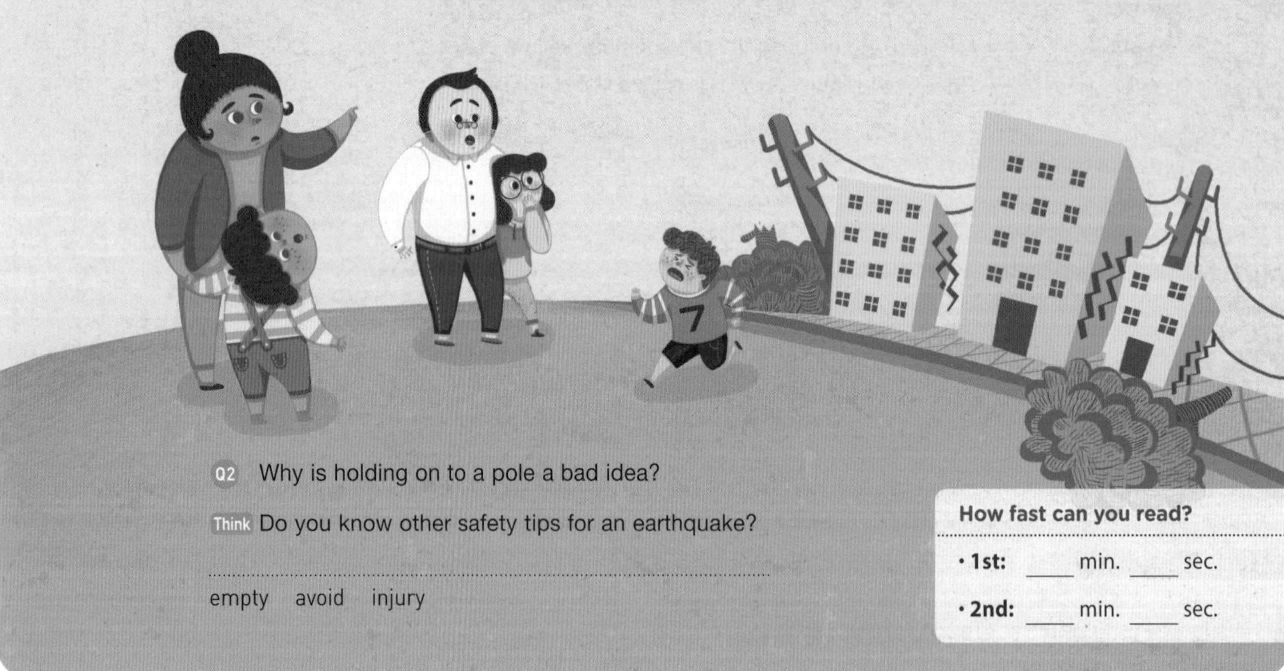

Q2 Why is holding on to a pole a bad idea?

Think Do you know other safety tips for an earthquake?

empty avoid injury

How fast can you read?

- **1st:** ____ min. ____ sec.
- **2nd:** ____ min. ____ sec.

Q2 Why is holding on to a pole a bad idea? 왜 기둥을 잡고 있는 것이 좋지 않은 생각입니까?

A2 It's because it can fall on you. 그것(기둥)이 당신 위로 떨어질 수 있기 때문입니다.

해설 첫 번째 단락의 마지막 문장에서 기둥이 당신 위로 떨어질 수 있기 때문에 좋지 않은 생각이라고 말하고 있다.

Think Do you know other safety tips for an earthquake? 지진에 대한 다른 안전 팁을 알고 있습니까?
→ Yes. Use a bag or your hands to cover and protect your head. 네. 머리를 숨기고 보호하기 위해서 가방이나 손을 사용하세요.

해석

①흔들림이 멈추었을 때 밖으로 나가도 됩니다. ②건물에서 나가기 위해 엘리베이터를 이용하지 마세요. ③계단을 이용하세요. ④그것이 훨씬 더 안전합니다. ⑤일단 밖으로 나가면, 건물로부터 멀리 떨어진 공터를 찾으세요. ⑥기둥이나 나무를 꼭 잡고 있으려는 사람들이 있을 수 있지만, 다시 생각해 보세요. ⑦그것이 당신 위로 넘어질 수 있기 때문에 그것은 좋지 않은 생각입니다.
⑧지진은 언제든지 발생할 수 있습니다. ⑨지진은 모두에게 무서운 경험일 것입니다. ⑩따라서 지진으로부터 안전을 지키는 법을 배우세요. ⑪부상을 방지하고 자신을 보호할 수 있습니다. ⑫이 조언을 따르고 안전을 지키세요!

구문

❷ **To get** out of buildings, don't use the elevator.
To get은 to부정사의 부사적 용법 중 '목적'을 나타낸다.

❹ It's **much safer**.
safe의 비교급은 safer이고, much는 비교급을 강조하는 말로 '훨씬'이라는 의미이다. even, still, far 등이 비교급을 강조하는 말로 쓰인다.

❺ **Once** you are outside, find an empty space **that** is far from buildings.
once는 종속 접속사로 '일단 …하면'이라는 뜻이다. that은 주격 관계대명사로 앞의 명사인 an empty space를 꾸며 주며, which로 바꿔 쓸 수 있다.

❻ There **may** be people **who** want to hold on to a pole or a tree, but think again.
may는 가능성을 나타내는 조동사로 '…일지도 모른다'라는 뜻이다. who는 주격 관계대명사로 앞의 명사인 people을 꾸며 주며, that으로 바꿔 쓸 수 있다.

❼ That's a bad idea **because it** can fall on you.
because는 이유를 나타내는 접속사이며, 뒤에는 '주어+동사'를 갖춘 문장이 온다. it이 가리키는 것은 앞 문장에 언급된 a pole or a tree이다.

❿ So learn **how to be** safe in an earthquake.
명령문이며, how to ...는 '어떻게 …할지'라는 뜻으로 to 뒤에는 동사원형이 온다.

단어·숙어

- **empty** 형 비어 있는, 빈 e.g. The box was **empty**.
- **anytime** 부 언제든지 e.g. You can call me **anytime**. I'm always home.
- **scary** 형 무서운 e.g. She hid her face from the **scary** scene.
- **experience** 명 경험 e.g. The best way to learn is by **experience**.
- **avoid** 동 방지하다, 막다, 피하다 e.g. I tried to **avoid** the heavy traffic.
- **injury** 명 상처, 부상 e.g. You should go to the hospital to have **injury** treated.

Grammar+

because vs. because of

because는 원인/이유를 나타내는 접속사로 뒤에 '주어+동사'를 갖춘 문장이 온다. 'Because+주어+동사, 주어+동사' 또는 '주어+동사+because+주어+동사'의 형태로 쓰인다.

- We couldn't go out **because** it was raining heavily. (폭우가 내리고 있었기 때문에 우리는 밖에 나갈 수 없었다.)

because of는 of가 전치사이므로 뒤에 명사(구)가 와야 한다.

- I stayed awake all night **because of** my science homework. (과학 숙제 때문에 나는 밤을 새웠다.)

Mini Test

정답과 해설 p. 313

다음 글을 읽고, 물음에 답하시오.

You can go outside when the shaking stops. To get out of buildings, don't use the elevator. Take the stairs. It's much safer. Once you are outside, find an empty space ⓐ (that / who) is far from buildings. There may be people ⓑ (which / who) want to hold on to a pole or a tree, but think again. That's a bad idea because it can fall on you.
Earthquakes can strike anytime. They can be scary experiences for everyone. So learn how to be safe in an earthquake. You can avoid injuries and protect yourself. Follow these tips and be safe!

1. 윗글의 괄호 ⓐ와 ⓑ에서 알맞은 말을 고르시오.

ⓐ ______________ ⓑ ______________

2. 윗글의 밑줄 친 They가 가리키는 것을 본문에서 찾아 쓰시오.

→ ________________________________

교과서 p.36

A **Think and Say** 본문의 주제로 알맞은 것을 골라 말해 봅시다.

The topic is about ______________________.

- ☐ why earthquakes strike
- ☐ what to buy before an earthquake
- ☑ how to be safe during an earthquake

풀이 주어진 그림을 참고하여 본문의 주제로 알맞은 것을 고른다. 본문에서는 지진 발생 시 어떻게 해야 안전한지를 언급하였고, 지진의 발생 이유, 지진 발생 전 사야 할 것에 관해서는 언급하지 않았다.

단어·숙어 topic ⓜ 주제, 제목
before ⓟ 앞에

해석 주제는 지진 발생 동안 어떻게 해야 안전한지에 관한 것이다.
왜 지진이 발생하는지
지진 발생 전에 무엇을 사야 하는지
지진 발생 동안 어떻게 해야 안전한지에

B **Look and Write** 다음 그림을 보고, 본문의 내용과 일치하도록 빈칸에 알맞은 말을 써 봅시다.

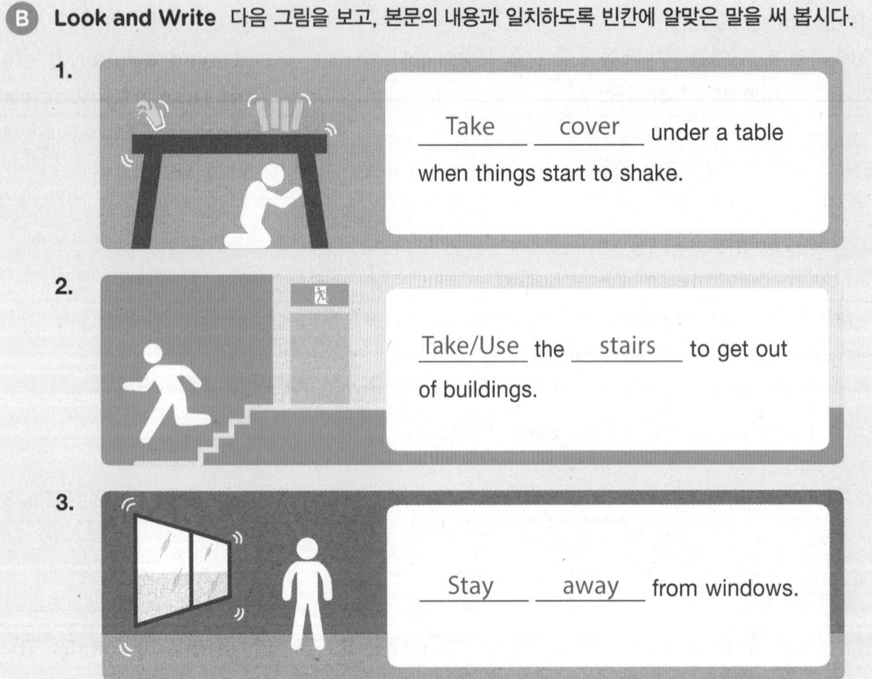

1.
Take cover under a table when things start to shake.
2.
Take/Use the stairs to get out of buildings.
3.
Stay away from windows.

풀이
1 교과서 본문 34쪽 두 번째 단락의 Find a table or a desk and take cover under it.에서 탁자 아래로 숨으라는 것을 알 수 있다.
2 교과서 본문 35쪽 첫 번째 단락의 Take the stairs.에서 계단을 이용하여 건물 밖으로 나가라는 것을 알 수 있다.
3 교과서 본문 34쪽 두 번째 단락의 Also, stay away from windows.에서 창문에서 멀리 떨어지라는 것을 알 수 있다.

단어·숙어 start ⓢ 시작하다

해석
1 물건들이 흔들리기 시작할 때 탁자 아래로 숨어라.
2 건물에서 나오기 위해서 계단을 이용해라.
3 창문에서 떨어져라.

재난에 대처하는 행동 요령을 더 조사한 후, 발표해 봅시다.

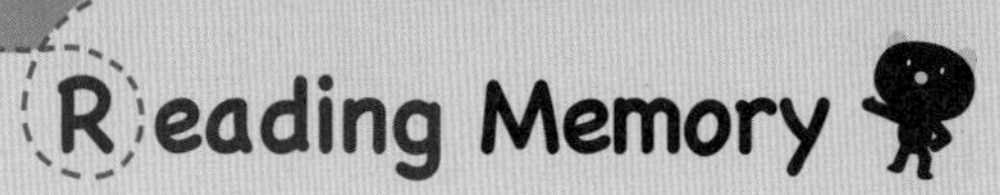

● 본문 내용을 떠올려 빈칸을 채워 봅시다.

Do you know what to do when an ________ ________? Take this quiz and think about how to be safe during this kind of ________ ________.

1. When things start to ________, run outside quickly.
2. Stay away from windows.
3. Use the ________ to get out of buildings.
4. When you are outside, hold on to a pole or a tree.

How did you do on the quiz? Can you ________ an earthquake safely? Here are some safety tips which can be helpful in an earthquake. Let's check them one by one and learn what to do.

Don't run outside when things are ________. Find a table or a desk and ________ ________ under it. You can hold on to the legs to ________ yourself. Also, stay away from windows. They can break during an earthquake and ________ you.

You can go outside when the shaking stops. To get out of buildings, don't use the elevator. Take the ________. It's much safer. Once you are outside, find an ________ space that is far from buildings. There may be people who want to hold on to a ________ or a ________, but think again. That's a bad idea because it can fall on you.

Earthquakes can strike anytime. They can be ________ experiences for everyone. So learn how to be safe in an earthquake. You can ________ injuries and protect yourself. ________ these tips and be safe!

정답 | earthquake, strikes, natural, disaster, shake, stairs, survive, shaking, take, cover, protect, hurt, stairs, empty, pole, tree, scary, avoid, Follow

Word Builder

교과서 p.149

A 철자를 바르게 배열하여 단어를 완성한 후, 그 뜻을 써 봅시다.

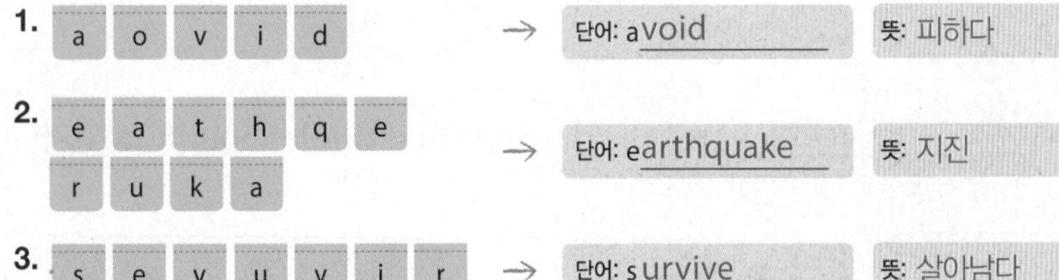

풀이
1 avoid 피하다
2 earthquake 지진
3 survive 살아남다, 생존하다

B 주어진 단어를 사용하여 그림에 맞는 표현을 완성해 봅시다.

take stay hold

1. hold on to a pole
2. take cover under a tree
3. stay away from scary dogs

풀이
1 hold on to a pole 기둥을 잡다
2 take cover under a tree 나무 아래로 숨다
3 stay away from scary dogs 무서운 개들로부터 떨어지다

단어·숙어
pole 명 기둥
scary 형 무서운

C 빈칸에 알맞은 말을 단어 카드에서 골라 써 봅시다.

1. Don't run on the stairs. You might fall and get hurt.
2. When an earthquake strikes, buildings can shake and fall down.
3. How can we prepare for a natural disaster?
4. There was no one in the room. It was empty.

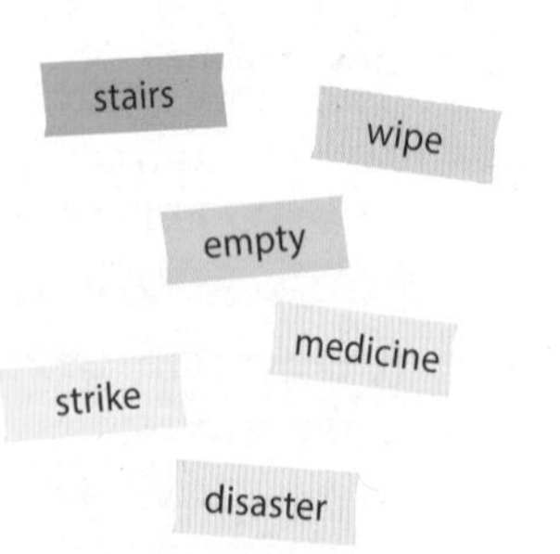

풀이
1 넘어져서 다칠지도 모른다는 뒤 문장을 통해 stairs(계단)이 알맞다.
2 건물들이 흔들리고 무너질 수 있는 것은 지진이 strike(발생하다)할 때이다. 주어가 an earthquake로 3인칭 단수이므로 단수형 strikes가 되어야 한다.
3 자연재해의 의미가 되어야 하므로 disaster(재해)가 알맞다.
4 앞 문장에서 방에 아무도 없다고 했으므로 empty(텅 빈)이 알맞다.

단어·숙어
get hurt 다치다
fall down 무너지다

해석
1 계단에서 뛰지 마라. 너는 넘어져서 다칠지도 모른다.
2 지진이 발생할 때 건물들은 흔들리고 무너질 수 있다.
3 우리는 자연재해에 어떻게 대비할 수 있을까?
4 방에 아무도 없었다. 그것은 비어있었다.

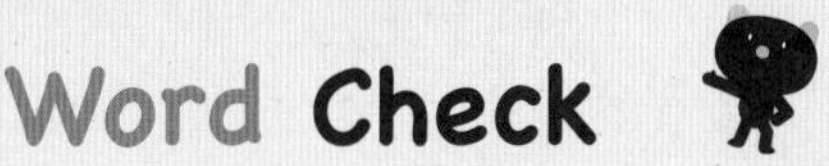

정답과 해설 p. 313

A 다음 영어 표현은 우리말로, 우리말은 영어로 쓰시오.

1. disaster ________________
2. earthquake ________________
3. pole ________________
4. strike ________________
5. injury ________________
6. 살아남다, 생존하다 ________________
7. 방지하다, 피하다 ________________
8. 꼭 잡다 ________________
9. 숨다 ________________
10. 계단 ________________

B 다음 빈칸에 공통으로 알맞은 단어를 쓰시오.

- You should not ________________ the elevator when an earthquake strikes.
- ________________ cover under a table or a desk in an earthquake.

C 다음 빈칸에 알맞은 단어를 [보기]에서 골라 쓰시오.

보기
stay   forget   hurt   follow   protect

1. Don't ________________ to brush your teeth before you go to bed.
2. I tried to ________________ away from crowded places.
3. We need to ________________ the children from danger.
4. Why didn't you ________________ my advice?
5. I ________________ my leg when I fell off my bike.

Language in Use

what/how to ...

A **Look and Write** 다음 그림을 보고, 주어진 단어를 바르게 배열하여 문장을 완성해 봅시다.

1. 
2. 
3.

1. I don't know __what to do__ next. (to, what, do)
2. Junha learned __how to make *gimbap*__. (make, how, *gimbap*, to)
3. Sara couldn't decide __what to wear__ for the party. (what, wear, to)

풀이
1 소년이 책상에 앉아 무엇을 할지 생각하는 모습이므로 '무엇을 …할지'라는 뜻의 what to do가 와야 한다.
2 준하가 김밥을 만들고 있는 모습이므로 '어떻게 …할지'라는 뜻의 방법을 나타내는 how to make *gimbap*이 와야 한다.
3 Sara가 거울에 무슨 옷을 입을지 대보고 있는 모습이므로 '무엇을 …할지'라는 뜻의 what to wear가 와야 한다.

단어·숙어
next ㊌ 다음에
decide ㊍ 결정하다

해석
1 나는 다음에 무엇을 할지를 모른다.
2 준하는 김밥 만드는 방법을 배웠다.
3 Sara는 파티를 위해 무엇을 입을지 결정할 수가 없었다.

Form 1 ▶ **what/how to ...**

'what/how+to ...'는 '무엇을/어떻게 …할지'라는 뜻으로 문장 속에서 명사구로 주어, 목적어, 보어 역할을 한다. to 다음에는 동작을 나타내는 동사원형이 와야 한다.

- **주어:** **How to** live is the most important in life. (어떻게 사느냐가 인생에서 가장 중요하다.)
- **목적어:** I will show you **how to** manage it. (나는 너에게 그것을 어떻게 다룰지 보여 줄 것이다.)
- **보어:** The worry is **what to** do next. (걱정은 다음에 무엇을 할 것인지이다.)

e.g. Minho doesn't know **what to** do next. (민호는 다음에 무엇을 할지를 모른다.)
He is thinking about **what to** say. (그는 무슨 말을 할지 생각하고 있는 중이다.)
Tell me **what to** eat for lunch today. (오늘 점심으로 무엇을 먹을지 내게 말해 줘.)
I'm going to teach you **how to** play the game. (나는 너에게 그 게임을 어떻게 하는지 가르쳐줄 것이다.)
I want to learn **how to** play tennis. (나는 테니스 치는 방법을 배우고 싶다.)
Jina learned **how to** cook spaghetti. (지나는 스파게티 만드는 방법을 배웠다.)

who/which/that ...

B **Match and Say** 다음 그림을 보고, 알맞은 표현끼리 연결한 후 문장을 말해 봅시다.

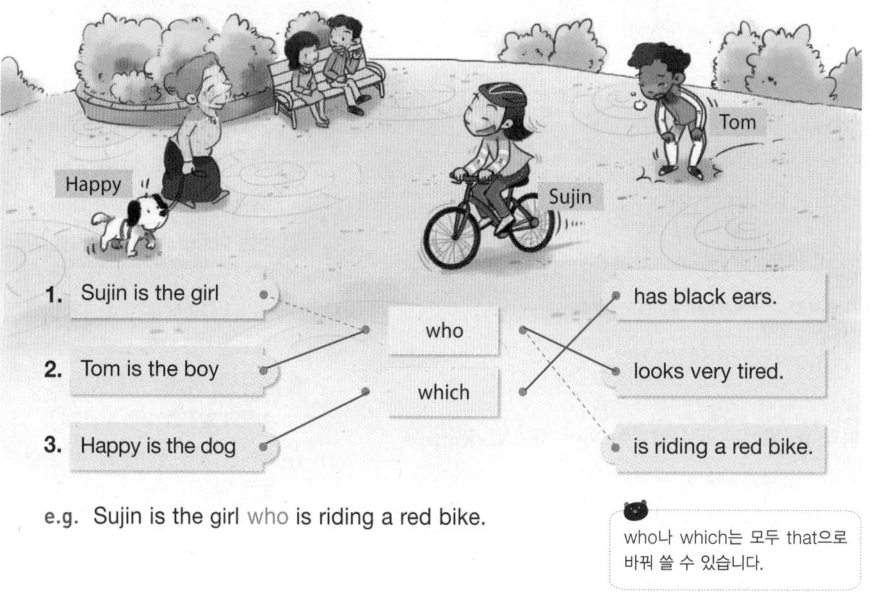

e.g. Sujin is the girl who is riding a red bike.

who나 which는 모두 that으로 바꿔 쓸 수 있습니다.

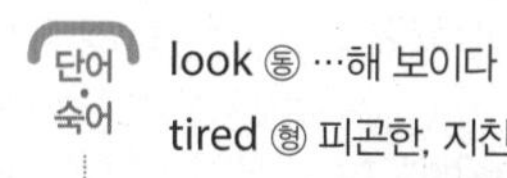

단어·숙어
look 동 …해 보이다
tired 형 피곤한, 지친

해석
1 수진이는 빨간색 자전거를 타고 있는 소녀이다.
2 Tom은 매우 지쳐 보이는 소년이다.
3 Happy는 검은색 귀를 가진 개다.

풀이
2 그림에서 Tom은 매우 지쳐 보이므로 looks very tired와 연결하고, 선행사가 the boy로 사람이므로 주격 관계대명사는 who가 되어야 한다.
3 그림에서 Happy는 검은색 귀를 가지고 있으므로 has black ears로 연결하고, 선행사가 the dog로 동물이므로 주격 관계대명사 which가 되어야 한다.

Form 2 ▶ who/which/that ...

주격 관계대명사 who/which/that은 두 문장을 한 문장으로 연결하며, 중복되는 명사, 즉 선행사는 뒤 문장에서 주어 역할을 한다. 의미는 뒷부분부터 해석하여 '…하는, …인'이라는 뜻이다.

선행사	사람	사물, 동물	사람, 사물, 동물
관계대명사	who	which	that

This is **my friend**. + **She** speaks English very well.
→ This is my friend (선행사) **who** speaks English very well. (이 애가 영어를 매우 잘 말하는 내 친구이다.)

e.g. I know the girl **who(that)** is wearing a pink dress. (나는 분홍색 드레스를 입고 있는 소녀를 안다.)
She has a son **who(that)** lives in Seoul. (그녀는 서울에 사는 아들이 있다.)
There is a glass **which(that)** is full of water. (물로 가득 찬 잔이 하나 있다.)
They were watching a TV program **which(that)** was about natural disasters.
(그들은 자연재해에 관한 TV 프로그램을 시청하는 중이었다.)

Self-check
- I can use 'what/how to ... .' ☐ ☐
- I can use 'who/which/that ... .' ☐ ☐

Grammar Builder p.150 p.151

교과서 p.150

Point 1 what/how to ...

A 설명을 읽고, 밑줄 친 부분을 바르게 고쳐 써 봅시다.

> • what/how to ...: '무엇을/어떻게 …할지'라는 뜻으로 what/how to 다음에는 동작을 나타내는 말의 원래 형태가 온다.
> I know how to make *gimbap*.
> Mina showed us what to wear for the festival.

1. Do you know what to doing next? → what to do
2. Gina showed us how play to the game. → how to play
3. Tom will explain what to prepared for the trip. → what to prepare
4. We learned how cook Chinese food. → how to cook

풀이
1 'what to+동사원형'의 구문에 따라 to 뒤에는 동사원형이 와야 하므로 doing을 do로 고친다.
2 'how to+동사원형'의 구문에 따라 to 뒤에는 동사원형이 와야 하므로 to play로 순서를 바꾼다.
3 'what to+동사원형'의 구문에 따라 to 뒤에는 동사원형이 와야 하므로 prepared를 prepare로 고친다.
4 'how to+동사원형'의 구문에 따라 how와 cook 사이에 to를 넣는다.

단어·숙어
show ⑧ 보여 주다
explain ⑧ 설명하다

해석
• 나는 김밥을 어떻게 만드는지를 안다.
• 미나는 우리에게 축제를 위해 무엇을 입어야 할지를 보여 줬다.
1 너는 다음에 무엇을 할지를 아니?
2 지나는 우리에게 그 게임을 어떻게 하는지를 보여 줬다.
3 Tom은 여행을 위해 무엇을 준비해야 할지를 설명할 것이다.
4 우리는 중국 음식을 요리하는 방법을 배웠다.

Point 2 who/which/that ...

B 설명을 읽고, 괄호 안에서 알맞은 표현을 모두 골라 봅시다.

> • who/which/that은 두 문장을 한 문장으로 연결하는 역할을 하며, 두 문장에서 중복되는 사람이나 사물/동물을 대신하여 쓰인다.
> Mina wore a cap. The cap was red.
> → Mina wore a cap which/that was red.
> • 주의 who나 which는 that으로 바꿔 쓸 수 있으며, 생략할 수 없다.
> I know a girl who/that speaks Chinese and Japanese. (O)
> I know a girl speaks Chinese and Japanese. (X)
> This is the dog which/that saved the girl's life. (O)
> This is the dog saved the girl's life. (X)

1. Jisu loves the dog (who / (which) / (that)) is running next to her.
2. We met a strange man ((who) / which / (that)) was wearing a long black coat.
3. I read a book (who / (which) / (that)) was about amazing sea animals.
4. Chris helped an old man ((who) / which / (that)) was carrying a heavy bag.

풀이
1 선행사가 the dog이고 동물이므로 주격 관계대명사 which나 that을 쓸 수 있다.
2 선행사가 a strange man이고 사람이므로 주격 관계대명사 who나 that을 쓸 수 있다.
3 선행사가 a book이고 사물이므로 주격 관계대명사 which나 that을 쓸 수 있다.
4 선행사가 an old man이고 사람이므로 주격 관계대명사 who나 that을 쓸 수 있다.

단어·숙어
save ⑧ 구하다
strange ⑱ 이상한
amazing ⑱ 놀라운
carry ⑧ 들고 있다, 나르다

해석
• 미나는 빨간색 모자를 썼다.
• 나는 중국어와 일본어를 말하는 소녀를 안다.
• 이 개가 그 소녀의 생명을 구한 개이다.
1 지수는 그녀 옆에서 뛰고 있는 개를 사랑한다.
2 우리는 검은색 긴 코트를 입고 있던 이상한 남자를 만났다.
3 나는 놀라운 해양 동물에 관한 책을 읽었다.
4 Chris는 무거운 가방을 들고 있는 노인을 도와줬다.

Grammar Builder B

교과서 p.151

Point 1 what/how to ...

A 주어진 단어를 바르게 배열하여 문장을 완성해 봅시다.

1. solve this problem to how

→ Can you tell me how to solve this problem ?

2. what to say her to

→ I didn't know what to say to her .

3. the report to write how

→ Hajun asked how to write the report .

4. for what pack to camping

→ The teacher told us what to pack for camping next week.

풀이
1 '어떻게 …할지/…하는 방법'의 의미를 지닌 'how to + 동사원형' 구문을 사용하여 how to solve this problem이 되어야 한다.
2 '무엇을 …할지'의 의미를 지닌 'what to + 동사원형' 구문을 사용하여 what to say to her가 되어야 한다.
3 '어떻게 …할지/…하는 방법'의 의미를 지닌 'how to + 동사원형' 구문을 사용하여 how to write the report가 되어야 한다.
4 '무엇을 …할지'의 의미를 지닌 'what to + 동사원형' 구문을 사용하여 what to pack for camping이 되어야 한다.

단어·숙어
solve 동 풀다, 해결하다
report 명 보고서
pack 동 (짐을) 싸다, 챙기다

해석
1 너는 나에게 이 문제를 어떻게 푸는지를 말해줄 수 있니?
2 나는 그녀에게 무엇을 말할지 몰랐다.
3 하준이는 보고서를 어떻게 쓰는지를 물어봤다.
4 선생님은 우리에게 다음 주 캠핑을 위해 무엇을 챙겨야 할지를 말씀하셨다.

Point 2 who/which/that ...

B 알맞은 말을 골라 두 문장을 한 문장으로 바꿔 써 봅시다.

who which that

1. I lost my sweater. My sweater is green and soft.

→ I lost my sweater which/that is green and soft.

2. My father teaches students. The students are from many different countries.

→ My father teaches students who/that are from many different countries.

3. Where is the book? The book was on my desk yesterday.

→ Where is the book which/that was on my desk yesterday?

4. This is my friend, Sumi. Sumi won the race last year.

→ This is my friend, Sumi who/that won the race last year.

풀이
1 두 문장에서 중복되는 명사는 my sweater이고, 사물이므로 주격 관계대명사 which/that을 써서 문장을 연결할 수 있다.
2 두 문장에서 중복되는 명사는 students이고, 사람이므로 주격 관계대명사 who/that을 써서 문장을 연결할 수 있다.
3 두 문장에서 중복되는 명사는 the book이고, 사물이므로 주격 관계대명사 which/that을 써서 문장을 연결할 수 있다.
4 두 문장에서 중복되는 명사는 Sumi이고, 사람이므로 주격 관계대명사 who/that을 써서 문장을 연결할 수 있다.

단어·숙어
lose 동 잃어버리다(-lost)
soft 형 부드러운
different 형 다른
win 동 이기다(-won)
race 명 경기, 경주

해석
1 나는 초록색이고 부드러운 나의 스웨터를 잃어버렸다.
2 나의 아빠는 많은 다른 나라 출신의 학생들을 가르치신다.
3 어제 내 책상 위에 있던 책은 어디에 있니?
4 이 애가 작년에 경기에서 이긴 내 친구 수미이다.

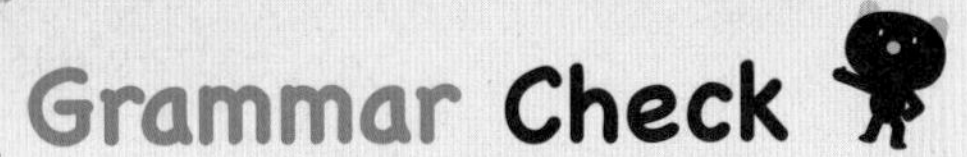

정답과 해설 p. 313

A 다음 괄호 안에서 알맞은 말을 고르시오.

1. Jiseong taught children (what / how) to play soccer well.
2. This is the cat (that / what) likes playing in the box.
3. We are thinking about (what / which) to do for Teacher's Day.
4. The car (who / that) is next to the bench is expensive.

B 다음 괄호 안에 주어진 단어를 사용하여 문장을 완성하시오.

1. The book is about ____________________ in an earthquake.
   (do, to, what)
2. I don't know ____________________.
   (to, her, what, say, to)
3. Learning ____________________ is very important in school life.
   (make, how, friends, to)

C 다음 문장에서 어법상 <u>어색한</u> 부분을 찾아 바르게 고쳐 쓰시오.

1. I have a friend who live in Canada.
   ____________ → ____________
2. The dog what is running over there is mine.
   ____________ → ____________
3. The girl who are carrying a big bag is my sister.
   ____________ → ____________

D 괄호 안의 주어진 표현을 활용하여 다음 글을 완성하시오.

> When disasters come, you should know ____________________ (what, do). Here are some tips that will help you survive. Let's talk about ____________________ (what, prepare) first. You can prepare a survival bag. You can put food, water, matches, and medicine in it. A survival bag ____________________ (which, helpful things) will help you get through the disaster.

Grammar Tip

• what/how to ...는 '무엇을/어떻게 …할지'라는 뜻으로 what/how to 다음에는 동사원형이 와야 한다.

• 주격 관계대명사 who/which/that 뒤에 나오는 동사는 선행사의 인칭과 수에 일치시킨다.

Let's Write

Our Safety Guide

교과서 p.38

Ready 모둠별로 일상생활 속 안전을 위협하는 상황과 문제점, 대처 방법을 생각해 봅시다. group

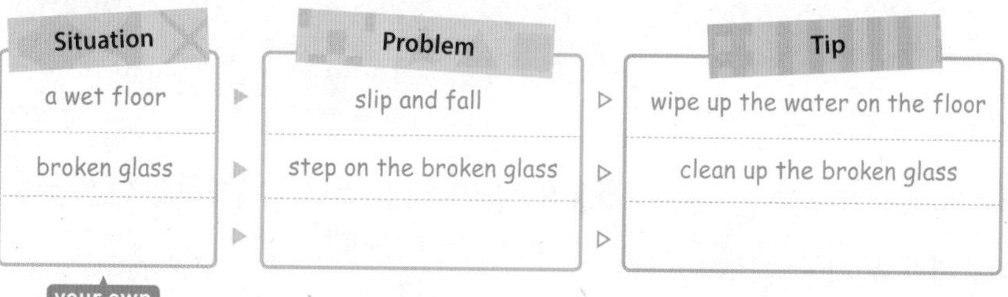

Situation	Problem	Tip
a wet floor	slip and fall	wipe up the water on the floor
broken glass	step on the broken glass	clean up the broken glass

your own

단어·숙어 slip ⓢ 미끄러지다
wipe up 닦다

해석
상황 – 젖은 바닥, 깨진 유리
문제 – 미끄러지고 넘어지다
깨진 유리를 밟다
조언 – 바닥에 있는 물을 닦다
깨진 유리를 치우다

활동 방법 일상생활 속에서 안전을 위협하는 상황과 문제점, 그 대처 방법을 생각해 본다.

Write 위의 내용을 바탕으로 안전 수칙 안내문을 써 봅시다. group

There are many situations which can be dangerous. Here are some tips. Let's learn what to do and be safe! A wet floor can be dangerous. People might slip and fall. So you should wipe up the water on the floor.

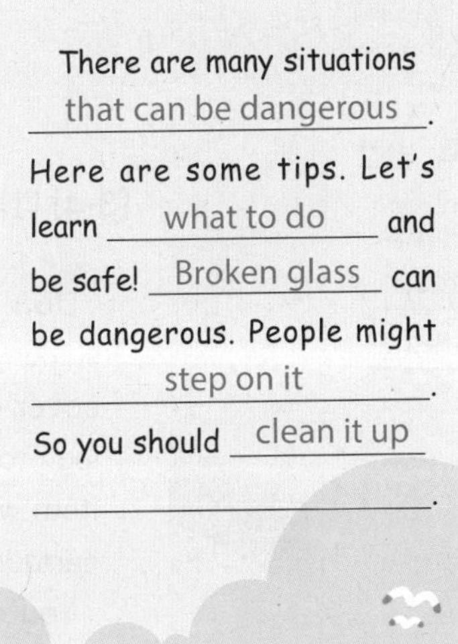

There are many situations that can be dangerous. Here are some tips. Let's learn what to do and be safe! Broken glass can be dangerous. People might step on it. So you should clean it up ________.

단어·숙어 dangerous ⓗ 위험한

활동 방법 상황에 따른 문제점과 그에 맞는 조언을 제시하는 순서로 글을 완성할 수 있도록 한다. 주격 관계대명사 which와 '무엇을 …할지'의 뜻을 나타내는 what to ... 구문을 적절하게 쓸 수 있도록 한다.

해석
위험할 수 있는 많은 상황들이 있다. 여기에 몇 가지 조언이 있다. 무엇을 해야 할지를 배우고 안전해지자! 젖은 바닥은 위험할 수 있다. 사람들은 미끄러지고 넘어질 수 있다. 그래서 여러분은 바닥에 있는 물을 닦아야 한다.

해석
위험할 수 있는 많은 상황들이 있다. 여기에 몇 가지 조언이 있다. 무엇을 해야 할지를 배우고 안전해지자! 깨진 유리는 위험할 수 있다. 사람들은 깨진 유리를 밟을 수 있다. 그래서 여러분은 깨진 유리를 치워야만 한다.

Present 완성한 안전 수칙 안내문을 친구들 앞에서 발표해 봅시다.

Peer Review

- 안전을 위협하는 상황과 문제점, 대처 방법을 정리하여 안전 수칙 안내문을 잘 썼나요? ☐ ☐
- 'what/how to ...'와 'who/which/that ...' 표현을 이해하고 잘 사용하였나요? ☐ ☐

Let's Check

1 대화를 듣고, 대화가 끝난 후 소녀가 할 일을 골라 봅시다.

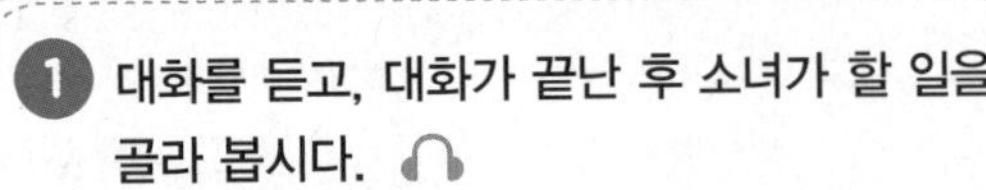

☑ 

☐ 

2 빈칸에 들어갈 걱정과 해결책을 연결한 후, 짝과 대화해 봅시다.

(1) have a presentation tomorrow — practice a lot

(2) hurt my finger — see a doctor

A: I ________. I'm worried about it.

B: You should ________.

[3-4] 다음 글을 읽고, 물음에 답해 봅시다.

Don't run outside when things are shaking. Find a table or a desk and take cover under it. You can hold on to the legs to protect yourself. Also, stay away from windows. <u>They</u> can break during an earthquake and hurt you.

You can go outside when the shaking stops. To get out of buildings, don't use the elevator. Take the stairs. It's much safer. Once you are outside, find an empty space that is far from buildings.

3 윗글에서 밑줄 친 They가 가리키는 것을 찾아 써 봅시다. windows

4 윗글의 내용과 일치하지 <u>않는</u> 것을 골라 봅시다.

① Take cover under a table when things are shaking.

② ✓ When things are shaking, run outside quickly.

③ Take the stairs to get out of buildings.

5 네모 칸에 who/which 중 하나를 쓴 후, 빈칸에 어울리는 표현을 골라 봅시다.

(1) She is the girl [who] helped me yesterday.

(2) This is the movie [which] is about earthquakes.

is about earthquakes
helped me yesterday

your own

6 여러 재해의 행동 요령 중 어떤 행동 요령을 배워 보고 싶은지 문장을 완성해 봅시다.

e.g. I want to learn what to do in an earthquake.

I want to learn ☐ what to ☐ how to

I want to learn what to do in a flood. / I want to learn how to prepare for an earthquake.

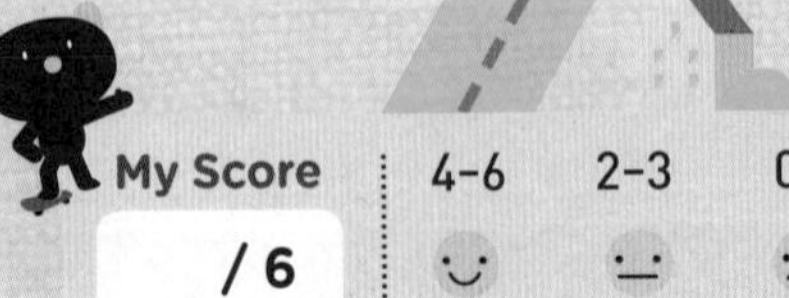

My Score /6 | 4-6 | 2-3 | 0-1

1

Script

G: It's raining. I'm worried about our picnic in the afternoon.

W: It is going to rain until late afternoon today. You should go another day.

G: You're right, Mom. I'll call my friend and choose another day.

해석

G: 비가 와요. 오후에 있을 소풍이 걱정돼요.

W: 오늘 오후 늦게까지 비가 올 거야. 넌 다른 날에 가야 해.

G: 맞아요, 엄마. 친구에게 전화해서 다른 날을 정할게요.

풀이 마지막 말에서 친구에게 전화해서 다른 날로 정하겠다고 소녀가 말하고 있다.

단어 숙어

picnic ⓜ 소풍
until ⓟ …까지
another ⓗ 다른, 또 하나의
choose ⓓ 선택하다, 고르다

2

해석

(1) A: 나는 내일 발표가 있어. 나는 그것이 걱정돼.
B: 너는 연습을 많이 해야만 해.

(2) A: 나는 손가락을 다쳤어. 나는 그것이 걱정돼.
B: 너는 병원에 가봐야 해.

풀이

(1) I have a presentation tomorrow.라는 걱정에 대한 해결책은 You should practice a lot.이 적절하다.

(2) I hurt my finger.라는 걱정에 대한 해결책은 You should see a doctor.가 적절하다.

단어 숙어

presentation ⓜ 발표
practice ⓓ 연습하다

3-4

해석

물건들이 흔들릴 때는 밖으로 뛰어나가지 마세요. 탁자나 책상을 찾아서 그 밑에 숨으세요. 자신을 보호하기 위해 다리를 붙들고 있어도 됩니다. 또한 창문으로부터 떨어지세요. 지진이 일어나는 동안 창문들이 깨져서 여러분을 다치게 할 수 있습니다.

흔들림이 멈췄을 때 밖으로 나가도 됩니다. 건물 밖으로 나가기 위해 승강기를 이용하지 마세요. 계단을 이용하세요. 훨씬 더 안전합니다. 일단 밖으로 나가면, 건물로부터 멀리 떨어진 공터를 찾으세요.

단어 숙어

outside ⓑ 밖으로
take cover 숨다
hold on to 꼭 잡다
protect ⓓ 보호하다
get out of …에서 나가다
safe ⓗ 안전한
empty ⓗ 빈

3

풀이 They는 앞 문장에 언급된 windows를 가리킨다.

4

풀이 물건들이 흔들릴 때는 밖으로 뛰어나가지 말라고 했으므로 밖으로 빨리 나가라는 내용의 ②는 글의 내용과 일치하지 않는다.

① 물건들이 흔들릴 때 탁자 밑으로 숨어라.
② 물건들이 흔들릴 때 밖으로 빨리 나가라.
③ 건물 밖으로 나가기 위해서 계단을 이용하라.

5

해석

(1) 그녀는 어제 나를 도와줬던 소녀이다.
(2) 이것은 지진에 관한 영화이다.

풀이

(1) 선행사가 the girl이고 사람이므로 주격 관계대명사 who를 써야 한다.
She is the girl. The girl helped me yesterday.
→ She is the girl who helped me yesterday.

(2) 선행사가 the movie이고 사물이므로 주격 관계대명사 which를 써야 한다.
This is the movie. The movie is about earthquakes.
→ This is the movie which is about earthquakes.

6

해석

나는 지진에 무엇을 해야 할지 배우고 싶다.
나는 홍수에 무엇을 해야 할지 배우고 싶다.
나는 지진을 어떻게 준비해야 할지 배우고 싶다.

풀이 what/how to ...를 사용하여 '무엇을/어떻게 …할지'의 뜻으로 자신이 배워 보고 싶은 자연재해의 행동 요령에 관한 문장을 완성한다. 이때 what/how to 다음에는 동사원형을 써야 한다.

Culture & Life

Amazing Survival Stories

교과서 p.40

Find out 지진에서 살아남은 사람들에 대해 알아봅시다.

China

Wang Youqiong, a 60-year-old woman, survived the earthquake that hit China in 2008. People found her about 8 days after the earthquake struck. She drank rain water and tried very hard to survive.

Haiti

Darlene Etienne, a 16-year-old girl, survived the earthquake that hit Haiti in 2010. People found her 15 days after the earthquake struck. They think that she possibly survived by drinking bath water.

Italy

When an earthquake struck in Italy in 2016, people found Georgia thanks to Leo, a dog. Leo found the eight-year-old girl 16 hours after the earthquake struck.

Try out 자연재해를 경험한 사람들의 이야기를 더 조사하여 말해 봅시다.

단어·숙어

hit ㊐ 치다, 덮치다(– hit)
possibly ㊕ 아마도, 혹시
thanks to … 덕분에

해석 **Find out**

- **중국** – 60세 여성인 Wang Youqiong은 2008년 중국을 강타한 지진에서 살아남았다. 사람들은 그녀를 지진이 발생한 후 약 8일이 지나 발견하였다. 그녀는 빗물을 마시며 살아남기 위해 매우 열심히 노력하였다.
- **아이티** – 16살 소녀인 Darlene Etienne는 2010년 아이티를 강타한 지진에서 살아남았다. 사람들은 그녀를 지진이 발생한 후 15일이 지나 발견하였다. 사람들은 그녀가 아마도 목욕물을 마시며 생존했을 것이라고 생각한다.
- **이탈리아** – 2016년 이탈리아에서 지진이 발생하였을 때, 사람들은 Leo라는 개 덕분에 Georgia를 발견하였다. Leo는 지진 발생 후 16시간이 지나 이 8살짜리 소녀를 찾았다.

교과서 p.41

Ready 모둠별로 재난 대비 가방에 넣을 물품과 그 이유를 정리해 봅시다. group

What to pack	Reason
food and water	we need food and water to survive

Create 위의 정보를 바탕으로 재난 대비 가방에 들어갈 물품을 그리고, 이를 소개하는 글을 써 봅시다. group

e.g. **Our Survival Bag**

Here are the items for our survival bag. We packed some food and water. We need them to survive. We also packed some matches that might be helpful in disasters. We put medicine in the bag, too. We might need it for injuries.

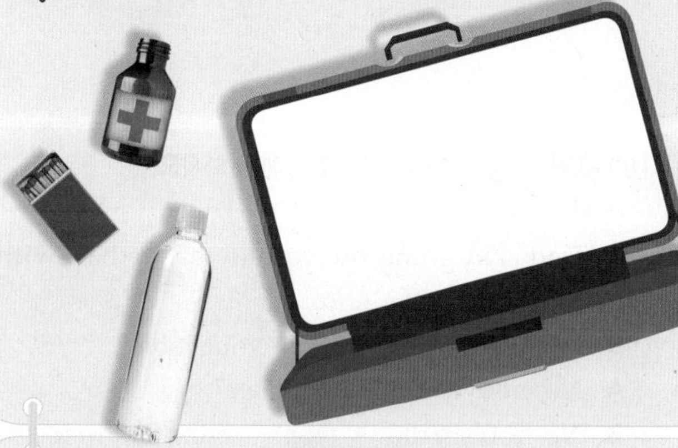

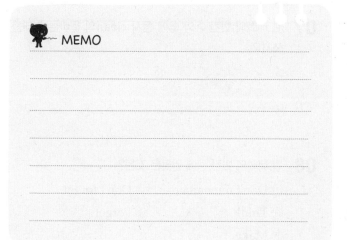

Share 준비한 재난 대비 가방을 친구들에게 소개해 봅시다.

MEMO

Ready

활동 방법 재난 대비 가방에 넣을 물품과 그 이유를 생각해 본다.

해석

챙길 것 음식과 물

이유 우리는 생존하기 위해서 음식과 물이 필요하다

Create

활동 방법 Ready에서 정리한 내용을 바탕으로 재난 대비 가방에 들어갈 물품을 그리고, 이를 소개하는 글을 써 본다.

해석

우리의 생존 가방

여기에 우리의 생존 가방에 들어갈 물품이 있습니다. 우리는 약간의 음식과 물을 쌌습니다. 우리는 생존하기 위해서 그것들이 필요합니다. 우리는 또한 재난 발생 시 유용할 수 있는 몇 개의 성냥을 쌌습니다. 가방에 약품도 넣었습니다. 부상을 당했을 때 그것은 필요할 수 있습니다.

단어·숙어

survival ⓜ 생존
item ⓜ 물품, 품목
pack ⓢ (짐을) 싸다, 챙기다
match ⓜ 성냥
helpful ⓗ 도움이 되는, 유용한
medicine ⓜ 약

예시 정답

Here are the items for our survival bag. We packed a first aid kit. If something bad happens in a disaster, we can get hurt. So we need to pack first aid items, such as bandages, cough and cold medicine and painkillers to survive. They might be helpful in disasters.

여기에 우리의 생존 가방에 들어갈 물품이 있습니다. 우리는 구급함을 쌌습니다. 재난 속에서 나쁜 일이 일어나면 우리는 다칠 수 있습니다. 그래서 우리는 생존하기 위해서 밴드, 기침 감기약과 진통제와 같은 구급물품을 쌀 필요가 있습니다. 그것들은 재난 시에 유용할 수 있습니다.

Share

활동 방법 준비한 재난 대비 가방을 친구들 앞에서 소개해 본다.

단원 종합 평가

01 대화를 듣고, 여자가 챙겨야 할 물건으로 가장 적절한 것을 고르시오.

① sunscreen ② cap ③ bag
④ sunglasses ⑤ umbrella

02 대화를 듣고, 남자가 충고하는 내용으로 가장 적절한 것을 고르시오.

① 약을 먹어라. ② 병원에 가라.
③ 집에서 쉬어라. ④ 자주 씻어라.
⑤ 수면을 더 취해라.

03 대화를 듣고, 여자의 말에 이어질 남자의 응답으로 가장 적절한 것을 고르시오.

① Yes, I did.
② I'm afraid not.
③ I agree with you.
④ That's great. You should try one more time.
⑤ Sorry to hear that. I hope you feel better soon.

04 다음 대화의 빈칸에 알맞은 것은?

> **A** I'm worried about the tornado.
> **B** ____________________

① Let's go outside.
② You should stay inside.
③ I don't like to stay inside.
④ I'm thinking of the tornado.
⑤ Why are you staying inside?

[05-06] 다음 대화를 읽고, 물음에 답하시오.

> **A** Mina, there was a big fire at the city library yesterday.
> **B** Yes, I heard about it. I was worried about the people there.
> **A** Don't worry. Everybody was okay. They all followed the safety rules.
> **B** Really? What are the rules?
> **A** You need to cover your nose and mouth with a wet towel. Then stay low and escape.
> **B** Oh, I didn't know that.
> **A** You should ________ that in mind. It might be helpful some day.

05 위 대화의 빈칸에 알맞은 것은?

① keep ② remember ③ forget
④ think ⑤ avoid

06 위 대화의 내용과 일치하지 않는 것은?

① 어제 시립 도서관에서 큰 화재가 발생했다.
② 미나는 화재 피해자들에 대해 걱정한다.
③ 화재 때 사람들은 모두 안전 규칙을 따랐다.
④ 화재가 발생하면 마른 수건으로 입을 막아야 한다.
⑤ 화재가 발생하면 낮은 자세로 탈출해야 한다.

[07-08] 다음 대화를 읽고, 물음에 답하시오.

> **A** Dad, I'm going out to play basketball with Minu.
> **B** Did you finish ___ⓐ___ your room?
> **A** No, not yet. Can I do it later?
> **B** No. You should ___ⓑ___ your room first.
> **A** Okay. I'll clean my room and then play basketball.
> **B** Good. ___ⓒ___ to be home by six o'clock.
> **A** Okay.

07 위 대화의 빈칸 ⓐ와 ⓑ에 동사 **clean**의 올바른 형태를 쓰시오.

ⓐ ____________ ⓑ ____________

08 위 대화의 빈칸 ⓒ에 알맞은 것은?

① Don't remember ② Don't forget
③ Think ④ Forget
⑤ Make

09 다음 단어의 영영 풀이로 바르지 않은 것은?

① survive: to remain alive
② injury: harm or damage
③ take cover: to find a hiding place
④ hurt: to keep someone or something from being harmed
⑤ strike: to affect someone or something suddenly in a bad way

10 다음 빈칸에 공통으로 알맞은 것은?

- The man suffered from the ________.
- He couldn't join the game because of ________.

① avoid ② injury ③ empty
④ harm ⑤ protect

11 우리말과 일치하도록 빈칸에 알맞은 말을 쓰시오.

지진이 그 도시에 일주일 전에 발생했다.
→ An ________ ________ in the city a week ago.

12 다음 두 문장을 연결할 때 빈칸에 알맞은 것은?

- I saw a dog.
- The dog was running in the park.

→ I saw a dog ________ was running in the park.

① how ② who ③ what
④ that ⑤ whom

13 다음 중 어법상 올바른 문장은?

① There is a boy is riding a bike.
② I have a friend who love cooking.
③ I don't like the stories that is boring.
④ He is the man which comes from England.
⑤ She is the famous movie director who makes interesting movies.

14 우리말과 일치하도록 주어진 단어를 바르게 배열하여 문장을 완성하시오.

나는 Jane의 생일 파티를 위해 무엇을 가져가야 할지를 안다.
→ I know ________________ for Jane's birthday. (take, to, what)

15 다음 문장에서 어법상 어색한 부분을 두 군데 찾아 바르게 고쳐 쓰시오.

I read the book who was about how to making Mexican food.

(1) ________________ → ________________
(2) ________________ → ________________

16 다음 중 어법상 어색한 문장은?

① He will tell us how to play the game.
② I bought a chair that was made in France.
③ I don't know what to do in an earthquake.
④ Is there anyone who likes to play baseball?
⑤ I have a cat that are curious about many things.

[17-19] 다음 글을 읽고, 물음에 답하시오.

How did you do on the quiz? Can you survive an earthquake safely? Here are some safety tips ________ can be helpful in an earthquake. Let's check them one by one and learn (A) [what / how] to do.

Don't run outside when things are shaking. Find a table or a desk and take cover under it. You can hold on to the legs (B) [protect / to protect] yourself. Also, stay away from windows. They can break during an earthquake and (C) [hurt / hurts] you.

17 윗글의 빈칸에 알맞은 말을 쓰시오.

→ ________________

18 윗글의 내용대로 지진 안전 수칙을 바르게 숙지한 사람은?

① Seho: When things are shaking, I will run outside to protect myself.
② Minjun: When an earthquake strikes, I will find windows to escape through.
③ Eric: In an earthquake, I will stay away from windows because they could hurt me.
④ Jinhee: I will hold on to a window in an earthquake.
⑤ Jenny: In an earthquake, I will stay outside and take cover under a tree.

19 윗글의 (A), (B), (C)에서 어법상 알맞은 말끼리 짝 지어진 것은?

	(A)	(B)	(C)
①	what …	protect	… hurt
②	what …	protect	… hurts
③	what …	to protect	… hurt
④	how …	to protect	… hurts
⑤	how …	to protect	… hurt

[20-23] 다음 글을 읽고, 물음에 답하시오.

(①) You can go outside when the shaking stops. To get out of buildings, don't use the elevator. (②) Take the stairs. (③) Once you are outside, (A) 건물들에서부터 멀리 떨어져있는 공터를 찾아라. There may be people who want to hold on to a pole or a tree, but think again. (④) That's a bad idea ___(B)___ it can fall on you. (⑤)

20 윗글의 ①~⑤ 중 주어진 문장이 들어갈 알맞은 곳은?

> It's much safer.

① ② ③ ④ ⑤

21 윗글의 밑줄 친 (A)의 우리말과 일치하도록 주어진 단어를 바르게 배열하시오.

> is find that far buildings an empty space from

→ ______________________

22 윗글의 빈칸 (B)에 알맞은 것은?

① when ② before ③ after
④ if ⑤ because

23 윗글의 내용과 일치하지 않는 것은?

① When the shaking starts, you can't go outside.
② To get out of buildings, you should use the stairs.
③ When you are outside, you should enter another building.
④ You shouldn't hold on to a pole when you are outside.
⑤ A pole or a tree outside can fall on you.

[24-25] 다음 글을 읽고, 물음에 답하시오.

Earthquakes can strike anytime. They can be scary experiences for everyone. So learn [how to / what to] be safe in an earthquake. You can ________ injuries and protect yourself. Follow these tips and be safe!

24 윗글의 네모 안에서 알맞은 것을 고르시오.

→ ______________

25 윗글의 빈칸에 알맞은 것은?

① avoid ② break ③ keep
④ make ⑤ find

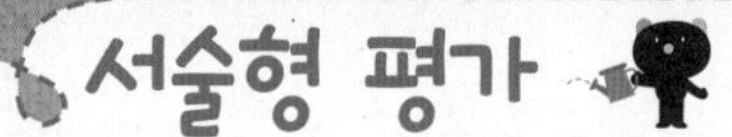

정답과 해설 p. 317

서술형 평가

01 [보기]를 참고하여 주어진 그림에 맞는 고민과 그에 알맞은 조언을 쓰시오.

보기

e.g. A: I'm worried about my headache.
B: You should take some medicine.

(1)

A: I'm worried about ______________________.
B: ______________________

(2)

A: I'm worried about ______________________.
B: ______________________

(3)

A: I'm worried about ______________________.
B: ______________________

02 다음은 세영이의 독서 일지이다. 세영이가 읽은 책의 내용을 소개하는 글을 완성하시오.

Month	Book
March	The book was about how to make *gimbap*.
April	The book was similar to *Harry Potter*.
May	The book had two characters: an old lady and a dog.
June	The book taught me how to improve my English.

In March, Seyeong read the book that was about how to make *gimbap*.
In April, Seyeong ______________________.
In May, Seyeong ______________________.
In June, Seyeong ______________________.

03 여름철 수영 시 유의해야 할 안전 수칙 안내문을 완성하시오.

Problem	Tip	
no warm-up exercises → heart attack	enough warm-up exercises	There are many situations that can be dangerous when swimming. Here are some tips. Let's learn what to do and be safe! ______________________ can be dangerous. You might ______________________. So you should ______________________.

Lesson 3

Happy Others, Happier Me

Functions

- 도움 제안하기 **Let me help you.** 내가 도와줄게.
- 칭찬에 답하기 **I'm glad you like(d)** it. 네 마음에 든(들었)다니 기뻐.

Forms

- Here are two stories **which** I read yesterday. 여기 내가 어제 읽은 두 이야기가 있다.
- She **asked** him **to** do the job. 그녀는 그에게 그 일을 해 달라고 요청했다.

❶

❷

PARK

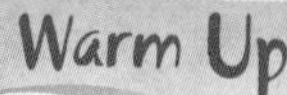

그림 속 친구들의 생각을 나타내는 문장을 찾아 말해 봅시다.

① These walls will be beautiful. 이 벽들은 아름다워질 것이다.
② The park will be cleaner. 공원은 더 깨끗해질 것이다.
③ People can have a free lunch. 사람들은 무료로 점심을 먹을 수 있다.

❸

FOOD

Communication	Reading	Writing	Culture & Project
Giving Help 도움 주기	Small but Great Ideas 작지만 위대한 아이디어	Helping Peers Club 또래 돕기 동아리	Our Happier Class 더 행복한 우리 학급

A **Listen and Choose** What does the sticker look like?
스티커는 어떻게 생겼습니까?

☐ ☑ ☐

'Let me help you.'는 '도와줄게.'라는 뜻으로 쓰입니다.

단어 숙어
plan ⓢ 계획하다
give out …을 나누어 주다
free ⓗ 무료의
forget ⓢ 잊어버리다
volunteer club 자원봉사 동아리
activity ⓜ 활동

Script

B: Hojun and I planned to give out free stickers today, but I think he forgot.
G: Really? Let me help you then. Why are you going to give out stickers?
B: It's part of our volunteer club activity.
G: I see. What does this sticker mean?
B: It means that when we smile at each other, the world will become a better place.
G: That's a wonderful idea.

해석

B: 호준이와 나는 오늘 무료 스티커를 나눠 주려고 했는데, 호준이가 잊어버린 것 같아.
G: 그래? 그럼 내가 도와줄게. 스티커를 왜 나눠 주려고 하니?
B: 우리 자원봉사 동아리 활동의 일부야.
G: 알겠어. 이 스티커는 무엇을 의미하니?
B: 그것은 우리가 서로에게 미소 지을 때, 세상이 더 나은 곳이 될 거라는 뜻이야.
G: 멋진 생각이다.

풀이 서로에게 미소 지을 때 세상이 더 나은 곳이 될 거라는 뜻의 스티커라고 했으므로 스티커에는 미소 짓는 얼굴이 있을 것이다.

표현 • **Let me help you.:** '도와줄게.'라는 뜻으로 도움을 제공하고자 할 때 쓰는 표현이다. 비슷한 표현으로 Let me give you a hand. / Can I help you? 등이 있다.

B **Listen and Talk** Fill in the blanks and talk with your partner. pair
빈칸을 채우고 짝과 대화해 봅시다.

A: I feel <u>happy</u> when I teach my mentee every <u>weekend</u>.
나는 주말마다 내 멘티를 가르칠 때 행복해.
B: You are a good mentor.
너는 훌륭한 멘토구나.

단어 숙어
mentee ⓜ 멘티(조언을 받는 사람)
mentor ⓜ 멘토(조언을 하는 사람)

Script

B: Jimin, what are all these things in the box?
G: They're for my mentee at the children's center. I'm going to give her my old books today.
B: Do you teach her every weekend?
G: Yes. I feel happy when I teach her.
B: You are a good mentor. Oh, the box looks heavy. Let me help you.
G: Thanks.

해석

B: 지민아, 상자 안에 이 물건들은 다 무엇이니?
G: 그것들은 아동 센터의 내 멘티에게 줄 물건이야. 나는 오늘 그녀에게 내 오래된 책들을 주려고 해.
B: 너는 그녀를 주말마다 가르치니?
G: 응. 나는 그녀를 가르칠 때 행복해.
B: 너는 훌륭한 멘토구나. 아, 상자가 무거워 보여. 도와줄게.
G: 고마워.

풀이 지민이는 아동 센터에서 '주말'마다 멘티를 가르칠 때 '행복하다'고 말하고 있다.

표현 • **I'm going to give her my old books today.:** I'm going to … .는 의도나 계획을 나타내는 표현으로 가까운 미래에 할 일을 의미한다. I'm thinking of … . / I'm planning to … . 등과 바꿔 쓸 수 있다.

C **Talk Together** What kind of help do they need? Talk with your partner. pair
그들은 어떤 종류의 도움이 필요합니까? 짝과 대화해 봅시다.

단어 숙어 model airplane 모형 비행기
anybody ㊥ 누군가

move the table
open the window
build the model airplane

A: I can't move the table. Can anybody help me?
B: Let me help you. I'm your Help Robot.
A: Thanks. You're the best.

해석
A: 나는 탁자를 못 옮기겠어. 누구 나 좀 도와줄 수 있니?
B: 내가 도와줄게. 나는 너의 Help Robot이야.
A: 고마워. 네가 최고야.

활동 방법 그림의 상황을 보고, 각각의 인물이 요청할 도움을 찾아 주어진 대화문을 이용하여 짝과 대화해 본다.

예시 대화

- A: I can't open the window. Can anybody help me?
  B: Let me help you. I'm your Help Robot.
  A: Thanks. You're the best.
- A: I can't build the model airplane. Can anybody help me?
  B: Let me help you. I'm your Help Robot.
  A: Thanks. You're the best.

- A: 나는 창문을 못 열겠어. 누구 나 좀 도와줄 수 있니?
  B: 내가 도와줄게. 나는 너의 Help Robot이야.
  A: 고마워. 네가 최고야.
- A: 나는 모형 비행기를 못 만들겠어. 누구 나 좀 도와줄 수 있니?
  B: 내가 도와줄게. 나는 너의 Help Robot이야.
  A: 고마워. 네가 최고야.

Function 1 도움 제안하기: Let me help you.

Let me help you.는 '도와줄게.'라는 뜻으로 도움을 제안할 때 쓰는 표현이다.
- 유사 표현 – Let me give you a hand. / Can〔May〕 I help you?
- 응답 표현 – Thank you (for your help/helping me). / Thanks.

예시 대화

- A: **Let me give you a hand.** (내가 도와줄게.)
  B: Thanks for your help. (도와 줘서 고마워.)

Listen & Speak 2

A **Listen and Choose** What did Alex make for his mom?
Alex는 그의 엄마를 위해서 무엇을 만들었습니까?

단어·숙어
plastic bag 비닐봉지
need ⓢ 필요로 하다
the other day 며칠 전, 지난번
different ⓗ 다른

☐ 

☐ 

☑ 

Script

B: Mom, this is for you. I made it with plastic bags.
W: That's very cute, Alex. How did you know that I needed a new basket?
B: You talked about it when we were having dinner the other day.
W: How nice! I really like this basket. It has many different colors.
B: I'm glad you like it.

해석

B: 엄마, 이거 엄마를 위한 거예요. 저는 그것을 비닐봉지로 만들었어요.
W: 정말 귀엽구나, Alex. 내가 새로운 바구니가 필요하다는 것을 어떻게 알았니?
B: 지난번 우리가 저녁을 먹을 때 엄마가 말씀하셨어요.
W: 정말 멋지구나! 이 바구니 정말 마음에 들어. 여러 다른 색깔로 되어 있구나.
B: 마음에 드신다니 기뻐요.

풀이 Alex는 엄마를 위해 여러 색깔의 비닐봉지로 바구니를 만들었다고 말하고 있다.

표현
- **This is for you.:** '이것은 당신을 위한 것입니다.'라는 뜻으로 선물 등을 줄 때 쓰는 표현이다.
- **How nice!:** 감탄문으로 How nice the bag is!에서 주어와 동사가 생략된 형태이다. What a nice bag!으로 바꿔 쓸 수 있다.

B **Listen and Write** Fill in the blanks with the correct words.
빈칸에 알맞은 말을 써 봅시다.

단어·숙어
have to …해야 한다

Yujin told me a great story about a boy in India. Every day, the boy taught children who couldn't go to school.

유진이는 나에게 인도에 있는 한 소년에 대한 멋진 이야기를 해 주었다. 매일, 그 소년은 학교에 갈 수 없었던 아이들을 가르쳤다.

Script

G: I read a story about a special boy in India. Do you want to hear about it?
B: Sure. Why is he special, Yujin?
G: Many children in his town couldn't go to school and had to work. So he taught them in his house every day.
B: That's a great story.
G: I'm glad you like it.

해석

G: 나는 인도의 한 특별한 소년에 대한 이야기를 읽었어. 들어 볼래?
B: 그래. 왜 그가 특별한 거니, 유진아?
G: 그 소년의 마을에 있는 많은 아이들이 학교에 갈 수 없었고 일을 해야 했어. 그래서 그는 자신의 집에서 매일 그들을 가르쳤대.
B: 멋진 이야기다.
G: 네 맘에 든다니 기뻐.

풀이 유진이는 '인도'에 사는 특별한 소년에 대한 이야기를 하고 있으며, 그 소년은 '학교'에 가지 못하는 아이들을 매일 '가르쳤다'고 말하고 있다.

C Talk Together What did each student do for the birthday girl? Talk with your partner. pair

각 학생이 생일을 맞은 소녀를 위해 무엇을 했습니까? 짝과 대화해 봅시다.

단어·숙어
frame 명 틀, 액자
bake 동 (빵 등을) 굽다

A: I made this picture frame for you.
B: Thanks! It's wonderful.
A: You're welcome. I'm glad you like it.

make
bake
design

해석
A: 이 사진 액자를 너를 위해 만들었어.
B: 고마워! 멋지다.
A: 천만에. 네가 맘에 든다니 기뻐.

활동 방법 그림을 보고, 각 학생이 준비한 생일 선물이 무엇인지 생각해 본 후 알맞은 동사를 골라 주어진 대화문을 이용하여 짝과 대화해 본다.

예시 대화
- A: I baked this cake for you.
  B: Thanks! It's wonderful.
  A: You're welcome. I'm glad you like it.
- A: I designed this bag for you.
  B: Thanks! It's wonderful.
  A: You're welcome. I'm glad you like it.

- A: 이 케이크를 너를 위해 만들었어.
  B: 고마워! 멋지다.
  A: 천만에. 네가 맘에 든다니 기뻐.
- A: 이 가방을 너를 위해 디자인했어.
  B: 고마워! 멋지다.
  A: 천만에. 네가 맘에 든다니 기뻐.

Function 2 칭찬에 답하기: I'm glad you like(d) ... .

I'm glad you like(d) ... .는 '네가 …을 좋아한(했)다니 나도 기뻐.'라는 뜻으로 자신이 상대방에게 해 준 일에 관해 칭찬의 말을 들었을 때 답하는 표현이다.

- 유사 표현 – My pleasure. / You're welcome. / Don't mention it. / Not at all.

예시 대화
- A: Thank you for the nice present. I really liked it. (멋진 선물 고마워. 정말 맘에 들었어.)
  B: **I'm glad you liked it.** (네가 맘에 들었다니 기뻐.)

Real Life Communication

A Watch and Choose 동영상을 보고, 내용과 관련 있는 그림을 골라 봅시다.

☐  ☐  ☑ 

단어·숙어
on one's own 자기 스스로
agree ㉲ 동의하다
member ㊔ 회원

Script

Emily: Welcome back, Brian. Are you feeling better?
Brian: Yes, thanks. I tried to study on my own in the hospital, but it was hard.
Emily: Let me help you. Why don't you join my study group?
Brian: Did you start a study group? That's wonderful.
Emily: Thanks. I think that we can learn better when we teach each other.
Brian: I agree. I'll try hard to be a good member. Thanks for helping me.
Emily: You're welcome. I'm glad you like my idea.

해석

Emily: 다시 돌아온 걸 환영해, Brian. 이제 좀 괜찮아졌니?
Brian: 응, 고마워. 나는 병원에서 내 스스로 공부하려고 노력했는데, 어려웠어.
Emily: 내가 도와줄게. 우리 공부 모임에 합류하는 게 어때?
Brian: 공부 모임을 시작했니? 멋지다.
Emily: 고마워. 내 생각엔 우리가 서로를 가르쳐 줄 때 더 잘 배울 수 있을 것 같아.
Brian: 동의해. 훌륭한 회원이 되기 위해 열심히 노력할게. 도와줘서 고마워.
Emily: 천만에. 내 생각이 맘에 든다니 나도 기뻐.

풀이 Emily는 병원에서 퇴원한 Brian에게 공부 모임에 가입하여 함께 공부할 것을 제안하였고, Brian은 그 제안을 받아들였다.

표현 • **Are you feeling better?:** '이제 몸(기분)이 나아졌니?'라는 뜻으로 건강이 좋지 않았다가 회복한 사람에게 안부 인사를 전하거나 나쁜 일이 있어 기분이 좋지 않았던 사람에게 건네는 인사의 표현이다.

B Think and Talk

Step 1 도움이 필요한 과목 이름과 그 해결책을 짝과 의논하여 써 봅시다. pair

	Subject	Solution
e.g.	science	start with easier books
your own		

start with easier books
take an online class

활동 방법 어렵게 느껴져서 도움이 필요한 과목을 생각해 보고, 주어진 대화문에 그 해결책을 넣어 짝과 대화해 본다.

단어·숙어
online ㉳ 온라인의
Why don't you ... ? …하는 게 어때?
give it a try 시도해 보다
tip ㊔ 조언, 정보

Step 2 위의 내용을 바탕으로 짝과 대화해 봅시다. pair

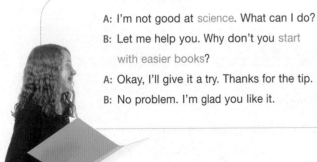

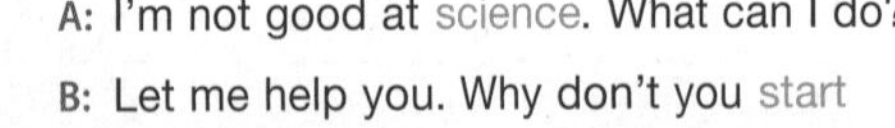

A: I'm not good at science. What can I do?
B: Let me help you. Why don't you start with easier books?
A: Okay, I'll give it a try. Thanks for the tip.
B: No problem. I'm glad you like it.

해석
A: 나는 과학을 잘하지 못해. 무엇을 할 수 있을까?
B: 내가 도와줄게. 더 쉬운 책으로 시작해 보는 게 어때?
A: 좋아, 시도해 볼게. 알려 줘서 고마워.
B: 천만에. 네가 좋다니 나도 기뻐.

예시 대화

- A: I'm not good at math. What can I do?
  B: Let me help you. Why don't you take an online class?
  A: Okay, I'll give it a try. Thanks for the tip.
  B: No problem. I'm glad you like it.

- A: 나는 수학을 잘하지 못해. 무엇을 할 수 있을까?
  B: 내가 도와줄게. 온라인 강좌를 들어 보는 게 어때?
  A: 좋아, 시도해 볼게. 알려 줘서 고마워.
  B: 천만에. 네가 좋다니 나도 기뻐.

C Communication Task pair

Giving Help

Step 1 짝과 함께 서로의 문제 상황과 도움이 되는 말을 생각해 보고 카드에 써 봅시다.

e.g.

Problem Card
문제 카드
My partner is very tired.
내 짝은 매우 피곤하다.

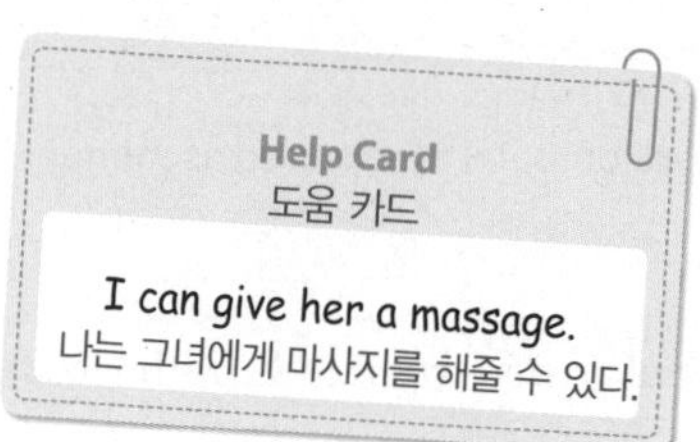
Help Card
도움 카드
I can give her a massage.
나는 그녀에게 마사지를 해줄 수 있다.

your own

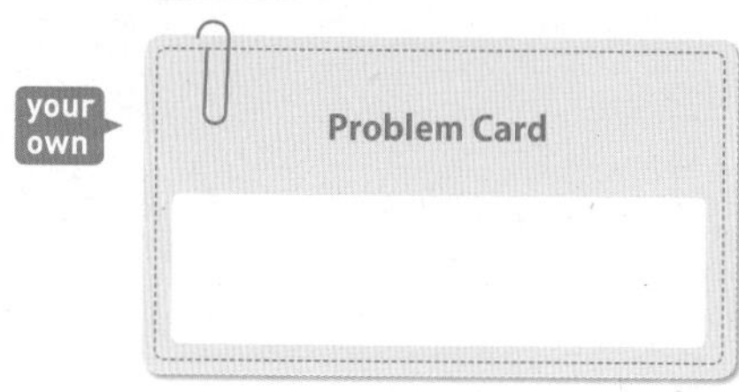
Problem Card

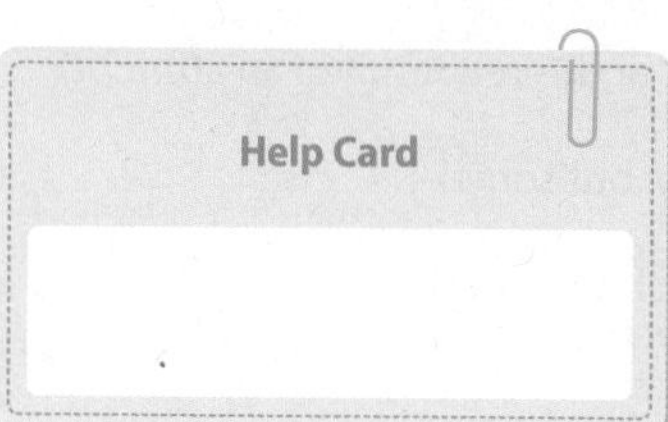
Help Card

Step 2 위의 내용을 바탕으로 대본을 쓰고, 상황극을 만들어 발표해 봅시다.

e.g.

A: I'm very tired. What should I do?
B: Let me help you. I can give you a massage.
('B' gives 'A' a massage. 'A' looks very happy now.)
A: Thank you for your help.
B: No problem. I'm glad you liked it.

Act It Out

활동 방법

Step 1
문제 카드에는 친구의 문제 상황을 적고, 도움 카드에는 그 문제 상황을 해결하는 데 도움이 되는 말을 적는다.

Step 2
위의 내용을 바탕으로 문제 상황과 도움이 될 말을 넣어 대본을 완성하고, 상황극을 발표한다.

단어 숙어

tired 형 피곤한
massage 명 마사지
should 조 …해야 한다

해석

A: 나는 정말 피곤해. 무엇을 해야 할까?
B: 내가 도와줄게. 내가 너에게 마사지를 해 줄 수 있어.
('B'는 'A'에게 마사지를 해 준다. 'A'는 이제 매우 행복해 보인다.)
A: 도와줘서 고마워.
B: 천만에. 네가 좋았다니 나도 기뻐.

Sounds 다음을 듣고, 밑줄 친 부분에 유의하여 따라 말해 봅시다.

1. Let me help you.
   내가 도와줄게.
2. I'm glad you like my idea.
   내 생각이 마음에 든다니 기뻐.

Tip
자음으로 끝나는 단어 뒤에 모음으로 발음되는 단어가 올 경우, 자음과 모음이 연결되어 발음이 되는 연음 현상이 발생한다. would you와 could you도 같은 식으로 이어서 발음한다.

Self-check	◡	﹏
• I can use 'Let me help you.'	☐	☐
• I can use 'I'm glad you like(d) ... .'	☐	☐

Let's Read의 단어들을 미리 익혀 보세요.

☐	hear	⑧ 듣다 (to be aware of sounds with your ears)
☐	mentor	⑨ 멘토 (someone who teaches or gives help and advice to a less experienced and often younger person)
☐	arrow	⑨ 화살표 (a mark that is shaped like an arrow and that is used to show direction)
☐	refrigerator	⑨ 냉장고 (a device or room that is used to keep things cold)
☐	secret	⑨ 비밀 (something that should remain hidden from others) ⑩ 비밀의 (kept hidden from others)
☐	pay phone	공중전화
☐	come up with	(생각이) 떠오르다
☐	coin	⑨ 동전 (a small piece of metal that is used as money)
☐	put up	세우다
☐	sign	⑨ 표지판 (a piece of paper, wood, etc., with words or pictures on it that gives information about something)
☐	success	⑨ 성공 (the correct or desired result of an attempt)
☐	few	⑩ 몇몇의 (not many, but some)
☐	confusing	⑩ 혼란스러운 (difficult to understand)
☐	waste one's time	…의 시간을 낭비하다
☐	thanks to	… 덕분에
☐	effort	⑨ 노력 (hard work)

Mini Test

정답과 해설 p. 317

A 다음 빈칸에 알맞은 단어를 [보기]에서 골라 쓰시오.

보기
effort
mentor
arrow
waste
put

1. I meet my __________ once a week and get some tips.
2. Mastering a foreign language requires great __________.
3. Don't __________ your time on computer games.
4. He __________ up a 'sale' sign in front of his store.
5. A series of __________s points the way to the National Museum.

B 다음 영영 풀이에 해당하는 단어를 [보기]에서 골라 쓰시오.

보기
secret
confusing
success
refrigerator
coin

1. __________: a device that is used to keep things cool
2. __________: a small piece of metal that is used as money
3. __________: difficult to understand
4. __________: the correct or desired result of an attempt
5. __________: kept hidden from others

교과서 p.48

A **Look and Say** 다음 그림을 보고, 작은 아이디어가 사람들에게 어떤 도움이 될 수 있는지 말해 봅시다.

e.g. Bike riders can rest their legs while they wait.
자전거를 타는 사람들은 그들이 기다리는 동안에 다리를 쉬게 할 수 있다.

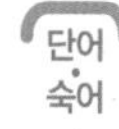

단어 숙어
- bike rider 자전거를 타는 사람
- rest ⓢ …을 쉬게 하다, 쉬다
- while ⓙ …하는 동안
- wait ⓢ 기다리다

활동 방법 그림을 보고, 생활 속의 작은 아이디어가 사람들에게 어떤 도움이 될 수 있는지 말해 본다.

예시 정답
- People can pass through the line easily. 사람들은 줄을 쉽게 통과할 수 있다.
- People waiting in a line for a bus can make a space for people passing by. 버스를 타려고 줄을 서 있는 사람들이 보행자들이 지나가도록 공간을 만들 수 있다.

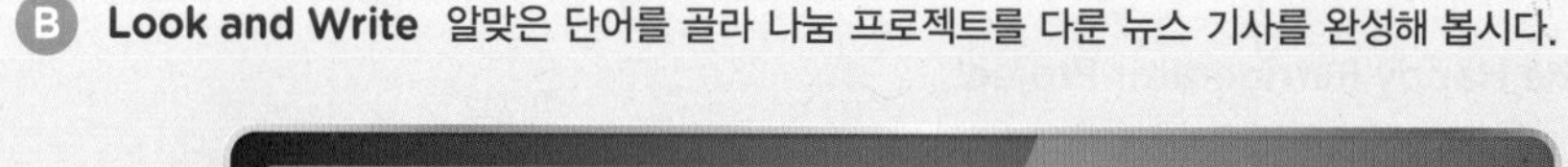

B **Look and Write** 알맞은 단어를 골라 나눔 프로젝트를 다룬 뉴스 기사를 완성해 봅시다.

A Happy Refrigerator

Daehan Times

A ___few___ days ago, a volunteer group put a refrigerator outside. It had a ___sign___ that said, "A Happy Refrigerator." It will help people in need. They can get fresh food from the refrigerator. The idea became a big ___success___.

sign secret pay phone few success

단어 숙어
- refrigerator ⓜ 냉장고
- volunteer ⓜ 자원봉사
- outside ⓑ 바깥에
- people in need 어려움에 처한 사람들
- fresh ⓗ 신선한
- sign ⓜ 표지판
- few ⓗ 몇몇의
- success ⓜ 성공

해석

행복 냉장고

며칠 전에, 한 자원봉사 단체가 냉장고를 바깥에 놓았다. 냉장고에는 "행복 냉장고"라고 쓰여 있는 표지판이 있었다. 냉장고는 어려움에 처한 사람들을 도울 것이다. 사람들은 냉장고에서 신선한 음식을 가져갈 수 있다. 이 아이디어는 큰 성공을 거두었다.

풀이 첫 번째 빈칸에는 명사 days 앞에 '몇몇'이라는 의미가 되도록 few가 알맞다.
두 번째 빈칸에는 said와 어울리는 '표지판'을 뜻하는 sign이 알맞다.
세 번째 빈칸에는 형용사 big 다음에 문맥상 '성공'을 뜻하는 success가 알맞다.

Let's Read

Small but Great Ideas

자신이 알고 있는 남을 돕고 배려하는 이야기를 소개해 봅시다.

❶ Here are two stories which I read yesterday.
❷ Do you want to hear about them?

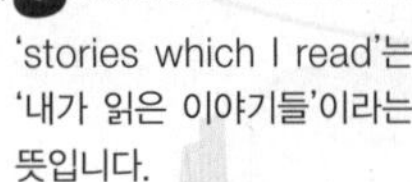

'stories which I read'는 '내가 읽은 이야기들'이라는 뜻입니다.

❸ 1. Call Someone You Love

❹ 2. Be a Mentor

❺ 3. The Red Arrow Man

❻ 4. The Happy Refrigerator Project

❼ 5. Secret Steps

hear arrow

해석

작지만 위대한 아이디어

①여기 내가 어제 읽은 두 이야기가 있어. ②들어 볼래?
③1. 여러분이 사랑하는 누군가에게 전화하세요
④2. 멘토가 되어라
⑤3. 빨간색 화살표 사나이
⑥4. 행복한 냉장고 프로젝트
⑦5. 비밀 계단

구문

❶ **Here are** two stories **which** I read yesterday.
Here are ... .는 '여기 …가 있다.'라는 의미로 주어가 그 뒤에 나오며 뒤의 주어가 복수이면 are, 단수이면 is를 쓴다. Here are two stories.와 I read two stories yesterday. 두 문장을 하나로 연결할 때 두 번째 문장에서 목적어로 쓰인 two stories는 앞 문장의 two stories와 중복되므로 생략하고 그 자리에 목적격 관계대명사 which를 썼다. which 대신 that을 사용할 수도 있으며, 목적격 관계대명사는 생략할 수 있다.

❷ Do you **want to** hear about **them**?
동사 want는 목적어로 to부정사를 취하며, 대명사 them은 앞 문장의 two stories which I read yesterday를 가리킨다.

❸ Call Someone **(who(m)/that)** You Love
Call someone.과 You love someone. 두 문장을 하나로 연결한 문장으로 중복되는 someone을 목적격 관계대명사 who(m)이나 that으로 연결할 수 있는데 여기서는 생략되었다.

단어 숙어

- **hear** 동 듣다 e.g. I don't want to **hear** about it.
- **mentor** 명 멘토 e.g. I joined a **mentor** program at my school.
- **arrow** 명 화살표 e.g. Please use the **arrow** keys to choose a program.
- **refrigerator** 명 냉장고 e.g. My mother keeps cake in the **refrigerator**.
- **secret** 명 비밀 형 비밀의 e.g. Could you put this **secret** document in a locker?

Grammar +

목적격 관계대명사

두 문장을 한 문장으로 연결할 때, 중복되는 명사가 뒤 문장의 목적어 역할이면 목적격 관계대명사를 사용한다. 중복되는 명사, 즉 관계대명사 앞에 오는 선행사가 사람일 때는 who(m)이나 that을, 사물일 때는 which나 that을 쓴다. 목적격 관계대명사는 생략이 가능하다.

- Here are **two stories**.
  + I read **two stories** yesterday.
  → Here are two stories **which** (**that**) I read yesterday.
  → Here are two stories I read yesterday.
- Call **someone**.
  + You love **someone**.
  → Call someone **who(m)** (**that**) you love.
  → Call someone you love.

Mini Test

정답과 해설 p. 317

다음 글을 읽고, 물음에 답하시오.

Here are two stories which I read yesterday. Do you want to hear about them?
1. Call Someone You Love
2. Be a Mentor
3. The Red Arrow Man
4. The Happy Refrigerator Project
5. Secret Steps

Q. 윗글의 밑줄 친 them이 가리키는 것을 우리말로 쓰시오.

A. ______________________

Call Someone You Love

❶ New York had many pay phones on its streets. ❷ However, nobody really used them. ❸ One day, a man came up with an idea. ❹ He stuck coins to one of the phones. ❺ He also put up a sign that said, "Call Someone You Love." ❻ Soon, many people were using the phone. ❼ When they were talking to someone whom they loved, they didn't stop smiling. ❽ His idea became a big success. ❾ During the day, all the coins disappeared. ❿ The man was very happy because his small idea gave happiness to many people.

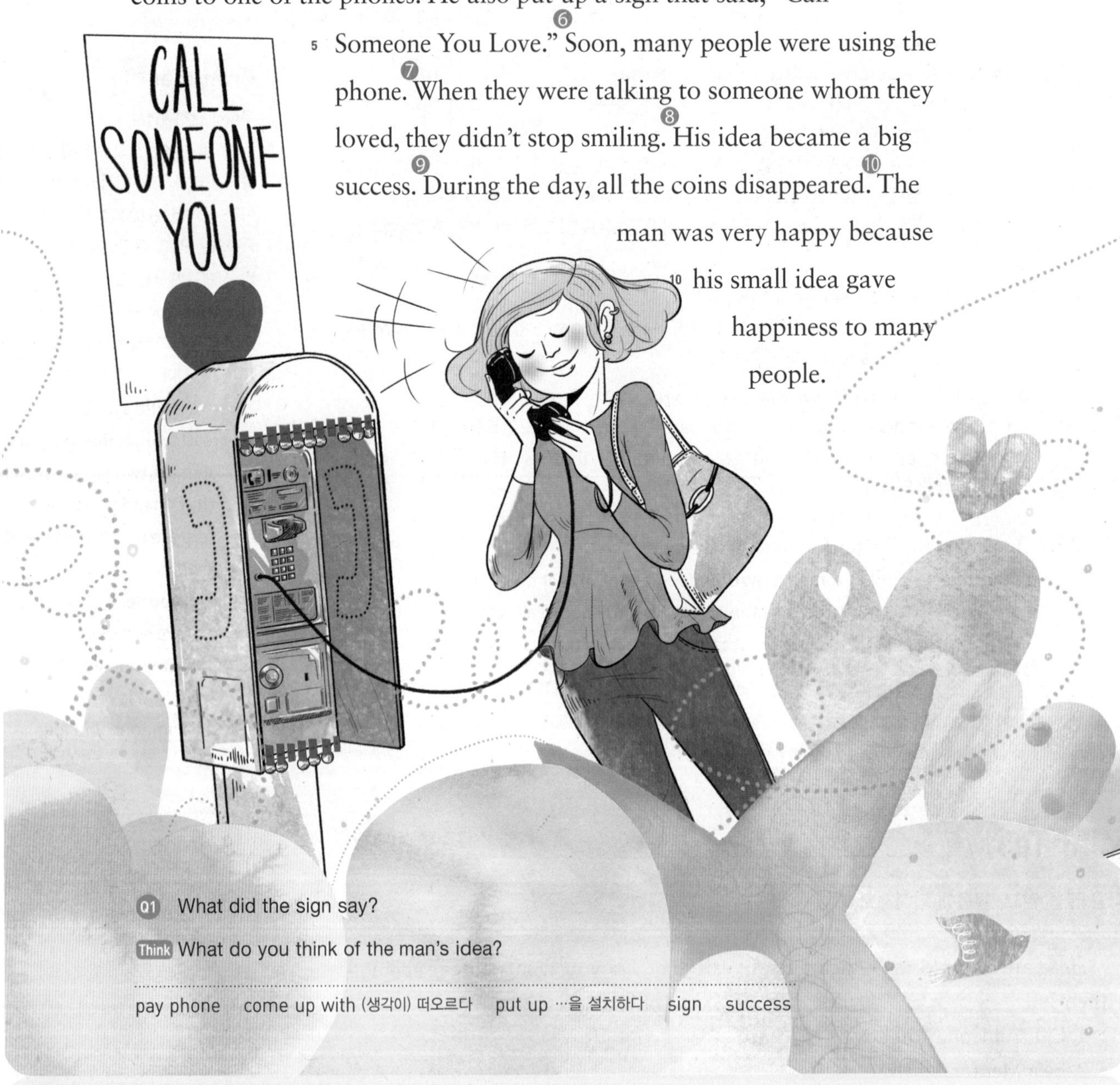

Q1 What did the sign say?

Think What do you think of the man's idea?

pay phone　come up with (생각이) 떠오르다　put up …을 설치하다　sign　success

Q1 What did the sign say? 표지판에는 뭐라고 쓰여 있었습니까?

A1 It said, "Call Someone You Love." "당신이 사랑하는 누군가에게 전화하세요."라고 쓰여 있었습니다.

해설 He also put up a sign that said, "Call Someone You Love."에서 표지판에는 Call Someone You Love라고 쓰여 있음을 알 수 있다.

Think What do you think of the man's idea? 남자의 아이디어에 대해 어떻게 생각합니까?
→ I think people became happier thanks to his idea. 그의 아이디어 덕분에 사람들이 더 행복해졌다고 생각합니다.

교과서 p.50

당신이 사랑하는 누군가에게 전화하세요

①뉴욕에는 길거리에 공중전화가 많이 있었다. ②그러나 아무도 그것들을 실제로 사용하지 않았다. ③어느 날, 한 남자에게 좋은 아이디어가 떠올랐다. ④그는 공중전화 하나에 동전들을 붙였다. ⑤그는 또한 "당신이 사랑하는 누군가에게 전화하세요."라고 쓰인 표지판을 설치했다. ⑥곧, 많은 사람들이 그 전화기를 사용했다. ⑦그들이 사랑하는 누군가와 이야기하고 있을 때, 그들은 미소 짓는 것을 멈추지 않았다. ⑧그의 아이디어는 커다란 성공이었다. ⑨낮 동안, 모든 동전들이 사라졌다. ⑩그 남자는 자신의 작은 아이디어가 많은 사람에게 행복을 가져다주었기 때문에 매우 행복했다.

구문

❷ However, **nobody** really used **them**.
nobody는 부정주어로서 '아무도 …않다'라는 의미로 문장 전체를 부정의 뜻으로 만든다. 대명사 them은 앞 문장의 pay phones를 가리킨다.

❹ He **stuck** coins **to one of the phones**.
stick ~ to ...는 '~을 …에 붙이다'라는 뜻이다. 'one of the+복수 명사'는 '…중 하나'라는 뜻이다.

❺ He also put up a sign **that** said, "Call Someone You Love."
He also put up a sign.과 A sign said, "Call Someone You Love." 두 문장을 주격 관계대명사 that을 써서 한 문장으로 나타냈다. Someone과 You 사이에 선행사 Someone을 수식하는 목적격 관계대명사 who(m) 또는 that이 생략되었다.

❼ **When** they were talking to someone **whom** they loved, they didn't **stop smiling**.
when은 접속사로 그 뒤에 '주어+동사'가 오는 절 형태를 취하며, '…할 때'라는 뜻이다. 선행사 someone을 수식하는 목적격 관계대명사 whom이 쓰였고 someone they loved로 whom을 생략할 수도 있다. 동사 stop은 목적어로 동명사만을 취하며, '…하는 것을 멈추다'라는 뜻이다.

❿ The man was very happy **because** his small idea **gave** happiness **to** many people.
because는 이유를 나타내는 접속사로 그 뒤에 '주어+동사'가 오는 절 형태를 취한다. give ~ to ...는 '~을 …에게 주다'라는 뜻의 3형식으로 쓰였는데 4형식인 gave many people happiness로도 쓸 수 있다.

단어·숙어

- **pay phone** 공중전화 e.g. Can you tell me where the nearest **pay phone** is?
- **come up with** (생각이) 떠오르다 e.g. The manager finally **came up with** a new idea for increasing sales.
- **put up** …을 설치하다 e.g. The teacher **put up** a notice on a board.
- **sign** ⑲ 표지판 e.g. The road **signs** in Japan are pretty different from ours.
- **success** ⑲ 성공 (↔ failure 실패) e.g. There is little chance of **success**.

Grammar+

동명사만을 목적어로 취하는 동사

enjoy, finish, stop, quit, give up, mind, consider, practice, deny, suggest 등

- She **practiced playing** the violin every day. (그녀는 매일 바이올린 연주를 연습했다.)
- **Stop talking** and listen. (말하는 것을 멈추고 들어라.)

cf. stop+to부정사: …하기 위해 멈추다

I **stopped to ask** to my teacher. (나는 선생님께 여쭤 보기 위해 멈췄다.)

Mini Test

정답과 해설 p. 317

본문의 내용과 일치하면 T, 일치하지 않으면 F를 쓰시오.

1. New York had many problems on its streets. ( )
2. Many people in New York became happy thanks to the man's idea. ( )

The Red Arrow Man

❶ A few years ago, the maps at bus stops in Seoul were very confusing. ❷ They didn't have enough information. ❸ People had to ask others to explain the maps. ❹ "Where is this bus stop on the map? ❺ Does this bus go to Gwanghwamun?" ❻ Many people often took the wrong bus and wasted their time.

'ask ~ to ...'는 '~에게 …하도록 요청하다'라는 뜻입니다.

❼ One day, a young man decided to solve this problem. ❽ He bought lots of red arrow stickers. ❾ Every day he rode his bicycle around the city and stuck the stickers on the bus maps. ❿ Nobody asked him to do this. ⓫ He just wanted to help others. ⓬ Thanks to his effort, people could understand the maps easily and save time.

Q2 What did the young man stick on the bus maps?

Think What do you think of the young man's effort?

few confusing waste one's time …의 시간을 낭비하다 thanks to … 덕분에

How fast can you read?

- **1st:** ____ min. ____ sec.
- **2nd:** ____ min. ____ sec.

Q2 What did the young man stick on the bus maps? 청년은 버스 지도에 무엇을 붙였습니까?

A2 He stuck red arrow stickers on them. 그는 버스 지도에 빨간색 화살표 스티커를 붙였습니다.

해설 He bought lots of red arrow stickers. Every day he rode his bicycle around the city and stuck the stickers on the bus maps.에서 청년이 빨간색 화살표 스티커를 사서 버스 지도에 그 스티커를 붙였음을 알 수 있다.

Think What do you think of the young man's effort? 청년의 노력에 대해 어떻게 생각합니까?
→ I think he did a wonderful job to help others. 그가 다른 사람들을 돕기 위해 멋진 일을 했다고 생각합니다.

해석

빨간 화살표 청년

①몇 년 전, 서울의 버스 정류장의 지도는 매우 혼란스러웠다. ②지도에는 충분한 정보가 없었다. ③사람들은 다른 사람들에게 지도를 설명해 달라고 요청해야 했다. ④"이 버스 정류장은 지도에 어디 있는 건가요? ⑤이 버스가 광화문으로 가나요?" ⑥많은 사람들이 자주 버스를 잘못 타서 시간을 낭비하곤 했다.

⑦어느 날, 한 청년이 이 문제를 해결하기로 결심했다. ⑧그는 빨간색 화살표 스티커를 많이 샀다. ⑨매일 그는 자전거를 타고 서울 시내를 돌아다니며 버스 지도에 스티커를 붙였다. ⑩아무도 그 청년에게 이 일을 하라고 요청하지 않았다. ⑪그는 단지 다른 사람들을 돕고 싶었다. ⑫그의 노력 덕분에, 사람들은 지도를 쉽게 이해하고 시간을 절약할 수 있었다.

구문

❶ A few years ago, **the maps** at bus stops in Seoul **were** very confusing.
문장의 주어 the maps는 at bus stops in Seoul의 수식을 받고 있으며, 주어가 복수이고 과거이므로 복수 동사 were가 쓰였다.

❸ People **had to ask** others **to** explain the maps.
had to는 have to의 과거형으로 '…해야 했다'라는 뜻이다. ask ~ to …는 '~에게 …해 달라고 요청하다'라는 뜻이다.

❼ **One day**, a young man **decided to solve** this problem.
one day는 '(과거의) 어느 날'이라는 뜻이며, decide는 to부정사를 목적어로 취하는 동사이다.

❾ Every day he rode his bicycle around the city **and** stuck the stickers on the bus maps.
같은 성분을 연결하는 등위접속사 and는 과거형 동사 rode와 stuck을 연결하고 있다. and와 stuck 사이에는 he가 생략되었다.

❿ Nobody **asked** him **to** do **this**.
ask ~ to …는 '~에게 …해 달라고 요청하다'라는 뜻이며, 대명사 this는 '버스 지도에 빨간색 스티커를 붙이는 일'을 가리킨다.

⓬ **Thanks to** his effort, people could understand the maps easily **and** save time.
thanks to는 '… 덕분에'라는 뜻이며, to는 전치사이므로 뒤에 his effort와 같은 명사(구)가 와야 한다. 등위접속사 and는 동사 understand와 save를 연결하고 있으며 save 앞에는 they could가 생략되었다.

단어·숙어

- **few** ⓗ 몇몇의 e.g. The train leaves in a **few** minutes.
- **confusing** ⓗ 혼란스러운 e.g. The city's road signs are very **confusing** to many visitors.
- **waste one's time** …의 시간을 낭비하다 e.g. I **wasted my time** because the movie was boring.
- **thanks to** … 덕분에 e.g. I finished this work earlier **thanks to** him.

Grammar

목적격 보어로 to부정사를 취하는 동사

ask[require] ~ to …: ~에게 …하도록 요청하다

- Nobody **asked** him **to do** this. (아무도 그에게 이 일을 하라고 요청하지 않았다.)

want ~ to …: ~가 …하기를 원하다

- The manager **wanted** all the staff **to finish** their work immediately. (매니저는 모든 직원이 그들의 일을 즉시 끝내기를 원했다.)

allow ~ to …: ~에게 …하도록 허락하다

- The teacher **allowed** his students **to go** out. (선생님은 그의 학생들이 밖으로 나가도록 허락했다.)

Mini Test

정답과 해설 p. 317

A 다음 빈칸에 알맞은 단어를 본문에서 찾아 쓰시오.

A few years ago, the maps at bus stops in Seoul were very c______________.

B 다음 빈칸에 주어진 단어를 바르게 배열하여 문장을 완성하시오.

People had to ____.

(to, others, the maps, ask, explain)

교과서 p.52

A **Read and Complete** 다음 그림을 보고, 빈칸에 알맞은 말을 써 봅시다.

Story 1

1.

A man stuck coins to a pay phone in New York.

2.

He put up a sign that said, "Call Someone You Love."

3.

When people were talking to someone they loved, they didn't stop smiling.

Story 2

1.

Bus maps in Seoul were very confusing.

2.

A young man stuck red arrow stickers on the maps.

3.

Thanks to his effort, people could save time.

풀이 남을 배려한 일화를 시간의 흐름과 원인, 결과로 나누어 세 문장으로 완성한다.

Story 1

1.~3. 교과서 50쪽 Call Someone You Love의 일화는 한 남자가 뉴욕의 공중전화에 '동전'을 붙이고 '표지판'을 설치한 결과, 사람들이 통화하는 동안 '미소 짓는' 것을 멈추지 않았다는 내용이다.

Story 2

1.~3. 교과서 51쪽 The Red Arrow Man의 일화는 서울의 버스 지도가 아주 '혼란스러워서' 한 청년이 버스 지도에 '빨간색 화살표' 스티커를 붙였고, 그 결과 사람들이 '시간을 절약할' 수 있었다는 내용이다.

남을 배려한 일화를 위의 형식으로 표현하여 발표해 봅시다.

단어·숙어

stick ⑧ 붙이다 (–stuck–stuck)
pay phone 공중전화
put up …을 설치하다
thanks to … 덕분에
effort ⑲ 노력

해석

이야기 1

1 한 남자가 뉴욕의 한 공중전화에 동전을 붙였다.
2 그는 "당신이 사랑하는 누군가에게 전화하세요."라고 쓰인 표지판을 설치했다.
3 사람들이 사랑하는 누군가와 이야기하고 있을 때, 그들은 미소 짓는 것을 멈추지 않았다.

이야기 2

1 서울의 버스 지도는 매우 혼란스러웠다.
2 한 청년이 지도에 빨간색 화살표 스티커를 붙였다.
3 그의 노력 덕분에, 사람들은 시간을 절약할 수 있었다.

● 본문 내용을 떠올려 빈칸을 채워 봅시다.

Here are two stories ________ I read yesterday. Do you want to hear about them?

1. Call Someone You Love
2. Be a Mentor
3. The Red ________ Man
4. The Happy Refrigerator Project
5. Secret Steps

Call Someone You Love

New York had many pay phones on its streets. However, nobody really used them. One day, a man ________ ________ ________ an idea. He stuck coins to one of the phones. He also put up a ________ that said, "Call Someone You Love." Soon, many people were using the phone. When they were talking to someone whom they loved, they didn't stop smiling. His idea became a big ________. During the day, all the coins disappeared. The man was very happy because his small idea gave ________ to many people.

The Red Arrow Man

A few years ago, the maps at bus stops in Seoul were very ________. They didn't have enough information. People had to ________ others to explain the maps. "Where is this bus stop on the map? Does this bus go to Gwanghwamun?" Many people often took the wrong bus and ________ their time.

One day, a young man decided to solve this problem. He bought lots of red arrow stickers. Every day he rode his bicycle around the city and ________ the stickers on the bus maps. Nobody asked him to do this. He just wanted to help others. ________ ________ his effort, people could understand the maps easily and ________ time.

정답 I which, Arrow, came, up, with, sign, success, happiness, confusing, ask, wasted, stuck, Thanks, to, save

Word Builder

A 우유를 쏟아 군데군데 지워진 단어에 들어갈 알맞은 철자를 써 봅시다.

fe w 몇몇의	se c ret 비밀
so a p 비누	g rade 학년
mea n 의미하다	ar r ow 화살표

풀이 few 몇몇의 / soap 비누 / mean 의미하다 / secret 비밀 / grade 학년 / arrow 화살표

B 그림에 맞게 빈칸에 알맞은 표현을 단어 상자에서 골라 쓰고, 그 뜻을 써 봅시다.

1. 

put up a sign

뜻: 표지판을 설치하다

2. 

come up with an idea

뜻: 아이디어가 떠오르다

3. 

waste his time

뜻: 그의 시간을 낭비하다

come up with waste put up

풀이
1 두 사람이 표지판을 세우고 있는 모습이므로 '…을 설치하다'라는 뜻의 put up이 와야 한다.
2 여학생이 아이디어를 떠올리는 모습이므로 '…이 떠오르다'라는 뜻의 come up with가 와야 한다.
3 소파에 빈둥거리며 앉아 있는 모습이므로 '(시간을) 낭비하다'라는 뜻의 waste가 와야 한다.

C 빈칸에 알맞은 말을 단어 구름에서 골라 써 봅시다.

1. I need a mentor who can help me with math.
2. The TV show was a success. Many people liked it.
3. He can't understand my story. It is very confusing to him.

풀이
1 수학을 도와줄 사람이 필요하므로 mentor(멘토)가 오는 것이 적절하다.
2 많은 사람들이 그것을 좋아했다고 했으므로 success(성공)가 오는 것이 적절하다.
3 그는 나의 이야기를 이해하지 못하고 있으므로 confusing(혼란스러운)이 오는 것이 적절하다.

단어·숙어
math ⓜ 수학 (= mathematics)
understand ⓢ 이해하다

해석
1 나는 수학에 있어 나를 도와줄 수 있는 멘토가 필요하다.
2 그 TV 쇼는 성공이었다. 많은 사람들이 그것을 좋아했다.
3 그는 나의 이야기를 이해하지 못한다. 그것은 그에게 매우 혼란스럽다.

Word Check

정답과 해설 p. 318

A 다음 영어 표현은 우리말로, 우리말은 영어로 쓰시오.

1. sign ______________
2. give out ______________
3. stick ______________
4. refrigerator ______________
5. put up ______________
6. 비닐봉지 ______________
7. 화살표 ______________
8. 비밀의 ______________
9. 멘토 ______________
10. 아무도 …않다 ______________

B 다음 주어진 문장과 같은 뜻이 되도록 빈칸에 알맞은 단어를 쓰시오.

1. Suddenly, she thought of a good idea and could solve a problem.
   → Suddenly, she ______________ up with a good idea and could solve a problem.
2. Because of his invention, many people live better lives.
   → ______________ ______________ his invention, many people live better lives.
3. You spend time uselessly playing computer games.
   → You ______________ your time playing computer games.

C 다음 빈칸에 알맞은 단어를 [보기]에서 골라 쓰시오.

보기
success confusing mentees tip effort

1. Mentors can help their ______________ to overcome weaknesses and develop strengths.
2. The new game needs some ______________ to master.
3. The boy group made a great ______________ of their first album.
4. Could you say that again? It's ______________.
5. Thank you for the useful ______________ about buying a computer.

Language in Use

who(m)/which/that ...

A Look and Say 박물관 자원봉사를 하고 있는 소년의 말을 완성하고 말해 봅시다.

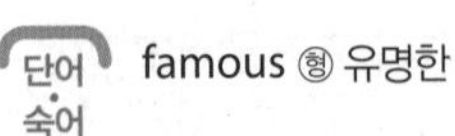
단어·숙어 famous ⓗ 유명한

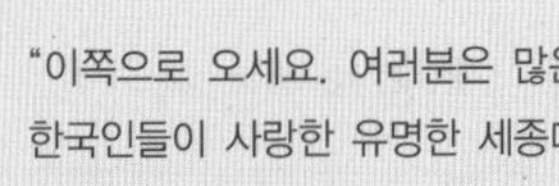
해석 "이쪽으로 오세요. 여러분은 많은 한국인들이 사랑한 유명한 세종대왕을 보고 계십니다."

King Sejong
many Koreans

Ssireum
Kim Hongdo

Nanjungilgi
Lee Sunsin

e.g. "Please come this way. You're looking at the famous King Sejong who(m) many Koreans loved."

write
love
paint

예시 정답

- "Please come this way. You're looking at the famous *Ssireum* which(that) Kim Hongdo painted."
- "Please come this way. You're looking at the famous *Nanjungilgi* which(that) Lee Sunsin wrote."

- "이쪽으로 오세요. 여러분은 김홍도가 그린 유명한 '씨름'을 보고 계십니다."
- "이쪽으로 오세요. 여러분은 이순신이 쓴 유명한 '난중일기'를 보고 계십니다."

Form 1

▶ **목적격 관계대명사 who(m)/which/that ...**

두 문장을 한 문장으로 연결할 때, 중복되는 명사가 뒤 문장의 목적어로 쓰이면 목적격 관계대명사를 쓴다. 선행사의 종류에 따라 목적격 관계대명사는 다르게 쓰인다.

선행사의 종류	사람	동물 · 사물	사람 · 동물 · 사물
목적격 관계대명사	who(m)	which	that

- **The book** was interesting. + I read **it** yesterday. (그 책은 재미있었다. + 나는 어제 그 책을 읽었다.)
  → The book **which/that** I read yesterday was interesting. (내가 어제 읽은 그 책은 재미있었다.)
  두 문장에서 공통되는 요소인 the book(it)이 선행사이며, 뒤 문장에서 동사 read의 목적어로 쓰였으므로 사물을 나타내는 목적격 관계대명사인 which나 that을 써야 한다.
- **목적격 관계대명사의 생략**
  목적격 관계대명사는 생략이 가능하다.
  e.g. Helen is the girl **(who(m))** I met at a hospital. (Helen은 내가 병원에서 만났던 소녀이다.)
  Do you have the book **(which)** we checked out from the library? (너는 우리가 도서관에서 대출한 그 책을 가지고 있니?)
  The bicycle **(that)** I lost yesterday had blue tires. (내가 어제 잃어버렸던 자전거는 타이어가 파란색이었다.)
  That's the house **(which/that)** my grandparents live in. (저것은 나의 조부모님이 사시는 집이다.)

교과서 p.53

ask ~ to ...

B **Look and Write** 다음 그림을 보고, 문장을 완성해 봅시다.

"Would you turn down the music, please?"

"Would you get in line, please?"

"Would you pick up that trash, please?"

e.g. The boy **asked** the girl **to** turn down the music.

The man asked the boy to get in line.

The woman asked the man to pick up that trash.

단어·숙어
turn down …을 줄이다
get in line 줄을 서다
pick up …을 줍다
trash ⓜ 쓰레기

해석
"음악 소리를 줄여 주시겠어요?"
"줄을 서 주시겠어요?"
"그 쓰레기를 주워 주시겠어요?"
소년은 소녀에게 음악을 줄여달라고 요청했다.
남자는 소년에게 줄을 설 것을 요청했다.
여자는 남자에게 쓰레기를 주워 줄 것을 요청했다.

Form 2 ▶ **ask ~ to ...**

ask ~ to ... 구문은 '~에게 …할 것을 요청하다'라는 뜻으로 ask 다음에는 어떤 행동을 할 대상의 목적격을 쓰고, 그 목적격의 행동을 나타내는 목적격 보어로 to부정사 형태를 쓴다.

e.g. I'll **ask her to finish** her job. (나는 그녀에게 그녀의 일을 끝내라고 요청할 것이다.)
Would you **ask him to send** this letter? (그에게 이 편지를 보내 달라고 요청해 주시겠습니까?)

• **목적격 보어로 to 부정사를 취하는 동사**

① **want ~ to ...** (~가 …할 것을 원하다)
e.g. The teacher **wanted us to open** our textbooks. (선생님은 우리가 교과서를 펼치기를 원하셨다.)

② **tell ~ to ...** (~에게 …라고 말하다)
e.g. My mother **told me to get up** earlier in the morning. (엄마가 나에게 아침에 좀 더 일찍 일어나라고 말씀하셨다.)

③ **allow ~ to ...** (~가 …하도록 허락하다)
e.g. My parents don't **allow me to eat** too much fast food. (부모님은 내가 패스트푸드를 너무 많이 먹는 것을 허락하지 않으신다.)

Self-check

	◡	︶
• I can use 'who(m)/which/that ... .'	☐	☐
• I can use 'ask ~ to ... .'	☐	☐

Grammar Builder ︶ p.153 ◡ p.154

Grammar Builder A

교과서 p.153

Point 1 who(m)/which/that ...

A 설명을 읽고, 빈칸에 알맞은 말을 단어 상자에서 골라 써 봅시다.

- who(m)/which/that은 두 문장을 한 문장으로 연결하는 역할을 하며, 두 문장에서 중복되는 사람이나 사물/동물을 대신하여 쓰인다.

  Jimin is the girl. We met her last weekend.

  → Jimin is the girl who(m)/that we met last weekend.

- 주의 who(m)/which는 that으로 바꿔 쓸 수 있으며, 생략할 수 있다.

  I like the shoes. My father bought them for me.

  → I like the shoes (which/that) my father bought for me.

who
which
that

1. Sam is an actor. We like him very much.
   → Sam is an actor __who/that__ we like very much.
2. Tokyo is a city. We visited the city last year.
   → Tokyo is a city __which/that__ we visited last year.
3. I love the cat. John found it at the park.
   → I love the cat __which/that__ John found at the park.

풀이
1 선행사 an actor가 사람이므로 목적격 관계대명사 who나 that을 쓸 수 있다.
2 선행사 a city가 사물이므로 목적격 관계대명사 which나 that을 쓸 수 있다.
3 선행사 the cat이 사물이므로 목적격 관계대명사 which나 that을 쓸 수 있다.

단어·숙어 weekend 명 주말

해석
- 지민이는 소녀이다. 우리는 그녀를 지난 주말에 만났다.
  → 지민이는 우리가 지난 주말에 만났던 소녀이다.
- 나는 그 신발을 좋아한다. 아빠가 나를 위해 그것을 사 주셨다.
  → 나는 아빠가 나를 위해 사 주신 그 신발을 좋아한다.

1 Sam은 배우이다. 우리는 그를 매우 좋아한다.
  → Sam은 우리가 매우 좋아하는 배우이다.
2 도쿄는 도시이다. 우리는 작년에 그 도시를 방문했다.
  → 도쿄는 우리가 작년에 방문했던 도시이다.
3 나는 그 고양이를 좋아한다. John은 공원에서 그것을 발견했다.
  → 나는 John이 공원에서 발견했던 그 고양이를 좋아한다.

Point 2 ask ~ to ...

B 설명을 읽고, 괄호 안에서 알맞은 표현을 골라 봅시다.

- ask ~에게 to 동작을 나타내는 말 : '~에게 …을 부탁/요청하다'라는 뜻이다.
  ~에게 자리에는 동작을 나타내는 말 을 실제로 하게 될 대상이 온다.
  The man asked me to speak louder.
- 주의 to 뒤에는 동작을 나타내는 말의 원래 형태가 온다.
  I asked the boy to be quiet in the library.

1. He asked (me / I) to close the window. [정답: me]
2. She asked him (to play / playing) the violin. [정답: to play]
3. The man asked Tina (answer / to answer) the phone. [정답: to answer]

풀이
1 동사 ask 다음에 행동을 할 대상은 목적격으로 쓴다.
2 목적격 뒤에는 목적격의 행동을 나타내는 동사가 오는데 to부정사 형태로 쓴다.
3 목적격 뒤에는 목적격의 행동을 나타내는 동사가 오는데 to부정사 형태로 쓴다.

단어·숙어 quiet 형 조용한
close 동 닫다

해석
- 그 남자는 나에게 더 크게 말해 달라고 요청했다.
- 나는 그 소년에게 도서관에서 조용히 해 달라고 요청했다.

1 그는 나에게 창문을 닫아 달라고 요청했다.
2 그녀는 그에게 바이올린을 연주해 달라고 요청했다.
3 그 남자는 Tina에게 전화를 받아 달라고 요청했다.

Grammar Builder B

교과서 p.154

Point 1 who(m)/which/that ...

A 알맞은 말을 골라 두 문장을 한 문장으로 바꿔 써 봅시다.

who(m) which that

1. Helen is the girl. I met her at a hospital.
   → Helen is the girl who(m)/that I met at a hospital.
2. My dad gave me the watch. I really wanted to have it.
   → My dad gave me the watch which/that I really wanted to have.
3. I want to make a movie. Many people will love it.
   → I want to make a movie which/that many people will love.

풀이
1 두 문장에서 중복되는 요소인 the girl과 her는 사람이며, 뒤 문장에서 목적어이므로 목적격 관계대명사 who(m)이나 that을 써서 두 문장을 연결한다.
2 두 문장에서 중복되는 요소인 the watch와 it은 사물이며, 뒤 문장에서 목적어이므로 목적격 관계대명사 which나 that을 써서 두 문장을 연결한다.
3 두 문장에서 중복되는 요소인 a movie와 it은 사물이며, 뒤 문장에서 목적어이므로 목적격 관계대명사 which나 that을 써서 두 문장을 연결한다.

단어 숙어
hospital 명 병원
movie 명 영화

해석
1 Helen은 소녀이다. 나는 그녀를 병원에서 만났다.
→ Helen은 내가 병원에서 만났던 소녀이다.
2 아빠는 나에게 시계를 주셨다. 나는 그것을 갖기를 정말로 원했다.
→ 아빠는 내가 정말로 갖기를 원했던 시계를 주셨다.
3 나는 영화를 만들기를 원한다. 많은 사람들이 그것을 좋아할 것이다.
→ 나는 많은 사람들이 좋아할 영화를 만들기를 원한다.

Point 2 ask ~ to ...

B 주어진 표현을 바르게 배열하여 문장을 완성해 봅시다.

1. to asked be quiet us
   → The woman asked us to be quiet.
2. have me told to
   → Sarah told me to have a good weekend.
3. to more vegetables me eat
   → My mom wanted me to eat more vegetables.
4. allowed to cold water him drink
   → The doctor allowed him to drink cold water.

ask처럼 tell, want, allow 뒤에도 '~ to ...'가 옵니다.
- tell ~ to ...: ~에게 …라고 말하다
- want ~ to ...: ~가 …할 것을 원하다
- allow ~ to ...: ~가 …하도록 허락하다

풀이
1 동사 ask 뒤에는 목적격 us가 오고, 그 목적격의 행동을 나타내는 동사는 to부정사 형태를 취한다.
2 동사 tell 뒤에는 목적격 me가 오고, 그 목적격의 행동을 나타내는 동사는 to부정사 형태를 취한다.
3 동사 want 뒤에는 목적격 me가 오고, 그 목적격의 행동을 나타내는 동사는 to부정사 형태를 취한다.
4 동사 allow 뒤에는 목적격 him이 오고, 그 목적격의 행동을 나타내는 동사는 to부정사 형태를 취한다.

단어 숙어
vegetable 명 채소
allow 동 허락하다

해석
1 그 여자는 우리에게 조용히 해달라고 요청했다.
2 Sarah는 나에게 좋은 주말을 보내라고 말했다.
3 우리 엄마는 내가 채소를 더 많이 먹기를 원하셨다.
4 의사는 그가 찬물을 마셔도 좋다고 허락했다.

정답과 해설 p. 318

A 다음 괄호 안에서 알맞은 말을 고르시오.

1. She told (them / they) to remember the password.
2. He held my hand and asked me (marry / to marry) him.
3. The computer (that / whom) my father bought needs to be repaired.
4. It is difficult to find a friend (which / whom) you can always trust.

Grammar Tip

1. 행동의 대상이 되는 것의 목적격이 필요하다.
2. 목적어가 하는 행동은 to부정사의 형태로 나타낸다.
3. 선행사가 사물이며 목적어로 쓰였다.
4. 선행사가 사람이며 목적어로 쓰였다.

• 선행사가 사람이며 목적어 역할을 할 때는 who(m)이나 that을, 선행사가 사물이며 목적어 역할을 할 때는 which나 that을 사용한다.

B 다음 주어진 두 문장을 관계대명사를 사용하여 한 문장으로 쓰시오.

1. Kim Minho is a baseball player. Every Korean knows him.
→ ______________________________
2. Those books were very useful. You lent me them.
→ ______________________________
3. I want to solve the problems. We faced them several months ago.
→ ______________________________
4. The man is my brother. You met him on Monday.
→ ______________________________

C 우리말과 일치하도록 주어진 단어를 사용하여 문장을 완성하시오.

1. 우리 엄마는 내가 후식으로 아이스크림을 먹는 것을 허락하셨다.
→ ______________________________ (allow, eat, dessert)
2. 의사는 그에게 짠 음식을 피하라고 말했다.
→ ______________________________ (tell, salty, avoid)
3. 선생님은 Jennifer가 책을 더 많이 읽기를 원했다.
→ ______________________________ (want, more)
4. 우리 부모님은 나에게 항상 내 방을 깨끗이 치우도록 요청하신다.
→ ______________________________ (ask, always, clean)

1. allow ~ to ...는 '~가 … 하는 것을 허락하다'라는 뜻이다.
2. tell ~ to ...는 '~에게 …라고 말하다'라는 뜻이다.
3. want ~ to ...는 '~가 …할 것을 원하다'라는 뜻이다.
4. ask ~ to ...는 '~에게 …하도록 요청하다'라는 뜻이다.

D 다음 글을 읽고, 어법상 어색한 부분을 두 군데 찾아 바르게 고쳐 쓰시오.

> Today was my first day at my new school. Everything looked new and interesting. The first period was English. English is the subject whom I like the most. The English teacher came in and the class was about to start. However, I forgot to bring my textbook! I had to ask my classmate share his book with me.

1. __________ → __________ 2. __________ → __________

Let's Write

교과서 p.54

Helping Peers Club

Ready 또래 멘토가 되어 멘티에게 도움 주고 싶은 사항을 골라 봅시다.

What	When	Your tip
☐ homework	☐ after school	☐ be on time
☐ school life	☐ at lunch time	☐ be understanding
☐ study plan	☐ on weekends	☐ do his/her best
______ (your own)	______	______

단어·숙어
on time 정각에, 제시간에
understanding ⓗ 이해심 있는
do one's best 최선을 다하다

해석
무엇 – 숙제 / 학교생활 / 공부 계획
언제 – 방과 후 / 점심시간 / 주말
너의 조언 – 제시간에 올 것 / 이해심을 가질 것 / 최선을 다할 것

활동 방법 내가 멘토가 되었을 때 멘티에게 도움을 주고 싶은 사항을 '무엇, 언제, 조언' 세 부분으로 나누어 생각해 본다.

Write 위의 내용을 바탕으로 멘토 지원서를 완성해 봅시다.

단어·숙어
mentor ⓜ 멘토
grade ⓜ 학년
mentee ⓜ 멘티
trust ⓢ 신뢰하다, 믿다

Be a Mentor!

My name is Semi and I'm in the second grade. I want to help my mentee with her homework. I can meet my mentee after school. I'll ask my mentee to be on time. I think a good mentor can be a good friend. So I want to become a good friend whom my mentee can trust.

Be a Mentor!

My name is Junsu and I'm in the second grade. I want to help my mentee with his math exam. I can meet my mentee in math class. I'll ask him(her) to focus on his work. I think a good mentor can be a good friend. So I want to become a good friend whom my mentee can meet anytime he wants.

활동 방법 위에서 정리한 내용을 바탕으로 ask ~ to ... 구문과 목적격 관계대명사를 사용하여 멘토 지원서를 완성한다.

해석
멘토가 되자!
내 이름은 세미이고 2학년입니다. 나는 내 멘티의 숙제를 돕고 싶습니다. 나는 방과 후에 내 멘티를 만날 수 있습니다. 나는 나의 멘티에게 제시간에 올 것을 요청할 것입니다. 나는 좋은 멘토는 좋은 친구가 될 수 있다고 생각합니다. 그래서 나는 내 멘티가 믿을 수 있는 좋은 친구가 되어 주고 싶습니다.

해석
멘토가 되자!
내 이름은 준수이고 2학년입니다. 나는 내 멘티의 수학 시험을 돕고 싶습니다. 나는 수학 수업 시간에 내 멘티를 만날 수 있습니다. 나는 그(그녀)에게 자신의 일에 집중할 것을 요청할 것입니다. 나는 좋은 멘토는 좋은 친구가 될 수 있다고 생각합니다. 그래서 나는 내 멘티가 원할 때는 언제든지 만날 수 있는 좋은 친구가 되어 주고 싶습니다.

Present 완성한 멘토 지원서를 친구들 앞에서 발표해 봅시다.

Peer Review	🙂	🙁
• 멘티에게 도움 줄 사항을 넣어 멘토 지원서를 잘 완성하였나요?	☐	☐
• 'who(m)/which/that ...'과 'ask ~ to ...' 표현을 이해하고 잘 사용하였나요?	☐	☐

Let's Check

❷ 자연스러운 대화가 되도록 문장을 쓴 후, 짝과 대화해 봅시다.

A: Mom, I made an eco-bag for you.
B: It's really pretty. Thanks.
A: You're welcome. I'm glad you like it. (glad)

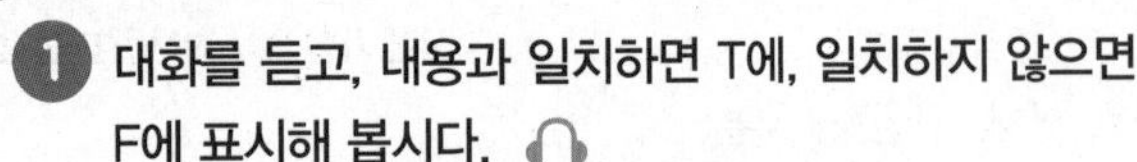

❶ 대화를 듣고, 내용과 일치하면 T에, 일치하지 않으면 F에 표시해 봅시다.

(1) The boy is helping the woman. ☑ T ☐ F
(2) The woman will take a taxi. ☐ T ☑ F

❸ 다음 글을 읽고, 빈칸에 알맞은 말을 골라 봅시다.

One day, a man came up with an idea. He stuck coins to one of the phones. He also put up a sign that said, "__________." Soon, many people were using the phone. When they were talking to someone whom they loved, they didn't stop smiling.

☐ Avoid Possible Danger
☑ Call Someone You Love
☐ Listen to the Sound of Nature

❺ 주어진 단어를 사용하여 짝에게 다음 그림을 소개하는 문장을 완성해 봅시다.

"This is the picture that my little sister drew for me."

drew picture that

❹ 다음 글을 읽고, 요약한 문장을 완성해 봅시다.

The maps at bus stops in Seoul were very confusing. Many people often took the wrong bus and wasted their time.

One day, a young man decided to solve this problem. He bought lots of red arrow stickers. Every day he rode his bicycle around the city and stuck the stickers on the bus maps. Thanks to his effort, people could understand the maps easily and save time.

→ Thanks to the red arrow stickers, the maps at bus stops weren't confusing anymore.

your own

❻ 부모님이 여러분에게 평소에 부탁하시는 일을 쓴 후, 짝과 대화해 봅시다.

A: What do your parents sometimes ask you to do?
B: They sometimes ask me to make breakfast.

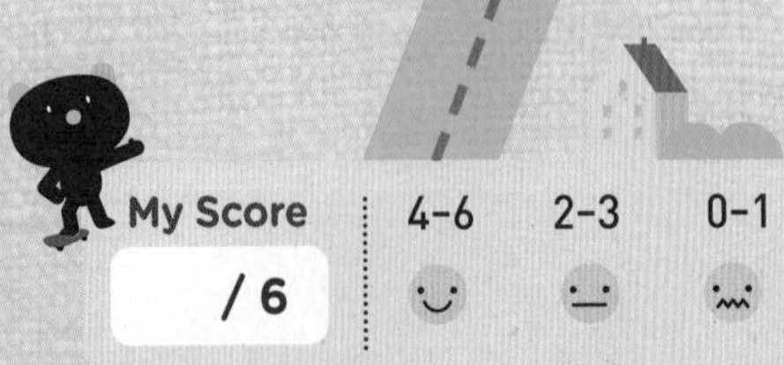

1

Script B: Your bag looks heavy. Let me help you.
W: Thanks. Where is the bus stop around here?
B: It's over there. I'll carry your bag to the bus stop for you.
W: You're very kind.
B: No problem. I am going that way, too.

해석 B: 가방이 무거워 보이네요. 제가 도와 드릴게요.
W: 고맙습니다. 여기 근처에 버스 정류장이 어디 있나요?
B: 저쪽에 있어요. 제가 버스 정류장까지 가방을 들어드릴게요.
W: 정말 친절하군요.
B: 별말씀을요. 저도 그 쪽으로 가는 중이에요.

(1) 소년은 여자를 돕고 있다.
(2) 여자는 택시를 탈 것이다.

풀이 (1) 소년은 무거운 가방을 들고 있는 여자를 돕고 있으므로 일치한다.
(2) 여자가 버스 정류장이 어디인지 묻고 있으므로 택시가 아니라 버스를 탈 것이다.

단어·숙어
bus stop 버스 정류장
carry ⑧ 운반하다

2

해석 A: 엄마, 엄마를 위해 친환경 가방을 만들었어요.
B: 정말 예쁘다. 고마워.
A: 천만에요. 엄마가 좋아하시니 저도 기뻐요.

풀이 I'm glad you like it.은 '당신이 맘에 든다니 저도 기뻐요.'라는 뜻으로 자신이 상대방에게 해 준 일에 관해 칭찬의 말을 들었을 때 답하는 표현이다.

단어·숙어
eco-bag ⑱ 친환경 가방

3

해석 어느 날, 한 남자에게 좋은 아이디어가 떠올랐다. 그는 공중전화 하나에 동전들을 붙였다. 그는 또한 "당신이 사랑하는 누군가에게 전화하세요."라고 쓰인 표지판을 설치했다. 곧, 많은 사람들이 그 전화기를 사용했다. 그들이 사랑하는 누군가와 이야기하고 있을 때, 그들은 미소 짓는 것을 멈추지 않았다.
가능한 위험을 피하라
사랑하는 누군가에게 전화하라
자연의 소리를 들어라

풀이 사람들이 공중전화에 설치된 표지판을 보고 그들이 사랑하는 누군가에게 전화했다고 했으므로, 표지판에는 '사랑하는 누군가에게 전화하세요.'라는 내용이 쓰여 있었을 것이다.

단어·숙어
come up with (생각이) 떠오르다
stick ⑧ 붙이다 (−stuck−stuck)
put up …을 설치하다
sign ⑱ 표지판
avoid ⑧ 피하다
danger ⑱ 위험
nature ⑱ 자연

4

해석 서울의 버스 정류장 지도는 매우 혼란스러웠다. 많은 사람들이 자주 버스를 잘못 타서 시간을 낭비하곤 했다.
어느 날, 한 청년이 이 문제를 해결하기로 결심했다. 그는 빨간색 화살표 스티커를 많이 샀다. 매일 그는 자전거를 타고 서울 시내를 돌아다니며 버스 지도에 스티커를 붙였다. 그의 노력 덕분에, 사람들은 지도를 쉽게 이해하고 시간을 절약할 수 있었다.
→ 빨간색 화살표 스티커 덕분에, 버스 정류장의 지도들은 더 이상 혼란스럽지 않았다.

풀이 한 청년이 '빨간색 화살표 스티커'를 사서 버스 정류장 지도에 붙여 놓은 덕분에 사람들은 버스 정류장의 '지도'를 쉽게 이해하게 되었고 시간을 절약하게 되었다.

단어·숙어
confusing ⑱ 혼란스러운
waste one's time …의 시간을 낭비하다
arrow ⑱ 화살표
thanks to … 덕분에
effort ⑱ 노력
easily ⑯ 쉽게

5

해석 "이것은 내 여동생이 나를 위해 그린 그림이야."

풀이 This is the picture.와 My little sister drew it for me. 두 문장을 목적격 관계대명사를 사용하여 한 문장으로 만든 것이다. the picture가 사물이고 두 번째 문장의 목적어이므로 목적격 관계대명사 that을 사용한다. 제시된 단어 중 선행사인 picture를 먼저 쓰고 관계대명사 that을 그다음에 쓴 후, 두 번째 문장의 동사 drew를 쓰면 된다.

6

해석 A: 너의 부모님은 때때로 너에게 무엇을 하라고 부탁하시니?
B: 그들은 때때로 나에게 아침을 만들라고 부탁하셔.

풀이 'ask+목적어+to부정사' 형태를 사용하여 평소 부모님이 나에게 부탁하는 일을 생각하여 쓴다.

Culture & Life

Good Ideas for Helping Others

교과서 p.56

Find out 다른 사람들을 도울 수 있는 세계 여러 나라의 아이디어를 알아봅시다.

South Africa - Hope Soap

Do you see toys inside the bars of soap? Children in South Africa wash their hands more often to get the toys. Washing your hands can prevent many health problems. Thanks to this idea, fewer children are getting sick.

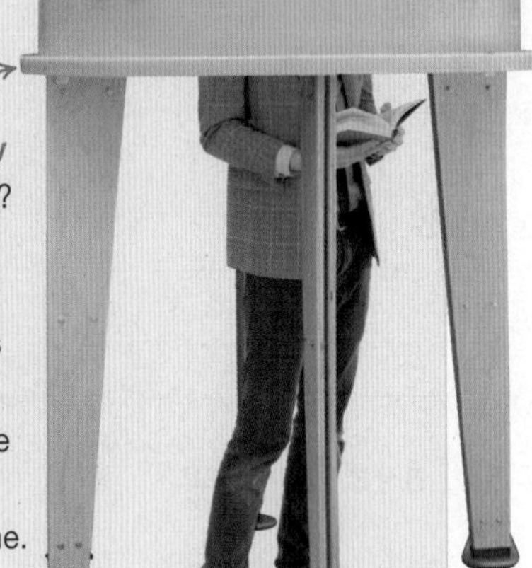

USA - Little Free Library

Do you enjoy reading? Is a big library hard to visit? Then these little libraries are good news for you. You can check out books from the little libraries in the streets and return them anytime.

Korea - Hold the Door Sticker

This idea came from a public communication project. In this project, people collected small but great ideas to make a happier world. Thanks to the "Hold the Door" stickers, people think about others more when they use doors.

Try out 모둠별로 우리나라의 나눔 실천 운동 아이디어를 더 찾아서 발표해 봅시다. group

우리나라의 나눔 실천 운동

e.g. There is the *Mirinae* movement in Korea. People pay for others in places like restaurants. Those people will do the same for someone else. In this way, the world will become a happier place.

단어·숙어

- a bar of soap 비누 한 개
- toy 명 장난감
- prevent 동 막다, 방지하다
- check out (책을) 대출하다
- return 동 반납하다
- public 형 공공의
- communication 명 의사소통
- collect 동 수집하다, 모으다

해석

Find out

• **남아프리카 – 희망 비누**

비누 안에 들어 있는 장난감이 보이나요? 남아프리카의 어린이들은 장난감을 갖기 위해 더 자주 손을 씻습니다. 손을 씻는 것은 많은 건강 문제를 막을 수 있습니다. 이 아이디어 덕분에, 아픈 어린이들이 줄어들고 있습니다.

• **미국 – 작은 무료 도서관**

여러분은 독서를 즐기나요? 큰 도서관은 방문하기 힘든가요? 그렇다면 이 작은 도서관들이 여러분에게 좋은 소식입니다. 여러분은 거리에 있는 작은 도서관에서 책을 대출하고 언제든지 반납할 수 있습니다.

• **한국 – 문잡아 주기 스티커**

이 아이디어는 한 공공 소통 프로젝트에서 나온 것입니다. 이 프로젝트에서, 사람들은 더 행복한 세상을 만들기 위한 작지만 위대한 아이디어를 모았습니다. '문잡아 주기' 스티커 덕분에, 사람들은 문을 사용할 때 다른 사람들을 더 배려할 것입니다.

Try out

한국에는 '미리내' 운동이 있습니다. 사람들은 식당과 같은 장소에 있는 다른 사람들을 위해 돈을 지불합니다. 이 사람들은 또 다른 누군가를 위해 똑같은 행동을 할 것입니다. 이런 식으로, 세상은 더 행복한 곳이 될 것입니다.

Our Happier Class

교과서 p.57

Ready 모둠별로 더 행복한 학급을 만들기 위한 아이디어를 정리해 봅시다. group

Title	Secret Helper Project
Goal	to get closer to each other
Idea	to pick one person and help him/her secretly

Create 위의 내용을 바탕으로 아이디어를 설명하는 소개 자료를 만들어 봅시다. group

① Secret Helper Project

② My Secret Helper

③ Good Friends

④ Our Happier Class

Why don't we start a "Secret Helper Project?" We had this amazing idea because we wanted to get closer to each other. If we help each other, we will all become happier.

시각적인 발표 자료를 만들어 소개해 볼 수 있습니다.

Share 완성된 자료를 친구들에게 소개하고, 좋은 아이디어들을 학급에서 실천해 봅시다.

Ready

활동 방법 모둠별로 더 행복한 학급을 만들기 위한 아이디어를 '제목, 목표, 구체적인 아이디어' 세 부분으로 정리한다.

해석

제목 비밀 도우미 프로젝트
목적 서로 더 친밀해지는 것
아이디어 한 사람을 정해서 몰래 도와주기

단어·숙어
close ㉠ 가까운, 친밀한
secretly ㉾ 비밀리에

Create

활동 방법 정리한 정보를 바탕으로 모둠의 아이디어를 설명하는 소개 자료를 만든다.

해석 '비밀 도우미 프로젝트'를 시작해 보는 게 어떨까요? 우리는 서로 더 가까워지고 싶어서 이 놀라운 아이디어를 생각해 냈습니다. 만약 우리가 서로 돕는다면, 우리 모두는 더 행복해질 것입니다.

예시 정답 Why don't we start a "Clean Day"? We had this wonderful idea because we wanted to make our classroom cleaner. If we study in a cleaner environment, we will all become happier.

'대청소날'을 시작해 보는 게 어떨까요? 우리는 우리 교실을 더 깨끗하게 만들고 싶어서 이 멋진 아이디어를 생각해 냈습니다. 만약 우리가 더 깨끗한 환경에서 공부한다면, 우리 모두는 더 행복해질 것입니다.

Share

활동 방법 완성한 자료를 반 친구들에게 소개한 후, 이 중 실천 가능한 아이디어를 골라 반에서 해 본다.

단원 종합 평가

01 대화를 듣고, 두 사람이 대화하고 있는 장소로 가장 적절한 곳을 고르시오.

① school ② airport
③ bookstore ④ art gallery
⑤ science lab

02 대화를 듣고, 대화의 내용과 일치하지 않는 것을 고르시오.

① Today is the girl's father's birthday.
② The girl gave her father a cake.
③ The girl made the cake all by herself.
④ James knew how to make a cake.
⑤ The father liked the gift from his daughter.

03 대화를 듣고, 남자의 마지막 말에 이어질 여자의 응답으로 가장 적절한 것을 고르시오.

① OK. Let me help you.
② Well, I helped you before.
③ I got help from the teacher.
④ Maybe Jimin can help you out.
⑤ Of course. I learned from the textbook.

04 다음 짝 지어진 대화 중 자연스럽지 않은 것은?

① **A** Robert, this is for you. I made it in my art class.
B It's very nice. I really like it.
② **A** I think your idea is much better than mine.
B I'm glad you like it.
③ **A** I don't know what to do with my computer.
B Don't worry. I'll help you.
④ **A** How about reading it again? Then you'll understand.
B Thanks for the tip.
⑤ **A** I can give you some help if you want.
B Let me give you a hand.

05 다음 대화의 빈칸에 알맞은 것은?

> **A** Can I help you? You look tired. I'll help you with your homework.
> **B** ________________________________

① Sorry, but I can't.
② Thanks for your help.
③ No problem. He can do it.
④ Thank you for helping him.
⑤ Let me give you a helping hand.

06 다음 대화의 빈칸에 알맞지 않은 것은?

> **A** I made these cookies for Parents' Day. We are going to have a great party!
> **B** How nice! It's going to be a perfect Parents' Day thanks to you.
> **A** I ________ you like it.

① am glad ② am pleased
③ feel pleased ④ feel happy
⑤ feel sorry

[07-08] 다음 대화를 읽고, 물음에 답하시오.

> **A** Welcome back, Brian. Are you feeling better?
> **B** ① Yes, thanks. I tried to study on my own in the hospital, but it was ________.
> **A** ② Let me help you. Why don't you join my study group?
> **B** Did you start a study group? ③ That's wonderful.
> **A** Thanks. I think that we can learn better when we teach each other.
> **B** ④ I agree. I'll try ________ to be a good member.
> **A** ⑤ Thanks for helping me.

07 위 대화의 밑줄 친 ①~⑤ 중 대화의 흐름상 어색한 것은?

① ② ③ ④ ⑤

08 위 대화의 빈칸에 공통으로 알맞은 것은?

① good ② hard ③ more
④ well ⑤ difficult

09 다음 밑줄 친 stick과 같은 뜻으로 쓰인 것은?

He'll stick coins to one of the pay phones.

① Stick the broken pieces together with glue.
② We collected dry sticks to start a fire.
③ To play hockey, we need a hard stick.
④ The nurse was going to stick the needle into my arm.
⑤ I usually stick the papers in my desk drawer.

10 다음 빈칸에 공통으로 알맞은 것은?

- He came ________ with a great idea for making a better class.
- The government decided to put ________ more road signs on 31st Avenue.

① at ② on ③ in ④ up ⑤ to

11 다음 영영 풀이에 해당하는 단어는?

someone who teaches or gives help and advice to a less experienced and often younger person

① classmate ② volunteer ③ mentor
④ mentee ⑤ member

12 다음 중 밑줄 친 부분을 생략할 수 있는 것은?

① I got a birthday present that cost over $10.
② These are the animals that live in the water.
③ That man is the lawyer that I have seen on TV.
④ My grandfather took the magazine that was on the table.
⑤ The boy fell in love with a girl that was good at the piano.

13 우리말과 일치하도록 주어진 표현을 사용하여 문장을 쓰시오.

선생님은 학생들에게 제시간에 오도록 요청했다.
(ask, be on time)
→ ________________________________

14 다음 중 어법상 어색한 문장은?

① The woman you met last night is a famous cook.
② I think I have to follow the idea that Kate came up with.
③ The pictures which Mike took in Africa were wonderful.
④ There are many people in the room which I don't know.
⑤ We visited the restaurant which one of my friends recommended.

[15-16] 다음 대화를 읽고, 각 네모 안에서 어법에 맞는 표현으로 알맞은 것을 고르시오.

A What's the matter? You look upset.
B Yeah. My brother broke my toy robot again! I told **15** [his / him / he] to be careful when he plays with it.
A I'm sorry to hear that. Why don't you keep it in your secret box **16** [that / who / whom] nobody can find?
B That's a good idea. I'll give it a try.

17 다음 글 뒤에 이어질 내용으로 알맞은 것은?

Here are two stories which I read yesterday. Do you want to hear about them?

1. Call Someone You Love
2. Be a Mentor
3. The Red Arrow Man
4. The Happy Refrigerator Project
5. Secret Steps

① 앞으로 읽고 싶은 책의 목록
② 친구에게 소개하고 싶은 책의 목록
③ '멘토가 되는 방법'에 대한 내용 소개
④ 자신이 읽은 두 이야기에 대한 내용 소개
⑤ 사랑하는 사람에게 해 줄 것에 대한 아이디어

[18-20] 다음 글을 읽고, 물음에 답하시오.

New York had ① many pay phones on its streets. ② However, nobody really used them. One day, a man came up with an idea. He ③ removed coins to one of the ④ phones. He also put up a sign that said, "Call Someone You Love." Soon, many people were ⑤ using the phone. When they were talking to 그들이 사랑하는 누군가, they didn't stop smiling. His idea became a big success. During the day, all the coins disappeared. The man was very happy because his small idea gave ________ to many people.

18 윗글의 밑줄 친 우리말과 일치하도록 주어진 단어를 바르게 배열하시오.

(whom, they, someone, loved)

→ ____________________

19 윗글의 빈칸에 알맞은 것은?

① pain ② worry ③ sadness
④ happiness ⑤ loneliness

20 윗글의 밑줄 친 ①~⑤ 중 글의 흐름상 어색한 것은?

① ② ③ ④ ⑤

[21-23] 다음 글을 읽고, 물음에 답하시오.

A few years ago, the maps at bus stops in Seoul were very confusing. They didn't have enough information. People had to ask others to explain the maps. "Where is this bus stop on the map? Does this bus go to Gwanghwamun?" (①) Many people often took the wrong bus and wasted their time. (②)

One day, a young man decided to solve this problem. (③) Every day he rode his bicycle around the city and stuck the red arrow stickers on the bus maps. (④) Thanks to his effort, people could understand the maps easily and save time. (⑤)

21 윗글의 밑줄 친 They가 가리키는 것을 찾아 쓰시오.

→ ____________________

22 윗글의 ①~⑤ 중 주어진 문장이 들어갈 알맞은 곳은?

Nobody asked him to do this sticker job.

① ② ③ ④ ⑤

23 윗글의 내용과 일치하는 것은?

① 서울의 버스 정류장에는 도착 시간을 알려 주는 장치가 있었다.
② 버스 정류장의 지도는 알아보기 쉽게 되어 있었다.
③ 사람들이 버스 운전기사에게 해결책을 요구했다.
④ 한 청년이 자전거를 타고 다니며 화살표 스티커를 붙였다.
⑤ 여전히 버스를 탈 때 시간을 낭비하는 사람들이 많다.

[24-25] 다음 글을 읽고, 물음에 답하시오.

My name is Semi and I'm in the second grade. If I become a mentor of someone, I want to help my mentee with her homework. I can meet my mentee after school. I'll ask my mentee to be on time. I think a good mentor can be a good friend. So I want to become a good friend whom my mentee can trust.

24 윗글을 읽고, 대답할 수 없는 질문은?

① What grade is Semi's mentee in?
② How does Semi want to help her mentee?
③ When does Semi want to meet her mentee?
④ What will Semi ask her mentee to do?
⑤ What does Semi think a good mentor is?

25 세미가 윗글을 쓴 목적으로 알맞은 것은?

① to give tips to her mentee
② to thank her mentor for her help
③ to volunteer for a mentor program
④ to be a good friend to her mentor
⑤ to help her mentee with her homework

서술형 평가

정답과 해설 p. 322

01 부모님이 피곤하실 때 여러분이 부모님께 해 드릴 수 있는 일들을 적고, [보기]와 같이 도움을 제안하고 칭찬에 답하는 대화를 완성하시오.

kind of help you want to give your parents when they are tired	e.g. • give them a massage • ______ • ______

보기
A When you are tired, I'll give you a massage.
B Thanks a lot.
A I'm glad you like it.

A: ______________________
B: Thanks a lot.
A: ______________________

02 소년이 받은 생일 선물에 대한 문장을 [보기]와 같이 관계대명사와 주어진 표현을 사용하여 쓰시오.

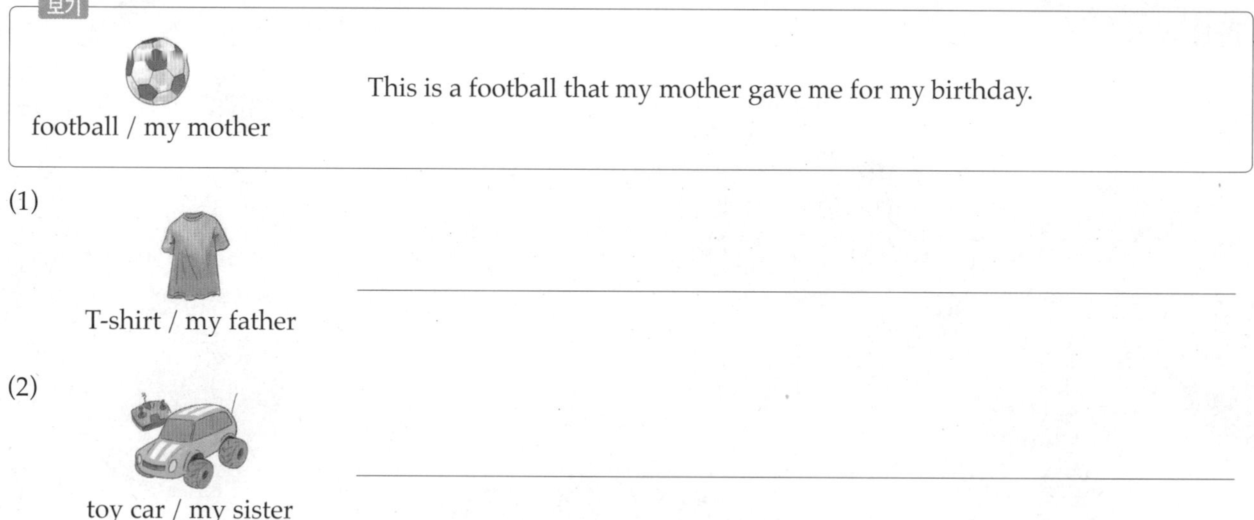

보기
football / my mother
This is a football that my mother gave me for my birthday.

(1) T-shirt / my father ______________________

(2) toy car / my sister ______________________

03 다른 사람들을 배려하는 도서관을 만들기 위해 어떤 일을 해야 할지 적고, 도서관에 설치할 규칙표를 완성하시오.

Library Rules

e.g.
• return your books after reading
• ______
• ______

To create a happier library, we are asking you to return your books after you read them. Also, we are asking ______________.
Lastly, ______________
______________.

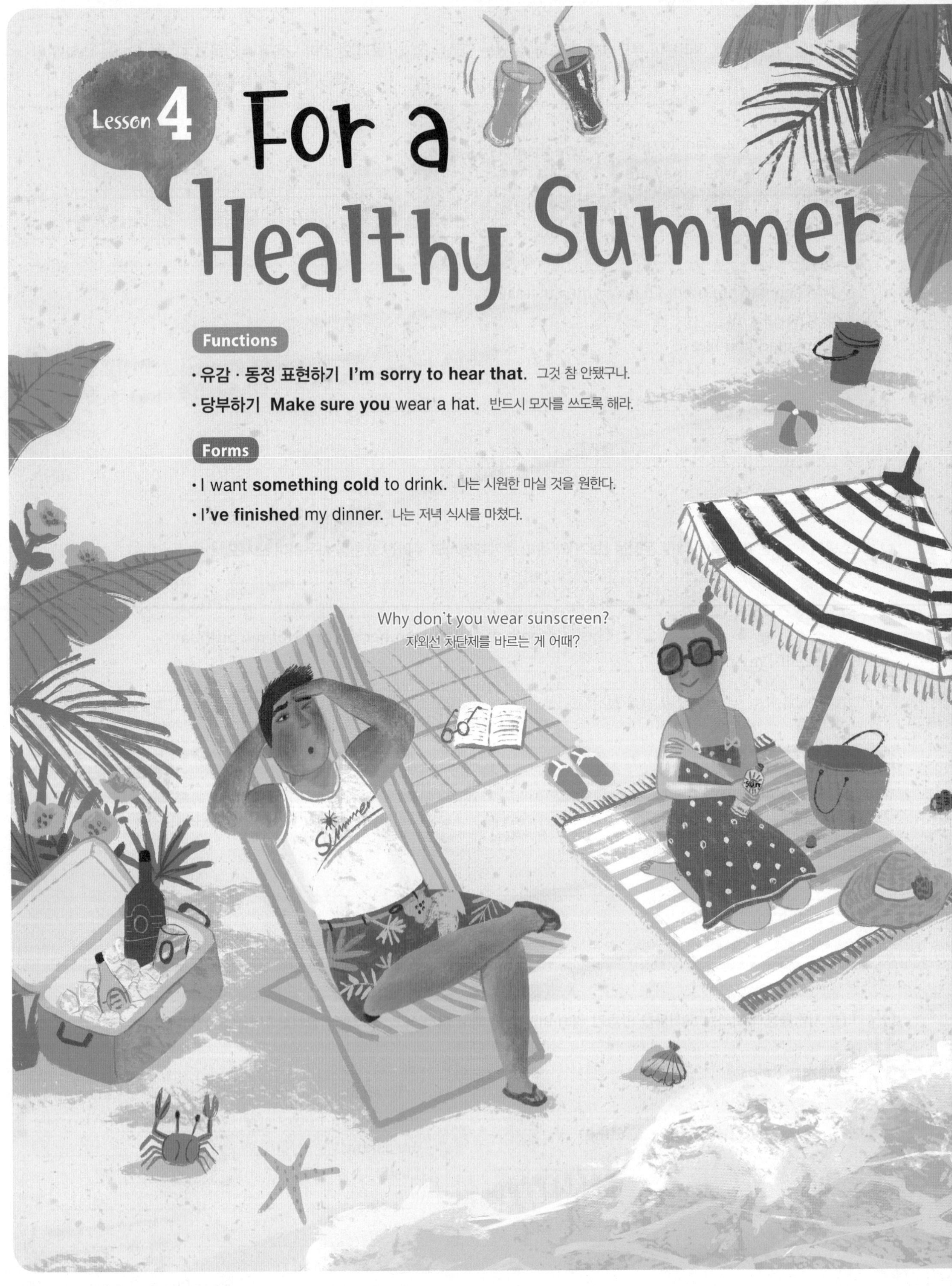
Lesson 4
For a Healthy Summer
Functions
• 유감 · 동정 표현하기 I'm sorry to hear that. 그것 참 안됐구나.
• 당부하기 Make sure you wear a hat. 반드시 모자를 쓰도록 해라.
Forms
• I want something cold to drink. 나는 시원한 마실 것을 원한다.
• I've finished my dinner. 나는 저녁 식사를 마쳤다.
Why don't you wear sunscreen?
자외선 차단제를 바르는 게 어때?
Summer

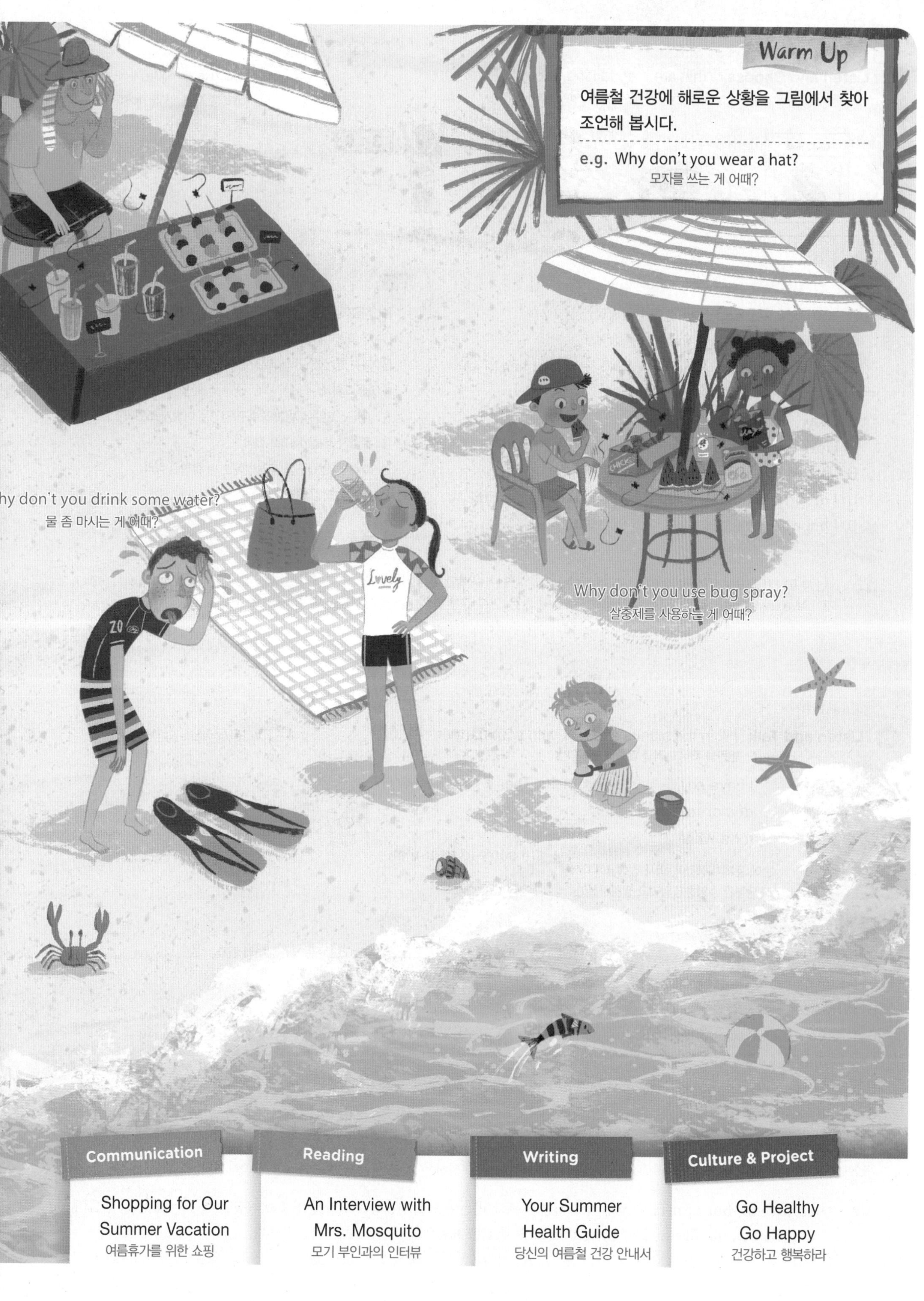
Warm Up
여름철 건강에 해로운 상황을 그림에서 찾아 조언해 봅시다.
e.g. Why don't you wear a hat?
모자를 쓰는 게 어때?
Why don't you drink some water?
물 좀 마시는 게 어때?
Why don't you use bug spray?
살충제를 사용하는 게 어때?
CHICKS
Lovely
ZO

Listen & Speak 1

A **Listen and Choose** What are they talking about?
그들은 무엇에 관해 이야기하고 있습니까?

단어·숙어 because ⓢ … 때문에
lose ⓢ 지다, 잃다(-lost-lost)

1.

2.

3 : 0
We won!

Script

1 B: You look worried, Jimin. What's wrong?
G: I'm worried because my cat is sick.
B: I'm sorry to hear that. Why don't you take her to an animal doctor?
G: Okay, I will.

2 G: How was the soccer game with Minsu's class, Alex?
B: We lost by three goals.
G: I'm sorry to hear that. I hope you do better next time.
B: I hope so, too.

해석

1 B: 지민아, 걱정스러워 보여. 무슨 일 있니?
G: 내 고양이가 아파서 걱정이야.
B: 그것 참 안됐구나. 고양이를 수의사에게 데려가는 게 어때?
G: 응, 그럴게.

2 G: Alex, 민수네 반과의 축구 경기는 어떻게 되었니?
B: 우리가 세 골 차이로 졌어.
G: 그것 참 안됐구나. 다음번에는 더 잘하길 바라.
B: 나도 그러길 바라.

풀이 1 I'm worried because my cat is sick. 문장에서 지민이는 고양이가 아파서 걱정하고 있다.
2 We lost by three goals. 문장에서 Alex네 반은 민수네 반과의 축구 시합에서 세 골 차이로 졌다.

B **Listen and Talk** Fill in the blanks and talk with your partner. pair
빈칸을 채우고 짝과 대화해 봅시다.

단어·숙어 for a while 당분간

I have an eye problem. The doctor told me to stop swimming for a while.
눈에 문제가 생겼어. 의사 선생님이 나에게 당분간 수영하지 말라고 말씀하셨어.

I'm sorry to hear that.
그것 참 안됐구나.

Script

B: Let's go swimming this weekend, Yujin.
G: I'd love to, but I can't.
B: Why not?
G: I have an eye problem. The doctor told me to stop swimming for a while.
B: I'm sorry to hear that. Maybe we can go next week end.
G: I really hope so.

해석

B: 유진아, 이번 주말에 수영하러 가자.
G: 가고 싶은데 못 가.
B: 왜 못 가니?
G: 눈에 문제가 생겼거든. 의사 선생님이 나에게 당분간 수영하지 말라고 말씀하셨어.
B: 그것 참 안됐구나. 아마도 다음 주말에는 갈 수 있을 거야.
G: 정말 그랬으면 좋겠다.

풀이 유진이는 '눈'에 문제가 생겼고, 의사 선생님은 유진이에게 '수영하는' 것을 당분간 중단하라고 말씀하셨다.

표현 • **I'd love to, but I can't.**: '그렇게 하고 싶은데 못해.'라는 뜻으로 상대방의 제안을 정중히 거절할 때 쓰는 표현이다. I'd love to ... .는 I would like to ... . / I want to ... . 등과 같은 표현으로 '…하고 싶다.'라는 뜻이다.

C **Talk Together** What problems do they have? Talk with your partner. pair
그들은 무슨 문제가 있습니까? 짝과 대화해 봅시다.

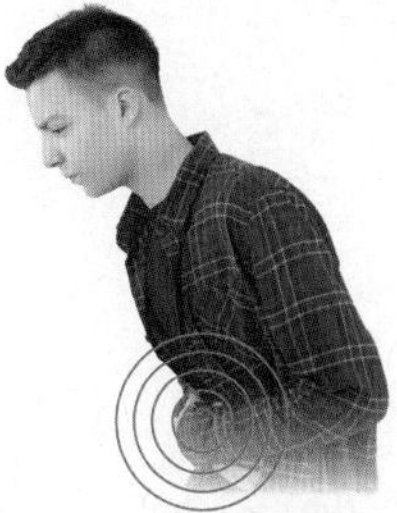

stomach

head

ear

A: My stomach hurts! I think I have food poisoning.
B: I'm sorry to hear that. How about going to see a doctor?
A: Okay, I will.

an ear problem
food poisoning
a bad cold

단어·숙어
stomach ⓜ 배, 위
food poisoning 식중독

해석
A: 배가 아파! 식중독인 것 같아.
B: 그것 참 안됐구나. 병원에 가는 게 어때?
A: 응, 그럴게.

활동 방법 그림을 보고 각 사람의 문제를 파악한 후, 주어진 대화문을 이용하여 짝과 대화해 본다.

예시 대화
- A: My head hurts! I think I have a bad cold.
  B: I'm sorry to hear that. How about going to see a doctor?
  A: Okay, I will.
- A: My ear hurts! I think I have an ear problem.
  B: I'm sorry to hear that. How about going to see a doctor?
  A: Okay, I will.

- A: 머리가 아파! 심한 감기에 걸린 것 같아.
  B: 그것 참 안됐구나. 병원에 가는 게 어때?
  A: 응, 그럴게.
- A: 귀가 아파! 귀에 문제가 있는 것 같아.
  B: 그것 참 안됐구나. 병원에 가는 게 어때?
  A: 응, 그럴게.

Function 1 유감 · 동정 표현하기: I'm sorry to hear that.

I'm sorry to hear that.은 '그것 참 안됐구나.'라는 뜻으로 좋지 못한 소식을 들었을 때, 유감이나 동정을 표현하는 말이다.
• 유사 표현 – That's too bad. / That's terrible! / That's a pity!

예시 대화
- A: I missed my train. (나는 기차를 놓쳤어.)
  B: **I'm sorry to hear that.** (그것 참 안됐구나.)
- A: I'm not feeling well today. (나는 오늘 기분이 좋지 않아.)
  B: **I'm sorry to hear that.** (그것 참 안됐구나.)

Listen & Speak 2

A **Listen and Number** Number the item that each person needs.
각 인물이 필요로 하는 물건에 번호를 써 봅시다.

단어 숙어
sunburn 명 햇볕에 탐
sunscreen 명 자외선 차단제
miss 동 놓치다, 빼먹다

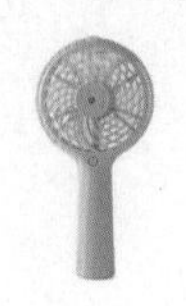
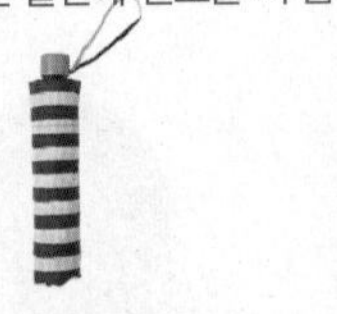

[1] [ ] [3] [2] [ ]

Script

1 W: Tim, look at your face! You got sunburn.
B: Yes, it hurts a lot. I went swimming at the beach without sunscreen.
W: Oh dear! Make sure you wear sunscreen next time.

2 W: Hojun, do you want to go shopping with me?
B: Sorry, Mom. I'm going to play baseball with Alex this afternoon.
W: Okay. No problem. Just make sure you wear a hat. It's going to be very hot this afternoon.
B: Okay, I will.

3 M: Did you pack for the school trip tomorrow, Sue?
G: Yes. Now I'm checking my list again. I don't want to miss anything.
M: Make sure you take an umbrella with you. It might rain tomorrow.
G: Okay, thank you.

해석

1 W: Tim, 네 얼굴 좀 봐! 햇볕에 탔구나.
B: 네, 많이 아파요. 자외선 차단제를 바르지 않고 바닷가에 수영하러 갔거든요.
W: 오 저런! 다음번에는 꼭 자외선 차단제를 바르렴.

2 W: 호준아, 나와 같이 쇼핑 가지 않을래?
B: 죄송해요, 엄마. 오늘 오후에 Alex와 야구하기로 했어요.
W: 그래, 괜찮아. 반드시 모자를 쓰도록 해라. 오늘 오후에는 매우 더울 거야.
B: 네, 그럴게요.

3 M: Sue, 내일 수학여행 갈 가방은 쌌니?
G: 네. 지금 목록을 다시 확인하고 있어요. 어떤 것도 빼먹고 싶지 않아요.
M: 반드시 우산을 가져가도록 해라. 내일 비가 내릴지도 몰라.
G: 네, 고맙습니다.

풀이 각 대화에서 상대방에 Make sure you ... .라는 표현을 써서 각 인물이 필요한 물건을 언급해 주고 있다. 첫 번째 대화에서는 'sunscreen(자외선 차단제)'을, 두 번째 대화에서는 'hat(모자)'을, 세 번째 대화에서는 'umbrella(우산)'에 대해 당부하고 있다.

표현 • **I'm going to play baseball with Alex this afternoon.:** 'be going to + 동사원형'은 가까운 미래에 할 일을 나타내는 표현이다.

B **Listen and Write** Fill in the blanks to complete the poster.
빈칸을 채워 포스터를 완성해 봅시다.

단어 숙어
prevent 동 막다, 방지하다
fruit fly 초파리
bug spray 살충제
empty 동 비우다 형 텅 빈

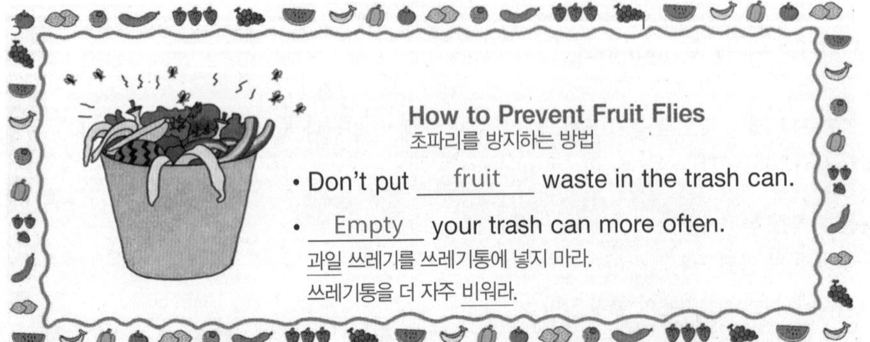

How to Prevent Fruit Flies
초파리를 방지하는 방법
• Don't put fruit waste in the trash can.
• Empty your trash can more often.
과일 쓰레기를 쓰레기통에 넣지 마라.
쓰레기통을 더 자주 비워라.

Script

G: Dad, do we have any bug spray?
M: Yes, it's under the sink. Why?
G: There are a lot of fruit flies around the trash.
M: Oh no! What did you put in the trash?
G: Some fruit waste.
M: Fruit flies love sweet things. Make sure you don't put fruit waste in the trash can.
G: I'll keep that in mind. I think we should also empty our trash can more often.
M: That's a good idea.

해석

G: 아빠, 살충제 있나요?
M: 응, 싱크대 밑에 있어. 왜 그러니?
G: 쓰레기 주변에 초파리가 많아요.
M: 오 이런! 쓰레기 안에 무엇을 넣었니?
G: 과일 쓰레기요.
M: 초파리는 단것을 좋아해. 반드시 쓰레기통에 과일 쓰레기를 넣지 마라.
G: 명심할게요. 우리가 쓰레기통도 더 자주 비워야 할 것 같아요.
M: 좋은 생각이야.

풀이 초파리가 생기는 것을 방지하기 위해 쓰레기통에 '과일' 쓰레기를 넣지 않고, 쓰레기통을 더 자주 '비우라고' 말하고 있다.

표현 • **I'll keep that in mind.**: '명심할게요.'라는 뜻으로 상대방의 조언이나 당부에 대한 응답으로 쓴다. 유사 표현으로 Okay, I will. / Okay, thank you. 등이 있다.

C Talk Together Fill in the blanks and talk with your partner. pair

빈칸을 채우고 짝과 대화해 봅시다.

Fly Man! Wash your hands before you touch food.

Mrs. Mosquito! Stay away from the sleeping baby.

A: Fly Man! Make sure you wash your hands before you touch food.
B: Okay, I'll keep that in mind.

Wash your hands
Stay away from

단어 숙어
mosquito ⓜ 모기
stay away from …을 멀리하다

해석
• Fly Man! 음식을 만지기 전에 손을 씻어요.
• Mosquito 부인! 자고 있는 아기에게서 떨어지세요.
A: Fly Man! 음식을 만지기 전에 반드시 손을 씻으세요.
B: 알았어요, 명심할게요.

활동 방법 그림을 보고 Fly Man과 Mosquito 부인이 하려는 행동에 당부의 말을 넣어 짝과 대화해 본다.

예시 대화
• A: Mrs. Mosquito! Make sure you stay away from the sleeping baby.
B: Okay, I'll keep that in mind.

• A: Mosquito 부인! 자고 있는 아기에게서 반드시 떨어지세요.
B: 알았어요, 명심할게요.

Function 2 당부하기: Make sure you ... .

Make sure (that) you ... .는 '반드시 …해라.'라는 뜻으로 당부하는 표현이다.
• 유사 표현 – Make sure to ... . / Don't forget to ... . / Remember to ... .
• 응답 표현 – Okay, I will. / Okay, thank you. / I'll keep that(it) in mind.

예시 대화
• A: **Make sure to** take your umbrella. It's likely to rain. (우산을 꼭 가져가. 비가 내릴 것 같아.)
B: Okay, thank you. (그래, 고마워.)

Real Life Communication

A **Watch and Choose** 동영상을 보고, 준수가 모기에 물린 장소를 골라 봅시다.

단어·숙어
- happen ⓢ 일어나다, 발생하다
- bite ⓜ 물린 상처 ⓢ (벌레가) 물다
- scratch ⓢ 긁다
- itchy ⓗ 가려운
- sleeve ⓜ 소매

Script

Ms. Wheeler: Junsu, what happened to your face?
Junsu: I got a lot of mosquito bites.
Ms. Wheeler: I'm sorry to hear that. How did it happen?
Junsu: It happened when I went camping last weekend.
Ms. Wheeler: Oh dear. Don't scratch them!
Junsu: I know, but they're really itchy.
Ms. Wheeler: Clean them with cool water. That'll help. Also, make sure you wear long sleeves when you go camping.
Junsu: Okay, thank you.

해석

Wheeler 선생님: 준수야, 얼굴에 무슨 일이 생긴 거니?
준수: 모기에 많이 물렸어요.
Wheeler 선생님: 그것 참 안됐구나. 어떻게 된 거니?
준수: 지난 주말에 캠핑 갔을 때 그렇게 됐어요.
Wheeler 선생님: 오 저런. 그것들을 긁지 마!
준수: 알아요, 하지만 정말 가려워요.
Wheeler 선생님: 찬물로 그것들을 씻어. 그게 도움이 될 거야. 또한, 캠핑 갈 때는 반드시 소매가 긴 옷을 입어.
준수: 네, 고맙습니다.

B **Think and Talk**

Step 1 모기에 물린 경우 간단히 할 수 있는 처치법과 예방법을 골라 봅시다.

활동 방법: 모기에 물린 경우 무엇을 이용해 처치하며 물리는 것을 어떻게 예방할 수 있는지 생각해 보고, 주어진 대화문을 이용하여 짝과 대화해 본다.

What to Use

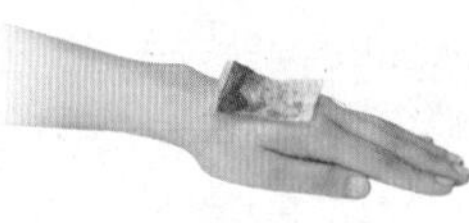

☐ a green tea bag 녹차 티백

☐ an ice pack 얼음주머니

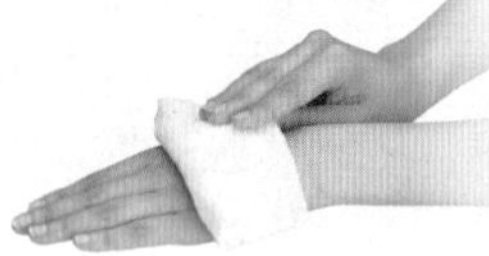

☐ a hot towel 뜨거운 수건

How to Prevent

- ☐ stay cool and avoid sweating 시원하게 지내고 땀 흘리는 것을 피하다
- ☐ wear long sleeves 긴 소매 옷을 입다
- ☐ avoid standing water 물웅덩이를 피하다 your own ____________

단어·숙어
- sweat ⓢ 땀을 흘리다
- standing water 물웅덩이
- area ⓜ 부위

Step 2 위의 내용을 바탕으로 짝과 대화해 봅시다. pair

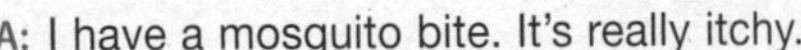

A: I have a mosquito bite. It's really itchy.
B: I'm sorry to hear that. Hold a green tea bag on the itchy area. That'll help.
A: Okay, I'll try that.
B: To prevent more bites, make sure you stay cool and avoid sweating.
A: Good idea. Thanks.

해석

A: 모기에 물렸어. 정말 가려워.
B: 그것 참 안됐구나. 녹차 티백을 가려운 부위에 대 봐. 도움이 될 거야.
A: 그래, 한번 해 볼게.
B: 더 물리는 것을 막기 위해서는 반드시 시원하게 지내고 땀 흘리는 것을 피해.
A: 좋은 생각이다. 고마워.

- A: I have a mosquito bite. It's really itchy.
  B: I'm sorry to hear that. Hold an ice pack on the itchy area. That'll help.
  A: Okay, I'll try that.
  B: To prevent more bites, make sure you wear long sleeves.
  A: Good idea. Thanks.

- A: 모기에 물렸어. 정말 가려워.
  B: 그것 참 안됐구나. 얼음주머니를 가려운 부위에 대 봐. 도움이 될 거야.
  A: 그래, 한번 해 볼게.
  B: 더 물리는 것을 막기 위해서는 반드시 긴 소매 옷을 입어.
  A: 좋은 생각이다. 고마워.

• A: I have a mosquito bite. It's really itchy.
B: I'm sorry to hear that. Hold a hot towel on the itchy area. That'll help.
A: Okay, I'll try that.
B: To prevent more bites, make sure you avoid standing water.
A: Good idea. Thanks.

• A: 모기에 물렸어. 정말 가려워.
B: 그것 참 안됐구나. 뜨거운 수건을 가려운 부위에 대 봐. 도움이 될 거야.
A: 그래, 한번 해 볼게.
B: 더 물리는 것을 막기 위해서는 반드시 물웅덩이를 피해.
A: 좋은 생각이다. 고마워.

C Communication Task group

Shopping for Our Summer Vacation

Step 1 모둠별로 여름휴가를 위한 쇼핑 계획을 짜고, 쇼핑 목록을 작성해 봅시다.

A: Let's make a shopping list for our summer vacation.
B: Okay, what do we need?
C: Make sure you put sunscreen on the list.
D: Okay, I will.

e.g. sunscreen			

Step 2 위에서 작성한 목록으로 빙고판을 완성하고, 대화를 하면서 빙고 게임을 해 봅시다.

A: Do you have sunscreen on your board? 너의 빙고판에 자외선 차단제가 있니?

(빙고판에 단어가 있으면)
B: Yes, I do. 응, 있어.
A: That's great. 잘됐네.

(빙고판에 단어가 없으면)
C: No, I don't have it. 아니, 없어.
A: I'm sorry to hear that. 그것 참 안됐군.

How to play
1. 위 목록 가운데 9개를 골라 빙고판에 적습니다.
2. 한 사람이 진행자(A)가 되어 쇼핑 목록에서 단어를 골라 질문을 합니다.
3. 나머지 사람들(B, C, ...)은 대답을 하면서 들은 단어가 적힌 칸을 지웁니다.
4. 두 줄을 먼저 지운 사람이 빙고를 외칩니다. (빙고판은 p.193에 있습니다.)

활동 방법

Step 1
모둠원들과 여름휴가에 필요한 물건을 생각해 보고 쇼핑 목록을 만든다.

Step 2
위에서 작성한 목록으로 빙고판을 만들고, 주어진 대화문을 이용하여 빙고 게임을 한다.

해석

A: 우리 여름휴가를 위한 쇼핑 목록을 만들자.
B: 좋아, 우리는 무엇이 필요하지?
C: 반드시 목록에 자외선 차단제를 넣도록 해.
D: 응, 그럴게.

Sounds 다음을 듣고, 강하게 발음되는 부분에 ○ 표시를 한 후 따라 말해 봅시다.

1. I'm (sorry) to (hear) that.
그것 참 안됐구나.

2. Make sure you wear (long) (sleeves).
반드시 긴 소매 옷을 입어.

Tip 중요한 의미를 전달하는 내용어를 강하게 발음해야 한다. 1번 문장에서는 sorry, hear가, 2번 문장에서는 long, sleeves가 내용어이므로 강세를 두고 발음한다.

Self-check	☺	☹
• I can use 'I'm sorry to hear that.'	☐	☐
• I can use 'Make sure you ... .'	☐	☐

Let's Read의 단어들을 미리 익혀 보세요.

- ☐ mosquito ⓜ 모기 (a small flying insect that bites the skin of people and animals to suck their blood)
- ☐ go for a walk 산책하다
- ☐ sweat ⓢ 땀을 흘리다 (to produce a clear liquid from your skin when you are hot or nervous)
- ☐ buzz ⓢ 윙윙거리다 (to make a low, continuous sound like a flying insect)
- ☐ tiny ⓗ 아주 작은 (very small)
- ☐ sweaty ⓗ 땀에 젖은 (wet with sweat)
- ☐ sense ⓢ 느끼다; 감지하다 (to understand something without being told about it)
- ☐ million ⓜ 100만; 다수 (the number 1,000,000; a very large number)
- ☐ female ⓗ 암컷의; 여성의 (relating to an animal or plant that can produce young or lay eggs)
- ☐ male ⓗ 수컷의; 남성의 (relating to an animal or plant that cannot produce young or lay eggs)
- ☐ feed on …을 먹고살다
- ☐ protein ⓜ 단백질 (a substance found in foods such as meat, milk, eggs, and beans)
- ☐ lay ⓢ (알을) 낳다 (to produce an egg outside the body)
- ☐ bump ⓜ 혹; 타박상 (an area of skin that is raised because it has been hit, bitten, etc.)
- ☐ itch ⓢ 가렵다 (to have an unpleasant feeling on your skin that makes you want to scratch)
- ☐ scratch ⓢ 긁다 (to rub a surface with something sharp)
- ☐ prevent ⓢ …을 예방하다 (to stop something from happening)
- ☐ sleeve ⓜ (옷의) 소매, 소맷자락 (the part of a shirt, jacket, etc. that covers all or part of your arm)

Mini Test

정답과 해설 p. 323

A 다음 빈칸에 알맞은 단어를 [보기]에서 골라 쓰시오.

보기: mosquito / sweat / bump / scratch / protein

1. She fell against a table and got a large ____________ on her forehead.
2. Sometimes a(n) ____________ bite continues to itch for a few days.
3. You can't ____________ your own back.
4. The runner ____________(e)d heavily during the marathon.
5. ____________ is a very important part of nutrition.

B 다음 영영 풀이에 해당하는 단어를 [보기]에서 골라 쓰시오.

보기: lay / sleeve / buzz / tiny / prevent

1. ____________: to stop something from happening
2. ____________: to make a low, continuous sound like a flying insect
3. ____________: the part of a shirt, jacket, etc. that covers all or part of your arm
4. ____________: very small
5. ____________: to produce an egg outside the body

교과서 p.64

A **Look and Find** 대화를 읽고, 모기가 발견될 것 같은 장소를 찾아 표시해 봅시다.

A: Where can we find mosquitoes?

B: We can find mosquitoes near standing water.

모기는 물이 고여 있는 곳에 많습니다.

활동 방법 그림과 예시 대화를 보고, 모기가 발견될 것 같은 장소(집 앞 화단, 강아지용 물그릇, 작은 풀장, 타이어 그네, 하수구 뚜껑)를 찾아 표시한다.

단어 숙어 near 전 … 가까이에, 근처에

해석
A: 우리가 어디서 모기들을 찾을 수 있을까?
B: 우리는 물웅덩이 근처에서 모기들을 찾을 수 있어.

B **Look and Write** 주어진 단어를 사용하여 만화를 완성해 봅시다.

This place is warm and sweaty. I'll lay my eggs here.

I'll bite right here!

Yummy!

Oh, it itches! I'll wash my hair.

Oh, no!

That feels better.

itches bite sweaty lay

풀이 첫 번째 빈칸에는 소년의 머리가 땀에 젖어 있으므로 sweaty(땀에 젖은)가 알맞다.
두 번째 빈칸에는 상황상 머릿니들이 머리카락 위에 알을 '낳을' 거라는 내용이 되어야 하므로 lay가 알맞다.
세 번째 빈칸에는 머릿니가 맛있다고 하는 것으로 보아 bite(물다)가 알맞다.
네 번째 빈칸에는 소년이 머리를 감는 이유이므로 itches(가렵다)가 알맞다.

단어 숙어 yummy 형 아주 맛있는

해석
이곳은 따뜻하고 땀에 젖어 있어. 나는 여기에 알을 낳을 거야.
나는 바로 여기를 물을 거야!
아주 맛있어!
아, 가려워! 나는 머리를 감을 거야.
아, 안 돼!
훨씬 낫구나.

Let's Read

An Interview with Mrs. Mosquito

모기에 물렸던 경험을 말해 봅시다.

❶ It was a hot summer evening. ❷ Seojun went for a walk in the park. ❸ Soon, he was sweating.

Seojun ❹ I'm thirsty. ❺ I want something cold to drink.

❻ At that moment, something tiny flew at him and bit his arm.

BUZZ

'something'을 꾸며 주는 말은 something 바로 뒤에 옵니다.

Mrs. Mosquito ❼ Hey, catch me if you can.

Seojun ❽ Who are you? ❾ What have you done to me?

Mrs. Mosquito ❿ I'm a mosquito.

⓫ I've just finished my dinner.

'have done'과 'have just finished'는 과거에 시작된 상황이 현재에 '완료'되었음을 말해 줍니다.

Q1 What has the mosquito done to Seojun?

mosquito go for a walk 산책하다 sweat buzz at that moment 그때에 tiny

Q1 What has the mosquito done to Seojun? 모기는 서준이에게 무엇을 했습니까?

A1 The mosquito has bitten his arm. 모기는 그의 팔을 물었습니다.

해설 At that moment, something tiny flew at him and bit his arm.에서 작은 무언가, 즉 모기가 서준이에게 날아와서 그의 팔을 물었음을 알 수 있다.

해석

모기 부인과의 인터뷰

①무더운 여름 저녁이었습니다. ②서준이는 공원에 산책을 갔습니다. ③곧, 그는 땀을 흘리고 있었습니다.
서준: ④목말라. ⑤뭔가 시원한 것을 마시고 싶어.
(윙~) ⑥그때에, 뭔가 작은 것이 그에게로 날아와서 그의 팔을 물었습니다.
모기: ⑦이봐, 나를 잡을 수 있으면 잡아 봐.
서준: ⑧너는 누구니? ⑨나한테 무슨 짓을 한 거지?
모기: ⑩나는 모기야. ⑪난 방금 저녁 식사를 마쳤어.

구문

❶ **It** was a hot summer evening.
It은 비인칭 주어로 '날짜, 요일, 시간, 날씨' 등을 나타낼 때 쓴다.

❺ I want **something cold to drink**.
something과 같이 -body, -thing, -one으로 끝나는 대명사는 형용사가 뒤에서 수식한다. to drink는 to부정사의 형용사적 용법으로 앞의 명사구인 something cold를 수식하며, '…할'이라는 뜻으로 이 문장에서는 '마실' 것이라고 해석한다.

❻ At that moment, **something tiny** flew at him and bit his arm.
tiny는 something 뒤에서 something을 수식하며 '작은 무언가'라는 뜻이다.

❼ Hey, catch me **if you can**.
if you can 뒤에는 catch me가 생략되었다.

❾ What **have** you **done** to me?
have done은 현재완료 시제로 '…을 완료했다'라는 뜻이다.

⓫ **I've** just **finished** my dinner.
I've는 I have의 축약형이며, 현재완료 시제인 have finished는 '방금, 막'이라는 뜻의 just와 함께 쓰여 과거에 시작한 어떤 행동을 지금 막 '완료'했음을 나타낸다.

단어·숙어

- **mosquito** 명 모기 e.g. **Mosquitoes** usually live near standing water.
- **go for a walk** 산책하다 e.g. They like to **go for a walk** after meals.
- **sweat** 동 땀을 흘리다 e.g. He **sweats** a lot when he exercises.
- **buzz** 동 윙윙거리다 e.g. Flies were **buzzing** around the picnic tables.
- **at that moment** 그때에 e.g. **At that moment**, the phone rang.
- **tiny** 형 아주 작은 e.g. She's wearing a dress with a pattern of **tiny** roses.

Grammar+

-thing + 형용사

1. -thing, -body, -one으로 끝나는 대명사는 형용사가 뒤에서 수식한다.
   - something cold (o)
     cold something (x)
   - somebody funny (o)
     funny somebody (x)
2. 형용사와 to부정사가 동시에 수식할 경우 '-thing+형용사(구)+to부정사'의 어순을 사용한다.
   - nothing special to do (특별히 할 일이 없음)

'완료'의 의미를 가지는 현재완료

1. 'have(has)+과거분사'의 형태로 '막 …했다'라는 뜻이다.
2. 과거에 시작한 어떤 일을 현재에 완료했다는 뜻으로 already(이미), just(막), yet(아직)과 잘 쓰인다.
   - I **have** already **done** my homework. (나는 이미 숙제를 끝냈다.)

Mini Test

정답과 해설 p. 323

다음 글을 읽고, 물음에 답하시오.

Seojun	I'm thirsty. I want ____________. At that moment, something tiny flew at him and bit his arm.
Mrs. Mosquito	Hey, catch me if you can.
Seojun	Who are you? What have you ⓐ (done / doing) to me?
Mrs. Mosquito	I'm a mosquito. I've just ⓑ (finish / finished) my dinner.

1. 윗글의 빈칸에 알맞은 말을 주어진 단어를 바르게 배열하여 쓰시오.
→ ______________________ (cold, drink, to, something)

2. 윗글의 괄호 ⓐ와 ⓑ에서 어법에 맞는 것을 골라 쓰시오.
ⓐ ____________ ⓑ ____________

Let's Read ❷

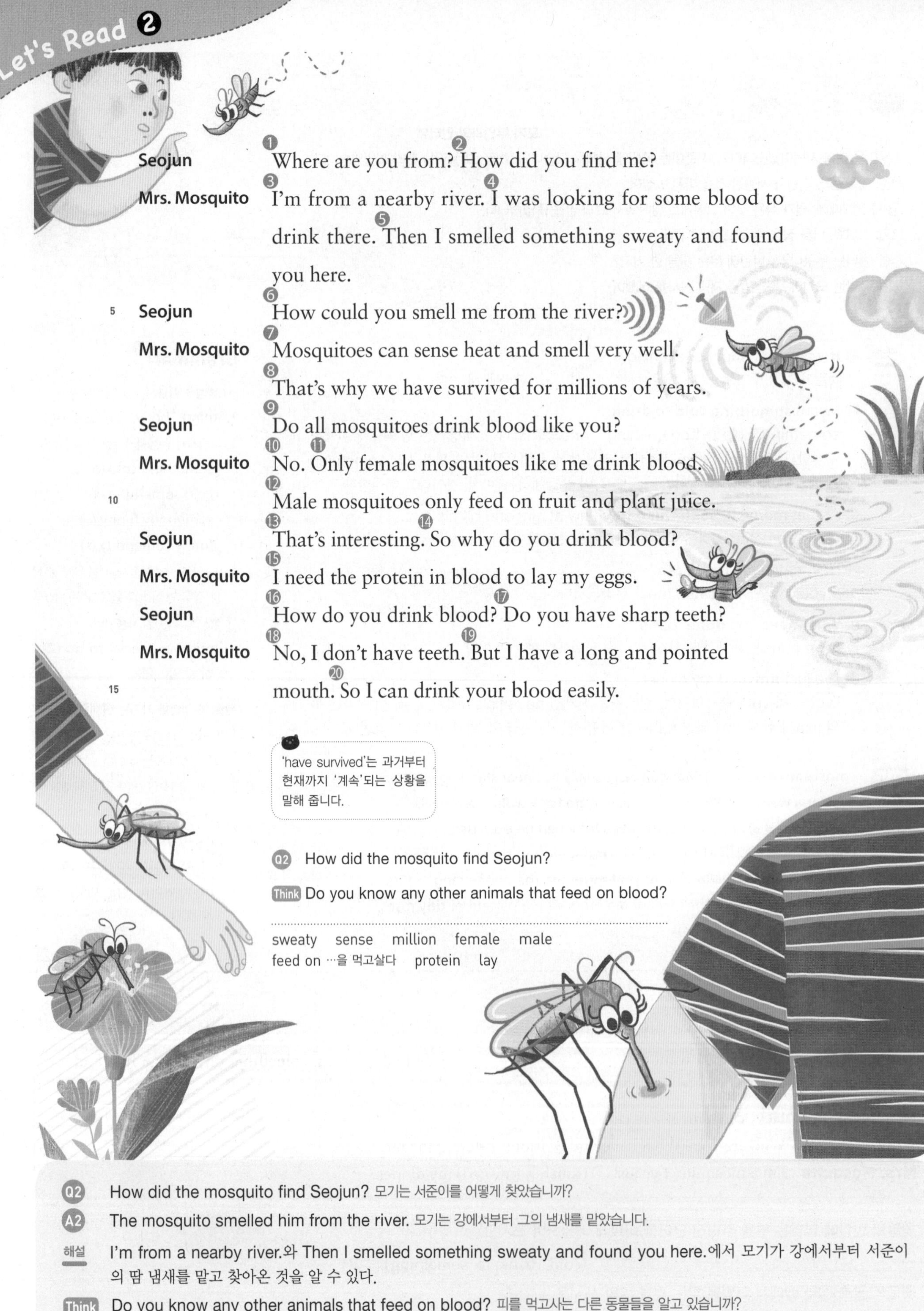

Seojun ❶ Where are you from? ❷ How did you find me?

Mrs. Mosquito ❸ I'm from a nearby river. ❹ I was looking for some blood to drink there. ❺ Then I smelled something sweaty and found you here.

Seojun ❻ How could you smell me from the river?

Mrs. Mosquito ❼ Mosquitoes can sense heat and smell very well. ❽ That's why we have survived for millions of years.

Seojun ❾ Do all mosquitoes drink blood like you?

Mrs. Mosquito ❿ No. ⓫ Only female mosquitoes like me drink blood. ⓬ Male mosquitoes only feed on fruit and plant juice.

Seojun ⓭ That's interesting. ⓮ So why do you drink blood?

Mrs. Mosquito ⓯ I need the protein in blood to lay my eggs.

Seojun ⓰ How do you drink blood? ⓱ Do you have sharp teeth?

Mrs. Mosquito ⓲ No, I don't have teeth. ⓳ But I have a long and pointed mouth. ⓴ So I can drink your blood easily.

'have survived'는 과거부터 현재까지 '계속'되는 상황을 말해 줍니다.

Q2 How did the mosquito find Seojun?

Think Do you know any other animals that feed on blood?

sweaty sense million female male
feed on …을 먹고살다 protein lay

Q2 How did the mosquito find Seojun? 모기는 서준이를 어떻게 찾았습니까?

A2 The mosquito smelled him from the river. 모기는 강에서부터 그의 냄새를 맡았습니다.

해설 I'm from a nearby river.와 Then I smelled something sweaty and found you here.에서 모기가 강에서부터 서준이의 땀 냄새를 맡고 찾아온 것을 알 수 있다.

Think Do you know any other animals that feed on blood? 피를 먹고사는 다른 동물들을 알고 있습니까?
→ Yes. Some flies in Africa feed on blood like mosquitoes. 네. 아프리카의 몇몇 파리들은 모기처럼 피를 먹고삽니다.

해석

서준: ①너는 어디에서 왔니? ②너는 어떻게 나를 찾은 거야?
모기: ③나는 근처 강에서 왔어. ④나는 그곳에서 마실 피를 찾던 중이었지. ⑤그러다 땀 냄새를 맡았고 여기서 너를 발견했어.
서준: ⑥너는 어떻게 강에서부터 내 냄새를 맡을 수 있었지?
모기: ⑦모기들은 열과 냄새를 아주 잘 감지해. ⑧그래서 우리가 수백만 년 동안 살아남은 거야.
서준: ⑨모든 모기가 너처럼 피를 마셔?
모기: ⑩아니. ⑪오직 나와 같은 암컷 모기만이 피를 마셔. ⑫수컷 모기들은 단지 과일과 식물의 즙만을 먹고살아.
서준: ⑬그거 재미있네. ⑭그럼 너는 왜 피를 마시는 거야?
모기: ⑮알을 낳기 위해서는 핏속의 단백질이 필요해.
서준: ⑯너는 피를 어떻게 마시는 거야? ⑰날카로운 이빨이 있니?
모기: ⑱아니, 나는 이빨이 없어. ⑲하지만 길고 뾰족한 입이 있지. ⑳그래서 나는 너의 피를 쉽게 마실 수 있는 거야.

구문

④ I was **looking for** some blood **to drink** there.
look for는 '…을 찾다'라는 뜻이다. to drink는 to부정사의 형용사적 용법으로 쓰여서 앞의 명사구 some blood를 꾸며 준다.

⑤ Then I smelled **something sweaty and** found you here.
something과 같이 -thing, -body, -one으로 끝나는 대명사는 형용사가 뒤에서 수식한다. 등위접속사 and는 동사의 과거형인 smelled와 found를 연결하고 있다.

⑧ **That's why** we **have survived** for millions of years.
That's why는 '그래서'라는 뜻으로 앞 문장에는 원인이 나오고, That's why 뒤에는 그 결과가 나온다. have survived는 현재완료 시제로 '과거부터 지금까지 살아남아 왔다'라는 뜻으로 'for + 기간'과 같이 쓰여 '계속'의 의미를 나타낸다.

⑨ Do all mosquitoes drink blood **like** you?
like는 '…와 같은, …처럼'이라는 뜻의 전치사로 사용되었다.

⑮ I need the protein in blood **to lay** my eggs.
to lay는 to부정사의 부사적 용법 중 '목적'을 나타내며 '낳기 위해서'라는 뜻이다.

단어·숙어

- **sweaty** 형 땀 냄새가 나는 e.g. We were hot and **sweaty** after playing soccer.
- **sense** 동 감지하다, 느끼다 e.g. When Tim **sensed** danger, he started to run.
- **million** 명 백만; 다수 e.g. The drug could save **millions** of lives.
- **female** 형 암컷의; 여성의 e.g. Queen Elizabeth Ⅱ is a very famous **female** world leader.
- **male** 형 수컷의; 남성의 e.g. A **male** giraffe can weigh as much as a truck.
- **feed on** …을 먹고살다 e.g. Birds **feed on** insects.
- **protein** 명 단백질 e.g. Meat is an excellent source of **protein**.
- **lay** 동 (알을) 낳다 e.g. The queen ant's job is to **lay** eggs.

Grammar

'계속'의 의미를 가지는 현재완료

1. 'have(has)+과거분사'의 형태로 '과거부터 지금까지 계속 …해 오고 있다'라는 뜻이다.
2. 'for+기간(… 동안)'과 'since+특정 시점(…이후로)'과 함께 잘 쓰인다.
   - She **has taught** English for ten years. (그녀는 십 년 동안 영어를 가르쳐 왔다.)
   - She **has taught** English since 2009. (그녀는 2009년부터 영어를 가르쳐 왔다.)

Mini Test

정답과 해설 p. 323

A 본문의 내용과 일치하면 T, 일치하지 않으면 F를 쓰시오.

1. All mosquitoes drink blood. (   )
2. Mosquitoes have a long and pointed mouth so they can drink blood easily. (   )

B 본문의 내용과 일치하도록 다음 질문에 대한 알맞은 대답을 주어진 철자로 시작하여 쓰시오.

Q. Why do female mosquitoes drink blood?

A. They need the p________ in blood to l________ their eggs.

Seojun ①After you bit me, I got a bump. ②It itches.

Mrs. Mosquito ③I'm sorry to hear that. ④Make sure you don't scratch it. ⑤Also, clean it with alcohol wipes.

Seojun ⑥Alcohol wipes? ⑦I've never tried that before.

Mrs. Mosquito ⑧It will reduce the itchiness.

Seojun ⑨Okay, I'll try that at home. ⑩Thanks.

Mrs. Mosquito ⑪I have to go. ⑫See you soon.

Seojun ⑬Where are you going?

Mrs. Mosquito ⑭I'm going back to the river.

Seojun ⑮Wait! ⑯A lot of people have suffered from your bites. ⑰How can we prevent them?

Mrs. Mosquito ⑱Stay cool and wear long sleeves.

Seojun ⑲Thanks. ⑳I'll keep your advice in mind.

'have tried'는 과거부터 현재까지의 '경험'을 말해 줍니다.

Q3 How can we prevent mosquito bites?

bump itch scratch suffer from …으로 고통 받다 prevent sleeve keep ... in mind …을 명심하다

How fast can you read?

- **1st:** ____ min. ____ sec.
- **2nd:** ____ min. ____ sec.

Q3 How can we prevent mosquito bites? 우리는 모기에 물리는 것을 어떻게 예방할 수 있습니까?

A3 We can prevent them by staying cool and wearing long sleeves.
우리는 시원하게 지내고 소매가 긴 옷을 입음으로써 모기에 물리는 것을 예방할 수 있습니다.

해설 모기의 마지막 말 Stay cool and wear long sleeves.에서 시원하게 지내고 소매가 긴 옷을 입어야 모기에 물리는 것을 예방할 수 있다는 것을 알 수 있다.

해석

서준: ①네가 나를 문 다음에 부어오른 자국이 생겼어. ②가려워.
모기: ③그 얘기를 들으니 유감이군. ④그것을 긁지 않도록 해. ⑤또한 그것을 알코올 솜으로 닦아.
서준: ⑥알코올 솜? ⑦나는 전에 그것을 한 번도 해 보지 않았어.
모기: ⑧그것은 가려움을 줄여 줄 거야.
서준: ⑨알았어, 집에서 한번 해 볼게. ⑩고마워.
모기: ⑪나는 이제 가야겠어. ⑫다음에 보자.
서준: ⑬너는 어디로 가는데?
모기: ⑭나는 강으로 돌아가려고.
서준: ⑮기다려! ⑯많은 사람들이 모기에 물려서 고통 받고 있어. ⑰어떻게 우리가 모기에 물리는 것을 예방할 수 있을까?
모기: ⑱시원하게 지내고 소매가 긴 옷을 입어.
서준: ⑲고마워. ⑳너의 충고를 명심할게.

구문

④ **Make sure you** don't scratch **it**. ⑤ Also, clean **it** with alcohol wipes.
Make sure you ... .는 '꼭(반드시) …해라.'라는 뜻으로 당부하는 표현이다. 두 문장의 it은 the bump, 즉 '모기에 물려 생긴 부어오른 자국'을 의미한다.

⑦ I'**ve never tried that** before.
'have never+과거분사'는 현재완료 시제로 과거부터 현재까지의 경험을 나타내어 '…한 적이 한 번도 없었다'라는 뜻이다. that은 cleaning the bump with alcohol wipes를 의미한다.

⑧ **It** will reduce the itchiness. ⑨ Okay, I'll try **that** at home.
It과 that은 cleaning the bump with alcohol wipes를 의미한다.

⑯ A lot of people **have suffered** from your bites.
have suffered는 계속의 의미를 지니는 현재완료 시제로 '과거부터 현재까지 계속 고통 받고 있는 상황'을 나타낸다.

단어•숙어

- **bump** 명 혹; 타박상 e.g. There's a **bump** on your head.
- **itch** 동 가렵다 e.g. This sweater really **itches**.
- **scratch** 동 긁다 e.g. Will you **scratch** my back for me?
- **suffer from** …으로 고통 받다 e.g. He has **suffered from** headaches for a long time.
- **prevent** 동 …을 예방하다 e.g. Seatbelts in cars often **prevent** serious injuries.
- **sleeve** 명 (옷의) 소매 e.g. I always wear a shirt with long **sleeves**.
- **keep ... in mind** …을 명심하다 e.g. I will **keep** it **in mind** for the future.

Grammar+

'경험'을 나타내는 현재완료

1. 'have(has)+과거분사'의 형태로 '…해 본 적이 있다'라는 뜻이다.
2. ever, never, before나 빈도를 나타내는 once, ... times 등의 표현과 함께 잘 쓰인다.

A: **Have** you ever **been** to New York? (뉴욕에 가 본 적이 있니?)
B: No, I**'ve** never **been** there. (아니, 나는 그곳에 한 번도 가 보지 않았어.)

Mini Test

정답과 해설 p. 323

A 본문을 다시 읽고, 빈칸에 알맞은 단어를 넣어 문장을 완성하시오.

When a mosquito bites you, make sure you don't ________ it. Clean it with alcohol wipes. It will reduce the itchiness. If you want to prevent mosquito bites, stay ________ and wear ________ ________.

B 본문의 내용과 일치하도록 다음 질문에 대한 알맞은 대답을 완성하시오.

Q. Where will Mrs. Mosquito go after this conversation?

A. She ________________________________.

교과서 p.68

A Think and Color 본문의 내용과 관련된 단어에 색칠을 하고, 내용을 완성해 봅시다.

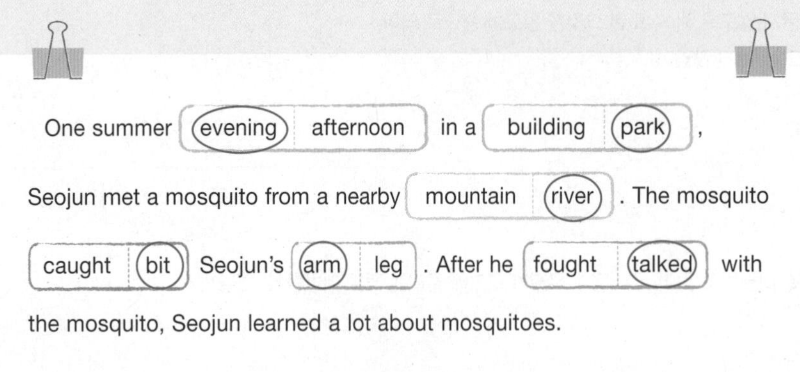

One summer (evening) afternoon in a building (park),
Seojun met a mosquito from a nearby mountain (river). The mosquito
caught (bit) Seojun's (arm) leg. After he fought (talked) with
the mosquito, Seojun learned a lot about mosquitoes.

단어·숙어
nearby ⓗ 근처의, 가까운
bite ⓢ 물다(-bit-bitten)
fight ⓢ 싸우다 (-fought-fought)

해석
어느 여름 저녁 공원에서, 서준이는 근처 강에서 온 모기를 만났다. 모기는 서준이의 팔을 물었다. 모기와 이야기를 나눈 후에, 서준이는 모기들에 관해 많은 것을 배웠다.

풀이 본문은 서준이가 어느 여름 '저녁'에, '공원'에서 근처 '강'으로부터 온 모기를 만나서 이야기를 나누며 모기에 관해 많은 것을 배우게 되었다는 내용이다. 모기는 서준이의 '팔'을 '물었고,' 그 이후에 모기와 '대화'를 하게 되었다.

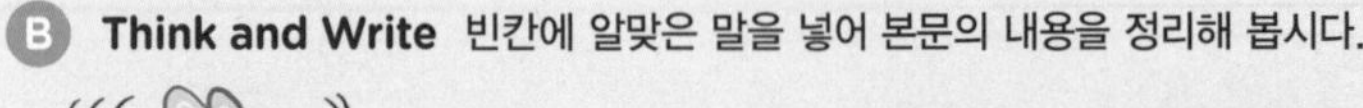

B Think and Write 빈칸에 알맞은 말을 넣어 본문의 내용을 정리해 봅시다.

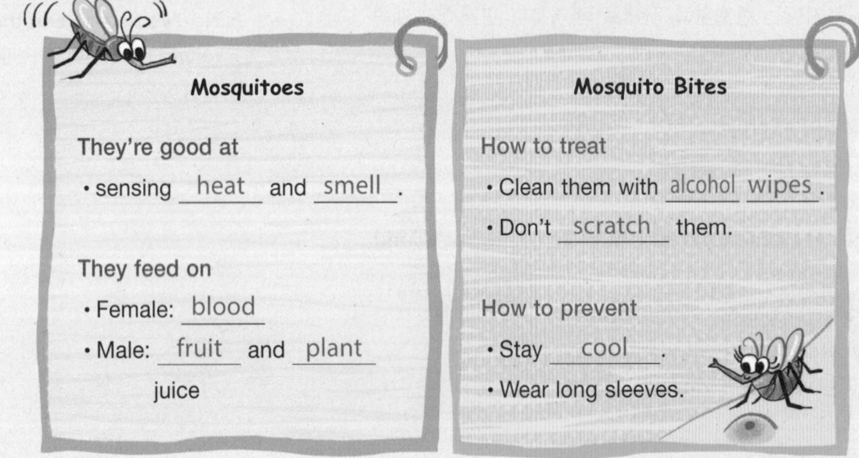

Mosquitoes
They're good at
• sensing heat and smell.
They feed on
• Female: blood
• Male: fruit and plant juice
Mosquito Bites
How to treat
• Clean them with alcohol wipes.
• Don't scratch them.
How to prevent
• Stay cool.
• Wear long sleeves.

단어·숙어
clean ⓢ 닦다, 치우다

해석
모기
잘하는 것
• 열과 냄새 감지
먹는 것
• 암컷: 피
• 수컷: 과일과 식물 즙

모기에 물림
처치법
• 알코올 솜으로 닦는다.
• 긁지 않는다.
예방법
• 시원함을 유지한다.
• 긴 소매 옷을 입는다.

풀이 교과서 66쪽 모기의 두 번째 말 Mosquitoes can sense heat and smell very well.에서 그들이 잘하는 것을 알 수 있다.
모기의 세 번째 말 Only female mosquitoes like me drink blood.에서 암컷만 피를 마신다는 것을 알 수 있고, Male mosquitoes only feed on fruit and plant juice.에서 수컷은 과일과 식물의 즙만 마신다는 것을 알 수 있다.
교과서 67쪽 모기의 첫 번째 말 Make sure you don't scratch it. Also, clean it with alcohol wipes.에서 모기에 물렸을 때 처치법을 알 수 있으며, 모기의 마지막 말 Stay cool and wear long sleeves.에서 예방법을 알 수 있다.

모기의 특징을 설명한 자료를 더 찾아봅시다.

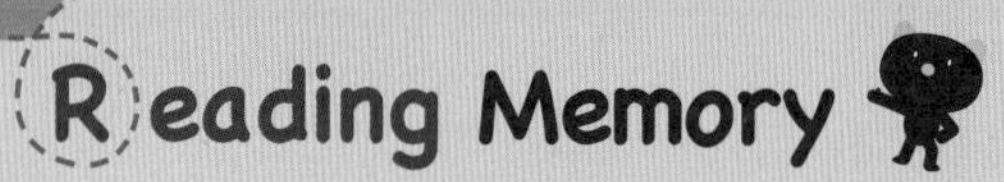

● 본문 내용을 떠올려 빈칸을 채워 봅시다.

It was a hot summer evening. Seojun went for a walk in the park. Soon, he was ________.

Seojun I'm thirsty. I want something cold to drink.

At that moment, ________ ________ flew at him and bit his arm.

Mrs. Mosquito Hey, catch me if you can.

Seojun Who are you? What have you done to me?

Mrs. Mosquito I'm a mosquito. I've ________ ________ my dinner.

Seojun Where are you from? How did you find me?

Mrs. Mosquito I'm from a nearby river. I was looking for some blood to drink there. Then I smelled something ________ and found you here.

Seojun How could you smell me from the river?

Mrs. Mosquito Mosquitoes can ________ heat and smell very well. That's why we have ________ for millions of years.

Seojun Do all mosquitoes drink blood like you?

Mrs. Mosquito No. Only female mosquitoes like me drink blood. Male mosquitoes only ________ ________ fruit and plant juice.

Seojun That's interesting. So why do you drink blood?

Mrs. Mosquito I need the protein in blood to ________ my eggs.

Seojun How do you drink blood? Do you have sharp teeth?

Mrs. Mosquito No, I don't have teeth. But I have a long and ________ mouth. So I can drink your blood easily.

Seojun After you bit me, I got a ________. It itches.

Mrs. Mosquito I'm sorry to hear that. Make sure you don't ________ it. Also, clean it with alcohol wipes.

Seojun Alcohol wipes? I've never tried that before.

Mrs. Mosquito It will reduce the ________.

Seojun Okay, I'll try that at home. Thanks.

Mrs. Mosquito I have to go. See you soon.

Seojun Where are you going?

Mrs. Mosquito I'm going back to the river.

Seojun Wait! A lot of people have ________ ________ your bites. How can we prevent them?

Mrs. Mosquito Stay cool and wear long sleeves.

Seojun Thanks. I'll ________ your advice ________ ________.

정답 | sweating, something, tiny, just, finished, sweaty, sense, survived, feed, on, lay, pointed, bump, scratch, itchiness, suffered, from, keep, in, mind

교과서 p.155

A 짝이 되는 부분을 연결하여 단어를 완성한 후, 그 뜻을 써 봅시다.

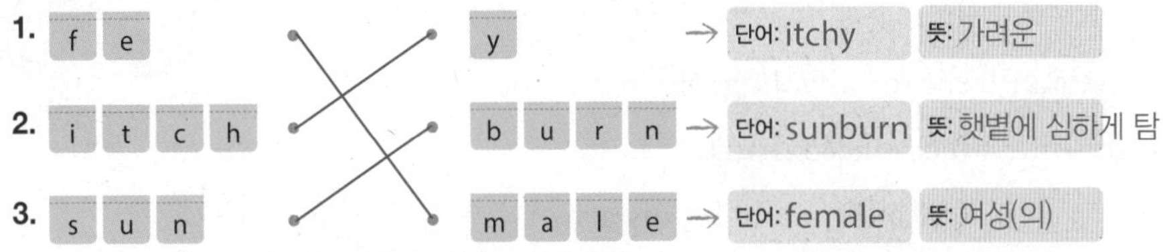

풀이
1 female 암컷(의); 여성(의)
2 itchy 가려운
3 sunburn 햇볕에 심하게 탐

B 그림에 맞게 빈칸에 알맞은 말을 단어 상자에서 골라 써 봅시다.

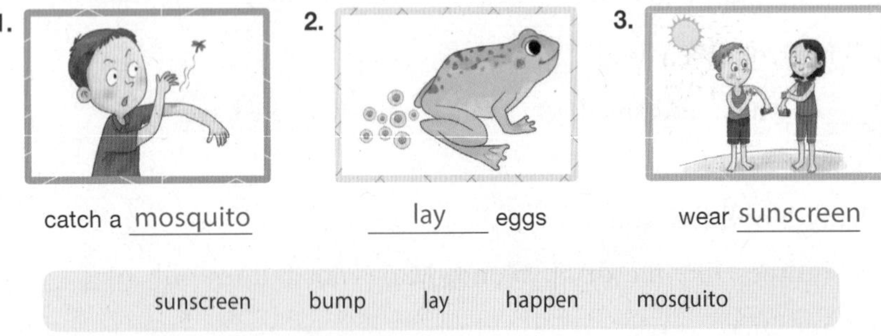

1. catch a mosquito
2. lay eggs
3. wear sunscreen

sunscreen bump lay happen mosquito

풀이
1 '모기를 잡다'라는 뜻이 되어야 하므로 mosquito가 들어가야 한다.
2 '알을 낳다'라는 뜻이 되어야 하므로 lay가 들어가야 한다.
3 '자외선 차단제를 바르다'라는 뜻이 되어야 하므로 sunscreen이 들어가야 한다.

단어·숙어
catch ⓢ 잡다
egg ⓜ 알; 달걀
wear ⓢ 바르다, 입다
happen ⓢ 일어나다, 발생하다

C 빈칸에 알맞은 단어를 찾아 미로에서 빠져나가 봅시다.

1. In summer, a lot of people suffer from sunburns.
2. Mosquitoes need the protein in blood to lay their eggs.
3. Brush your teeth after meals to prevent tooth problems.
4. A mosquito is buzzing around me.

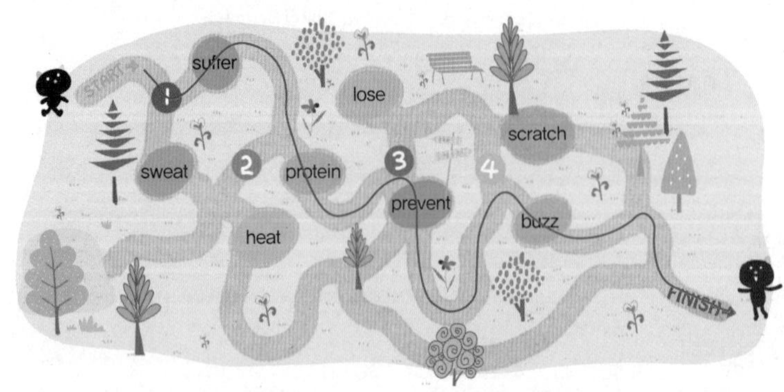

풀이
1 suffer from …로부터 고통 받다
2 protein 단백질
3 prevent 예방하다 / to 다음에 동사원형의 형태가 와야 한다.
4 buzz 윙윙거리다 / be동사 is 다음에 현재진행형으로 쓰였다.

단어·숙어
brush one's teeth 양치질하다
meal ⓜ 식사
around ⓟ … 주위에

해석
1 여름에는 많은 사람들이 햇볕에 심하게 타서 고통 받는다.
2 모기들은 알을 낳기 위해 핏속의 단백질을 필요로 한다.
3 치아에 문제가 생기는 것을 예방하기 위해 식사 후에는 양치질을 해라.
4 모기가 내 주변에서 윙윙거리고 있다.

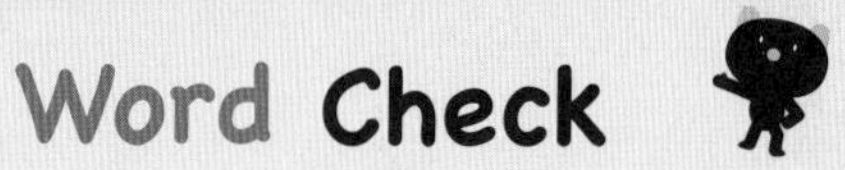

정답과 해설 p. 324

A 다음 영어 표현은 우리말로, 우리말은 영어로 쓰시오.

1. scratch ________________
2. bump ________________
3. at that moment ________________
4. suffer from ________________
5. go for a walk ________________
6. 백만 ________________
7. 단백질 ________________
8. 윙윙거리다 ________________
9. 모기 ________________
10. 아주 작은 ________________

B 다음 빈칸에 주어진 단어를 활용하여 문장을 완성하시오.

1. A mosquito bit me so now the bite is really ________________. (itch)
2. What happened? You're all red-faced and ________________. (sweat)
3. There are huge sharks with many ________________ teeth. (point)

C 다음 빈칸에 알맞은 단어를 [보기]에서 골라 쓰시오.

보기				
lay	blood	male	sleeve	feed

1. Hyenas ________________ on small dead animals and birds.
2. I wiped away the tears with my ________________.
3. She donated ________________ when the Red Cross held a campaign.
4. The ________________ models show off their muscles.
5. Cuckoos ________________ their eggs in other birds' nests.

Language in Use

something (cold/hot) ...

A **Choose and Talk** 원하는 음료를 메뉴에서 선택하고, 짝과 대화해 봅시다.

A: I want something hot to drink.
B: We have hot chocolate and green tea.
A: Hot chocolate sounds good to me. I'll have some.

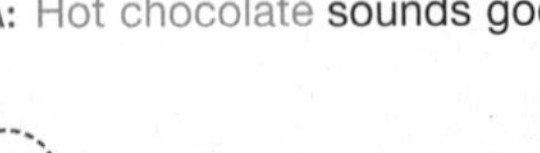

단어·숙어 sound ⓢ …하게 들리다

해석
A: 뭔가 뜨거운 것을 마시고 싶어요.
B: 핫 초콜릿과 녹차가 있습니다.
A: 핫 초콜릿이 좋겠네요. 그걸로 할게요.

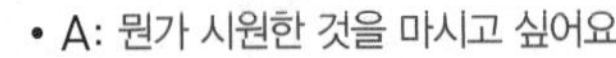

예시 대화

- A: I want something cold to drink.
  B: We have kiwi juice and orange juice.
  A: Kiwi juice sounds good to me. I'll have some.

- A: 뭔가 시원한 것을 마시고 싶어요.
  B: 키위 주스와 오렌지 주스가 있습니다.
  A: 키위 주스가 좋겠네요. 그걸로 할게요.

Form 1 ▶ something+형용사(구)(+to부정사)

1. -body, -thing, -one으로 끝나는 대명사는 형용사(구)가 뒤에서 수식한다.

somebody something someone	anybody anything anyone	nobody nothing no one

e.g. There's **nothing wrong** with you. (네가 잘못한 일은 없다.)
I need **someone special** as my mentor. (나는 나의 멘토로 특별한 누군가를 필요로 한다.)
She always tries to learn **something new**. (그녀는 항상 새로운 것을 배우기를 시도한다.)
Did you find **anything strange**? (너는 뭔가 이상한 것을 발견했니?)

2. 형용사(구)와 to부정사(구)가 동시에 수식할 때는 다음의 순서로 배열한다.

-body, -thing, -one+형용사(구)+to부정사

e.g. I have **nothing special to do** today. (나는 오늘 특별히 할 일이 없다.)
Mr. Smith needs **something cold to drink**. (Smith 씨는 뭔가 시원한 마실 것을 필요로 한다.)

have (lived/been) ...

B **Find and Write** 올바른 표현을 찾아 Kate의 블로그 글을 완성해 봅시다.

have lived	have never been
have just finished	have visited

I enjoy living in Korea!

My family and I moved to Korea when I was 8. We have lived in Korea for 6 years. We have visited many great places here. Today is the first day of summer vacation. Tomorrow, we are going to visit Jeju. I have never been to Jeju. So I'm very excited. I have just finished packing, and I'm ready to go. I hope we have a wonderful time in Jeju.

풀이 과거에 일어난 일이 현재까지 영향을 줄 때 현재완료 시제를 사용하므로 문맥상 알맞은 표현을 찾아 글을 완성한다.

단어·숙어 move ⓢ 이사하다
pack ⓢ 짐을 싸다

해석
나는 한국에 사는 게 즐거워!
나의 가족과 나는 내가 8살 때 한국으로 이사했다. 우리는 한국에서 6년 동안 살아 왔다. 우리는 여기서 멋진 곳들을 많이 방문해 왔다. 오늘은 여름휴가의 첫날이다. 내일 우리는 제주도를 방문할 것이다. 나는 제주도에 한 번도 가 본 적이 없다. 그래서 나는 매우 들떠 있다. 나는 짐을 싸는 것을 막 끝냈고 갈 준비가 다 되었다. 나는 우리가 제주도에서 멋진 시간을 보내기를 바란다.

Form 2 ▶ 현재완료 시제

현재완료는 과거에 일어난 일이 현재까지 영향을 줄 때 사용하는 시제이다. 현재에 미치는 영향에 따라 '계속, 경험, 완료, 결과'의 용법이 있다.

1. 형태

평서문	주어+have(has)+과거분사 ...	I **have read** this book.
의문문	Have(Has)+주어+과거분사 ...?	**Have** you **read** this book?
부정문	주어+have(has)+not(never)+과거분사 ...	I **have never read** this book.

2. 용법

계속 (과거부터 지금까지) …해 오고 있다	**경험** …해 본 적이 있다(없다)
완료 …을 마쳤다/끝냈다	**결과** …해 버렸다

3. 기타

have와 과거분사 사이에 already, just, never 등을 넣거나, 문장 끝에 yet을 넣어 의미를 강조할 수 있다.	
have+already+과거분사 (이미 …했다)	have+just+과거분사 (방금 …했다)
have+never+과거분사 (결코 …한 적이 없다)	haven't+과거분사 ... yet (아직 …하지 못했다)

e.g. I've just **finished** my homework. (나는 방금 숙제를 마쳤다. – 완료)
She **has learned** English for 6 months. (그녀는 영어를 6개월째 배우고 있다. – 계속)
The movie **hasn't started** yet. (그 영화는 아직 시작하지 않았다. – 완료)
They **have** never **visited** London. (그들은 런던을 방문한 적이 없다. – 경험)
Ms. Watson **has lost** her card. (Watson 부인은 그녀의 카드를 잃어버렸다. (그래서 지금 카드가 없다.) – 결과)
Have you ever **talked** to Julie? (너는 Julie와 이야기해 본 적이 있니? – 경험)

Self-check

- I can use 'something (cold/hot) ... .' ☐ ☐
- I can use 'have (lived/been) ... .' ☐ ☐

Grammar Builder p.156 p.157

교과서 p.156

Point 1 something (cold/hot) ...

A 설명을 읽고, 나이테의 안쪽부터 바깥쪽으로 가면서 표현을 하나씩 골라 문장을 완성해 봅시다.

• -thing, -body, -one으로 끝나는 말은 꾸며 주는 말이 뒤에 온다.

something, somebody, someone, anything, anybody, anyone	+	꾸며 주는 말 (hot, cold, strange, pretty, ...)
I met someone strange.		I want something hot to drink.

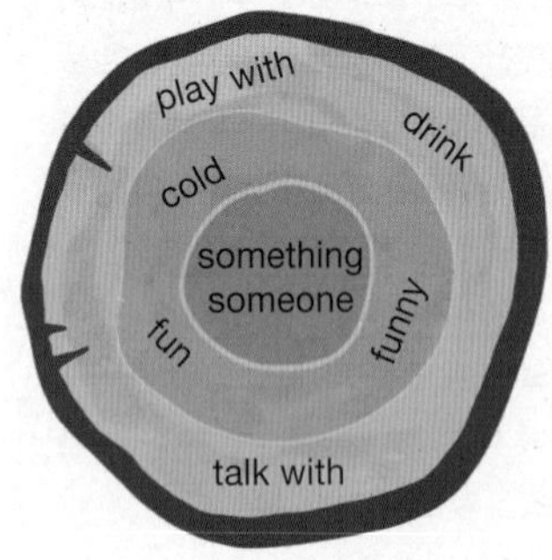

1. I met __someone__ __funny__ to __talk with__.
2. I want __something__ __cold__ to __drink__.
 something fun play with

풀이 '-thing, -body, -one+형용사+to부정사'의 어순으로 내용에 맞는 단어를 골라 문장을 완성한다.

단어·숙어 strange ⓗ 낯선, 이상한
talk with …와 이야기하다

해석
• 나는 이상한 사람을 만났다.
나는 뜨거운 무엇인가를 마시고 싶다.
1 나는 함께 이야기할 재미있는 어떤 사람을 만났다.
2 나는 차가운 무엇인가를 마시고 싶다. / 나는 가지고 놀 재미있는 무엇인가를 원한다.

Point 2 have (lived/been) ...

B 설명을 읽고, 물방울에 있는 단어를 활용하여 문장을 완성해 봅시다.

• 형태: have/has (not) (lived/finished/been) ...
• 의미: 과거부터 현재까지 '계속/완료/경험'한 것을 나타내며, 'ⓐ 계속 …해 오고 있다 ⓑ …하는 것을 완료했다 ⓒ …한 경험이 있다' 등의 의미로 사용된다.
ⓐ I have learned English for 10 years. (나는 10년 동안 계속 영어를 배워 오고 있다.)
ⓑ He has finished doing his homework. (그는 숙제를 완료했다.)
ⓒ I have ridden a horse before. (나는 전에 말을 탄 경험이 있다.)

1. Tom has __lived__ in New York for 10 years.
2. We have just __finished__ our homework.
3. Jisu and I have never __been__ to China before.

풀이 현재완료 시제는 'have(has)+과거분사'로 쓰며, live와 finish의 과거분사형은 규칙 동사로 각각 lived, finished 형태를 취한다. be는 과거분사형으로 been을 쓴다.

단어·숙어 ride ⓢ 타다 (-rode-ridden)

해석
1 Tom은 뉴욕에서 10년째 살고 있다.
2 우리는 방금 숙제를 끝냈다.
3 지수와 나는 전에 중국에 가 본 적이 없다.

교과서 p.157

Point 1 something (cold/hot) ...

A 그림에 맞게 주어진 단어를 활용하여 문장을 완성해 봅시다.

e.g. Jinsu is reading something interesting.

1.

make / healthy

Yuna is making something healthy.

2.

draw / funny

Clara is drawing something funny.

3.

plan / special

Ian is planning something special for summer.

풀이 형용사 healthy, funny, special은 something 뒤에 위치하며, 각각의 인물들이 현재 그 행동을 하고 있으므로 현재진행형 시제로 쓴다.

단어·숙어
healthy ⓗ 건강한, 건강에 좋은
draw ⓢ 그리다
plan ⓢ 계획하다

해석
진수는 흥미 있는 무언가를 읽고 있다.
1 유나는 건강에 좋은 무엇인가를 만들고 있다.
2 Clara는 재미있는 무엇인가를 그리고 있다.
3 Ian은 여름을 위해 특별한 무엇인가를 계획하고 있다.

Point 2 have (lived/been) ...

B 다음 그림을 보고, 주어진 단어를 활용하여 문장을 완성해 봅시다.

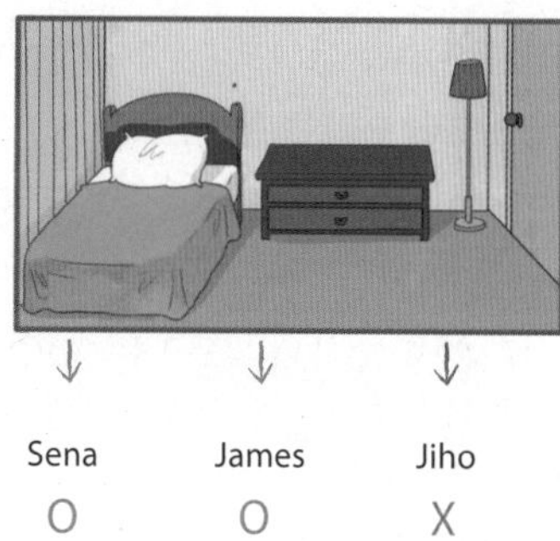

Sena	James	Jiho
O	O	X

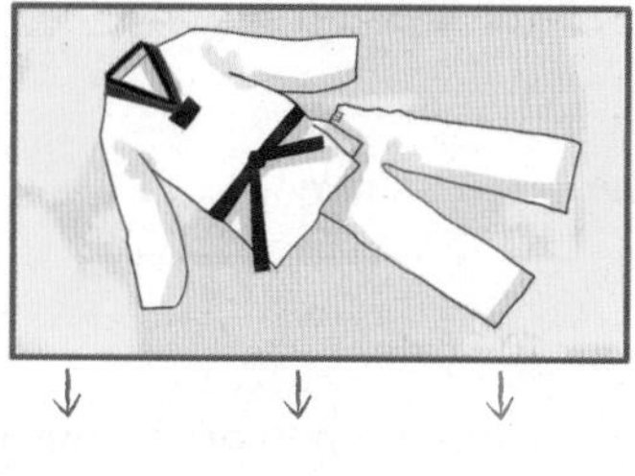

Sena	Amy	Jiho
X	X	O

1. Sena and James have cleaned their rooms.
2. Jiho hasn't cleaned his room.
3. Jiho has learned taekwondo for 5 years.
4. Sena and Amy have never learned taekwondo before.

have
clean
learn

풀이
1 세나와 James는 방 청소를 했으므로 긍정의 현재완료 시제를 쓴다. 주어가 복수이므로 have를 쓴다.
2 지호는 청소하지 않았으므로 has not(hasn't) cleaned가 되어야 한다. 주어가 단수이므로 has를 써야 한다.
3 지호는 태권도를 배웠으므로 has learned가 되어야 한다.
4 세나와 Amy는 태권도를 배운 적이 없으므로 have never learned가 되어야 한다.

단어·숙어
learn ⓢ 배우다

해석
1 세나와 James는 그들의 방을 청소했다.
2 지호는 그의 방을 청소하지 않았다.
3 지호는 5년째 태권도를 배우고 있다.
4 세나와 Amy는 태권도를 배운 적이 전혀 없었다.

정답과 해설 p. 324

A 다음 괄호 안에서 알맞은 말을 고르시오.

1. Jessica and I have not (saw / seen) each other for a long time.
2. The K-pop boom has already (become / became) a global issue.
3. My sister (collected / has collected) coins from different countries since 2010.
4. (Do you watch / Have you ever watched) a movie starring Tom Cruise before?

Grammar Tip

• 과거부터 현재까지 계속되는 일을 나타내고 있다.

B 다음 밑줄 친 부분이 현재완료의 용법 중 어느 것인지 [보기]에서 골라 쓰시오.

보기
계속 경험 완료 결과

1. The world's population has increased since the Industrial Revolution. (　　)
2. How many times have you been to Jeju so far? (　　)
3. We haven't done anything yet. (　　)
4. There has been a problem with my computer for a week. (　　)
5. I've never studied Japanese, but I'd like to. (　　)

• 현재완료는 '계속(…해 오고 있다), 경험(…한 적이 있다(없다)), 완료(…을 마쳤다), 결과(…해 버렸다)'의 4가지 용법이 있다.

C 다음 빈칸에 알맞은 말을 [보기]에 주어진 단어를 활용하여 쓰시오.

보기
teach finish know

1. We ________________ each other for 10 years.
2. Why ____________ you ____________ your homework? You are still working on it.
3. Emily ________________ middle school students English for 5 years.

D 다음 괄호 안에 주어진 단어를 바르게 배열하여 문장을 완성하시오.

1. Could you give me ________________________________?
(cold, drink, something, to)
2. Your son will ________________________________.
(anything, never, wrong, do)
3. I will buy ________________________________.
(eat, to, something, delicious)

• -body, -thing, -one으로 끝나는 대명사는 형용사가 뒤에서 수식한다.

Let's Write

Your Summer Health Guide

교과서 p.70

Ready 모둠별로 여름철 건강 관리 공익 광고를 위한 정보를 조사하고 정리해 봅시다. group

Summer health problems

• sunburn • food poisoning • mosquito bites • ____________

Problem		Solution		Message
sunburn	▶	• wear sunscreen • wear a hat	▷	• Be smart and enjoy the hot weather.
	▶	• •	▷	•

활동 방법 여름철에 생길 수 있는 건강 문제들을 생각해 보고, 그 해결책과 공익 광고에 들어갈 메시지를 조사하여 정리한다.

단어 숙어
sunburn ⓜ 햇볕에 탐
food poisoning 식중독
bite ⓜ 물린 자국
sunscreen ⓜ 자외선 차단제

해석
여름철 건강 문제들
• 햇볕에 탐
• 식중독
• 모기에 물림
문제 햇볕에 탐
해결책 자외선 차단제를 바른다 / 모자를 쓴다
메시지 현명하게 더운 날씨를 즐겨라.

Write 위의 내용을 바탕으로 여름철 건강 관리 공익 광고를 써 봅시다. group

Summer Health Guide
Sunburn

Have you ever suffered from sunburn? Here are some useful tips to prevent sunburn in summer.

1. Wear sunscreen.
2. Wear a hat.

Be smart and enjoy the hot weather.

Summer Health Guide
Eye Problems

Have you ever suffered from eye problems? Here are some useful tips to prevent eye problems in summer.

1. Wear sunglasses.
2. Stay under a parasol.

Here comes the bright, hot sun: make sure you're ready for it.

단어 숙어
suffer from …으로 고통 받다
useful ⓗ 유용한
prevent ⓢ 막다, 예방하다

활동 방법 위에서 정리한 내용을 바탕으로 현재완료 시제와 명령문 형태를 활용하여 공익 광고를 완성한다.

해석 **여름철 건강 안내서**
햇볕에 탐
햇볕에 타서 고통 받은 적이 있었나요? 여기 여름에 햇볕에 타는 것을 막기 위한 몇 가지 유용한 조언이 있습니다.
1. 자외선 차단제를 바르세요.
2. 모자를 쓰세요.
현명하게 더운 날씨를 즐겨요.

해석 **여름철 건강 안내서**
눈 문제
눈 문제로 고통 받은 적이 있었나요? 여기 여름에 눈에 생기는 문제를 막기 위한 몇 가지 유용한 조언이 있습니다.
1. 선글라스를 쓰세요.
2. 양산 밑에 머무르세요.
빛나는 뜨거운 태양이 오니 반드시 그것에 대비하세요.

Present 완성한 광고를 친구들 앞에서 발표해 봅시다.

Peer Review	☺	☹
• 여름철 건강 문제 예방책을 포함하여 공익 광고를 완성하였나요?	☐	☐
• 'Have you ever suffered ... ?' 표현을 이해하고 잘 사용하였나요?	☐	☐

Let's Check

1 대화를 듣고, 민우가 갈 장소를 골라 봅시다.

☐ 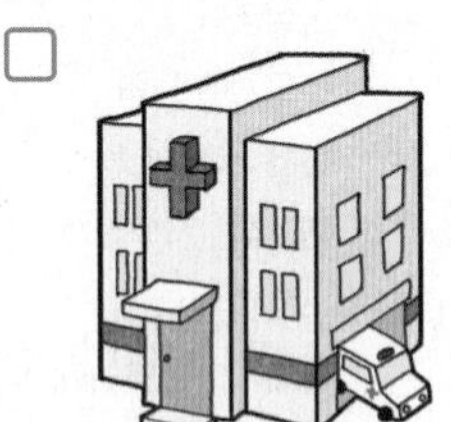

☑ 

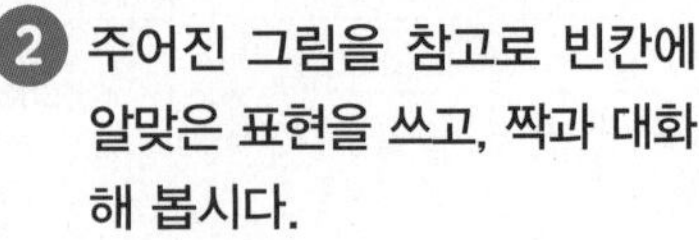

2 주어진 그림을 참고로 빈칸에 알맞은 표현을 쓰고, 짝과 대화해 봅시다.

A: Make sure you ___don't watch TV___ too much. It's not good for your eyes.
B: Okay, I'll keep that in mind.

3 다음 글을 읽고, 답할 수 없는 질문을 골라 봅시다.

Many people think mosquitoes only feed on blood, but that's not true. Female mosquitoes drink blood to lay their eggs. But male mosquitoes don't. They just feed on fruit and plant juice.

☐ What do mosquitoes feed on?
☐ Why do female mosquitoes drink blood?
☑ Where do mosquitoes lay their eggs?

4 주어진 단어를 바르게 배열하여 문장을 완성해 봅시다.

Mosquito bites are very itchy. When you get a bite, don't scratch it. ___Cleaning it with alcohol wipes___ can reduce the itchiness.

wipes　alcohol　it　Cleaning　with

5 가방 속 물건을 하나 골라 다음과 같이 짝과 대화해 봅시다.

soft
sharp

e.g.
A: There's something soft in the bag. Can you find it?
B: Yes, it's a doll.

your own

6 다음 증상들과 관련된 자신의 경험을 써 봅시다.

food poisoning
an ear problem　sunburn

e.g.
I have (never) had food poisoning.

____

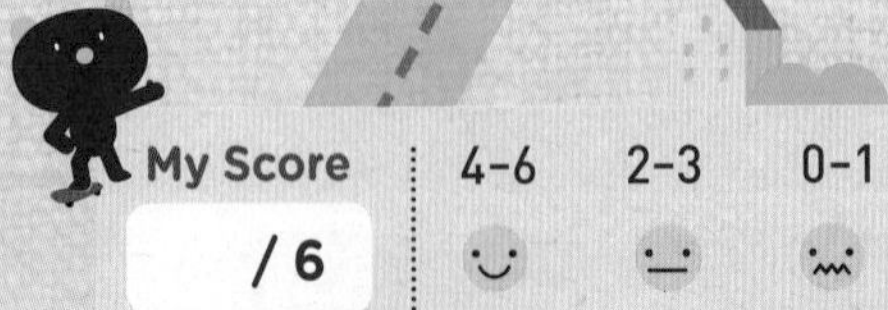

1

Script G: You look upset, Minu. What's wrong?
B: I lost my hat. It was my favorite.
G: I'm sorry to hear that. Why don't you go to the Lost and Found Center?
B: That's a good idea.

해석 G: 민우야, 속상해 보인다. 무슨 일이니?
B: 내 모자를 잃어 버렸어. 내가 가장 좋아하는 거였는데.
G: 그것 참 안됐구나. 분실물 센터에 가 보는 게 어때?
B: 좋은 생각이야.

풀이 모자를 잃어버린 민우에게 친구가 '분실물 센터'에 가 보라고 조언을 했고 좋은 생각이라고 답했으므로 분실물 센터에 갈 것이다.

단어·숙어 Why don't you ... ? …하는 게 어때?
(= How about -ing ... ?)
Lost and Found Center 분실물 센터

2

해석 A: TV를 너무 많이 보지 않도록 해. 그것은 너의 눈에 좋지 않아.
B: 네, 명심할게요.

풀이 A가 당부하는 말은 그림에 그려진 대로 TV를 보지 않는 것이다.

단어·숙어 keep ... in mind …을 명심하다

3

해석 많은 사람들이 모기가 피만 먹고산다고 생각하지만 그것은 사실이 아니다. 암컷 모기들은 알을 낳기 위해 피를 마신다. 그러나 수컷 모기들은 피를 마시지 않는다. 그들은 단지 과일과 식물의 즙을 먹는다.
모기들은 무엇을 먹고사는가?
왜 암컷 모기들은 피를 마시는가?
모기들은 어디에 알을 낳는가?

풀이 모기들이 어디에 알을 낳는지에 대한 내용은 언급되어 있지 않다.

단어·숙어 mosquito ⓜ 모기
female ⓗ 암컷의
lay ⓢ (알을) 낳다
feed on …을 먹고살다
blood ⓜ 피, 혈액
male ⓗ 수컷의

4

해석 모기에 물린 자국은 매우 가렵습니다. 모기에 물리면 긁지 마세요. 알코올 솜으로 그것을 닦는 것이 가려움을 줄일 수 있습니다.

풀이 '알코올 솜(alcohol wipes)으로 물린 자국(it)을 닦는 것(cleaning)'이라는 말이 되어야 한다.

단어·숙어 mosquito bite 모기에 물린 자국
itchy ⓗ 가려운
scratch ⓢ 긁다
wipe ⓜ 솜
reduce ⓢ 줄이다
itchiness ⓜ 가려움

5

해석 A: 가방 안에 뭔가 부드러운 것이 있어. 그것을 알아낼 수 있겠니?
B: 응, 그것은 인형이야.

풀이 something과 같이 -thing, -body, -one 등으로 끝나는 대명사는 형용사가 바로 뒤에서 수식한다.

예시 답안 A: There's something sharp in the bag. Can you find it?
B: Yes, it's a pencil.
A: 가방 안에 뭔가 날카로운 것이 있어. 그것을 알아낼 수 있겠니?
B: 응, 그것은 연필이야.

단어·숙어 soft ⓗ 부드러운
sharp ⓗ 날카로운
doll ⓜ 인형

6

해석 나는 식중독에 걸려 본 적이 있다(없다).

풀이 경험은 현재완료 시제로 표현하고, 질병 이름 앞에는 동사 have를 쓰나 sunburn에는 get을 쓴다.

예시 답안 I have (never) had an ear problem. / I have (never) got sunburn.
나는 귀에 문제가 있어 본 적이 있다(없다). / 나는 햇볕에 탄 적이 있다(없다).

Find out 세계 여러 나라의 더위 탈출 방법을 알아봅시다.

Korea - Refrigerator pants

In summer, some people in Korea wear thin and light pants to stay cool. They call them "refrigerator pants." Refrigerator pants come in colorful patterns. Some of them look very stylish.

India - *Chaas*

Chaas is a popular summer drink in India. People drink *chaas* to stay cool. It's also a very healthy drink.

Japan - *Tenugui*

Tenugui is a thin Japanese hand towel. To cool down during the hot summer, people wet it with cool water and wear it around their necks.

Try out 모둠별로 다른 나라의 더위 탈출 방법을 더 조사하여 발표해 봅시다. group

e.g. Some people in Egypt sleep on a wet towel to stay cool at night.

단어·숙어

thin ⓗ 얇은
come in (상품 등이) 들어오다
pattern ⓜ 패턴, 무늬
stylish ⓗ 세련된
popular ⓗ 인기 있는
wet ⓢ 적시다

표현

- In summer, some people in Korea wear thin and light pants **to stay** cool.: to stay는 to부정사의 부사적 용법 중 목적으로 쓰여서 '유지하기 위해'라는 뜻이다.

해석 **Find out**

- **한국 – 냉장고 바지**

  여름에 몇몇 한국인들은 시원함을 유지하기 위해 얇고 가벼운 바지를 입는다. 그들은 이 바지를 '냉장고 바지'라고 부른다. 냉장고 바지들은 화려한 무늬들로 나온다. 어떤 것들은 매우 세련되어 보인다.

- **인도 – *Chaas***

  *Chaas*는 인도에서 인기 있는 여름철 음료이다. 사람들은 시원함을 유지하기 위해 *chaas*를 마신다. 그것은 또한 매우 건강에 좋은 음료이기도 하다.

- **일본 – *Tenugui***

  *Tenugui*는 얇은 일본 손수건이다. 뜨거운 여름 동안 더위를 식히기 위해서 사람들은 그것을 차가운 물에 적셔서 목에 두른다.

Try out

이집트의 몇몇 사람들은 밤에 시원함을 유지하기 위해 젖은 수건 위에서 잠을 잔다.

Culture & Life Project

Ready 모둠별로 건강을 유지하는 방법을 의논하고, 메모지에 써 봅시다. group

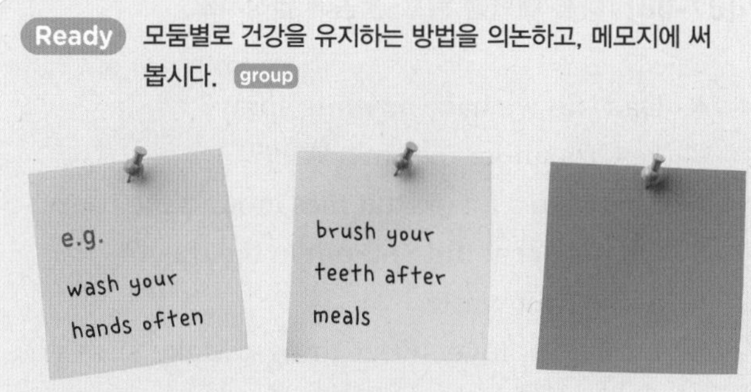

e.g.
wash your hands often
brush your teeth after meals

Create Go Healthy Go Happy 보드를 만들고 위에서 적은 메모지를 붙여 봅시다. group

Share 완성한 보드를 전시하고 발표해 봅시다.

A: To stay healthy, make sure you wash your hands often.
B: To stay healthy, make sure you brush your teeth after meals.

Ready

활동 방법 모둠별로 건강을 유지하는 방법에 대해 이야기하고 메모지에 적는다.

해석 손을 자주 씻는다 / 식사 후에 양치질을 한다

단어 숙어 often 부 종종, 자주
meal 명 식사, 끼니

Create

활동 방법 위에서 적은 아이디어를 Go Healthy Go Happy 보드에 붙인다.

Share

활동 방법 완성한 보드를 전시하고 각 모둠의 의견을 발표한다. 당부의 의미를 나타내는 Make sure you ... . 표현을 사용하여 문장을 완성할 수 있도록 한다.

해석 A: 건강을 유지하기 위해, 반드시 너는 손을 자주 씻어야 해.
B: 건강을 유지하기 위해, 반드시 너는 식사 후에 양치질을 해야 해.

예시 정답 To stay healthy, make sure you exercise at weekends.
건강을 유지하기 위해, 반드시 너는 주말에 운동을 해야 해.

단원 종합 평가

01 대화를 듣고, 남자의 심정으로 가장 적절한 것을 고르시오.

① proud ② satisfied ③ sad
④ nervous ⑤ thankful

02 대화를 듣고, 운동할 때 여자가 남자에게 당부하는 내용으로 가장 적절한 것을 고르시오.

① to drink a lot of water
② to work out with his family
③ to go see a doctor immediately
④ to play indoor sports like table tennis
⑤ to go for a walk with his dog

03 대화를 듣고, 대화의 주제로 가장 적절한 것을 고르시오.

① 여름철 건강 관리법
② 여름철 음식 보관법
③ 여름에 하면 좋은 운동
④ 영양분이 풍부한 여름 과일
⑤ 여름에 식중독에 잘 걸리는 이유

04 다음 대화의 빈칸에 알맞지 않은 것은?

A I studied hard but got a C in the exam.
B ______________________

① Oh dear! ② I feel bad for you.
③ That's a pity. ④ Sorry, I can't.
⑤ That's terrible.

05 다음 대화의 빈칸에 알맞은 말을 쓰시오.

A I have a bad cold and a headache.
B I'm ________ to hear that.

06 다음 ①~⑤ 중 주어진 문장이 들어갈 알맞은 곳은?

Make sure you take an umbrella with you.

A (①) Did you check everything for your school trip?
B (②) Yes. Now I'm packing my bag.
A (③) Did you check the weather?
B (④) No, not yet.
A (⑤) It might rain tomorrow.

[07-08] 다음 대화를 읽고, 물음에 답하시오.

A Dad, do we have any bug spray?
B Yes, it's under the sink. Why?
A There are a lot of fruit flies around the trash.
B Oh no! What did you put in the trash?
A Some fruit waste.
B Fruit flies love sweet things. Make sure you don't put fruit waste in the trash can.
A I'll keep that in mind. I think we should also empty our trash can more often.
B That's a good idea.

07 위 대화의 밑줄 친 **that**이 의미하는 내용으로 알맞은 것은?

① to use bug spray on fruit flies
② not to make any more fruit waste
③ to empty the trash can more often
④ not to put fruit waste in the trash can
⑤ to take out any sweet things from the kitchen

08 위 대화의 주제로 알맞은 것은?

① how to prevent fruit flies
② how to kill insects with bug spray
③ an effective way to empty your trash can
④ what to put in the trash can
⑤ the side effects of bug spray

09 다음 짝 지어진 단어의 관계가 나머지와 다른 하나는?

① tiny – small ② male – female
③ sense – feel ④ prevent – stop
⑤ sharp – pointed

10 다음 빈칸에 알맞지 않은 것은?

I have suffered from ________________.

① sunburn ② itchiness ③ a headache
④ healthiness ⑤ mosquito bites

11 다음 단어의 영영 풀이를 주어진 단어를 바르게 배열하여 완성하시오.

> **scratch**: to rub a surface ______________
> (sharp, with, something)

12 다음 동사의 과거분사형이 바르게 짝 지어진 것은?

① eat – ate ② take – taken
③ lose – losted ④ give – gaven
⑤ catch – catched

13 다음 우리말과 일치하도록 빈칸에 알맞은 것은?

> 나는 제주도에 두 번 가 본 적이 있다.
> → I ______________ to Jeju twice.

① went ② has been
③ have been ④ have gone
⑤ haven't been

14 다음 중 어법상 올바른 문장은?

① He has left Korea last year.
② I met someone to follow honest.
③ There's special something to her.
④ Did you finished your homework?
⑤ He has worked in a bank since 2017.

15 다음 두 문장을 주어진 단어를 활용하여 한 문장으로 쓰시오.

> • Junho bought the smartphone last year.
> • He still has it.

(have, since)

→ ______________

16 다음 중 어법상 어색한 문장은?

① It has rained for two days.
② Jim and his family have just had dinner.
③ She has been to Japan several times.
④ Jiah hasn't never learned foreign languages.
⑤ He hasn't made a decision yet.

[17-19] 다음 글을 읽고, 물음에 답하시오.

> It was a hot summer evening. Seojun went for a walk in the park. Soon, he was sweating.
>
> **Seojun** I'm thirsty. I want ________ cold to drink.
>
> At that moment, ________ tiny flew at him and bit his arm.
>
> **Mrs. Mosquito** Hey, catch me if you can.
> **Seojun** Who are you? What have you done to me?
> **Mrs. Mosquito** I'm a mosquito. (A) I've just finished my dinner.

17 윗글의 빈칸에 공통으로 알맞은 말을 쓰시오.

→ ______________

18 윗글의 밑줄 친 (A)와 같은 용법으로 쓰인 것은?

① He's lived in the U.S. all his life.
② I have already finished my homework.
③ I have never heard that shocking news.
④ Maybe she hasn't had Korean food before.
⑤ Students have used the internet many times in their school.

19 다음 질문에 알맞은 대답이 되도록 윗글에서 단어를 찾아 쓰시오.

> **Q** Why was Seojun sweating?
> **A** Because it was ______________.

[20-22] 다음 글을 읽고, 물음에 답하시오.

Seojun Where are you from?
Mrs. Mosquito I'm from a nearby river.
Seojun How could you smell me from the river?
Mrs. Mosquito Mosquitoes can sense heat and smell very well. That's why we have survived for millions of years.
Seojun Do all mosquitoes drink blood ________ you?
Mrs. Mosquito No. Only female mosquitoes ________ me drink blood. Male mosquitoes only feed on fruit and plant juice.
Seojun That's interesting. So why do you drink blood?
Mrs. Mosquito I need the protein in blood to lay my eggs.
Seojun How do you drink blood? Do you have sharp teeth?
Mrs. Mosquito No, I don't have teeth. But I have a long and pointed mouth. So I can drink your blood easily.

20 윗글의 빈칸에 공통으로 알맞은 것은?

① to ② as ③ for ④ like ⑤ unlike

21 윗글에 나타난 모기의 특징이 아닌 것은?

① 수백만 년 동안 살아 왔다.
② 암컷만 피를 마신다.
③ 수컷도 알을 낳는다.
④ 수컷은 과일즙을 먹는다.
⑤ 입이 길고 뾰족하다.

22 윗글을 읽고, 다음 질문에 대한 대답으로 빈칸에 알맞은 것은?

> **Q** What is Seojun doing with Mrs. Mosquito?
> **A** He is having a(n) ___________ with her.

① argument ② fight ③ examination
④ dinner ⑤ interview

[23-25] 다음 글을 읽고, 물음에 답하시오.

Seojun After you bit me, I got a bump. It itches.
Mrs. Mosquito I'm sorry to hear that. Make sure you don't scratch it. Also, clean it with alcohol wipes.
Seojun Alcohol wipes? I've never tried that before.
Mrs. Mosquito It will reduce the itchiness.
Seojun Okay, I'll try that at home. Thanks.
Mrs. Mosquito I have to go. See you soon.
Seojun Wait! A lot of people have suffered from your bites. How can we prevent them?
Mrs. Mosquito Stay cool and wear long sleeves.
Seojun Thanks. <u>너의 충고를 명심할게.</u>

23 다음 빈칸에 알맞은 말을 윗글에서 찾아 쓰시오.

> Make sure you ___________ ___________ ________ ________ ________ ________ to prevent mosquito bites.

24 윗글의 밑줄 친 우리말과 일치하도록 주어진 단어를 사용하여 영작하시오.

→ ________________________________

(keep, advice, mind)

25 윗글의 내용과 일치하지 않는 것은?

① 모기가 물면 부어오른 자리가 가렵다.
② 모기 물린 자리는 긁지 않는 것이 좋다.
③ 알코올 솜으로 닦는 것은 가려움을 줄여 줄 수 있다.
④ 서준이에게는 알코올 솜으로 닦는 것이 효과가 없었다.
⑤ 많은 사람들이 모기에 물려 괴로워하고 있다.

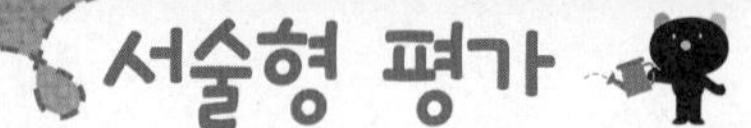

정답과 해설 p. 328

01 주어진 문제점과 해결책을 골라 [보기]와 같이 대화를 완성하시오.

[문제점]
toothache, not focus on classes, mosquito bites
[해결책]
go see a dentist, get lots of rest, not scratch

보기

e.g. A: I have a stomachache.
B: I'm sorry to hear that.
A: What should I do?
B: Make sure you don't drink cold water.

(1) A: I ______________________________.
B: ______________________________
A: What should I do?
B: ______________________________

(2) A: I ______________________________.
B: ______________________________
A: What should I do?
B: ______________________________

02 다음 준수의 일과표를 보고, 현재완료 시제를 사용하여 문장을 완성하시오.

Time	To do
10:30 – 12:30	do my homework
12:31 – 13:31	eat lunch

12 : 30 (1) Junsu ________ just ______________________.
(2) Junsu ______________________ yet.
13 : 31 (3) Junsu ______________________ for an hour.

03 주어진 우리말과 일치하도록 빈칸에 알맞은 말을 써서 글을 완성하시오.

I ____________ (가 본 적이 있다) Sokcho with my family. We ____________ (먹어 본 적이 있다) cold noodles twice there. They tasted good. Also, my sister and I ____________ (만들었다) a sandcastle on the beach when we first went there. I hope we will visit Sokcho again soon.

Making a Picture Sign

안전한 생활과 상대를 배려하는 마음을 주제로 그림 문자를 만들고 소개해 봅시다.

일상생활 속에서 필요하다고 느낀 그림 문자 아이디어를 생각해 봅시다.

	your own
Message Stop using your phone when you walk.	**Message**
Goal To prevent traffic accidents	**Goal**
Picture · Two walking people · One is not using a phone. · The other is using a phone.	**Picture**

활동 방법
1 일상생활 속에서 필요하다고 생각한 그림 문자 아이디어를 생각해 본다.
2 생각한 아이디어를 제시된 표에 영어로 쓴다.

모둠별로 그림 문자를 완성하고 알맞은 문구를 써 봅시다.

Stop using your phone
when you walk.

your own

1 Think에서 모은 아이디어로 그림을 그린다.
2 그림 문자에 어울리는 짧고 명확한 영어 문장을 쓴다.

prevent ⓢ 막다, 예방하다
traffic accident 교통사고

메시지 – 여러분이 걷고 있을 때 전화기를 사용하는 것을 멈춰라.
목적 – 교통사고를 막기 위해서
그림 • 걸어가고 있는 두 사람
• 한 사람은 전화기를 사용하고 있지 않다.
• 나머지 다른 한 사람은 전화기를 사용하고 있다.

위에서 만든 그림 문자를 발표하기 위한 소개 글을 써 봅시다.

- If ..., ~ will ... .
- One ... . The other ... .
- what/how to ...
- who(m)/which/that
- something ...

주어진 표현을 활용하여 문장을 써 봅시다.

e.g.

Using a phone while you are walking is dangerous. Do you see the two walking people on our picture sign? One is not using a phone. The other is using a phone. So we drew an "X" on the person who is using a phone. We also wrote a message under the sign. It says, "Stop using your phone when you walk." If people see this sign, they will be more careful.

your own

Self-check

	◡	〰
• 그림 문자를 만드는 활동에 적극적으로 참여하였나요?	☐	☐
• 주어진 표현을 활용하여 문장을 잘 완성하였나요?	☐	☐
• 친구들을 배려하고 협동하며 활동을 하였나요?	☐	☐

활동 방법 주어진 소개 글을 잘 읽어 본 후, 제시된 언어 형식들을 활용하여 문장을 쓴다.

완성한 그림 문자를 모둠별로 발표해 봅시다.

완성한 그림 문자를 설명하는 글을 발표한다.

Peer Review

	◡	〰
• 그림 문자의 내용이 쉽고 흥미로우며 창의적인가요?	☐	☐
• 발표가 자연스럽고 내용이 잘 전달되었나요?	☐	☐

One ... . The other ~. 하나는 …이다. 나머지 다른 하나는 ~이다.
dangerous ⓗ 위험한
careful ⓗ 조심스러운

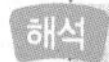

당신이 걸어 다닐 때 전화기를 사용하는 것은 위험합니다. 우리의 그림 문자에서 두 명의 걸어 다니는 사람들이 보이나요? 한 사람은 전화기를 사용하지 않고 있습니다. 나머지 다른 한 사람은 전화기를 사용하고 있습니다. 그래서 우리는 전화기를 사용하는 사람 위에 '×' 표시를 했습니다. 우리는 문자 아래에 메시지도 썼습니다. 메시지의 내용은 '걸어 다닐 때 전화기를 사용하지 마세요.' 입니다. 만약 사람들이 이 문자를 본다면, 그들은 더 조심할 것입니다.

01 다음 중 나머지 네 단어를 포함할 수 있는 단어는?

① tornado ② volcano
③ heavy snowfall ④ earthquake
⑤ natural disaster

02 다음 단어의 영영 풀이로 올바른 것은?

① hurt: to keep someone or something from being harmed
② survive: to be unable to think of or remember something
③ injury: harm or damage
④ decide: to press down on or cut into someone with one's teeth
⑤ wisdom: a part that is designed especially to be grasped by the hand

03 다음 빈칸에 공통으로 알맞은 것은?

- You should ______ a break.
- ______ cover under a table in an earthquake.

① use ② spend ③ take
④ hold ⑤ do

04 다음 빈칸에 알맞은 것은?

I used to bite my nails. Now I broke the bad habit. I don't do it ______.

① anymore ② never
③ more ④ always
⑤ after

[05-07] 다음 대화를 읽고, 물음에 답하시오.

A You know what, Junsu? I'm thinking of ___ⓐ___ a painting class.
B Really? Why did you decide ___ⓑ___ a painting class, Emily?
A Because I want to go to an art high school.
B Are you thinking of becoming an artist in the future?
A I hope so. I ______ⓒ______ painting pictures.
B That's great. I hope your wish comes true.
A Thanks. I'll do my best.

05 위 대화의 빈칸 ⓐ와 ⓑ에 알맞은 말이 바르게 짝 지어진 것은?

	ⓐ		ⓑ
①	take	–	to take
②	to take	–	take
③	to take	–	to take
④	taking	–	to take
⑤	taking	–	take

06 위 대화의 빈칸 ⓒ에 알맞지 않은 것은?

① like
② love
③ hate
④ am into
⑤ am interested in

정답과 해설 p. 328

07 위 대화의 내용과 일치하는 것은?

① 준수는 Emily와 그림 수업을 들었다.
② 준수는 그림 수업을 수강하기로 결심했다.
③ Emily는 그림 그리는 것에 관심이 있다.
④ 준수와 Emily는 예술 고등학교에 입학할 것이다.
⑤ Emily는 미래에 미술 선생님이 되기를 원한다.

08 다음 대화의 밑줄 친 부분과 바꿔 쓸 수 있는 것은?

A What is your plan for this Saturday?
B I'm thinking of watching a movie.

① I watched a movie.
② I decided to watch a movie.
③ I'm watching a movie now.
④ I planned to watch a movie.
⑤ I'm planning to watch a movie.

09 다음 대화의 빈칸에 알맞은 것은?

A I'm worried about heavy snowfall.
B ____________________

① I'm thinking of heavy snowfall.
② Why are you staying inside?
③ You should stay inside.
④ I like snow.
⑤ I don't like to stay inside.

[10-12] 다음 대화를 읽고, 물음에 답하시오.

A There was a big fire at the city library yesterday.
B Yes, I heard about it. I was __________ the people there.
A Don't worry. Everybody was okay. They all followed the safety rules.
B Really? What are the rules?
A You need to cover your nose and mouth with a wet towel. Then stay low and escape.
B Oh, I didn't know that.
A You should keep that in mind. It might be helpful some day.

10 위 대화의 빈칸에 알맞은 것은?

① interested in
② happy about
③ excited about
④ worried about
⑤ afraid of

11 위 대화의 밑줄 친 부분과 같은 뜻이 되도록 의문문으로 바꿔 쓸 때, 빈칸에 알맞은 말을 쓰시오.

→ ________ ________ you keep that in mind?
→ ________ ________ keeping that in mind?

12 위 대화에서 언급한 화재 발생 시 안전 규칙과 일치하는 것은?

① You should lower your head.
② You should take cover under a desk.
③ You should stay inside.
④ You should stand upright.
⑤ You should cover your nose and mouth with a wet towel.

13 다음 두 문장을 관계대명사를 사용하여 바르게 연결한 것은?

I like my friends. They put others first.

① I like my friends they put others first.
② I like my friends who they put others first.
③ I like my friends they that put others first.
④ I like my friends who put others first.
⑤ I like my friends which put others first.

14 다음 밑줄 친 ①~⑤ 중 어법상 어색한 것은?

① If ② it ③ will be rainy tomorrow, I ④ will stay inside and ⑤ read some books.

15 다음 중 어법상 올바른 문장은?

① Ms. Brown has two cats. One is gray. Other is black and white.
② You will get healthier if you will work out more often.
③ I don't know how to getting to the post office.
④ I read a book about a dog that saved people.
⑤ James knows the boys who is interested in graphic design.

16 다음 중 어법상 어색한 문장은?

① There is a boy who is riding a bike.
② I visited my cousins who live in Paris.
③ If you will leave early, you catch the train.
④ Could you tell me what to bring for Jina's birthday party?
⑤ I got two letters. One was from my teacher and the other was from my friend.

[17-19] 다음 글을 읽고, 물음에 답하시오.

Dear Eric,
It's a beautiful spring in Seoul. The last winter vacation was a great time for me. I made two personal changes during the vacation. One is my new hobby. It's making cupcakes. Making my own cupcakes is a lot of fun. <u>나머지 다른 변화는 나의 나쁜 습관 중 하나를 없앤 것이다.</u> In the past, I often bit my nails. Now I don't anymore. I feel great about those changes. If you try to make some changes, I'm sure you'll feel great like me. I hope to hear from you soon.

Your friend,
Junho

17 윗글의 제목으로 알맞은 것은?

① Writing a Letter
② My New Changes
③ Breaking Bad Habits
④ My Favorite Season
⑤ How to Make Cupcakes

18 윗글의 밑줄 친 우리말과 일치하도록 주어진 표현을 바르게 배열하여 문장을 완성하시오.

breaking, is, the, other, change,
one of, my bad habits

→ ______________________

19 윗글의 내용과 일치하지 않는 것은?

① 서울은 지금 봄이다.
② 겨울 방학 동안 준호에게 두 가지 변화가 있었다.
③ 준호는 손톱을 물어뜯는 습관이 있었다.
④ 준호는 이제 더 이상 손톱을 물어뜯지 않는다.
⑤ 준호는 겨울 방학 전부터 컵케이크를 만드는 취미가 있었다.

[20-21] 다음 글을 읽고, 물음에 답하시오.

Dear Junho,

In Sydney, it's fall in March. You talked about your changes in your email. Now, it's time ① <u>to talk</u> about my new changes. These days, I'm into 3D printing. I printed two things with a 3D printer. ② <u>One</u> is a model of my dream car. If the traffic is heavy, it ③ <u>changes</u> into a flying car. ④ <u>The other</u> is a special cup for my grandfather. He can't hold his cup well because he's sick. My special cup has three handles, so it is easy to hold. My grandfather is very happy. By the way, I want ⑤ <u>to try</u> your cupcakes some day, Junho. Take care.

Best wishes,
Eric

20 윗글의 밑줄 친 ①~⑤ 중 어법상 어색한 것은?

① ② ③ ④ ⑤

21 윗글에서 언급되지 않은 것은?

① the season in Sydney
② things that Eric is into these days
③ things that Eric made with a 3D printer
④ things that Eric wants to be in the future
⑤ why Eric made a special cup with three handles

[22-24] 다음 글을 읽고, 물음에 답하시오.

How did you do on the quiz? Can you survive an earthquake safely? Here are some safety tips ___(A)___ can be helpful in an earthquake. Let's check them one by one and learn ___(B)___ to do.

Don't run outside when things are shaking. Find a table or a desk and take cover under ⓐ<u>it</u>. You can hold on to the legs to protect yourself. Also, stay away from windows. ⓑ<u>They</u> can break during an earthquake and hurt you.

22 윗글의 빈칸 (A)와 (B)에 알맞은 말이 바르게 짝 지어진 것은?

	(A)		(B)
①	that	–	how
②	which	–	what
③	which	–	how
④	what	–	what
⑤	where	–	how

23 윗글의 밑줄 친 ⓐ와 ⓑ가 가리키는 것을 본문에서 찾아 쓰시오.

ⓐ ______________________
ⓑ ______________________

24 윗글의 내용과 일치하는 것은?

① When things are shaking, you should run outside.
② Find a table and take cover under it when things are shaking.
③ You should hold on to the windows to protect yourself in an earthquake.
④ You should stay close to windows to see outside in an earthquake.
⑤ You should stay away from a table or a desk in an earthquake.

[25-26] 다음 글을 읽고, 물음에 답하시오.

You can go outside when the shaking stops. To get out of buildings, don't use the elevator. Take the stairs. It's much safer. Once you are outside, find an empty space ________ is far from buildings. There may be people ________ want to hold on to a pole or a tree, but think again. That's a bad idea because it can fall on you.

25 윗글의 빈칸에 공통으로 알맞은 한 단어를 쓰시오.

→ ________________

26 윗글의 내용과 일치하지 않는 것은?

① 흔들림이 멈출 때 밖으로 나갈 수 있다.
② 건물 밖으로 나올 때 계단을 이용해야 한다.
③ 건물 밖으로 나오면 건물로부터 멀리 떨어진 공터를 찾아야 한다.
④ 기둥이나 나무를 잡는 것은 좋지 않다.
⑤ 기둥이나 나무 아래로 숨어야 한다.

서술형(주관식) 평가

27 어법상 틀린 곳을 두 군데 찾아 바르게 고쳐 쓰시오.

There were two dogs in the park. One was white. Other was brown. They were so cute. If I get a pet dog, I take a good care of it.

(1) ________________ → ________________
(2) ________________ → ________________

28 요즈음에 가지고 있는 고민과 그에 알맞은 조언을 써서 대화를 완성하시오.

A I'm worried about ________________ these days.
B You should ________________.

29 주어진 두 문장을 관계대명사를 사용하여 한 문장으로 연결하시오.

(1) I went to Australia. Australia was a beautiful place to visit.

____

(2) I saw a woman. She was carrying her baby in her arms.

____

30 다음 글을 읽고, 밑줄 친 우리말과 일치하도록 주어진 단어를 바르게 배열하여 문장을 완성하시오.

Earthquakes can strike anytime. They can be scary experiences for everyone. So 지진 발생 시 어떻게 안전할 수 있는지를 배우자. You can avoid injuries and protect yourself.

(an earthquake, how, in, safe, to, learn, be)

→ ________________________________

01 다음 짝 지어진 단어의 관계가 나머지와 다른 하나는?

① tiny – small ② disappear – appear
③ mentor – mentee ④ success – failure
⑤ confusing – clear

02 다음 밑줄 친 표현의 쓰임이 어색한 것은?

① They like to go for a walk after meals.
② I finished this work thanks to his help.
③ He has checked out headaches for a long time.
④ The teacher will give out information about the final exam.
⑤ I wasted my time because the movie was very boring.

03 다음 영영 풀이에 해당하는 단어는?

> the part of a shirt, jacket, etc. that covers all or part of your arm

① sink ② sign ③ million
④ soap ⑤ sleeve

04 다음 빈칸에 공통으로 알맞은 것은?

> • Butterflies feed ________ nectar from the flowers of garden plants.
> • The train arrived in Seoul ________ time.

① on ② for ③ to ④ of ⑤ in

05 다음 대화의 빈칸에 알맞은 것은?

> A I'm going to go swimming at the beach tomorrow.
> B ______________________

① I'm glad you like it.
② Let me give him a hand.
③ I'll give it a try. It'll help.
④ Thank you for your helpful advice.
⑤ Make sure you wear sunscreen.

[06-07] 다음 대화를 읽고, 물음에 답하시오.

> A Mom, ______________________. I made ① it with ② plastic bags.
> B That's very cute. How did you know that I needed ③ a new basket?
> A You talked about it when we were having dinner the other day.
> B How nice! I really like this basket. ④ It has many different colors.
> A I'm glad you like ⑤ my present.

06 위 대화의 빈칸에 알맞은 것은?

① this is for you ② that's terrible
③ I can help you ④ let me help you
⑤ this tastes really good

07 위 대화의 밑줄 친 ①~⑤ 중 가리키는 대상이 나머지와 다른 하나는?

① ② ③ ④ ⑤

08 자연스러운 대화가 되도록 (A)~(D)를 바르게 배열하시오.

> (A) Let me help you.
> (B) I can't open the window. Can anybody help me?
> (C) No problem.
> (D) Thanks. You're the best.

________ → ________ → ________ → ________

09 다음 ①~⑤ 중 주어진 문장이 들어갈 알맞은 곳은?

> I'm sorry to hear that.

> A (①) Let's go swimming this weekend.
> B (②) I'd love to, but I can't. (③) I have an eye problem and the doctor told me to stop swimming for a while.
> A (④) Maybe we can go next weekend.
> B (⑤) I really hope so.

10 다음 대화의 빈칸에 알맞지 않은 것은?

> A We lost the soccer game by three goals.
> B ______________________

① That's a pity! ② That's terrible!
③ That's too bad. ④ That sounds great.
⑤ Sorry to hear that.

11 다음 밑줄 친 동사의 올바른 형태가 바르게 짝 지어진 것은?

> • She told me calm down and I did.
> • I watch an animated movie with my sister last night.
> • Since then, the company produce the world's best products.

① calm – watched – produced
② calm – watched – has produced
③ to calm – have watched – produced
④ to calm – watched – has produced
⑤ to calm – have watched – has produced

12 다음 두 문장을 한 문장으로 바르게 바꿔 쓴 것은?

> • The package hasn't arrived yet.
> • The company sent it to me.

① The company sent the package hasn't arrived yet to me.
② The package the company sent to me hasn't arrived yet.
③ The package sent to me hasn't arrived the company yet.
④ The company sent it to me the package hasn't arrived yet.
⑤ The package whom the company sent to me hasn't arrived yet.

13 다음 중 어법상 올바른 문장은?

① They want me to be there at 9:00 A.M.
② Have you just finishing your report?
③ There is nothing who we can do about it.
④ How about thinking of nice something to eat?
⑤ This is the paper whom my teacher asked me to do.

14 다음 밑줄 친 동사를 어법에 맞게 고친 것은?

> I moved to Busan 10 years ago and I still live in Busan. I live in Busan for 10 years.

① living ② lived
③ don't live ④ have lived
⑤ hasn't lived

[15-17] 다음 글을 읽고, 물음에 답하시오.

> New York had many pay phones on its streets. However, ① somebody really used them. One day, a man came up with an idea. He stuck coins to one of the phones. He also put up a sign that said, "______________________." Soon, many people were using the phone. When they were talking to someone whom they ② loved, they didn't stop ③ smiling. His idea became a big ④ success. During the day, all the coins disappeared. The man was very ⑤ happy because his small idea gave happiness to many people.

15 윗글의 밑줄 친 ①~⑤ 중 글의 흐름상 어색한 것은?

① ② ③ ④ ⑤

16 윗글의 제목으로 알맞은 것은?

① Useful Ideas for Coins
② A Small Idea Can Make Happy
③ How to Call with a Pay Phone
④ Giving Happiness to Our Parents
⑤ Happiness Comes from Your Heart

17 윗글의 빈칸에 알맞은 것은?

① Clean Your City
② Use Your Phone Instead
③ Call Someone You Love
④ Answer a Phone Call from Your Family
⑤ Think of an Idea for Pay Phones

[18-19] 다음 글을 읽고, 물음에 답하시오.

A few years ago, the maps at bus stops in Seoul were very confusing. They didn't have enough information. People had to ask others to explain the maps. "Where is this bus stop on the map? Does this bus go to Gwanghwamun?" Many people often took the wrong bus and wasted their time.

One day, a young man decided to solve this problem. He bought lots of red arrow stickers. Every day he rode his bicycle around the city and stuck the stickers on the bus maps. Nobody asked him to do this. He just wanted to help others. Thanks to his effort, people could ________________.

18 다음 질문에 대한 대답으로 알맞은 말을 본문에서 찾아 쓰시오.

Q Why did people ask the underlined questions on the passage above?
A Because the bus maps didn't have ________________.

19 윗글의 빈칸에 알맞은 것은?

① help others in need and make money
② ride a bicycle when the bus didn't come
③ understand the maps easily and save time
④ correct wrong information on the bus maps
⑤ get information about bus maps around the world

[20-21] 다음 글을 읽고, 물음에 답하시오.

It was a hot summer evening. Seojun went for a walk in the park. Soon, he was sweating.

Seojun I'm thirsty. I want ________________.

At that moment, something tiny flew at him and bit his arm.

Mrs. Mosquito Hey, catch me if you can.
Seojun Who are you? What have you done to me?
Mrs. Mosquito I'm a mosquito. I've just finished my dinner.

20 윗글의 빈칸에 알맞은 것은?

① cold something to drink
② something cold to drink
③ something drink to cold
④ to cold something drink
⑤ to something cold drink

21 윗글을 읽고, 대답할 수 <u>없는</u> 질문은?

① What was the weather like?
② What was Seojun doing?
③ What did Seojun drink?
④ What bit Seojun?
⑤ What did Mrs. Mosquito do to Seojun?

[22-24] 다음 글을 읽고, 물음에 답하시오.

Seojun How could you smell me from the river?
Mrs. Mosquito Mosquitoes can sense heat and smell very well. That's ___ⓐ___ we ⓑ <u>have survived</u> for millions of years.
Seojun Do all mosquitoes drink blood like you?
Mrs. Mosquito No. Only female mosquitoes like me drink blood. Male mosquitoes only feed on fruit and plant juice.
Seojun That's interesting. So ___ⓒ___ do you drink blood?
Mrs. Mosquito I need the protein in blood to lay my eggs.
Seojun How do you drink blood? Do you have sharp teeth?
Mrs. Mosquito No, I don't have teeth. But I have a long and pointed mouth. So I can drink your blood easily.

22 윗글의 빈칸 ⓐ와 ⓒ에 공통으로 알맞은 것은?

① why ② how ③ what
④ when ⑤ where

23 윗글의 밑줄 친 ⓑ와 같은 용법으로 쓰인 것은?

① We <u>have</u> just <u>had</u> breakfast.
② I <u>haven't</u> ever <u>heard</u> of his story.
③ He <u>hasn't finished</u> his degree yet.
④ <u>Have</u> you ever <u>thought</u> about becoming a teacher?
⑤ Tyler <u>has lived</u> in Korea since he was a college student.

24 윗글에서 서준이와 Mrs. Mosquito가 대화하는 주제로 알맞은 것은?

① 모기의 수명 ② 모기의 생태
③ 모기의 천적 ④ 모기를 없애는 방법
⑤ 모기의 번식 방법

[25-27] 다음 글을 읽고, 물음에 답하시오.

Seojun After you bit me, I got a bump. It ___(A)___.
Mrs. Mosquito I'm sorry to hear that. Make sure you don't scratch it. Also, clean it with alcohol wipes.
Seojun Alcohol wipes? I've never tried that before.
Mrs. Mosquito It will reduce the ___(B)___.
Seojun Okay, I'll try that at home. Thanks.
Mrs. Mosquito I have to go. See you soon. (①)
Seojun Wait! A lot of people have suffered from your bites. (②) How can we prevent them? (③)
Mrs. Mosquito Stay cool and wear long sleeves. (④)
Seojun Thanks. (⑤)

25 윗글의 빈칸 (A)와 (B)에 알맞은 말이 바르게 짝 지어진 것은?

	(A)		(B)
①	itches	–	itchiness
②	itches	–	itchy
③	itchy	–	itchiness
④	itchy	–	itchy
⑤	itchiness	–	itches

26 윗글의 ①~⑤ 중 주어진 문장이 들어갈 알맞은 곳은?

> I'll keep your advice in mind.

① ② ③ ④ ⑤

27 윗글에서 서준이와 Mrs. Mosquito의 관계로 알맞은 것은?

① mentor – mentee
② writer – journalist
③ instructor – student
④ employer – employee
⑤ interviewer – interviewee

서술형(주관식) 평가

28 다음 주어진 단어를 사용하여 우리말 뜻에 맞게 영작하시오.

(1) 나는 그곳에 많이 가 봤다.
(have, there, times)
→ ______________________

(2) 나는 지난 목요일부터 계속 아팠다.
(been, sick, since)
→ ______________________

29 다음 두 문장을 관계대명사를 사용하여 한 문장으로 고쳐 쓰시오.

(1) I like the novel.
Charles Dickens wrote the novel.
→ ______________________

(2) The cake is so delicious.
My mother baked the cake.
→ ______________________

30 다음 글을 읽고, 빈칸에 알맞은 말을 쓰시오.

> I wanted to join a summer English camp at school. However, my parents want me to study math during the summer vacation. I don't think they will allow me ______________________.

Lesson 5

I Don't Have a Clue

Functions

- 설명 요청하기 **Can you explain** how to use the buttons? 너는 버튼 사용법을 설명해 줄 수 있니?
- 열거하기 **First**, fold the paper in half. **Second**, turn it over. **Then**, draw a face.
  첫째, 종이를 반으로 접으세요. 둘째, 접은 종이를 뒤집으세요. 그러고 나서 얼굴을 그리세요.

Forms

- The cheese **was eaten by** a mouse. 그 치즈는 쥐 한 마리에 의해 먹혔다.
- Bright stars **can be seen** at night. 밝은 별들은 밤에 보일 수 있다.

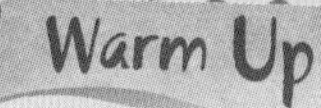

그림 속 서로 다른 부분에 ○ 표시를 한 후, 무슨 일이 일어났을지 이야기해 봅시다.

e.g. I think someone took the ring.
나는 누군가가 반지를 가져갔다고 생각해.

I think someone broke the window.
나는 누군가가 창문을 깨뜨렸다고 생각해.

I think someone touched the picture.
나는 누군가가 그림을 건드렸다고 생각해.

I think someone took the bag.
나는 누군가가 가방을 가져갔다고 생각해.

I think someone turned off the lamp.
나는 누군가가 전등을 껐다고 생각해.

POLICE LINE DO NOT CROSS

Listen & Speak 1

A **Listen and Choose** What is Jimin going to do?
지민이가 하려고 하는 것은 무엇입니까?

☐ 

☑ 

☐ 

단어 숙어
dragon ⓜ 용
seahorse ⓜ 해마
explain ⓢ 설명하다

Script

G: Do you want to play the new game that I bought?
B: Sure, what is it, Jimin?
G: It's like a soccer game but the players are dragons and seahorses. You need to use these buttons to play.
B: That sounds fun. Can you explain how to use the buttons?
G: Sure.

해석

G: 내가 산 새로운 게임을 하고 싶니?
B: 물론이지. 그게 뭐니, 지민아?
G: 축구 시합 같은 것인데 선수들이 용과 해마야. 게임을 하려면 이 버튼들을 사용해야 해.
B: 재밌을 거 같아. 버튼 사용법을 설명해 줄 수 있니?
G: 물론이지.

풀이 지민이가 새로 산 게임에 관한 대화이다. 마지막 부분에서 남자가 지민이에게 버튼들의 사용법을 설명해 달라고 했으므로 지민이는 남자에게 버튼 사용법을 설명할 것이다.

B **Listen and Write** Fill in the blanks with the correct words.
빈칸에 알맞은 말을 써 봅시다.

Did you solve the riddle? As you can see, there are two ___E___s in the word "___week___," one in the word "___year___," but none in the word "day!"
수수께끼를 풀었니? 보다시피, 'week(주)'라는 단어에는 두 개의 E가 있고, 'year(해)'라는 단어에는 한 개의 E가 있지만 'day(하루, 날)'라는 단어에는 E가 없지!

단어 숙어
solve ⓢ 풀다, 해결하다
riddle ⓜ 수수께끼
none ⓓ 하나도 …않다
twice ⓑ 두 번
letter ⓜ 글자; 편지

Script

B: Kelly, here's a riddle. You can see this twice in a week, once in a year, but never in a day. What is this?
G: I have no idea.
B: It's the letter "E."
G: I don't get it. Can you explain why?
B: Well, there are two "E"s in the word "week," one "E" in the word "year" but no "E"s in the word "day."
G: Aha! Now I get it.

해석

B: Kelly, 여기 수수께끼가 있어. 넌 이것을 1주에 두 번, 1년에 한 번 볼 수 있어. 하지만 1일에는 전혀 볼 수가 없어. 이게 뭐게?
G: 전혀 모르겠어.
B: 알파벳 'E'야.
G: 이해가 안 가. 이유를 설명해 줄 수 있니?
B: 음, 1주(week)에는 'E'가 2개 있고, 1년(year)에는 'E'가 1개 있고, 1일(day)에는 'E'가 없잖아.
G: 아하! 이제 이해했어.

풀이 특정 알파벳이 포함된 단어로 이루어진 수수께끼에 관한 대화로 각 단어에 알파벳 E가 몇 개씩 포함되어 있는지 말해주고 있다. 'week'에는 'E'가 2개, 'year'에는 1개, day에는 없다.

표현 • **I have no idea.:** I have no idea.는 상대방이 하는 말에 대해 잘 모르겠다고 할 때 쓰는 표현으로 I don't know. 등과 바꿔 쓸 수 있다.

C **Talk Together** Find the correct solution to each of the following riddles. Then talk with your partner. pair 아래 수수께끼의 각각에 알맞은 답을 찾아 봅시다. 그런 다음 짝과 대화해 봅시다.

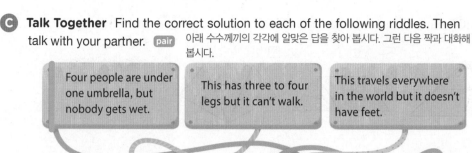

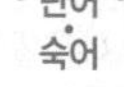
wet ⓐ 젖은
everywhere ⓐ 모든 곳, 어디나

- 네 사람이 하나의 우산 아래에 있지만, 아무도 젖지 않습니다.
- 이것은 서너 개의 다리를 가지고 있지만 걸을 수 없습니다.
- 이것은 세계의 모든 곳을 여행하지만 발을 가지고 있지 않습니다.

Four people are under one umbrella, but nobody gets wet.

This has three to four legs but it can't walk.

This travels everywhere in the world but it doesn't have feet.

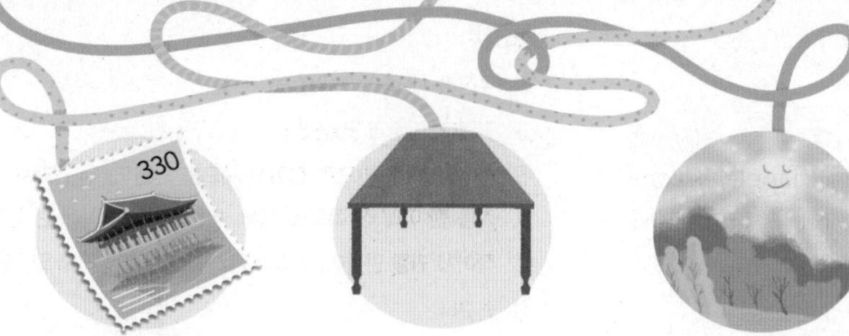

stamp 우표 | table 탁자 | sunny day 맑은 날

A: Try to solve this riddle.
B: Sure.
A: Four people are under one umbrella, but nobody gets wet.
Can you explain why?
B: Yes! It's because it's a sunny day!

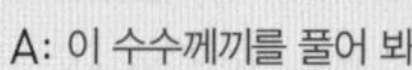
A: 이 수수께끼를 풀어 봐.
B: 그래.
A: 네 사람이 하나의 우산 아래에 있지만, 아무도 젖지 않아. 이유를 설명해 줄 수 있니?
B: 응! 그건 화창한 날이기 때문이야!

예시 대화

- A: Try to solve this riddle.
  B: Sure.
  A: This has three to four legs but it can't walk. Can you explain why?
  B: Yes! It's because it is a table!
- A: Try to solve this riddle.
  B: Sure.
  A: This travels everywhere in the world but it doesn't have feet. Can you explain why?
  B: Yes! It's because it is a stamp!

- A: 이 수수께끼를 풀어 봐.
  B: 그래.
  A: 이것은 서너 개의 다리를 가지고 있지만 걸을 수 없어. 이유를 설명해 줄 수 있니?
  B: 응! 그건 탁자이기 때문이야!
- A: 이 수수께끼를 풀어 봐.
  B: 그래.
  A: 이것은 세계의 모든 곳을 여행하지만 발을 가지고 있지 않아. 이유를 설명해 줄 수 있니?
  B: 응! 그건 우표이기 때문이야!

Function 1 설명 요청하기: Can you explain ...?

Can you explain ... ?은 상대방에게 설명을 요청할 때 쓰는 표현으로 '너는 …을 설명해 줄 수 있니?'라는 뜻이다. Can you explain 다음에 how to ... 표현을 사용하여 어떤 절차나 방법을 물어볼 수 있고, why ...를 사용하여 이유를 물어볼 수 있다.

- A: Excuse me. **Can you explain** how to use this machine?
  (실례합니다. 이 기계를 사용하는 방법을 설명해 줄 수 있나요?)
  B: Sure. Put your money in here, and then choose the station you want to go to.
  (물론이죠. 여기에 돈을 넣은 다음, 당신이 가고자 하는 역을 선택하세요.)
  A: Thank you. (감사합니다.)

Listen & Speak 2

A **Listen and Find** Which is NOT a step in making a paper fox?
종이 여우를 만드는 단계가 아닌 것은 무엇입니까?

☐ 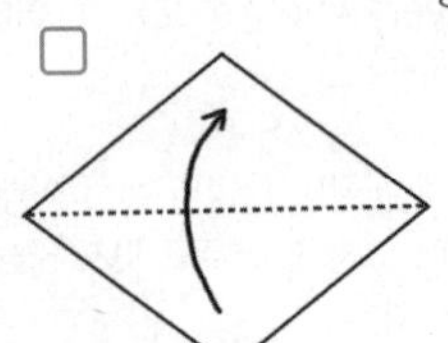
☐ 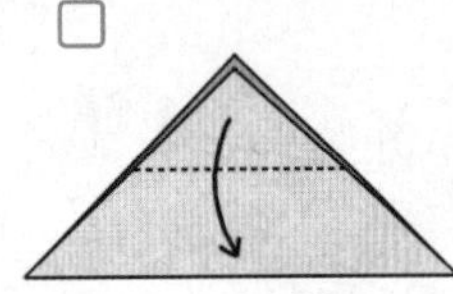
☑ 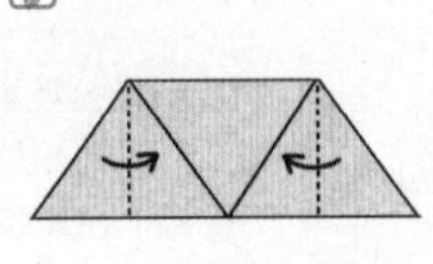
☐ 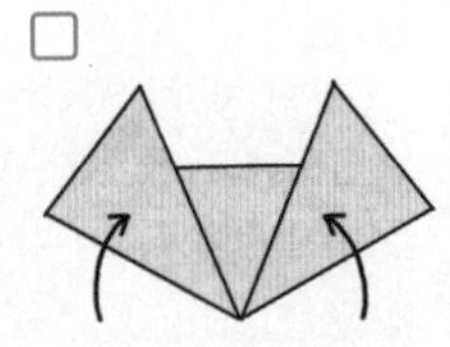

단어·숙어
- fox 명 여우
- fold 동 접다
- triangle 명 삼각형
- bottom 명 아래쪽

Script

B: Yujin, look at my paper fox.
G: That's cute. How did you make it?
B: First, fold a paper in half to make a triangle. Second, fold the top of the triangle to the bottom line. Third, fold both ends of the bottom line to the top to make ears. Then, turn it over and draw a face.
G: That sounds easy.

해석

B: 유진아, 내 종이 여우를 봐.
G: 귀엽다. 어떻게 만들었니?
B: 먼저, 종이를 반으로 접어서 세모를 만들어. 두 번째로, 세모의 꼭대기를 맨 아래 선 쪽으로 접어. 세 번째로, 맨 아래 선 양쪽 끝을 위로 접어서 귀를 만들어. 그러고 나서 그것을 뒤집어서 얼굴을 그려.
G: 쉽구나.

풀이 종이 여우 만드는 단계를 설명하고 있다. 첫 번째, 두 번째, 네 번째 그림은 종이 여우 만드는 단계를 순차적으로 보여주고 있지만, 세 번째 그림은 단계에 해당하지 않는다.

표현 • **First … . Second … . Third … . Then … . :** 서수를 사용하여 어떤 절차의 순서를 열거할 수 있다. 두 번째나 세 번째에는 서수 외에 Next나 Then 등을 사용할 수 있다.

B **Listen and Talk** Choose the right words and talk with your partner. pair
알맞은 단어를 고르고 짝과 대화해 봅시다.

A: Did you watch this week's TV show about the student ☐ suspect ☑ detective ?
학생 탐정에 대한 이번 주 TV 쇼를 봤니?
B: No, I didn't. What happened? 아니, 못 봤어. 무슨 일 있었어?
A: A thief stole all of the ☑ bikes ☐ mikes at school. The thief was … .
한 도둑이 학교에서 모든 자전거를 훔쳤어. 도둑은 … .
B: Don't tell me! I'll watch it later. 말하지 마! 내가 나중에 볼 거야.

단어·숙어
- suspect 명 용의자
- detective 명 탐정
- thief 명 도둑
- steal 동 훔치다 (-stole-stolen)
- disappear 동 없어지다

Script

G: Minsu, do you know the TV show about the student detective?
B: Yes. I love that show, but I didn't see it this week. What was it about?
G: Well, all of the bikes at school disappeared.
B: So, what did he do?
G: First, he looked around the school. Then, he met some suspects and asked questions. Finally, he found the thief. The thief was … .
B: No, don't tell me! I'll watch it later.

해석

G: 민수야, 학생 탐정이 나오는 TV 쇼를 아니?
B: 응. 나는 그 쇼를 아주 좋아하지만 이번 주에는 못 봤어. 무슨 내용이었어?
G: 음, 학교의 모든 자전거들이 사라졌어.
B: 그래서 그가 무엇을 했니?
G: 첫째로, 그는 학교를 둘러봤어. 그러고 나서 몇몇의 용의자를 만나서 질문을 했지. 마침내, 그는 도둑을 찾았어. 도둑은 ….
B: 안 돼, 말하지 마! 내가 나중에 볼 거야.

풀이 학생 '탐정'이 나오는 TV 쇼에 관한 대화로 이번 주 내용에서 학교에 있는 모든 '자전거'가 사라졌다고 말하고 있다.

표현 • **What was it about?**: What is … about?은 '…은 무엇에 관한 것이니?', '…은 무엇에 대한 내용이니?'라는 의미를 가진 표현이다. e.g. **What was** the movie **about**? (그 영화는 무슨 내용이었니?)

교과서 p.79

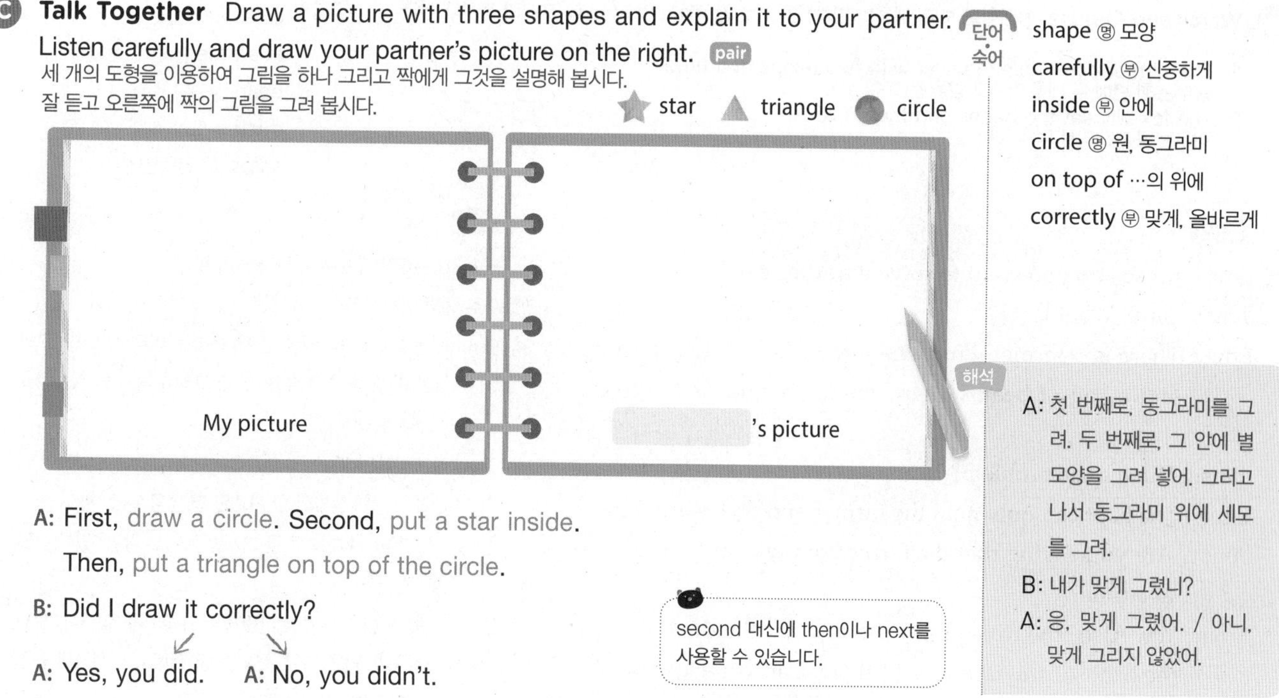

C **Talk Together** Draw a picture with three shapes and explain it to your partner. Listen carefully and draw your partner's picture on the right. pair
세 개의 도형을 이용하여 그림을 하나 그리고 짝에게 그것을 설명해 봅시다.
잘 듣고 오른쪽에 짝의 그림을 그려 봅시다.

A: First, draw a circle. Second, put a star inside.
Then, put a triangle on top of the circle.

B: Did I draw it correctly?

A: Yes, you did. A: No, you didn't.

second 대신에 then이나 next를 사용할 수 있습니다.

단어·숙어

shape ⑱ 모양
carefully ⑨ 신중하게
inside ⑨ 안에
circle ⑱ 원, 동그라미
on top of …의 위에
correctly ⑨ 맞게, 올바르게

해석

A: 첫 번째로, 동그라미를 그려. 두 번째로, 그 안에 별 모양을 그려 넣어. 그리고 나서 동그라미 위에 세모를 그려.
B: 내가 맞게 그렸니?
A: 응, 맞게 그렸어. / 아니, 맞게 그리지 않았어.

활동 방법 세 개의 도형을 이용하여 그림을 하나 그리고, 주어진 대화문을 이용하여 자신의 그림을 짝에게 설명한다. 짝과 자신의 그림을 비교하며 맞게 그렸는지 확인해 본다.

예시 대화

- A: First, draw a triangle. Second, put a circle inside. Then, put a star on top of the triangle.
  B: Did I draw it correctly?
  A: Yes, you did. / No, you didn't.

- A: 첫 번째로, 세모를 그려. 두 번째로, 그 안에 동그라미를 그려 넣어. 그리고 나서 세모 위에 별 모양을 그려.
  B: 내가 맞게 그렸니?
  A: 응, 맞게 그렸어. / 아니, 맞게 그리지 않았어.

Function 2 열거하기: First .... Second .... Then ....

First .... Second .... (Third ....) Then .... 은 '첫 번째로 …해. 두 번째로 …해. (세 번째로 …해.) 그리고 나서 …해.'라는 뜻으로 서수를 사용하여 어떤 절차의 순서를 열거하는 표현이다. 열거하는 내용의 양에 따라 계속해서 서수로 표현할 수도 있고, Second, Third 대신에 Then이나 Next를 사용할 수도 있다.

예시 대화

- A: Excuse me. How can I get to the KTX station? (실례합니다. KTX 역에 어떻게 가야 하나요?)
  B: **First**, take the green subway line. **Second**(= **Next**), transfer to the blue line at City Hall station. **Third**(= **Then**), you will see the KTX station if you go out of exit 1 at Seoul station.
  (첫 번째로, 초록색 노선 지하철을 타세요. 두 번째로, 시청역에서 파란색 노선으로 갈아 타세요. 세 번째로, 서울역에서 1번 출구로 나간다면 KTX역을 볼 수 있어요.)
  A: Thank you very much. (정말 고마워요.)

Real Life Communication

A **Watch and Choose** 동영상을 보고, 내용과 일치하면 T에, 일치하지 않으면 F에 표시해 봅시다.

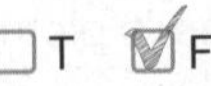

1. The farmer can cross the river with two things at a time. ☐T ☑F
   농부는 한 번에 두 개를 가지고 강을 건널 수 있다.
2. The fox will eat the beans and the duck. ☐T ☑F
   여우는 콩과 오리를 먹을 것이다.

단어 숙어
cross ㉾ 건너다
at a time 한 번에, 동시에
bean ㉮ 콩
duck ㉮ 오리
across ㉻ 건너편에

Script

Emily: Junsu, do you want to solve a riddle?
Junsu: Sure, what is it?
Emily: There is a farmer. First, the farmer buys a fox, a duck, and a bag of beans. Then, the farmer needs to cross a river.
Junsu: What's the problem?
Emily: The boat can only hold the farmer and one more thing.
Junsu: Are you saying that the farmer can take only one thing at a time?
Emily: Yes. Also, the fox will eat the duck or the duck will eat the beans if the farmer isn't there. Can you explain how to move everything across the rive safely?
Junsu: Hmm ... .

해석

Emily: 준수야, 수수께끼 하나 풀어 볼래?
준수: 물론이지, 뭐야?
Emily: 농부가 한 명 있어. 먼저, 농부는 여우 한 마리, 오리 한 마리, 콩 한 자루를 샀어. 그러고 나서 농부는 강을 건너야 했어.
준수: 뭐가 문제인데?
Emily: 배는 단지 농부와 한 가지만 더 실을 수 있어.
준수: 농부가 한 번에 오직 한 가지만 가지고 갈 수 있다는 말이니?
Emily: 응. 또한 농부가 없다면 여우가 오리를 먹거나, 오리가 콩을 먹을 거야. 전부를 강 건너로 안전하게 옮길 방법을 설명할 수 있겠니?
준수: 음 … .

풀이 Emily가 준수에게 수수께끼를 내고 있는 상황으로 농부가 여우 한 마리, 오리 한 마리, 콩 한 자루를 가지고 강을 건너야 하는데 농부는 한 번에 하나씩만 가져갈 수 있다고 했으므로 1번 문장은 일치하지 않는다. 또한, 여우와 오리, 오리와 콩을 농부 없이 한 군데에 두면 여우가 오리를 먹거나 오리가 콩을 먹을 것이라고 했으므로 2번 문장도 일치하지 않는다.

B **Think and Talk**

Step 1 위에 나온 수수께끼 해결책 중 일부입니다. 다음 그림을 보고 문장을 완성해 봅시다.

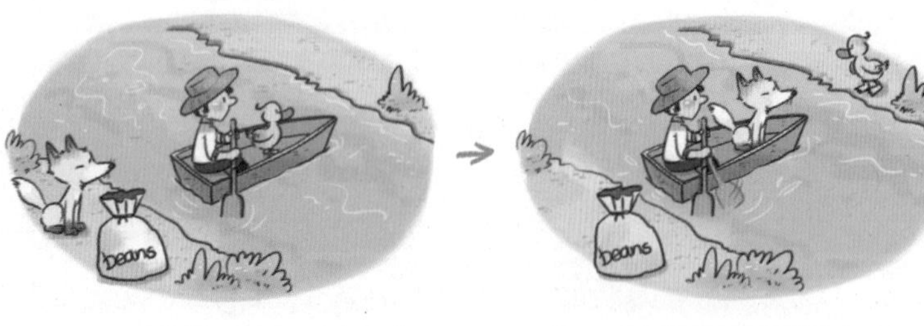

First, the farmer crosses the river with the __duck__.

Second, he comes back and takes the __fox__.

Third, he leaves the __fox__ and comes back with the __duck__.

Then, he leaves the __duck__ and takes the __beans__.

활동 방법 주어진 그림을 보고 빈칸에 알맞은 단어를 생각해 본다.

해석
첫 번째로, 농부는 오리와 함께 강을 건넌다.
두 번째로, 그는 돌아가서 여우를 데리고 간다.
세 번째로, 그는 여우를 남겨 놓고 오리와 함께 돌아간다.
그러고 나서 그는 오리를 남겨 놓고 콩을 가지고 간다.

Step 2 모둠별로 나머지 해결책을 생각해 봅시다. group

A: Can you explain the last part of the solution? 해결책의 마지막 부분을 설명해 줄 수 있니?
B: Next, the farmer leaves the beans with the fox. 다음에 농부는 여우와 함께 콩을 남겨 둬.
Then, he comes back and crosses the river with the duck. 그러고 나서 그는 돌아가서 오리와 함께 강을 건너.

C Communication Task pair

Finding Gold

Step 1 다음 마을 지도에 표시된 6개의 건물 중, 황금을 숨겨 둘 한 곳을 정해 봅시다.

- ☑ Hospital 병원
- ☐ Bakery 빵집
- ☐ Bookstore 서점
- ☐ Police Station 경찰서
- ☐ School 학교
- ☐ Library 도서관

You are here.

Step 2 짝과 대화를 한 후, 황금 숨긴 곳을 맞혀 봅시다.

e.g.
A: Where did you hide your gold?
Can you explain how to get there?
B: First, walk straight for two blocks.
Then, turn left. My gold is in the building on your right.

My friend's gold is in the hospital. 내 친구의 황금은 병원에 있다.

직진할 때는 walk straight, 오른쪽이나 왼쪽으로 돌 때는 turn right/left라고 합니다.

활동 방법
Step 1 마을 지도에 표시된 6개의 건물 중 어느 건물에 황금을 숨겨둘지 정한다.
Step 2 주어진 대화문을 이용하여 짝에게 황금 숨긴 곳을 설명해 본다.

단어 숙어
hide ⑤ 숨기다
walk straight 직진하다, 쭉 가다

해석
A: 너는 황금을 어디에 숨겼니? 그 곳에 가는 방법을 설명해 줄 수 있니?
B: 첫 번째로, 두 블록 직진해. 그러고 나서 왼쪽으로 꺾어. 내 황금은 너의 오른쪽에 있는 건물 안에 있어.

예시 대화
A: Where did you hide your gold? Can you explain how to get there?
너는 황금을 어디에 숨겼니? 그곳에 가는 방법을 설명해 줄 수 있니?
B: First, walk straight two blocks. Second, turn right. Then, walk straight one more block. My gold is in the building on your left.
첫 번째로, 두 블록 직진해. 두 번째로, 오른쪽으로 꺾어. 그러고 나서 한 블록 더 직진해. 내 황금은 너의 왼쪽에 있는 건물 안에 있어.
→ My friend's gold is in the police station. 내 친구의 황금은 경찰서에 있다.

Sounds 다음을 듣고, 강하게 발음되는 부분에 ○ 표시를 한 후 따라 말해 봅시다.

1. Can you (explain) how to (use) the (buttons)? 그 버튼을 어떻게 사용하는지 설명해 줄 수 있니?
2. Then, the (farmer) needs to (cross) a (river). 그러고 나서 그 농부는 강을 건너야 한다.

Tip 문장의 의미 전달에 주요한 역할을 하는 핵심 단어 explain, use, buttons, farmer, cross, river는 강하게 발음하고 다른 부분은 약하고 짧게 발음한다.

Self-check	☺	☹
• I can use 'Can you explain ... ?'	☐	☐
• I can use 'First .... Second .... Then ....'	☐	☐

Let's Read의 단어들을 미리 익혀 보세요.

- ☐ escape ⑧ 탈출하다 (to get away from a place such as a prison) ⑲ 탈출
- ☐ riddle ⑲ 수수께끼 (a difficult question that is asked as a game and that has a surprising or funny answer)
- ☐ clue ⑲ 단서 (something that helps a person find or understand something, or solve a mystery or puzzle)
- ☐ somewhere ⑭ 어딘가에 (a place not known, named, or specified)
- ☐ be ready to …할 준비가 되어 있다
- ☐ hurt ⑱ 다친 (having a physical injury) ⑧ 다치다
- ☐ suspect ⑲ 용의자 (a person who is believed to be possibly guilty of committing a crime)
- ☐ question ⑧ 신문하다 (to ask someone questions about something) ⑲ 질문
- ☐ at the time of …이 일어나던 때에
- ☐ accident ⑲ 사고 (a sudden event that is not planned and that causes damage or injury)
- ☐ write down 적다
- ☐ make it to …에 이르는 데 성공하다
- ☐ title ⑲ 제목 (the name given to something such as a book, song, or movie to identify or describe it)
- ☐ win ⑧ (무엇을) 얻다 (to get something such as a competition, race, etc.)
- ☐ for free 공짜로
- ☐ delete ⑧ 삭제하다 (to remove something, such as words, pictures, or files from a document, computer, etc.)

Mini Test

정답과 해설 p. 334

A 다음 빈칸에 알맞은 단어를 [보기]에서 골라 쓰시오.

보기
clue question escape for free somewhere

1. I want to know about how the prisoner was able to ___________ from the building.
2. People are not allowed to download the program ___________.
3. I think you left your wallet ___________. Let me help you find it.
4. The detectives tried their best to find a ___________ to solve the case.
5. He was ___________ed about what he did the previous night.

B 다음 영영 풀이에 해당하는 단어를 [보기]에서 골라 쓰시오.

보기
win title delete suspect accident

1. ___________: a person who is believed to be possibly guilty of committing a crime
2. ___________: to remove something, such as words, pictures, or files from a document, computer, etc.
3. ___________: a sudden event that is not planned and that causes damage or injury
4. ___________: to get something such as a competition, race, etc.
5. ___________: the name given to something such as a book, song, or movie to identify or describe it

A **Think and Say** 다음 그림을 보고, 누가 쿠키를 먹었고 그렇게 생각한 이유에 대해 말해 봅시다.

e.g. I think the cat ate the cookies because the window is open.
창문이 열려 있기 때문에 나는 고양이가 쿠키를 먹었다고 생각한다.

단어·숙어
crumb 명 부스러기
cage 명 우리, 새장

활동 방법 그림을 보고 누가 쿠키를 먹었고 그렇게 생각한 이유에 대해 주어진 예시문을 사용하여 말해 본다.

예시 정답
- I think the dog ate the cookies because there are some crumbs under the table. 식탁 아래에 부스러기가 있기 때문에 나는 개가 쿠키를 먹었다고 생각한다.
- I think the bird ate the cookies because the door of its cage is open. 새장이 열려 있기 때문에 나는 새가 쿠키를 먹었다고 생각한다.

B **Look and Write** 단어 구름에서 알맞은 단어를 찾아 문장을 완성해 봅시다.

1. The thief <u>escape</u>d from the police station.
2. The <u>suspect</u> lied to the police officer.
3. The detective looked for <u>clue</u>s at the scene.
4. Don't open emails with strange titles. <u>Delete</u> them at once.

단어·숙어
thief 명 도둑
lie 동 거짓말하다
detective 명 탐정
look for …을 찾다
at the scene 현장에
title 명 제목
at once 즉시, 당장

해석
1 도둑은 경찰서에서 탈출했다.
2 용의자는 경찰관에게 거짓말을 했다.
3 탐정은 현장에서 단서들을 찾았다.
4 이상한 제목이 있는 이메일은 열지 마세요. 즉시 그것들을 지우세요.

풀이
1 도둑이 경찰서에서 '탈출했다'라는 뜻이 되어야 하므로 escape가 알맞다.
2 경찰관에게 거짓말을 했다는 뜻의 주체가 되어야 하므로 suspect가 알맞다.
3 탐정이 현장에서 '단서'를 찾는다는 뜻이 되어야 하므로 clue가 알맞다.
4 앞 문장에서 이상한 제목이 있는 이메일은 열지 말라고 했고 문맥상 그것들을 '지우라'는 뜻이 되어야 하므로 delete가 알맞다.

The Great Escape

본문의 그림을 보고, 'The Great Escape'의 뜻을 추측해 봅시다.

❶ Welcome to the Escape Tower. ❷ You will enter the first room in our tower. ❸ You need to solve some riddles to escape. ❹ Clues can be found somewhere inside the room. ❺ So, are you ready to think like Sherlock Holmes?

'can be found'는 '발견될 수 있다'라는 뜻입니다.

Q1 What do you need to do to escape the tower?

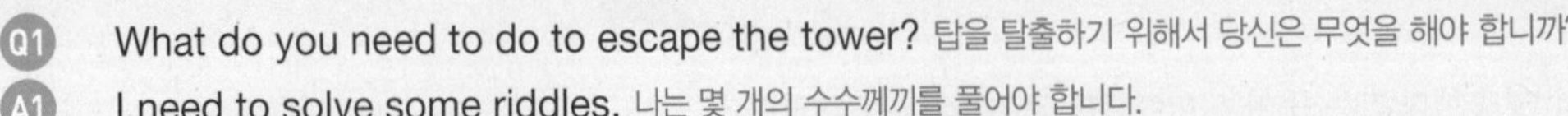

escape riddle clue somewhere

Q1 What do you need to do to escape the tower? 탑을 탈출하기 위해서 당신은 무엇을 해야 합니까?

A1 I need to solve some riddles. 나는 몇 개의 수수께끼를 풀어야 합니다.

해설 You need to solve some riddles to escape.에서 탑을 탈출하기 위해서는 몇 개의 수수께끼를 풀어야 한다는 것을 알 수 있다.

해석

대탈출

①'탈출 탑'에 오신 것을 환영합니다. ②당신은 저희 탑의 첫 번째 방에 들어갈 것입니다. ③당신은 탈출하기 위해서 몇 개의 수수께끼를 풀어야 합니다. ④단서들은 방 안 어딘가에서 발견될 수 있습니다. ⑤그러면 당신은 셜록 홈스처럼 생각할 준비가 되었나요?

구문

❸ You **need to** solve some riddles **to escape**.
need to는 '…할 필요가 있다', '…해야 한다'라는 뜻으로 to 다음에 동사원형이 와야 한다.
e.g. You **need to** brush your teeth before you go to bed.
(네가 잠자리에 들기 전에 양치질을 해야 한다.)
to escape는 to부정사의 부사적 용법 중 '…하기 위해서'라는 뜻의 목적을 나타내는 의미로 쓰였다.

❹ Clues **can be found** somewhere inside the room.
can be found는 '조동사+수동태(be+p.p.)'의 구문으로 조동사 뒤에는 동사원형이 와야 하므로 be동사는 항상 원형을 써야 한다.

❺ So, **are** you **ready to think like** Sherlock Holmes?
be ready to는 '…할 준비가 되어 있다'라는 뜻으로 to 다음에 동사원형이 와야 한다. think like는 '…처럼 생각하다'라는 뜻으로 like 다음에 명사(구)가 온다.
e.g. Susie **thinks like** her sister. (수지는 그녀의 언니처럼 생각한다.)

단어·숙어

- **solve** ⑧ 해결하다 e.g. Can you tell me how to **solve** this problem?
- **riddle** ⑱ 수수께끼 e.g. I had a hard time guessing the answer to the **riddle**.
- **escape** ⑧ 탈출하다 e.g. It is impossible to **escape** from the prison.
- **clue** ⑱ 단서 e.g. The police officer found a **clue** by questioning him.
- **somewhere** ⑭ 어딘가에 e.g. Let's go **somewhere** and talk about it.
- **be ready to** …할 준비가 되어 있다 e.g. I'**m ready to** go to the school dance party.

Grammar+

조동사의 수동태

조동사의 수동태는 '조동사+be+p.p.(+by ~)'의 형태로 쓰여 '(~에 의해) …될 수 있다/…될 것이다'라는 뜻을 나타낸다.

- Nothing **can be seen** in darkness. (어둠 속에서는 아무것도 볼 수 없다.)
- My invitation cards **will be sent** tomorrow. (나의 초대장은 내일 발송될 것이다.)

부정형은 '조동사+not+be+p.p.'의 형태로 쓴다.

- Wild flowers **cannot be found** in cities easily. (야생화는 도시에서 쉽게 발견될 수 없다.)
- These computers **will not be sold** because they don't work. (이 컴퓨터들은 고장 났기 때문에 판매되지 않을 것이다.)

의문문은 '조동사+주어+be+p.p. ~?'의 형태로 쓴다.

- **Should** this homework **be done** by this week? (이 숙제를 이번 주까지 해야만 하나요?)

Mini Test

정답과 해설 p. 335

다음 글을 읽고, 물음에 답하시오.

Welcome to the Escape Tower. You will enter the first room in our tower. You need to solve some riddles to escape. Clues can be found somewhere inside the room. So, are you ready to think like Sherlock Holmes?

Q. Where can clues be found?

A. ______________________________

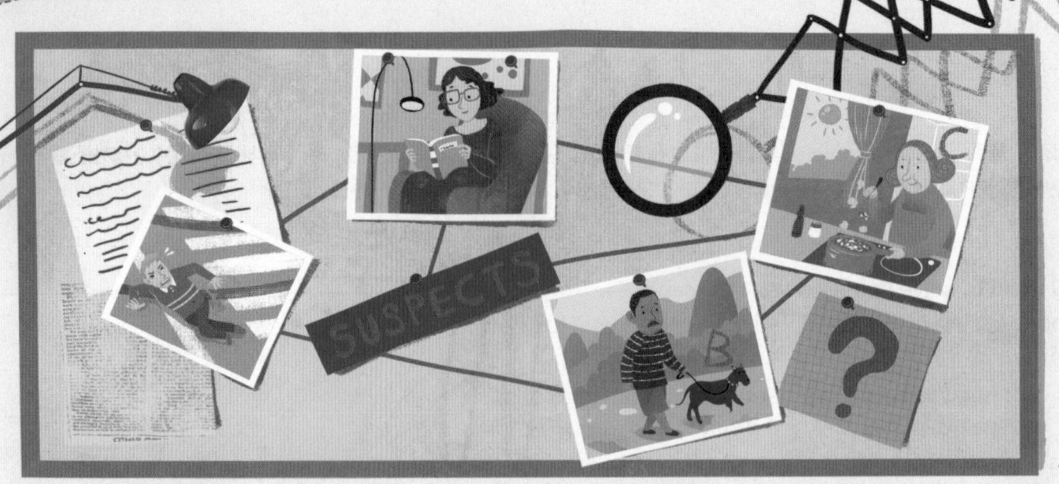

Room #1

① Mr. Doodle was hit by a car on Sunday afternoon. ② Luckily, he wasn't badly hurt, but he didn't see the driver. ③ Three suspects were questioned by a police officer. ④ Ms. A said she was reading a book at the time of the accident. ⑤ Mr. B said he was walking his dog. ⑥ Ms. C said she was making breakfast. ⑦ Who hit Mr. Doodle? ⑧ Can you explain why?

⑨ Do you have the answer? ⑩ Write it down. ⑪ Then you can move to the next room.

'were questioned by ...'는 '…에게 신문을 받았다'라는 뜻입니다.

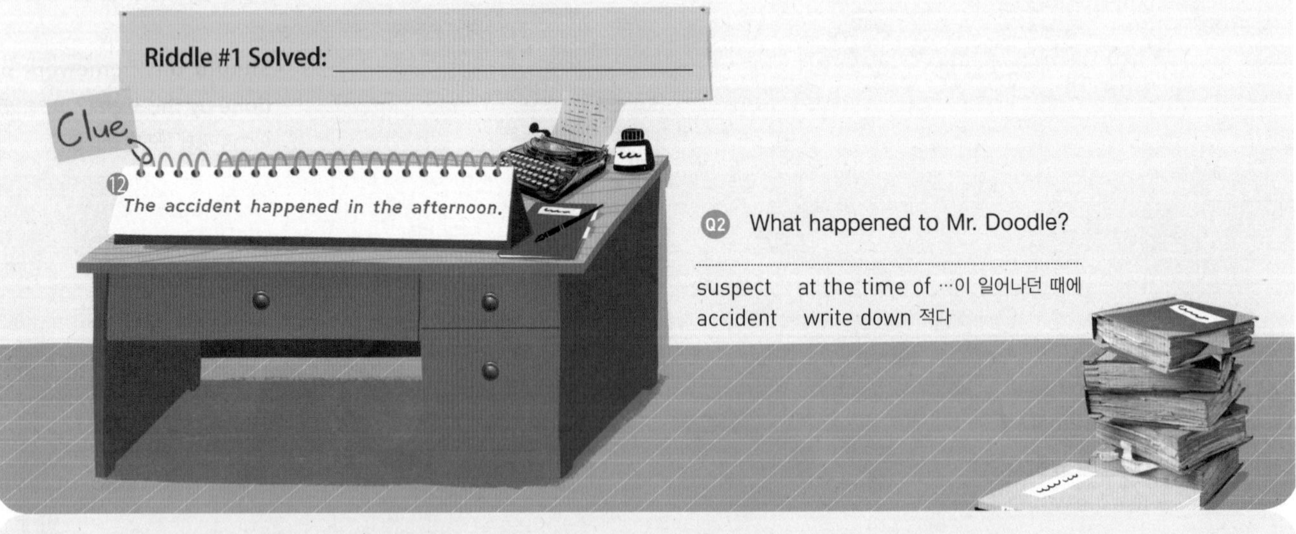

Riddle #1 Solved: ____________________
Clue
⑫ The accident happened in the afternoon.

Q2 What happened to Mr. Doodle?

suspect　at the time of …이 일어나던 때에
accident　write down 적다

Q2 What happened to Mr. Doodle? Doodle 씨에게 무슨 일이 일어났습니까?
A2 He was hit by a car on Sunday afternoon. 그는 일요일 오후에 차에 치였습니다.

해설 첫 번째 문장인 Mr. Doodle was hit by a car on Sunday afternoon.에서 Doodle 씨가 일요일 오후에 차에 치였다는 것을 알 수 있다.

1번 방

①Doodle 씨는 일요일 오후에 차에 치였습니다. ②다행히 그는 심하게 다치지 않았지만, 그는 운전자를 보지 못했습니다. ③세 명의 용의자들이 경찰관에게 신문을 받았습니다. ④A 씨는 사고가 일어난 시간에 책을 읽고 있었다고 말했습니다. ⑤B 씨는 그의 개를 산책 시키고 있었다고 말했습니다. ⑥C 씨는 아침 식사를 만들고 있었다고 말했습니다. ⑦누가 Doodle 씨를 치었을까요? ⑧왜 그런지 설명할 수 있나요?
⑨답을 알았나요? ⑩적어 보세요. ⑪그런 다음, 당신은 다음 방으로 갈 수 있습니다.

⑫단서: 사건은 오후에 일어났습니다.

구문

❶ Mr. Doodle **was hit by** a car on Sunday afternoon.
was hit by는 'be동사+p.p.(과거분사)+by'의 형태로 쓰여 '…에 의해 ~되다'라는 뜻을 나타내는 수동태 구문이다. 능동태 문장은 A car hit Mr. Doodle on Sunday afternoon.이다.

❷ Luckily, he wasn't **badly** hurt, but he didn't see the driver.
badly는 부사로 '심하게'라는 뜻이며, wasn't hurt를 수식하고 있다.

❸ Three suspects **were questioned by** a police officer.
were questioned by는 'be동사+p.p.+by'의 수동태 구문으로 '…에게 신문을 받았다'라는 뜻이다. 능동태 문장은 A police officer questioned three suspects.이다.

❹ Ms. A said she **was reading** a book at the time of the accident. ❺ Mr. B said he **was walking** his dog. ❻ Ms. C said she **was making** breakfast.
세 문장 모두 said 다음에 목적절을 이끄는 접속사 that이 생략되어 있다. was reading, was walking, was making은 'was(were)+-ing'의 형태로 쓰인 과거진행형으로 '…하는 중이었다'라는 뜻이다.

❿ Write **it** down.
it은 앞 문장의 the answer를 가리킨다.

단어·숙어

- **suspect** 명 용의자 e.g. The police officer is taking the **suspects** to the police station.
- **question** 동 신문하다 e.g. The boy detective kept **questioning** him.
- **at the time of** …이 일어나던 때에 e.g. Luckily, there was no one in the house **at the time of** the accident.
- **accident** 명 사고, 사건 e.g. What were you doing when the **accident** happened?
- **write down** 적다 e.g. I was about to **write down** her cell phone number.

Grammar

수동태

수동태는 'be동사+p.p.(+by ~)'의 형태로 쓰여, 행동의 주체보다는 행동의 대상에 초점을 맞추는 문장으로 '(~에 의해) …되다'라는 뜻을 나타낸다. 'by+행위자'가 일반적인 경우(us, them), 생략할 수 있다.

- English **is spoken by** many people over the world. (영어는 세계의 많은 사람들에 의해 말해진다.)
- This pizza **was cooked by** my uncle yesterday. (이 피자는 어제 내 삼촌에 의해 만들어졌다.)
- All of the letters **were written by** her boyfriend. (그 모든 편지들은 그녀의 남자친구에 의해 쓰였다.)
- Shoes **are sold** on the second floor. (신발은 2층에서 팔리고 있다.)

부정형은 'be동사+not+p.p.'의 형태로 쓴다.

- The riddle **was not solved** by any of the students. (그 수수께끼는 어떤 학생들에 의해서도 풀리지 않았다.)
- Some of the paintings **were not finished** yet. (몇몇 그림은 아직 완성되지 않았다.)

Mini Test

정답과 해설 p. 335

A 본문의 내용과 일치하면 T, 일치하지 않으면 F를 쓰시오.

1. Mr. Doodle saw the driver when he was hit by a car. ( )
2. Mr. B, one of the suspects of the accident, had a dog. ( )

B 우리말과 일치하도록 주어진 표현을 바르게 배열하여 문장을 완성하시오.

세 명의 용의자는 한 경찰관에 의해 신문을 받았다.
(a police officer, were, three suspects, by, questioned)
→ ______________________________

①Congratulations! ②You made it to the second room. ③However, the second room is much harder to escape than the first one. ④Good luck!

Room #2

⑤Jay gets an email from his favorite clothing store. ⑥The title reads "You won our Lucky Day event!" ⑦Jay is surprised. ⑧He quickly opens it.

JayJr@kmail.com

⑨You won our 'Lucky Day' event!

⑩Congratulations!

⑪You have won a special prize. ⑫During our Lucky Day event, you can choose any seven items from our store for free! ⑬Come to our store on November 31. ⑭We can't wait to see you.

⑮Truly yours,
Kay Brown

⑯However, Jay thinks that the event isn't real and deletes the email. ⑰Can you explain why?

⑱Do you have the answer? ⑲Write it down and then you are free to go!

Clue ⑳There are usually 30 or 31 days in a month.

Riddle #2 Solved: ______________________

Think How did you solve the riddle?

....

for free 공짜로 delete

How fast can you read?

- **1st:** ____ min. ____ sec.
- **2nd:** ____ min. ____ sec.

Think How did you solve the riddle? 여러분은 이 수수께끼를 어떻게 풀었습니까?
→ I checked a calendar and there are only 30 days in November. 달력을 확인했는데 11월에는 30일만 있습니다.

해석

①축하합니다! ②당신은 두 번째 방에 오는 데 성공하셨습니다. ③하지만 두 번째 방은 첫 번째 방보다 탈출하기 훨씬 더 어렵습니다. ④행운을 빕니다!

2번 방

⑤Jay는 그가 가장 좋아하는 옷 가게로부터 이메일을 받습니다. ⑥제목에는 "당신은 '행운의 날' 행사에 당첨되셨습니다!"라고 쓰여 있습니다. ⑦Jay는 놀랍니다. ⑧그는 재빨리 그것을 열어봅니다.

⑨당신은 우리의 '행운의 날' 행사에 당첨되었습니다!"

⑩축하합니다!

⑪당신은 특별한 상품을 받게 되었습니다. ⑫행운의 날 행사 동안, 당신은 우리 가게에서 일곱 가지 상품을 공짜로 선택할 수 있습니다! ⑬11월 31일에 우리 가게로 오세요. ⑭우리는 당신을 만나기를 몹시 기대하고 있습니다.

⑮그럼 이만,

Kay Brown

⑯하지만 Jay는 그 행사가 사실이 아니라고 생각하고 이메일을 삭제합니다. ⑰왜 그런지 설명할 수 있나요?

⑱답을 알았나요? ⑲적은 다음에 당신은 자유롭게 가실 수 있습니다!

⑳단서: 한 달은 주로 30일 또는 31일이 있습니다.

구문

❸ **However**, the second room is **much harder** to escape **than** the first **one**.: however는 '그러나, 하지만'이라는 뜻으로 앞의 내용과 반대되는 내용이 나올 때 쓰는 접속사이다. much는 비교급 harder를 강조하는 부사로 far, still, a lot, even 등과 바꿔 쓸 수 있다. 부정대명사 one은 앞에 나온 room을 가리킨다.

❼ Jay **is surprised**.: surprise는 '놀라게 하다'라는 뜻의 동사로 여기서는 'be동사+p.p.'의 수동태 형태로 쓰였고, 뒤에 by the email이 생략되었다.

❽ He quickly opens **it**.: 대명사 it은 an email을 가리킨다.

⓫ You **have won** a special prize.: have won은 'have+p.p.'의 형태로 쓰인 현재완료 구문으로 won은 win의 과거분사이다.

⓬ **During** our Lucky Day event, you can choose any seven items from our store for free!: during은 '… 동안에'라는 뜻의 전치사로 뒤에 명사(구)가 와야 한다.

⓭ Come to our store **on** November 31.: 특정한 날짜(November 31) 앞에는 전치사 on을 쓴다.

⓮ We **can't wait to** see you.: can't wait to는 '…하기를 몹시 기대하다'라는 뜻으로 기대를 나타내는 표현이다. 유사한 표현으로 look forward to -ing가 있다.

⓰ However, Jay thinks **that** the event isn't real and deletes the email.: think의 목적어로 쓰인 접속사 that은 생략할 수 있다. However, Jay thinks that the event isn't real.과 Jay deletes the email.을 and로 연결하면서 두 번째 문장의 Jay가 생략되었다.

단어·숙어

- **win** ⑧ (무엇을) 얻다, 획득하다 e.g. My sister was so happy to **win** first prize.
- **for free** 공짜로 e.g. Can I have my bike fixed **for free** here?
- **delete** ⑧ 삭제하다 e.g. You'd better **delete** emails from strangers.

Mini Test

정답과 해설 p. 335

다음 글을 읽고, 물음에 답하시오.

Congratulations! You made it to the second room. However, the second room is _________ harder to escape than the first one. Good luck!

Jay gets an email from his favorite clothing store. The title reads "You won our Lucky Day event!" Jay is surprised. He quickly opens it.

1. 윗글의 빈칸에 알맞지 않은 것을 고르시오.

① a lot ② far ③ very ④ still ⑤ even

2. 윗글의 밑줄 친 it이 가리키는 것을 본문에서 찾아 쓰시오.

→ ____________

교과서 p.86

A **Think and Choose** 84~85쪽의 빈칸에 들어갈 답을 골라 봅시다.

1.

2.

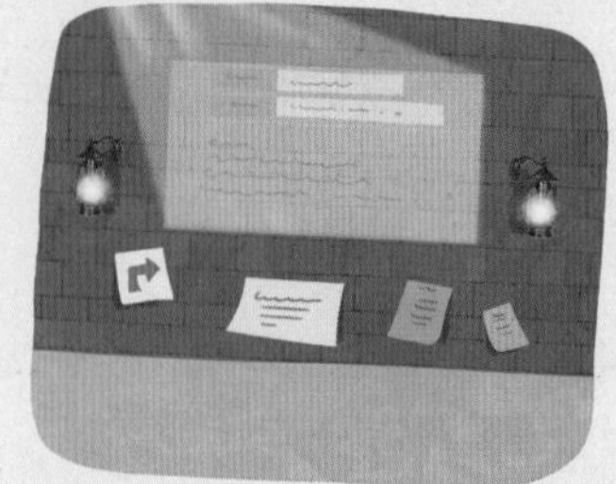

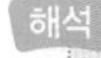

- [ ] Mr. B hit Mr. Doodle. He was outside when the accident happened.
- [x] Ms. C hit Mr. Doodle. She said that she was making breakfast in the afternoon.

- [x] The last day of November is the 30th.
- [ ] Jay doesn't like going shopping.

풀이 본문을 읽고, 수수께끼를 해결하는 데 주어진 단서를 참고하여 답을 고른다.

1 교과서 본문 84쪽의 Ms. C said she was making breakfast.와 사건이 오후에 발생했다는 단서를 통해 오후에 아침 식사를 만들고 있었다는 C 씨가 범인임을 알 수 있다.

2 교과서 본문 85쪽의 이메일 내용 중 Come to our store on November 31.와 한 달은 주로 30일 또는 31일이 있다는 단서를 통해 11월은 30일까지 있어서 Jay가 이메일을 삭제했음을 알 수 있다.

단어·숙어 outside 부 밖[바깥]에
last 형 마지막의

해석
1 B 씨가 Doodle 씨를 치었다. 그는 사고가 일어났을 때 밖에 있었다.
C 씨가 Doodle 씨를 치었다. 그녀는 오후에 아침 식사를 만들고 있었다고 말했다.
2 11월의 마지막 날은 30일이다.
Jay는 쇼핑가는 것을 좋아하지 않는다.

B **Think and Write** 'Escape Tower'에서 일어난 사건을 정리한 탐정 수첩을 완성해 봅시다.

First Riddle

- Mr. Doodle was hit by a car.
- The accident happened on Sunday ___afternoon___.
- Ms. A was reading a ___book___ and Mr. B was walking his ___dog___. Ms. C was making ___breakfast___.

Second Riddle

- Jay will get a special ___prize___.
- The event is on November ___31___.
- Jay ___deleted___ his email because it was not true.

활동 방법 본문을 다시 읽고, 두 가지 수수께끼의 내용을 나타낼 수 있는 핵심어들을 빈칸에 써넣어 완성한다.

수수께끼를 어떻게 풀었는지 서로 말해 봅시다.

단어·숙어 true 형 사실의

해석
첫 번째 수수께끼
- Doodle 씨는 차에 치였다.
- 그 사고는 일요일 오후에 일어났다.
- A 씨는 책을 읽고 있었고 B 씨는 그의 개를 산책시키고 있었다. C 씨는 아침 식사를 만들고 있었다.

두 번째 수수께끼
- Jay는 특별한 상품을 받을 것이다.
- 그 행사는 11월 31일에 있다.
- Jay는 그것이 사실이 아니었기 때문에 이메일을 삭제했다.

● 본문 내용을 떠올려 빈칸을 채워 봅시다.

Welcome to the Escape Tower. You will enter the first room in our tower. You need to solve some riddles to ________. Clues ________ ________ ________ somewhere inside the room. So, are you ready to think like Sherlock Holmes?

Room #1

Mr. Doodle ________ ________ by a car on Sunday afternoon. Luckily, he wasn't badly hurt, but he didn't see the driver. Three ________ were questioned by a police officer. Ms. A said she was reading a book at the time of the accident. Mr. B said he was walking his dog. Ms. C said she was making breakfast. Who hit Mr. Doodle? Can you ________ why?

Do you have the answer? Write it down. Then you can move to the next room.

Clue The ________ happened in the afternoon.

Congratulations! You ________ ________ ________ the second room. However, the second room is much ________ to escape than the first one. Good luck!

Room #2

Jay gets an email from his favorite clothing store. The ________ reads "You won our Lucky Day event!" Jay is ________. He quickly opens it.

JayJr@kmail.com

You won our 'Lucky Day' event!

Congratulations!

You have won a special prize. During our Lucky Day event, you can choose any seven items from our store ________ ________! Come to our store on November 31. We ________ ________ ________ see you.

Truly yours,

Kay Brown

However, Jay thinks that the event isn't real and ________ the email. Can you explain why?

Do you have the answer? Write it down and then you are ________ to go!

Clue There are usually 30 or 31 days in a month.

정답 I escape, can, be, found, was, hit, suspects, explain, accident, made, it, to, harder, title, surprised, for, free, can't, wait, to, deletes, free

Word Builder

교과서 p.158

A 미로를 탈출하면서 얻게 된 철자로 단어를 완성한 후, 알맞은 뜻과 연결해 봅시다.

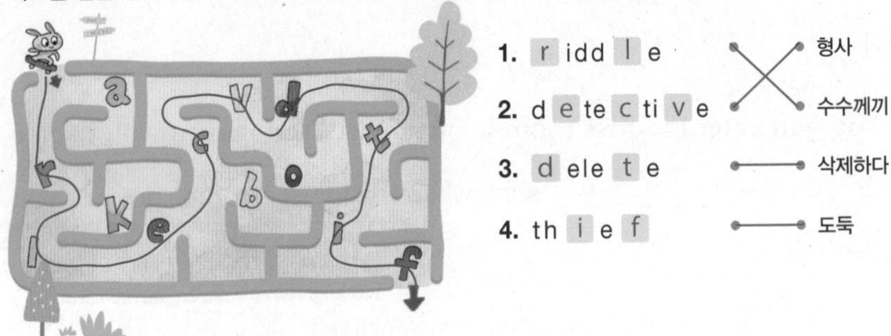

1. riddle — 수수께끼
2. detective — 형사
3. delete — 삭제하다
4. thief — 도둑

풀이
1 riddle은 '수수께끼'라는 의미이다.
2 detective는 '형사, 탐정'이라는 의미이다.
3 delete는 '삭제하다'라는 의미이다.
4 thief는 '도둑'이라는 의미이다.

B 같은 색의 우산끼리 짝지어 자연스러운 표현을 만들고, 그 뜻을 써 봅시다.

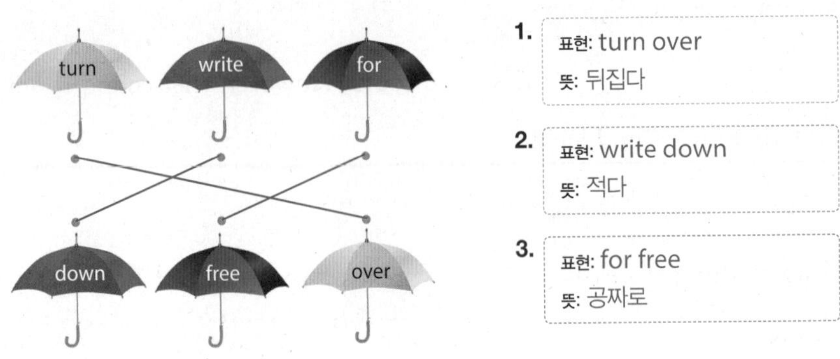

1. 표현: turn over
   뜻: 뒤집다
2. 표현: write down
   뜻: 적다
3. 표현: for free
   뜻: 공짜로

풀이
1 동사 turn은 부사 over와 함께 쓰여 '뒤집다'라는 의미이다.
2 동사 write은 부사 down과 함께 쓰여 '적다'라는 의미이다.
3 for free는 '공짜로'라는 의미이다.

C 발자국에 숨어 있는 단어 중에서 빈칸에 알맞은 말을 골라 써 봅시다.

1. My hobby is collecting __stamp__s.
2. Did the detective question the __suspect__?
3. The thief couldn't __hide__ under the table because there wasn't enough space.

풀이
1 나의 취미가 '우표' 수집이라는 뜻이 되어야 하므로 stamp가 알맞다.
2 형사가 '용의자'를 신문했는지 물어보는 의미가 되어야 하므로 suspect가 알맞다.
3 because절 내용에서 충분한 공간이 없어서 도둑이 탁자 아래에 '숨을' 수 없었다는 뜻이 되어야 하므로 hide가 알맞다.

단어·숙어
stamp 명 우표
hide 동 숨다
collect 동 모으다, 수집하다
enough 형 충분한
space 명 공간

해석
1 나의 취미는 우표 수집이다.
2 형사는 용의자를 신문했니?
3 도둑은 탁자 아래에 충분한 공간이 없었기 때문에 숨을 수 없었다.

정답과 해설 p. 335

A 다음 영어 표현은 우리말로, 우리말은 영어로 쓰시오.

1. at the time of ________________
2. prize ________________
3. solve ________________
4. suspect ________________
5. explain ________________
6. 삭제하다 ________________
7. 적다 ________________
8. 탈출하다 ________________
9. 어딘가에 ________________
10. 신문하다 ________________

B 다음 지시에 알맞은 단어를 [보기]에서 골라 쓰시오. (㊓ 유의어, ㉥ 반의어)

보기
clue　disappear　unluckily　puzzle　question　gain

1. riddle ㊓ ________________
2. win ㊓ ________________
3. hint ㊓ ________________
4. luckily ㉥ ________________
5. answer ㉥ ________________
6. appear ㉥ ________________

C 다음 빈칸에 알맞은 단어를 [보기]에서 골라 쓰시오.

보기
title　free to　write down　suddenly　turn over

1. Why don't you ________________ things to do in your diary?
2. ________________, I heard a strange sound outside and I opened the window.
3. It's difficult to guess what the movie is about by its ________________.
4. You are ________________ do anything you want once you finish your homework.
5. Do not ________________ your exam paper until I ask you to do so.

Language in Use

be (stolen) by ...

A **Look and Say** 다음 만화를 보고, 문장을 완성하여 말해 봅시다.

단어·숙어 steal ⓢ 훔치다 (-stole-stolen)

해석
취가 치즈를 훔쳤다.
치즈는 쥐에 의해 훔쳐졌다.
남자가 쥐를 잡았다.
쥐는 남자에 의해 잡혔다.

풀이 수동태 구문 'be동사+p.p.(과거분사)+by+행위자' 형태를 사용하여 문장을 완성한다.

Form 1 ▶ **수동태**

• **방법**

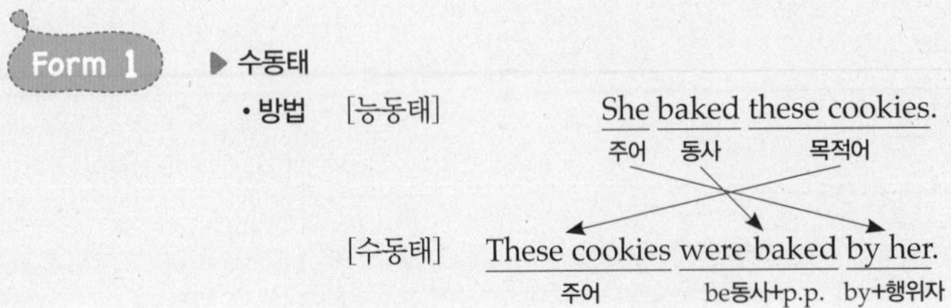

[능동태] She baked these cookies.
주어 동사 목적어

[수동태] These cookies were baked by her.
주어 be동사+p.p. by+행위자

① 능동태 문장의 목적어를 주어로 바꾼다.
② 능동태 문장의 동사를 'be동사+p.p.(과거분사)'로 바꾼다. 이때, be동사의 시제는 능동태의 동사 시제에 맞추고, be동사의 수는 능동태 문장의 목적어(수동태 문장의 주어)에 맞춘다.
③ 능동태 문장의 주어는 by 뒤에 목적어 형태(행위자)로 온다. 'by+행위자'가 일반적인 경우(us, them), 생략할 수 있다.

• **형태** 긍정문: 주어+be동사+p.p.(+by+행위자)
부정문: 주어+be동사+not+p.p.(+by+행위자)
의문문: Be동사+주어+p.p.(+by+행위자)?
의문사+be동사+주어+p.p.(+by+행위자)?

e.g. The thief **was caught by** the police. (도둑은 경찰에 의해 잡혔다.)
These pictures **were not drawn by** my sister. (이 그림들은 나의 여동생에 의해 그려진 것이 아니었다.)
Newspaper **is delivered** every morning. (신문은 매일 아침에 배달된다).
Were these movies **filmed** in Korea? (이 영화들은 한국에서 촬영되었니?)
When **was** the window **broken**? (창문이 언제 깨졌니?)

can/will be (seen) ...

B Look and Write 다음 그림을 보고, 각 상황에 어울리는 말을 완성해 봅시다.

1. Bright stars can be ___seen___ at night.
2. The movie will ___be shown___ at 9 p.m.
3. Delicious food can ___be bought___ at the food truck.

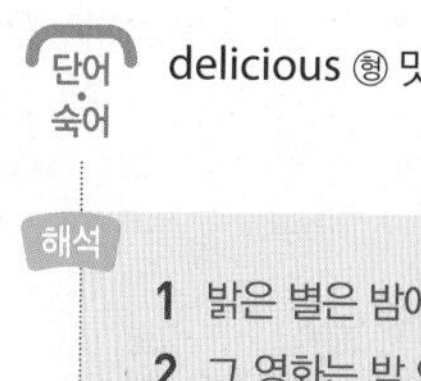

단어·숙어 delicious ⓗ 맛있는

해석
1 밝은 별은 밤에 보일 수 있다.
2 그 영화는 밤 9시에 상영될 것이다.
3 맛있는 음식은 푸드 트럭에서 구매될 수 있다.

Form 2 ▶ 조동사의 수동태

'조동사+be+p.p.(과거분사)+by+행위자+(목적어)'의 형태로 수동태 구문 앞에 조동사를 넣어 사용한다.

- **의미** 'can+be+p.p.': …될 수 있다
  'will+be+p.p.': …될 것이다
- **형태** 긍정문: 주어+조동사+be+p.p.(+by+행위자)
  부정문: 주어+조동사+not+be+p.p.(+by+행위자)
  의문문: 조동사+주어+be+p.p.(+by+행위자)?
  의문사+조동사+주어+be+p.p.(+by+행위자)?

e.g. This letter **will be sent** to Australia tomorrow. (이 편지는 내일 호주로 보내질 것이다.)
The Northern lights **can be seen** in summer in Canada. (오로라는 캐나다에서 여름에 볼 수 있다.)
My company **will not be moved** to the city. (우리 회사는 도시로 이사 가지 않을 것이다.)
These flowers **cannot be sold** to anyone. (이 꽃들은 누구에게도 팔 수 없다.)
Can this food **be cooked** with these ingredients? (이 음식을 이 재료들로 요리할 수 있니?)
When **will** the furniture **be delivered**? (가구는 언제 배달될까?)

Self-check
- I can use 'be (stolen) by ....' ☐ ☐
- I can use 'can/will be (seen) ....' ☐ ☐

Grammar Builder p.159 p.160

교과서 p.159

Point 1 be (stolen) by ...

A 설명을 읽고, 빈칸에 알맞은 말을 넣어 문장을 완성해 봅시다.

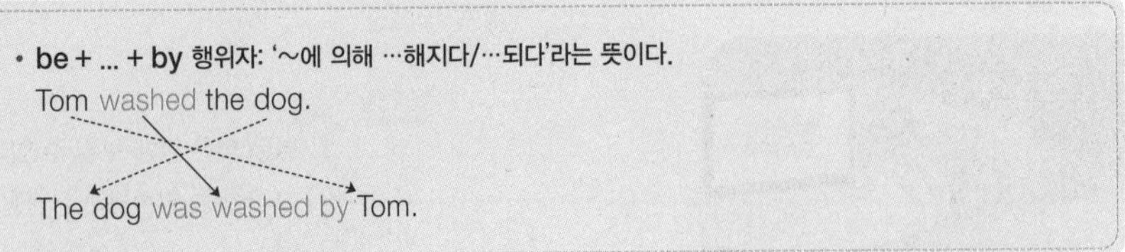

• be + ... + by 행위자: '~에 의해 …해지다/…되다'라는 뜻이다.
Tom washed the dog.
The dog was washed by Tom.

1. She makes hats.
→ The hats are ___made___ by her.

2. The police solved the case.
→ The case was ___solved___ by the police.

3. My grandmother took these pictures in Paris.
→ These pictures ___were taken___ in Paris by my grandmother.

풀이
1 수동태 문장의 동사는 'be동사+과거분사'이므로 make의 과거분사인 made를 써야 한다.
2 수동태 문장의 동사는 'be동사+과거분사'이므로 solve의 과거분사인 solved를 써야 한다.
3 수동태 문장의 동사는 'be동사+과거분사'이다. 이때 주어의 시제는 능동태 문장의 동사 시제에 따라야 하므로 과거로, 주어의 수는 These pictures에 맞춰야 하므로 were를 쓴다. were 다음에 take의 과거분사 taken을 쓴다.

단어·숙어
case 명 사건

해석
• Tom은 개를 씻겼다.
→ 개는 Tom에 의해 씻겨졌다.
1 그녀는 모자를 만든다.
→ 모자는 그녀에 의해 만들어진다.
2 경찰은 사건을 해결했다.
→ 사건은 경찰에 의해 해결되었다.
3 나의 할머니는 파리에서 이 사진들을 찍으셨다.
→ 이 사진들은 파리에서 나의 할머니에 의해 찍혔다.

Point 2 can/will be (seen)...

B 설명을 읽고, 밑줄 친 부분을 바르게 고쳐 써 봅시다.

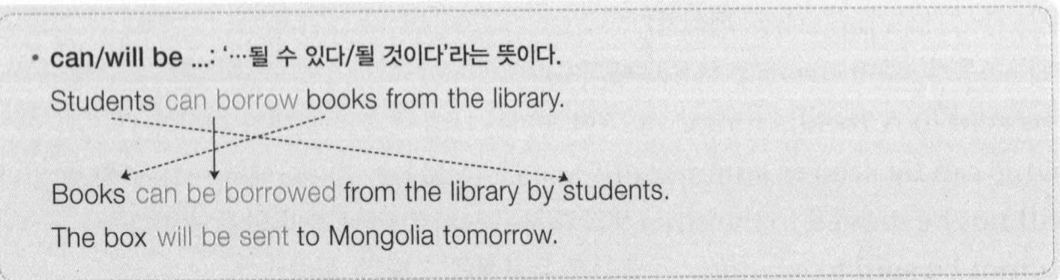

• can/will be ...: '…될 수 있다/될 것이다'라는 뜻이다.
Students can borrow books from the library.
Books can be borrowed from the library by students.
The box will be sent to Mongolia tomorrow.

1. The flowers will be send to her on Monday. will be sent
2. The mountain can being seen from here. can be seen
3. The performance will be show next week. will be shown
4. The food can't be eating inside the building. can't be eaten

풀이
1 '보내질 것이다'라는 의미로 조동사 will 다음에 수동태(be+과거분사)가 와야 하므로 send가 아니라 과거분사 sent를 써야 한다.
2 조동사 can 다음에는 동사원형이 와야 하므로 being이 아니라 be를 써야 한다.
3 '보일 것이다(상연될 것이다)'라는 의미로 조동사 will 다음에 수동태(be+과거분사)가 와야 하므로 show가 아니라 과거분사 shown을 써야 한다.
4 '먹힐 수 없다(먹을 수 없다)'라는 의미로 조동사 can't 다음에 수동태(be+과거분사)가 와야 하므로 eating이 아니라 과거분사 eaten을 써야 한다.

단어·숙어
borrow 동 빌리다, 대여하다
performance 명 공연

해석
• 학생들은 도서관에서 책을 대여할 수 있다.
→ 책은 학생들에 의해 도서관에서 대여될 수 있다.
• 이 상자는 내일 몽골로 보내질 것이다.
1 꽃들은 월요일에 그녀에게 보내질 것이다.
2 산은 여기에서 볼 수 있다.
3 공연은 다음 주에 상연될 것이다.
4 음식은 건물 내에서 먹을 수 없다.

교과서 p.160

Point 1 be (stolen) by ...

A 괄호 안의 단어를 활용하여 대화를 완성해 봅시다.

1. A: Who wrote this book?
   B: This book was __written__ by J.K. Rowling. (write)
2. A: Who built these houses?
   B: These houses __were built by__ Jake. (build)
3. A: Who sings the song in the show?
   B: The song __is sung by__ the hero. (sing)
4. A: Where did they find the box?
   B: The box __was found__ under the table. (find)

풀이
1 '쓰여졌다'라는 의미가 되어야 하므로 'be동사+과거분사' 형태가 들어가야 한다. write의 과거분사는 written이다.
2 '…에 의해 지어졌다'라는 의미가 되어야 하므로 'be동사+과거분사+by' 형태가 들어가야 한다. 질문의 시제가 과거이고 주어 These houses가 복수이므로 be동사는 were, build의 과거분사는 built가 와야 한다.
3 '…에 의해 불려지다'라는 의미가 되어야 하므로 'be동사+과거분사+by' 형태가 들어가야 한다. 질문의 시제가 현재이고 주어 The song이 단수이므로 be동사는 is, sing의 과거분사는 sung이 와야 한다.
4 '발견되었다'라는 의미가 되어야 하므로 'be동사+과거분사' 형태가 들어가야 한다. 질문의 시제가 과거이고 주어 The box가 단수이므로 be동사는 was, find의 과거분사는 found가 와야 한다.

단어·숙어 hero 명 영웅

해석
1 A: 누가 이 책을 썼니?
  B: 이 책은 J. K. Rowling에 의해 쓰여졌어.
2 A: 누가 이 집들을 지었니?
  B: 이 집들은 Jake에 의해 지어졌어.
3 A: 누가 쇼에서 노래를 부르니?
  B: 노래는 영웅에 의해 불려져.
4 A: 그들은 어디서 상자를 발견했니?
  B: 상자는 탁자 밑에서 발견되었어.

Point 2 can/will be (seen) ...

B 주어진 표현을 바르게 배열하여 문장을 완성해 봅시다.

1. be turned on can
   → The TV __can be turned on__ by itself.
2. brought to us be
   → The cake will __be brought to us__ by 6 p.m.
3. at night be heard can
   → Even a small voice __can be heard at night__.
4. put inside will the box be
   → Candies __will be put inside the box__.

풀이
1 '켜질 수 있다'라는 의미가 되어야 하므로 'can+be+과거분사' 형태가 와야 한다.
2 '우리에게 배달될 것이다'라는 의미가 되어야 하므로 'will+be+과거분사' 형태가 와야 한다.
3 '밤에 들릴 수 있다'라는 의미가 되어야 하므로 'can+be+과거분사' 형태가 와야 한다.
4 '상자 안에 넣어질 것이다'라는 의미가 되어야 하므로 'will+be+과거분사' 형태가 와야 한다.

단어·숙어 turn on 켜다(↔ turn off 끄다)
by oneself 혼자, 도움을 받지 않고
even 부 …조차도

해석
1 TV는 스스로 켜질 수 있다.
2 케이크는 저녁 6시까지 우리에게 배달될 것이다.
3 심지어 작은 목소리도 밤에 들릴 수 있다.
4 사탕들은 상자 안에 넣어질 것이다.

정답과 해설 p. 335

A 다음 괄호 안에서 알맞은 말을 고르시오.

1. The cookies will (are / be) made by some students.
2. This phone can be (use / used) by anyone here.
3. The writer (wrote / was written) the famous mystery.
4. The box (moved / was moved) to the corner of the room.
5. The thief was (catch / caught) by the police officer last night.

B 다음 빈칸에 알맞은 말을 [보기]에 주어진 단어를 활용하여 쓰시오.

보기

learn　　find　　make　　steal

1. Even a few mistakes were ___________, it was not bad.
2. Chinese is ___________ by many people these days.
3. I think my wallet was ___________ when we were at the market.
4. A solution was ___________ by the scientist last year.

C 다음 괄호 안에 주어진 단어를 바르게 배열하여 문장을 완성하시오.

1. Susan ______________________ to my party.
   (will, invited, be)
2. This wall ______________________ yellow.
   (be, will, painted, not)
3. ______________________ today?
   (can, fixed, it, be)

D 다음 대화의 빈칸에 알맞은 말을 [보기]에 주어진 단어를 활용하여 쓰시오.

보기

finish　　deliver　　send

A　Have you finished making your gift for Mr. Han?
B　Not yet. But it _______________ by tomorrow.
A　Okay. Then when will it _______________ to him?
B　Well, I'll send it tomorrow, so it _______________ next week.

Grammar Tip

3, 4. 능동태는 문장의 주어가 어떤 동작을 주체적으로 수행할 때 쓰고, 수동태는 문장의 주어가 어떤 동작의 대상이 될 때 쓴다.

• 수동태는 'be동사+과거분사(p.p.)'의 형태로 쓴다.

• 조동사가 있는 문장의 수동태
2. 부정문은 '주어+조동사+not+be+과거분사(+by+행위자)'의 형태로 쓴다.
3. 의문문은 '조동사+주어+be+과거분사(+by+행위자)?'의 형태로 쓴다.

• '…될 것이다'라는 의미를 나타내는 조동사의 수동태는 '주어+will+be+과거분사'의 형태로 쓴다. 의문사가 있는 의문문으로 쓰려면 '의문사+조동사+주어+be+과거분사(+by+행위자)?'의 형태로 쓴다.

Let's Write

교과서 p.88

A Case Story

Ready 범인을 조사하는 형사가 되어 다음 사건 파일을 완성해 봅시다.

단어·숙어
hold ⓢ 잡다, 쥐다
throw ⓢ 던지다

Case #________	Detective ________		
When?	e.g. last Sunday • ________		
What happened? (Choose one.)	☐ broken	☐ stolen	your own ☐ ________
Who are the suspects and why? (Choose two.)	☐ **Sujin** holding a baseball bat ☐ **Ted** throwing a ball ☐ **Michael** catching a ball		your own ☐ ________

활동 방법 범인을 조사하는 형사가 되어 무슨 일이 언제 일어났고, 누가 용의자인지 정해 본다.

Write 위의 내용을 바탕으로 사건을 정리해 봅시다.

It was last Sunday. Dohun was at home. Suddenly, he heard a sound in the next room. When he went into the room, the window was broken. When he looked outside, Sujin was holding a baseball bat and Ted was throwing a ball to his dog. Who broke the window? How can it be explained?

It was last Saturday. Dohun was at home. Suddenly, he heard a sound in the next room. When he went into the room, the ball had been stolen. When he looked outside, Michael was catching a ball and Amy was holding a baseball glove. Who stole the ball? How can it be explained?

활동 방법 위에서 정한 내용을 바탕으로 수동태 구문(be동사+p.p.)과 과거진행형(was(were)+-ing) 형태를 활용하여 사건을 정리한 글을 완성해 본다.

해석 지난 주 일요일이었다. 도훈이는 집에 있었다. 갑자기 그는 옆방에서 소리를 들었다. 그가 그 방으로 갔을 때, 창문은 깨져 있었다. 그가 밖을 보았을 때, 수진이는 야구 방망이를 쥐고 있었고 Ted는 그의 강아지에게 공을 던져 주고 있었다. 누가 창문을 깨뜨렸을까? 그것은 어떻게 설명될 수 있을까?

해석 지난 주 토요일이었다. 도훈이는 집에 있었다. 갑자기 그는 옆방에서 소리를 들었다. 그가 그 방으로 갔을 때, 공이 없어져 있었다. 그가 밖을 보았을 때, Michael은 공을 잡고 있었고 Amy는 야구 글러브를 잡고 있었다. 누가 공을 가져갔을까? 그것은 어떻게 설명될 수 있을까?

Present 친구와 Case Story를 바꿔 읽고, 누가 범인일지 추측하여 말해 봅시다.

Peer Review	☺	☹
• 사건 파일 내용을 바탕으로 사건을 잘 정리하였나요?	☐	☐
• 'was (broken) by ...'와 'can be (explained) ...' 표현을 이해하고 잘 사용하였나요?	☐	☐

Let's Check

2 주어진 단어를 사용하여 대화를 완성한 후, 짝과 대화해 봅시다.

A: Can you explain how to buy a train ___ticket___?

B: First, choose the ___station___. Then, put in the ___money___.

money ticket station

1 대화를 듣고, 민준이가 타코에 넣지 않은 것을 골라 봅시다.

☐ ☐ ☑

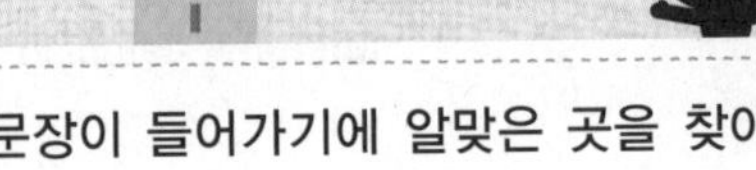

3 다음 문장이 들어가기에 알맞은 곳을 찾아 봅시다.

Luckily, he wasn't badly hurt.

Mr. Doodle was hit by a car on Sunday afternoon. (①) But he didn't see the driver. Three suspects were questioned by a police officer. (②) Ms. A said she was reading a book at the time of the accident. (③) Mr. B said he was walking his dog. Ms. C said she was making breakfast.

5 다음 그림을 보고, 발명품에 관한 광고문을 완성해 봅시다.

This is a special pen. You can write with it. Also, it ___can___ ___be___ ___used___ as a speaker. You can listen to music when you write! (can, use)

4 다음 글을 읽고, Jay의 이어질 행동으로 알맞은 것을 골라 봅시다.

Jay gets an email from his favorite clothing store. He quickly opens it.

> You have won a special prize. During our Lucky Day event, you can choose any seven items from our store for free! Come to our store on November 31.

Jay thinks that the event isn't real.

Jay will ...

☐ go to the store ☐ write an email

☑ delete the email

your own

6 다음 질문에 대해 자신의 경험을 말해 봅시다.

Q. What is your favorite mystery?

e.g. My favorite mystery is *And Then There Were None*. It was written by Agatha Christie.

My favorite mystery is *The Famous Five*. It was written by Enid Blyton.

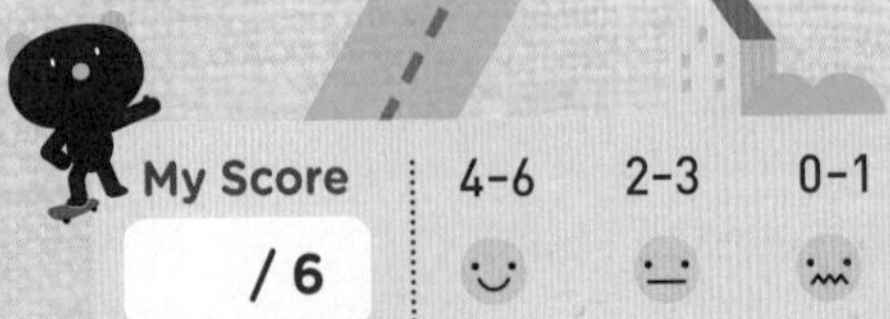

My Score /6 | 4-6 | 2-3 | 0-1

1

Script
B: Wow! Something smells really good, Mom. What is it?
W: We're going to have tacos for dinner. Help yourself.
B: Can you explain how to make a taco?
W: First, fill your tortilla with vegetables and meat. Then, add some sauce on top.
B: Sounds delicious!
W: Would you like some cheese?
B: No, thanks.

해석
B: 와! 뭔가 정말 좋은 냄새가 나요, 엄마. 뭐예요?
W: 우리는 저녁 식사로 타코를 먹을 거야. 맘껏 먹으렴.
B: 타코 만드는 방법을 설명해 주실 수 있어요?
W: 먼저, 토르티야를 채소와 고기로 채워. 그다음, 위에 약간의 소스를 추가하렴.
B: 맛있을 것 같아요!
W: 치즈 좀 줄까?
B: 아니요, 괜찮아요.

풀이 Would you like ... ?는 '… 좀 먹을래?'라는 뜻의 음식을 권하는 표현으로 마지막 부분에서 엄마가 치즈를 권했으나 민준이는 괜찮다고 대답했으므로 민준이가 타코에 치즈를 넣지 않았다는 것을 알 수 있다.

단어 숙어
smell ⑧ 냄새가 나다
help yourself 마음껏 드세요
fill A with B A를 B로 채우다
add ⑧ 더하다, 추가하다

2

해석
A: 기차표 사는 방법을 설명해 주실 수 있나요?
B: 첫 번째, 역을 선택하세요. 그런 다음, 돈을 넣으세요.

풀이 Can you explain ... ?을 사용하여 기차표 사는 방법을 묻고 First ... , Then ...을 사용하여 구매 절차를 설명하고 있다.

3

해석 Doodle 씨는 일요일 오후에 차에 치였습니다. 다행히 그는 심하게 다치지 않았습니다. 하지만 그는 운전자를 보지 못했습니다. 세 명의 용의자들이 경찰관에게 신문을 받았습니다. A 씨는 사고가 일어난 시간에 책을 읽고 있었다고 말했습니다. B 씨는 그의 개를 산책시키고 있었다고 말했습니다. C 씨는 아침 식사를 만들고 있었다고 말했습니다.

풀이 주어진 문장은 '다행히 그는 심하게 다치지 않았다.'라는 의미로 차에 치인 상황 다음에 오는 것이 알맞다. 또한 심하게 다치지 않은 것은 다행이지만 운전자를 보지 못했다는 문장인 But he didn't see the driver.가 주어진 문장 뒤에 와야 자연스럽다.

단어 숙어
luckily ⑨ 다행히
suspect ⑨ 용의자
question ⑧ 신문하다
accident ⑨ 사고

4

해석 Jay는 그가 가장 좋아하는 옷 가게로부터 이메일을 받습니다. 그는 재빨리 그것을 엽니다.
당신은 특별한 상품을 받게 되었습니다. 행운의 날 행사 동안, 당신은 우리 가게에서 일곱 가지 상품을 공짜로 선택할 수 있습니다! 11월 31일에 우리 가게로 오세요.
Jay는 그 행사가 사실이 아니라고 생각합니다.

Jay는 가게에 갈 것입니다. / 이메일을 쓸 것입니다. / 이메일을 삭제할 것입니다.

풀이 Jay는 자신에게 온 이메일이 진짜가 아니라고 생각하므로 '이메일을 삭제하는' 것이 그다음에 이어질 행동으로 알맞다.

단어 숙어
win ⑧ 얻다, 획득하다
prize ⑨ 상, 상품
for free 공짜로
delete ⑧ 삭제하다

5

해석 이것은 특별한 펜입니다. 당신은 그것을 가지고 쓸 수 있습니다. 또한 그것은 스피커로 사용될 수 있습니다. 당신은 (글을) 쓸 때, 음악을 들을 수 있습니다!

풀이 광고문의 맥락상 '사용될 수 있다'라는 의미의 구문이 들어가야 하므로 '조동사+수동태(be+과거분사)'의 형태를 사용해야 한다.

6

해석
Q: 네가 가장 좋아하는 추리 소설은 무엇이니?
내가 가장 좋아하는 추리 소설은 '그리고 아무도 없었다'야. 그것은 Agatha Christie에 의해 쓰였어.

풀이 '…에 의해 쓰였다'라는 의미의 수동태(be동사+과거분사) 구문을 사용하여 자신이 좋아하는 추리 소설과 그 작가를 말해 본다.

Find out 세계 여러 문화 속에 소개된 수수께끼를 맞혀 봅시다.

Riddles in Africa are mostly about nature. They are a form of art.

❶ **I hear him all the time but I don't see him.** - The wind

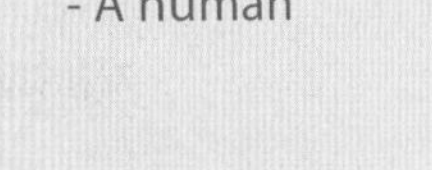

This is the famous riddle of the Sphinx. Oedipus needs to solve it to go into Thebes. This is the question that the Sphinx asks him:

❷ **Which creature walks on four legs in the morning, two legs in the afternoon, and three legs in the evening?**
- A human

A lot of riddles in the UK use letters and sounds.

❸ **Which letter can you drink?**
- T

Can you think of other riddles with letters?

Try out 우리나라 수수께끼 중 알고 있는 것을 말해 봅시다.

e.g. A: What puts on clothes in summer but takes them off in winter?
B: A tree.

단어·숙어

- riddle ⓜ 수수께끼
- mostly ⓟ 대부분
- nature ⓜ 자연
- form ⓜ 형태
- all the time 항상, 언제나
- creature ⓜ 생명체, 생물
- put on (옷 등을) 입다 (↔ take off (옷 등을) 벗다)

표현

- Oedipus needs to solve it **to go** into Thebes.: to go는 to부정사의 부사적 용법 중 목적으로 쓰여서 '가기 위해'라는 뜻이다.
- This is the question **that** the Sphinx asks him: that은 목적격 관계대명사로 쓰여서 선행사 the question을 꾸며 주고 있다.

해석 **Find out**

- 아프리카의 수수께끼는 대부분 자연에 관한 것이다. 그것들은 예술의 한 형태이다.
  ① 나는 항상 그를 듣지만 그를 보지는 못한다. – 바람
- 이것은 스핑크스의 유명한 수수께끼이다. 오이디푸스는 테베로 가기 위해 그것을 풀어야 한다. 이것은 스핑크스가 그에게 물어본 질문이다:
  ② 어느 생명체가 아침에는 네 발로 걷고, 오후에는 두 발로 걷고, 저녁에는 세 발로 걷는가? – 인간
- 영국의 많은 수수께끼가 철자와 소리를 사용한다.
  ③ 당신은 어느 철자를 마실 수 있는가? – T

철자와 관련된 다른 수수께끼를 생각할 수 있는가?

Try out

A: 여름에는 옷을 입고 겨울에는 옷을 벗는 것은 무엇이니?

B: 나무야.

Culture & Life Project

교과서 p.91

Ready 모둠별로 재미있는 수수께끼를 조사해 봅시다. group

Famous and Fun Riddles

Create 위에서 조사한 수수께끼를 푸는 데 힌트가 될 단서 카드를 만들어 봅시다. group

e.g.

This house is made of glass.

The house has only one small door.

Windows cannot be found in the house.

People use the house to drink.

Share 모둠별로 만든 단서 카드를 보고 수수께끼를 맞혀 봅시다.

Did you solve the riddle? What is it?

Answer It's a bottle.

MEMO

Ready

활동 방법 모둠별로 재미있는 수수께끼를 조사한다.

Create

활동 방법 모둠별로 조사한 수수께끼를 푸는 데 힌트가 될 단서 카드를 만들어 본다.

해석

단서 1 이 집은 유리로 만들어졌다.

단서 2 그 집은 작은 문 하나만 있다.

단서 3 그 집에서 창문은 찾을 수 없다.

단서 4 사람들은 마시기 위해 그 집을 사용한다.

단어 숙어

be made of …로 만들어지다

glass 명 유리

Share

활동 방법 모둠별로 만든 단서 카드를 보고 어떤 수수께끼이고 답이 무엇인지 맞혀보도록 한다.

해석

당신은 수수께끼를 풀었나요? 그것은 무엇인가요?

정답 그것은 병입니다.

단원 종합 평가

01 대화를 듣고, 남자의 마지막 말에 이어질 여자의 응답으로 가장 적절한 것을 고르시오.

① 여자가 가장 좋아하는 만화 영화의 제목
② 여자가 가장 좋아하는 만화 영화의 주인공
③ 여자가 소년 탐정이 되고 싶은 이유
④ 여자가 그 만화 영화를 만든 이유
⑤ 여자가 그 만화 영화를 좋아하는 이유

02 대화를 듣고, 빈칸 (A)와 (B)에 알맞은 말이 바르게 짝 지어진 것을 고르시오.

> To make a paper ___(A)___, you need to fold the paper in half. Second, fold both corners into the ___(B)___. Then, fold the flaps up.

	(A)	(B)		(A)	(B)
①	hat	center	②	hat	bottom
③	hat	top	④	bat	center
⑤	bat	bottom			

03 대화를 듣고, 내용과 일치하지 않는 것을 고르시오.

① 여자의 아빠는 볶음밥을 만들었다.
② 볶음밥에 들어가는 재료에는 과일도 포함되었다.
③ 볶음밥을 만들기 위해 첫 번째로 채소를 잘랐다.
④ 볶음밥을 만들 때 채소를 볶은 다음에 밥을 넣는다.
⑤ 볶음밥을 만들 때 마지막으로 소스를 넣는다.

04 다음 말에 이어질 대화의 순서를 바르게 배열하시오.

> Do you want to play the new game that I bought?
>
> (A) Sure.
> (B) It's like a soccer game but the players are dragons and seahorses. You need to use these buttons to play.
> (C) Sure, what is it, Jimin?
> (D) That sounds fun. Can you explain how to use the buttons?

[05-06] 다음 대화를 읽고, 물음에 답하시오.

> **B** Yujin, look at my paper fox.
> **G** That's cute. ___ⓐ___
> **B** First, fold a paper in half to make a triangle. Second, fold the top of the triangle to the bottom line. Third, fold both ends of the bottom line to the top to make ears. ___ⓑ___, turn it over and draw a face.
> **G** That sounds easy.

05 위 대화의 빈칸 ⓐ에 알맞은 것은?

① Who made it?
② What did you make?
③ How did you make it?
④ When did you make it?
⑤ Why did you make it?

06 위 대화의 빈칸 ⓑ에 알맞지 않은 것은?

① Lastly ② Then ③ Fourth
④ Next ⑤ But

[07-08] 다음 대화를 읽고, 물음에 답하시오.

> **B** Kelly, here's ①a riddle. You can see ②this twice in week, once in a year, but never in a day. What is ③this?
> **G** I have no idea.
> **B** ④It's ⑤the letter E.
> **G** I don't get it. ________________?
> (why, you, explain, can)
> **B** Well, there are two "E"s in the word "week", one "E" in the word "year" but no "E"s in the word "day."
> **G** Aha! Now I get it.

07 위 대화의 밑줄 친 ①~⑤ 중 가리키는 것이 나머지와 다른 하나는?

① ② ③ ④ ⑤

08 위 대화의 빈칸에 알맞은 말을 주어진 단어를 바르게 배열하여 쓰시오.

→ ________________

09 다음 단어의 영영 풀이로 바르지 않은 것은?

① clue: something that helps a person solve a puzzle
② escape: to get away from a place such as a prison
③ accident: a sudden event that is not planned and that causes damage or injury
④ delete: to remove something, such as words, pictures, or files
⑤ win: to lose something such as a competition, race, etc.

10 다음 중 나머지 네 단어를 포함할 수 있는 단어는?

① detective ② police officer ③ writer
④ job ⑤ artist

11 다음 밑줄 친 단어의 뜻으로 알맞은 것은?

> If you do your best, you can win first prize.

① 이기다 ② 획득하다 ③ 실패하다
④ 성공하다 ⑤ 건네다

12 다음 중 동사의 과거분사형이 바르지 않은 것은?

① take – taken ② wear – worn
③ love – loved ④ come – came
⑤ put – put

13 우리말과 일치하도록 주어진 문장을 어법에 맞게 고쳐 쓰시오.

> These pictures can saw by many people.
> (이 사진들은 많은 사람들에게 보일 수 있다.)
> → ____________________

14 다음 중 어법상 올바른 문장은?

① The movie was show for a few days.
② Mr. Smith invited to his friend's party.
③ A lot of things was invented by the scientist.
④ The song was sung by my favorite idol.
⑤ Why was the window broke?

15 다음 중 어법상 어색한 문장은?

① This fruit could be sold any time.
② The food will be make by the cook.
③ The table will be put in this living room.
④ The sun cannot be seen on rainy days.
⑤ When will the apartment be built?

16 다음 문장을 수동태로 바꿔 쓸 때 어법에 맞게 문장을 완성하시오.

> My father built these houses last year.

→ These houses ____________________.

[17-19] 다음 글을 읽고, 물음에 답하시오.

> Welcome __①__ the Escape Tower. You will enter the first room __②__ our tower. You need __③__ solve some riddles __④__ escape. (A) 단서들은 방 안 어딘가에서 발견될 수 있습니다. So, are you ready __⑤__ think like Sherlock Holmes?

17 윗글의 빈칸 ①~⑤ 중 나머지와 다른 하나는?

① ② ③ ④ ⑤

18 윗글의 밑줄 친 (A)를 영작할 때, 주어진 단어를 사용하여 문장을 완성하시오.

> can clues somewhere found be

→ ____________________ inside the room.

19 윗글 뒤에 이어질 내용으로 알맞은 것은?

① 셜록 홈스가 탈출한 이야기
② 셜록 홈스의 여러 가지 추리 이야기
③ '탈출 탑'에서 탈출하기 위해 풀어야 할 수수께끼
④ 수수께끼를 풀 때 유의할 점
⑤ 수수께끼를 풀 때 단서의 중요성

[20-22] 다음 글을 읽고, 물음에 답하시오.

Mr. Doodle (A) <u>hit</u> by a car on Sunday afternoon. Luckily, he wasn't badly hurt, but he didn't see the driver. Three suspects (B) <u>question</u> by a police officer. Ms. A said she was reading a book at the time of the accident. Mr. B said he was walking his dog. Ms. C said she was making breakfast. Who hit Mr. Doodle? Can you explain why? Do you have the answer? Write it down. Then you can __________.

20 윗글의 밑줄 친 (A)와 (B)를 어법에 맞게 고친 말끼리 바르게 짝 지어진 것은?

(A) — (B)

① was hit – was questioned
② was hit – were questioned
③ was hit – questioned
④ were hit – was questioned
⑤ were hit – were questioned

21 윗글의 빈칸에 알맞은 것은?

① solve the first riddle
② stay in this first room
③ move to the next room
④ give your friend a riddle
⑤ find the answer to this riddle

22 윗글의 내용과 일치하지 <u>않는</u> 것은?

① Doodle 씨는 일요일 오후에 사고를 당했다.
② 경찰은 세 명의 용의자들을 신문했다.
③ A 씨는 사건이 일어났을 때 책을 읽고 있었다.
④ B 씨는 사건이 일어났을 때 실내에 있었다.
⑤ C 씨는 사건이 일어났을 때 아침 식사를 만들고 있었다.

[23-25] 다음 글을 읽고, 물음에 답하시오.

Congratulations! You made it to the second room. However, the second room is much ___ⓐ___ to escape than the first one. Good luck!

Room #2

Jay gets an email from his favorite clothing store. The title reads "You won our Lucky Day event!" Jay is surprised. He quickly opens it.

Congratulations!
You have won a special prize. During our Lucky Day event, you can choose any seven items from our store for ___ⓑ___! Come to our store on November 31. We can't wait to see you.

However, Jay thinks that the event isn't real and deletes the email. Can you explain why?

Do you have the answer? Write it down and then you are ___ⓑ___ to go!

23 윗글의 빈칸 ⓐ에 알맞은 것은?

① easier
② harder
③ freer
④ quicker
⑤ more special

24 윗글의 빈칸 ⓑ에 공통으로 알맞은 말을 쓰시오.

→ __________

25 윗글의 내용과 일치하지 <u>않는</u> 것은?

① Jay는 가장 좋아하는 옷 가게로부터 이메일을 받는다.
② Jay는 '행운의 날' 행사에 당첨되었다는 제목의 이메일을 받는다.
③ Jay는 옷 가게에서 받은 이메일이 진짜가 아니라고 생각한다.
④ Jay는 이메일을 받고 11월 31일에 그 옷 가게로 간다.
⑤ 이 수수께끼의 답을 적으면 이 방을 탈출할 수 있다.

정답과 해설 p. 339

01 다음 조리법에 대한 메모를 보고, 대화를 완성하시오.

Recipe for *gimbap*
1. Mix rice with sesame oil and salt.
2. Cut ingredients like eggs, cucumber and carrots into sticks.
3. Spread the rice onto some seaweed and put all the ingredients on the rice.
4. Roll the *gimbap* carefully.

B What are you doing, Carrie?
G I'm making *gimbap* for dinner.
B Wow, it looks delicious. Can you explain ____________?
G Sure, it's not difficult at all. First, mix rice with sesame oil and salt. ____________, cut ____________. ____________, spread ____________. Lastly, ____________.

02 다음 그림을 묘사하는 문장을 괄호 안의 표현을 활용하여 완성하시오.

(1) The chair ____________. (in front of the table, will, move)
(2) The picture ____________ by Sujin's father. (can, on the wall, hang)
(3) The room ____________ Sujin and her brother. (will, clean)

03 다음 글을 읽고, 누가 꽃병을 깨뜨렸다고 생각하는지를 그 이유와 함께 쓰시오.

Mom bought a vase and put it on the table in the living room last night. This morning, Mom and I found that the vase was all broken. But we have no idea who did it. Who do you think broke the vase and can you explain why?

Here are a few clues: The dog is lying down under the table and some bloodstains are on the carpet next to the dog. The bird is sitting on the table and the door of its cage is open. And a few feathers are with the broken pieces of the vase. The cat is playing with the flowers on the table and the flowers were put in the vase last night.

→ I think that the vase ____________ because ____________.

Lesson 6

We're Here to Dance

Functions

- 의견 표현하기 **In my opinion,** he really enjoys dancing. 내 의견으로는, 그는 춤추는 것을 정말 즐기는 것 같아.
- 확실성 정도 표현하기 **I'm sure** you'll feel great. 나는 당신이 멋진 기분이 들 거라고 확신합니다.

Forms

- The dance is **so** popular **that** everybody learns it. 그 춤은 너무 인기가 있어서 모든 사람들이 그것을 배운다.
- The dancers looked **as** beautiful **as** flowers. 그 무용수들은 꽃들만큼 아름다워 보였다.

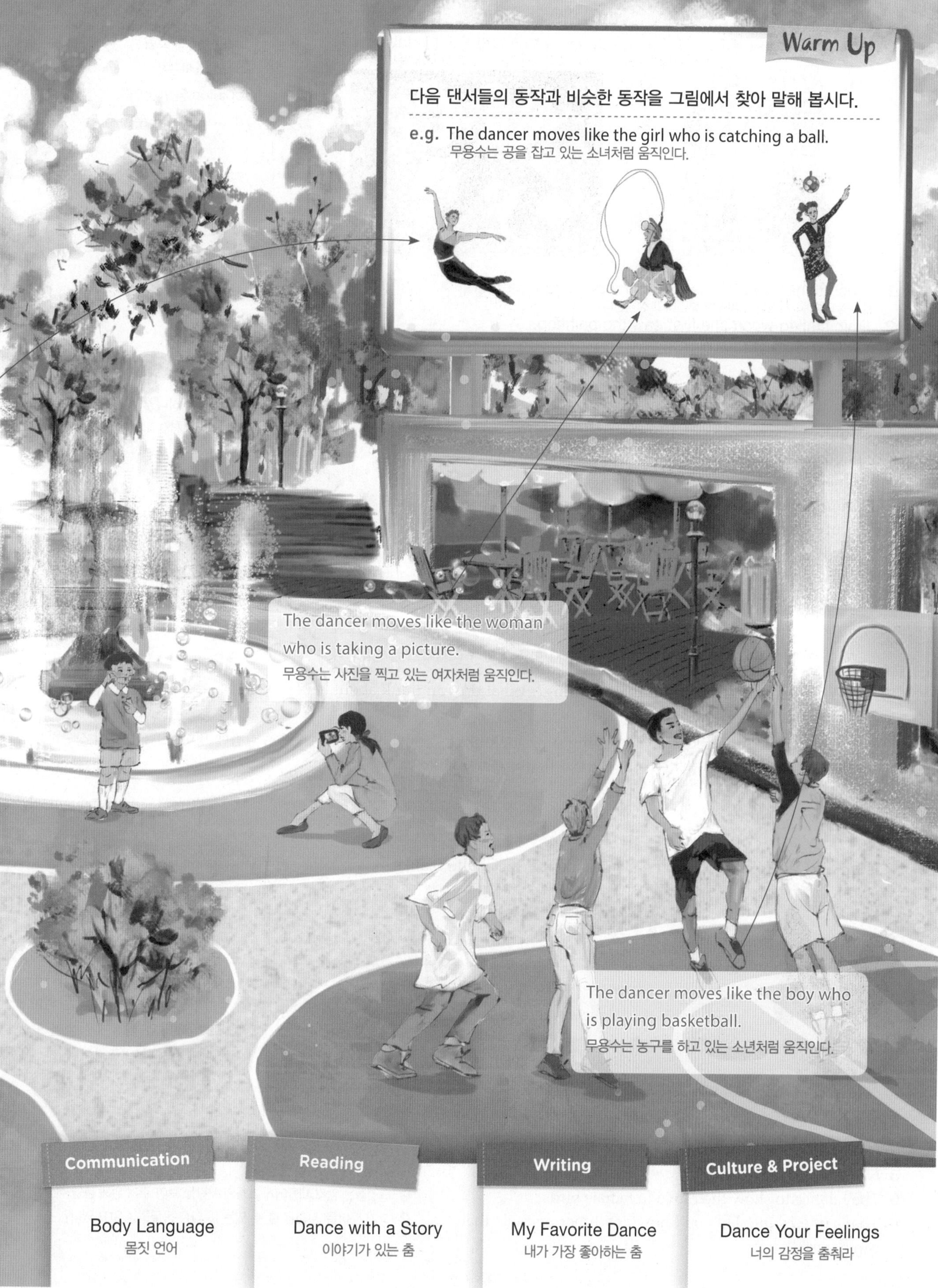
Warm Up
다음 댄서들의 동작과 비슷한 동작을 그림에서 찾아 말해 봅시다.
e.g. The dancer moves like the girl who is catching a ball.
무용수는 공을 잡고 있는 소녀처럼 움직인다.
The dancer moves like the woman who is taking a picture.
무용수는 사진을 찍고 있는 여자처럼 움직인다.
The dancer moves like the boy who is playing basketball.
무용수는 농구를 하고 있는 소년처럼 움직인다.
Communication
Body Language
몸짓 언어
Reading
Dance with a Story
이야기가 있는 춤
Writing
My Favorite Dance
내가 가장 좋아하는 춤
Culture & Project
Dance Your Feelings
너의 감정을 춤춰라

A **Listen and Choose** Check T if the sentence is true and F if it is false.
문장이 일치하면 T에 표시하고 일치하지 않으면 F에 표시해 봅시다.

1. 

2.

1. Minsu thinks that the people in the painting look tired. ☐ T ☑ F
민수는 그림 속 사람들이 피곤해 보인다고 생각한다.
2. Jimin smiled when she first saw the painting. ☑ T ☐ F
지민이는 그 그림을 처음 봤을 때 미소 지었다.

단어 숙어
painting ㊔ 그림
tired ㊖ 피곤한
opinion ㊔ 의견, 견해
dancer ㊔ 댄서, 무용수

Script

1 G: Minsu, what do you think about that painting?
B: Umm ... The people look like they're having fun.
G: I agree. In my opinion, the dancing boy really enjoys dancing.

2 B: Jimin, what do you think about this painting?
G: In my opinion, it's interesting. I smiled when I first saw it.
B: Me, too. The dancers in the painting look happy.

해석

1 G: 민수야, 저 그림에 대해 어떻게 생각하니?
B: 음… 저 사람들은 재미있게 노는 것처럼 보여.
G: 나도 동의해. 내 의견으로는, 춤추는 소년이 춤추는 것을 정말 즐기는 것 같아.

2 B: 지민아, 이 그림에 대해 어떻게 생각하니?
G: 내 의견으로는, 그건 흥미로워. 처음 그것을 봤을 때 난 미소 지었어.
B: 나도 그랬어. 그림 속 춤추는 사람들은 행복해 보여.

풀이
1 여자의 질문에 민수는 그림 속 사람들이 재미있게 노는 것처럼 보인다고 했으므로 일치하지 않는다.
2 남자의 질문에 지민이는 처음 그림을 봤을 때 미소 지었다고 했으므로 일치한다.

표현
- **What do you think about that painting?:** What do you think about ... ?은 '…에 대해 어떻게 생각해?'라는 의미로 상대방의 의견을 묻는 표현이다.
- **The people look like they're having fun.:** look like는 '…처럼 보이다'라는 뜻으로 다음에 명사(구)나 명사에 상당하는 절이 와야 한다. 여기서는 like 다음에 접속사 that이 생략된 형태이다.

B **Listen and Write** Why do some animals dance? Fill in the blanks.
어떤 동물들은 왜 춤을 춥니까? 빈칸을 채워 봅시다.

Dancing animals
춤을 추는 동물들

to show their __love__
그들의 사랑을 보여 주기 위해서

to show where to find __food__
어디에서 음식을 찾아야 하는지 보여 주기 위해서

단어 숙어
male ㊖ 남성의, 수컷의
female ㊖ 여성의, 암컷의
communicate ㊕ 의사소통하다

표현
- **I totally agree with you.:** I agree with you.는 '나는 너의 생각에 동의해.'라는 의미로 상대방의 의견에 동의를 표할 때 사용하는 표현이다.

Script

G: Hojun, did you know that some male birds dance?
B: No. Why do they dance?
G: They dance to show their love to female birds.
B: That's interesting. Do you know any other animals that can dance?

해석

G: 호준아, 너는 일부 수컷 새들이 춤을 춘다는 것을 알고 있었니?
B: 아니. 그것들은 왜 춤을 춰?
G: 그것들은 암컷 새들에게 그들의 사랑을 보여 주기 위해 춤을 춰.
B: 그거 흥미롭다. 춤을 출 수 있는 또 다른 동물들을 알고 있니?

G: Yes, some bees dance to show where to find food.
B: That's cool! In my opinion, dancing is a great way to communicate.
G: I totally agree with you.

G: 응, 일부 벌들은 먹이를 찾을 수 있는 곳을 보여 주기 위해 춤을 춰.
B: 그거 멋지다! 내 의견으로는, 춤을 추는 것은 의사소통하는 멋진 방법인 것 같아.
G: 네 말에 전적으로 동의해.

풀이 수컷 새들이 암컷 새들에게 그들의 '사랑'을 보여 주기 위해서 춤을 춘다는 것과 벌들이 어디에서 '먹이'를 찾아야 하는지 보여 주기 위해 춤을 춘다는 것이 대화의 내용이다.

C Talk Together Choose a topic and talk with your friends. group
주제를 선택하고 친구들과 대화해 봅시다.

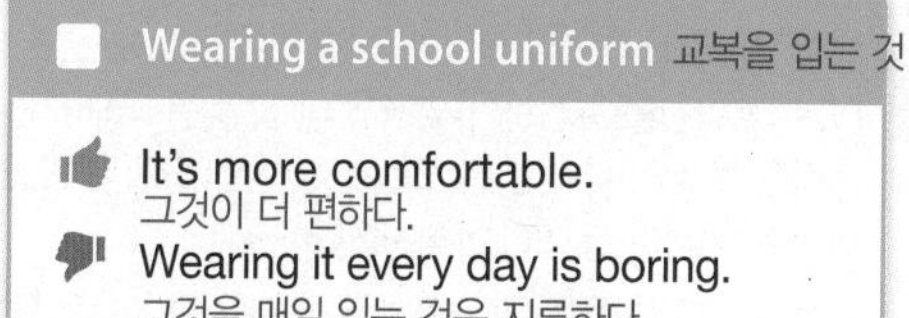

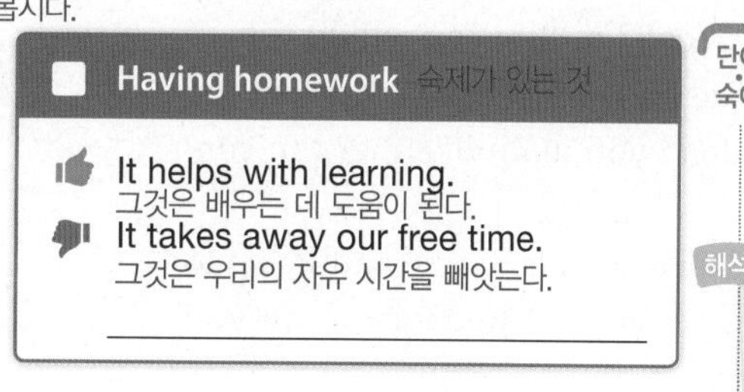

☐ Wearing a school uniform 교복을 입는 것
- It's more comfortable. 그것이 더 편하다.
- Wearing it every day is boring. 그것을 매일 입는 것은 지루하다.
- your own ______

☐ Having homework 숙제가 있는 것
- It helps with learning. 그것은 배우는 데 도움이 된다.
- It takes away our free time. 그것은 우리의 자유 시간을 빼앗는다.
- ______

A: What do you think about wearing a school uniform?
B: In my opinion, we should (not) wear a school uniform because it's more comfortable.

단어·숙어
comfortable ⓗ 편안한
boring ⓗ 지루한
take away 없애다, 줄이다

해석
A: 교복을 입는 것에 대해 어떻게 생각하니?
B: 내 의견으로는, 교복을 입는 것이 더 편하기 때문에 우리는 교복을 입어야 한다고 생각해.

활동 방법 주어진 주제에서 찬성과 반대 의견을 선택한 후, 주어진 대화문을 이용하여 친구들과 대화해 본다.

예시 대화
- A: What do you think about having homework?
  B: In my opinion, we should have homework because it helps with learning.

- A: 숙제가 있는 것에 대해 어떻게 생각하니?
  B: 내 의견으로는, 학습에 도움이 되기 때문에 숙제가 있어야 한다고 생각해.

Function 1 의견 표현하기: In my opinion, ...

In my opinion, ...은 '내 생각에는 … .', '내 의견으로는 … .'이라는 뜻으로 자신의 의견을 나타낼 때 쓰는 표현이다.
• 유사 표현 – I think (that) ... ., I believe (that) ... ., To my mind, ..., In my view, ..., In my eyes, ..., I would say that ... .

예시 대화
- A: What do you think of this place? (이 장소에 대해 어떻게 생각하니?)
  B: I think it's beautiful. **In my opinion**, people here really care about nature.
  (아름답다고 생각해. 내 생각에는, 여기 사람들이 정말로 자연에 마음을 쓰는 것 같아.)
  A: You're right. I love the plants and trees here. (네 말이 맞아. 나는 여기 식물과 나무를 정말 좋아해.)
- A: You don't look good. Is it because of Jinsu? (너 기분 안 좋아 보인다. 진수 때문이니?)
  B: Yes. He apologized many times, but I'm still angry. (응. 그는 수차례 사과했지만 나는 여전히 화가 나.)
  A: **In my opinion**, you should forgive him since he apologized several times. (내 생각에는, 그가 여러 번 사과했기 때문에 네가 그를 용서해야 할 것 같아.)
  B: Should I? Okay, I will try. (내가 그래야만 해? 알았어, 노력해 볼게.)

Listen & Speak 2

A **Listen and Number** Who am I?
나는 누구입니까?

단어 숙어
voice 명 목소리
express 동 표현하다
feelings 명 감정
movement 명 움직임

3

2

1

Script

1 W: I use my voice to make music. Listen to my music. My voice is soft and cool. I'm sure you will like it.

2 W: I move my body to express my feelings. Look at my movements. Why don't you jump like me? I'm sure you'll feel great.

3 W: I use my hands to make sounds. Come and listen to my music. I'm sure you'll want to dance when you listen to it.

해석

1 W: 나는 음악을 만들기 위해서 내 목소리를 사용합니다. 내 음악을 들어 보세요. 내 목소리는 부드럽고 멋져요. 나는 당신이 그것을 좋아할 것이라고 확신합니다.

2 W: 나는 내 감정을 표현하기 위해서 내 몸을 움직입니다. 내 동작을 보세요. 나처럼 뛰어보는 것이 어때요? 나는 당신이 멋진 기분이 들 거라고 확신합니다.

3 W: 나는 소리를 만들기 위해서 내 손을 사용합니다. 와서 내 음악을 들어 보세요. 나는 당신이 그 음악을 들을 때 춤을 추고 싶을 거라고 확신합니다.

풀이 목소리를 사용해서 음악을 만드는 노래 부르는 여성이 1번이고, 몸을 움직여서 감정을 표현하는 춤추는 여성이 2번이고, 손을 사용해서 소리를 만드는 드럼 치는 여성이 3번이 된다.

B **Listen and Talk** Fill in the blanks and talk with your partner. pair
빈칸을 채우고 짝과 대화해 봅시다.

단어 숙어
difficulty 명 어려움
give up on …을 포기하다
try one's best 최선을 다하다
keep up the good work 계속 열심히 하다
make it 해내다, 성공하다

A: I want to be a great ___dancer___ like Michaela DePrince. 나는 Michaela DePrince 같은 훌륭한 무용수가 되고 싶어.

B: Keep up the good ___work___.
I'm sure you can ___make___ it.
계속 열심히 해. 나는 네가 해낼 수 있을 거라고 확신해.

Script

B: What are you reading, Kelly?
G: I'm reading a story about Michaela DePrince.
B: Michaela DePrince? Can you tell me more about her?
G: Sure. Michaela lost her parents when she was three. After that, she had a lot of difficulties. But she never gave up on her dream of becoming a dancer.
B: Wow, she worked very hard to be a good dancer. Kelly, you also have a dream to be a dancer, right?
G: Yes. I will try my best to be a great dancer like her.
B: Keep up the good work. I'm sure you can make it.

해석

B: Kelly, 무엇을 읽고 있니?
G: Michaela DePrince에 대한 이야기를 읽고 있어.
B: Michaela DePrince? 그녀에 대해 좀 더 얘기해 줄 수 있니?
G: 물론이지. Michaela는 세 살 때 부모님을 잃었어. 그 후에, 그녀는 많은 역경을 겪었어. 하지만 그녀는 무용수가 되겠다는 꿈을 절대 포기하지 않았어.
B: 와, 그녀는 훌륭한 무용수가 되기 위해 매우 열심히 노력했구나. Kelly, 너도 무용수가 되려는 꿈이 있지, 그렇지?
G: 응, 그녀처럼 훌륭한 무용수가 되기 위해 최선을 다할 거야.
B: 계속 열심히 해. 나는 네가 해낼 거라고 확신해.

풀이 무용수가 되기를 원하는 여자가 훌륭한 '무용수'인 Michaela DePrince의 책을 읽고 남자에게 이야기해 주는 대화이다. 남자는 무용수의 꿈을 가진 여자에게 계속 '열심히' 하면 '해낼' 수 있을 것이라며 응원하고 있다.

표현 • **Can you tell me more about her?**: Can you tell me ... ?는 '나에게 …을 말해 주겠니?'라는 의미로 상대방에게 공손하게 무언가를 물어볼 때 사용하는 표현이다.

C Talk Together Which activity do you want to try? Talk with your partner. pair
당신은 어떤 활동을 해 보고 싶습니까? 짝과 대화해 봅시다.

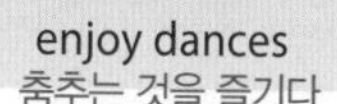
enjoy dances
춤추는 것을 즐기다

try food
음식을 먹어 보다

play games
게임을 하다

A: I'm going to a culture event in our town next weekend. Do you want to join me?

B: Sounds interesting.

A: We can enjoy dances from many countries. I'm sure we'll have a lot of fun.

단어 숙어

culture ⓜ 문화
country ⓜ 국가, 나라
have fun 즐거운 시간을 보내다

해석

A: 나는 다음 주말에 우리 마을에서 하는 문화 행사에 갈 거야. 나랑 같이 갈래?

B: 재미있겠다.

A: 우리는 많은 나라의 춤을 즐길 수 있어. 나는 우리가 아주 즐거운 시간을 보낼 거라고 확신해.

활동 방법 체험해 보고 싶은 문화 활동을 고르고 주어진 대화문을 이용하여 짝과 대화해 본다.

예시 대화

- A: I'm going to a culture event in our town next weekend. Do you want to join me?
  B: Sounds interesting.
  A: We can try food from many countries. I'm sure we'll have a lot of fun.
- A: I'm going to a culture event in our town next weekend. Do you want to join me?
  B: Sounds interesting.
  A: We can play games from many countries. I'm sure we'll have a lot of fun.

- A: 나는 다음 주말에 우리 마을에서 하는 문화 행사에 갈 거야. 나랑 같이 갈래?
  B: 재미있겠다.
  A: 우리는 많은 나라의 음식을 먹어볼 수 있어. 나는 우리가 아주 즐거운 시간을 보낼 거라고 확신해.
- A: 나는 다음 주말에 우리 마을에서 하는 문화 행사에 갈 거야. 나랑 같이 갈래?
  B: 재미있겠다.
  A: 우리는 많은 나라의 게임을 할 수 있어. 나는 우리가 아주 즐거운 시간을 보낼 거라고 확신해.

Function 2 확실성 정도 표현하기: I'm sure ... .

I'm sure ... .는 '나는 …을 확신한다.'라는 뜻으로 자신의 추측이나 생각의 확신을 표현하는 말이다.

- 유사 표현 – I'm certain ... .

예시 대화

- A: Haven't you found your key yet? (너는 아직도 열쇠를 못 찾았니?)
  B: No, I haven't. (응, 못 찾았어.)
  A: Where do you think you put it? (너는 그것을 어디에 두었다고 생각하니?)
  B: **I'm sure** I left it on my desk. (나는 그것을 내 책상 위에 두었다고 확신해.)
- A: Are you practicing again? (너 다시 연습하고 있니?)
  B: Yes. I'm afraid I'm not good enough for the contest tomorrow. (응, 나는 내일 대회에 참가하기에 부족한 거 같아.)
  A: **I'm sure** you'll do well! (나는 네가 잘할 거라고 확신해!)
  B: Thank you for cheering me up. (격려해 줘서 고마워.)

Real Life Communication

A **Watch and Choose** 동영상을 보고, 학급 회의의 주제를 완성한 후 결정된 사항을 골라 봅시다.

What to Perform
at the School Dance Contest
Taekwondo dance
K-pop dance
Buchaechum

단어 숙어
sound like …처럼 들리다; …일 것 같다
hold ⑤ 열다, 개최하다
perform ⑤ 공연하다
decide ⑤ 결정하다
be good at …을 잘하다
traditional ⑧ 전통적인
give it a try 시도하다

Script

Junsu: You know what? The school dance contest will be held soon.

Emily: That's right. I heard Jimin's class is going to perform a taekwondo dance and Tim's class is going to do a K-pop dance.

Brian: We should also decide what to do.

Mina: How about a *Buchaechum*? In my opinion, it is easy to learn, and it's also beautiful.

Emily: That sounds like a good idea. But who will teach us?

Brian: Mina is good at traditional dances. Can you help us, Mina?

Mina: Of course, I will. I'm sure we'll have a lot of fun.

Junsu: Great. Let's give it a try.

해석

준수: 너희 그거 아니? 학교 춤 경연 대회가 곧 개최될 거야.

Emily: 맞아. 지민이네 반이 태권도 춤을 공연하고 Tim네 반은 K-pop 춤을 선보일 거라고 들었어.

Brian: 우리도 무엇을 할지 정해야 해.

미나: 부채춤은 어때? 내 의견으로는, 그것은 배우기 쉽고 또한 아름다워.

Emily: 그거 좋은 생각 같다. 하지만 누가 우리를 가르쳐 주지?

Brian: 미나는 전통 춤을 잘 춰. 미나야, 우리를 도와줄 수 있니?

미나: 물론이지, 내가 도와줄게. 나는 우리가 굉장히 즐거울 거라고 확신해.

준수: 좋아. 시도해 보자.

풀이 학급 회의에서 학교 '춤 경연 대회'에 관해 이야기를 나누는 대화이다. 지민이네 반은 태권도 춤을, Tim네 반은 K-pop 춤을 추기로 했다는 소식에 자신들은 '부채춤'을 경연 대회에서 공연하기로 결정한다.

B **Choose and Talk**

활동 방법: 주어진 대화문을 이용하여 마음에 드는 사진과 그 사진을 고른 이유를 말해 본다.

Step 1 마음에 드는 사진을 고르고 그 이유를 생각해 봅시다.

Class Photo Contest 학급 사진 대회

☐ Wendy's photo Wendy의 사진

☐ Sejun's photo 세준이의 사진

Reason 이유

☐ creative 창의적인

☐ funny 재미있는

☐ interesting 흥미로운

your own ____________

단어 숙어
creative ⑧ 창의적인
choose ⑤ 선택하다
agree ⑤ 동의하다

Step 2 위에서 고른 내용을 바탕으로 짝과 대화해 봅시다. pair

A: We should choose the best photo.

B: How about Wendy's photo? In my opinion, her photo is very creative.

A: I agree with you. / A: I think Sejun's photo is very funny. I'm sure he'll win the contest.

해석

A: 우리는 최고의 사진을 골라야 해.

B: Wendy의 사진 어때? 내 생각에는, 그녀의 사진은 매우 창의적이야.

A: 나는 네 말에 동의해. / 나는 세준이의 사진이 매우 재미있다고 생각해. 나는 그가 대회에서 이길 거라고 확신해.

교과서 pp.96~97

C Communication Task pair

Body Language

Step 1 Round 1과 Round 2에서 표현을 하나씩 선택하고 몸동작으로 표현해 봅시다.

				your own
Round 1	a tree 나무	the wind 바람	a dragon 용	________
Round 2	bored 지루한	busy 바쁜	happy 행복한	________

Step 2 짝의 몸동작을 보고 무엇을 표현한 것인지 맞혀 봅시다.

Round 1

A: I'm sure it's a tree.

B: Yes, you're right. (+3)　B: No, you're wrong. It's the wind. (-1)

Round 2

A: In my opinion, you look bored.

B: Yes, you're right. (+5)　B: No, you're wrong. I am sick. (-2)

How to play

1. Round 1에서 정답을 맞히면 +3점, 틀리면 -1점을 얻고, Round 2에서 정답을 맞히면 +5점, 틀리면 -2점을 얻습니다.
2. 점수를 합산하여 가장 많은 점수를 얻은 친구가 우승하게 됩니다. (점수판은 p.193에 있습니다.)

활동 방법

Step 1

짝의 몸동작을 보고 주어진 대화문을 이용하여 무엇을 표현한 것인지 맞혀 본다.

Step 2

점수를 계산하여 가장 많은 점수를 얻은 친구가 우승하게 된다.

해석

Round 1

A: 나는 그것이 나무라고 확신해.

B: 응, 네가 맞아. / 아니, 너는 틀렸어. 그것은 바람이야.

Round 2

A: 내 생각에 너는 지루해 보여.

B: 응, 네가 맞아. / 아니, 너는 틀렸어. 나는 아파.

Sounds 다음을 듣고, 밑줄 친 부분에 유의하여 따라 말해 봅시다.

1. I'm sure you'll feel great. 나는 네가 멋진 기분이 들 거라고 확신해.
2. In my opinion, it is easy to learn, and it's also beautiful. 내 생각에, 그것은 배우기 쉽고 또한 아름다워.

Tip

I'm, you'll, it's와 같은 축약형은 한 단어처럼 발음한다. 2번 문장에서처럼 축약하지 않은 it is와 축약형 it's가 같이 나오는 경우, 발음의 차이에 더 주의하여 들을 수 있도록 한다.

Self-check	☺	☹
• I can use 'In my opinion, ...'	☐	☐
• I can use 'I'm sure ... .'	☐	☐

Word Preview

Let's Read의 단어들을 미리 익혀 보세요.

- ☐ express ⓢ 표현하다 (to talk or write about something that you are thinking or feeling)
- ☐ take a look at …을 살펴보다
- ☐ through ⓟ …을 통해 (from one end or side of something to the other)
- ☐ movement ⓝ 동작, 움직임 (the act of moving your body or a part of your body)
- ☐ good and evil 선과 악
- ☐ character ⓝ 등장인물 (a person who appears in a story, book, play, movie, or television show)
- ☐ be allowed to …이 허용되다
- ☐ perform ⓢ 공연하다, 연주하다 (to entertain an audience by singing, acting, etc.)
- ☐ traditional ⓐ 전통적인 (consisting of or derived from tradition)
- ☐ originally ⓐ 원래 (in the beginning; when something first happened or began)
- ☐ strength ⓝ 힘 (the quality or state of being strong)
- ☐ wild ⓐ 야생의 (living in nature without human control or care; not tame)
- ☐ fan ⓝ 부채 (a flat device that you hold in your hand and wave back and forth to cool yourself)
- ☐ gracefully ⓐ 우아하게 (with graceful moves; in a smooth and controlled way that is attractive to watch)
- ☐ popular ⓐ 인기 있는 (liked or enjoyed by many people)
- ☐ enemy ⓝ 적 (someone who hates, attacks or tries to harm another person)

Mini Test

정답과 해설 p. 340

A 다음 빈칸에 알맞은 단어를 [보기]에서 골라 쓰시오.

보기: allow / strength / through / popular / perform

1. Ms. Anderson is very ____________ among students.
2. Did you see a bird flying ____________ the window a minute ago?
3. I'm told that we should use our ____________ to protect the weak.
4. Have you decided what to ____________ at the school festival this year?
5. Visitors are not ____________ed to come inside due to the preparation for the exhibition.

B 다음 영영 풀이에 해당하는 단어를 [보기]에서 골라 쓰시오.

보기: fan / wild / enemy / originally / movement

1. ____________: the act of moving your body or a part of your body
2. ____________: living in nature without human control or care; not tame
3. ____________: in the beginning; when something first happened or began
4. ____________: a flat device that you hold in your hand and wave back and forth to cool yourself
5. ____________: someone who hates, attacks or tries to harm another person

Before You Read

교과서 p.98

A **Look and Say** 다음 그림을 보고, 무엇을 표현하려고 하는지 말해 봅시다.

e.g. In my opinion, the dancer is trying to express the movements of a bird.
내 생각에 무용수는 새의 움직임을 표현하려는 중인 것 같다.

단어·숙어
try to …하려고 (노력)하다
express 동 표현하다
movement 명 동작, 움직임

활동 방법 그림을 보고 무엇을 표현하려는지 예시 문장을 참고하여 말해 본다.

예시 정답
- I think the dancer is trying to express the shape of a chair.
  나는 무용수가 의자 모양을 표현하려는 중이라고 생각한다.
- In my opinion, the dancer is trying to express the movements of a spider. 내 생각에 무용수는 거미의 움직임을 표현하려는 중인 것 같다.

B **Think and Write** 알맞은 단어를 골라 신문에 실린 공연 평을 완성해 봅시다.

strength allow popular movement originally

Come and Enjoy *Csárdás*!

"Don't miss this great show which was originally performed in Hungary."
"Feel the strength of the powerful dancers!"
"You are allowed to dance together at the end.
Learn the movements and enjoy the moment!"

단어·숙어
strength 명 힘
allow 동 허락하다
popular 형 인기 있는
originally 부 원래
miss 동 놓치다
at the end 끝에
moment 명 순간

해석
와서 Csárdás를 즐기세요!
"원래 헝가리에서 공연되었던 이 훌륭한 쇼를 놓치지 마세요."
"힘이 넘치는 무용수들의 힘을 느껴 보세요."
"당신은 마지막에 함께 춤춰도 좋습니다. 동작을 배우고 그 순간을 즐겨 보세요."

풀이 첫 번째 빈칸에는 be동사 뒤에 와서 의미상 '원래'라는 뜻의 originally가 와야 알맞다.
두 번째 빈칸에는 건장한 무용수들의 '힘'이라는 의미가 되어야 하므로 strength가 알맞다.
세 번째 빈칸에는 be동사 다음에 '…을 허락하다'라는 뜻으로 allow가 알맞다.
네 번째 빈칸에는 문맥상 '동작'을 배우라는 의미가 되어야 하므로 movement가 알맞다.

표현
- Don't miss this great show **which** was originally performed in Hungary.: which는 주격 관계대명사로 쓰여서 선행사인 this great show를 꾸며 주고 있다.

Let's Read

Dance with a Story

본문에 소개된 춤 사진을 보고 느낀 점을 말해 봅시다.

❶Why do people dance? ❷They dance to express feelings, give happiness to others, or enjoy themselves. ❸Let's take a look at different kinds of dance around the world.

India: *Kathakali*

❹*Kathakali* tells a story. ❺The dancers tell stories through their body movements. ❻These stories are usually about a fight between good and evil. ❼Dancers who are playing good characters paint their faces green. ❽Those who are playing evil characters wear black make-up. ❾Interestingly, in *Kathakali*, only men are allowed to dance. ❿The body movements are so powerful that the dancers need to train for many years.

'so ... that ~' 표현은 '너무 …해서 ~하다'라는 뜻입니다.

Q1 What kind of story does *Kathakali* try to tell?

Think Why do you dance?

movement good and evil
be allowed to …이 허용되다

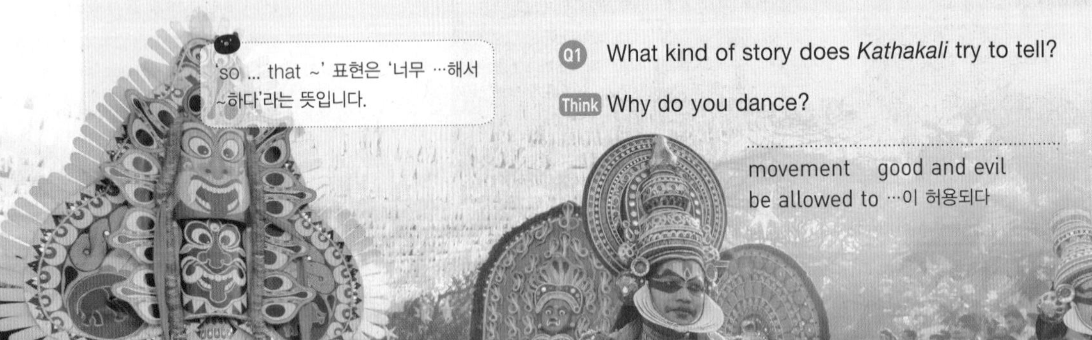

Q1 What kind of story does *Kathakali* try to tell? 카타칼리는 어떤 종류의 이야기를 하려고 합니까?

A1 *Kathakali* tries to tell a story about a fight between good and evil. 카타칼리는 선과 악의 싸움에 대한 이야기를 하려고 합니다.

해설 These stories are usually about a fight between good and evil.을 통해서 카타칼리가 선과 악의 싸움에 대한 이야기를 한다는 것을 알 수 있다.

Think Why do you dance? 여러분은 왜 춤을 춥니까? → I dance to feel happy. 나는 행복하기 위해 춤을 춥니다.

해석

이야기가 있는 춤

①사람들은 왜 춤을 출까요? ②그들은 감정을 표현하기 위해서, 다른 사람들에게 행복감을 주거나 그들 스스로 즐기기 위해서 춤을 춥니다. ③세계의 다양한 종류의 춤을 살펴봅시다.

인도: 카타칼리

④카타칼리에는 이야기가 있습니다. ⑤그 무용수들은 그들의 몸동작을 통해서 이야기합니다. ⑥그 이야기들은 주로 선과 악의 싸움에 대한 것입니다. ⑦선한 역할을 맡은 무용수들은 자신의 얼굴을 초록색으로 칠합니다. ⑧악한 역할을 맡은 무용수들은 검은색 화장을 합니다. ⑨흥미롭게도, 카타칼리에서는 남자들만 춤추는 것이 허락됩니다. ⑩몸동작이 매우 힘이 넘쳐서 무용수들은 수년 동안 연습을 해야 합니다.

구문

❷ They dance **to express** feelings, **give** happiness to others, or **enjoy** themselves.
to express, give, enjoy는 to부정사의 부사적 용법 중 목적으로 '…하기 위해서'라는 의미이다. give와 enjoy 앞에 to가 생략되어 있음에 유의한다.

❼ **Dancers who are playing good characters paint** their faces green.
who are playing good characters는 앞에 있는 선행사 Dancers를 꾸며 주는 주격 관계대명사절이다. 문장의 주어는 Dancers이고, 동사는 paint이다.

❽ **Those who are playing evil characters** wear black make-up.
Those는 앞 문장의 Dancers들을 가리키고, who are playing evil characters는 Those를 꾸며 주는 주격 관계대명사절이다.

❿ The body movements are **so powerful that** the dancers need to train for many years.
'so+형용사/부사+that ~'은 '너무 …해서 ~하다'라는 의미로 that 이하에 '주어+동사+…'의 문장 형태가 나오는 것에 유의한다.

단어·숙어

- **express** ⓢ 표현하다 e.g. Music can be a tool to **express** our feelings.
- **take a look at** …을 살펴보다 e.g. Why don't you **take a look at** the map?
- **through** ⓟ …을 통해서 e.g. Let's look at the stars **through** this telescope.
- **movement** ⓝ 움직임, 동작 e.g. They are watching the beautiful **movement** of water.
- **good and evil** 선과 악 e.g. I always cheer for good in a fight between **good and evil**.
- **character** ⓝ 등장인물 e.g. Who played the main **character** in your performance this time?
- **be allowed to** …이 허용되다 e.g. **Are** we **allowed to** use cell phones in the library?

Grammar+

so ... that ~

'so ... that ~'은 'so+형용사/부사+that+주어+동사+…'의 형태로 쓰고, '너무 …해서 ~하다'라는 의미이다.

- The drink was **so** hot **that** I couldn't drink it right away. (음료가 너무 뜨거워서 나는 그것을 바로 마실 수 없었다.)
- The street is **so** noisy **that** we can't hear each other speak. (거리가 너무 시끄러워서 우리는 서로 말하는 것을 들을 수 없다.)
- This detective novel is **so** interesting **that** I couldn't stop reading it last night. (이 탐정 소설은 너무 흥미로워서 어젯밤에 나는 그것을 읽는 것을 멈출 수 없었다.)

Mini Test

정답과 해설 p. 340

다음 글을 읽고, 물음에 답하시오.

Kathakali tells a story. The dancers tell stories through their body movements. These stories are usually about a fight between good and evil. Dancers who are playing good characters paint their faces green. Those who are playing evil characters wear black make-up. Interestingly, in *Kathakali*, only men are allowed to dance. The body movements are so powerful that the dancers need to train for many years.

Q. Why do the *Kathakali* dancers need to train for many years?

A. That's because ______________________________.

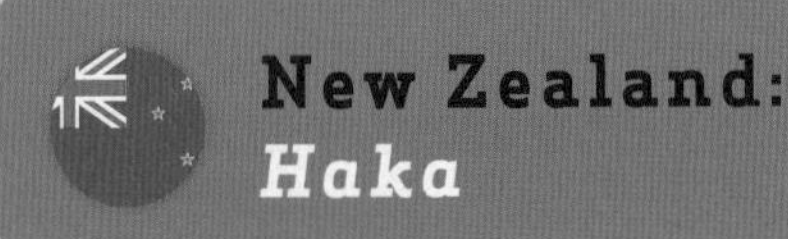

New Zealand: *Haka*

① When people visit New Zealand, they may meet a group of *haka* dancers. ② The dancers perform this traditional dance with scary faces. ③ This dance was originally performed by the Maori before a fight. ④ They wanted to show their strength to the enemy. ⑤ The dancers looked as scary as wild animals before fighting. ⑥ Nowadays, in New Zealand, rugby players usually perform a *haka* before a game to show their strength to the other team.

'as ... as ~'는 비교하는 두 대상의 정도가 같음을 나타내며, '~만큼 …한'이라는 뜻입니다.

Q2 What did the Maori want to show to the enemy?

perform originally strength enemy wild

Q2 What did the Maori want to show to the enemy? 마오리족은 적에게 무엇을 보여 주고 싶어 했습니까?

A2 They wanted to show their strength. 그들은 그들의 힘을 보여 주고 싶어 했습니다.

해설 They wanted to show their strength to the enemy.를 통해 마오리족이 적에게 그들의 힘을 보여 주고 싶어 했다는 것을 알 수 있다.

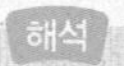

뉴질랜드: 하카

①사람들이 뉴질랜드에 방문할 때, 그들은 하카 무용수들의 무리를 만날지도 모릅니다. ②그 무용수들은 무서운 얼굴로 이 전통 춤을 춥니다. ③이 춤은 원래 싸움 전에 마오리족에 의해 행해졌습니다. ④그들은 적에게 그들의 힘을 보여 주고 싶었습니다. ⑤그 무용수들은 싸움 전에 야생 동물들만큼 무섭게 보였습니다. ⑥요즘에는, 뉴질랜드에서 럭비 선수들이 주로 경기 전에 다른 팀에게 그들의 힘을 보여 주기 위해서 하카를 춥니다.

구문

❶ **When** people visit New Zealand, they **may** meet a group of *haka* dancers.
when은 '…할 때'라는 의미로 시간의 부사절을 이끄는 접속사이다. may는 '…일지도 모른다'라는 뜻으로 약한 추측이나 가능성을 나타내는 조동사이다.

❸ This dance **was** originally **performed by** the Maori **before** a fight.
'be동사+p.p.+by …'는 수동태 구문으로 능동태 문장으로 바꾸면 The Maori originally performed this dance before a fight.가 된다. before는 '…전에'라는 의미로 시간을 나타내는 전치사이다.

❹ They **wanted to** show their strength to the enemy.
want는 to부정사를 목적어로 취하는 동사로, 이와 같은 동사로는 hope, wish, plan, decide, promise, expect 등이 있다.

❺ The dancers looked **as scary as** wild animals before fighting.
'as … as ~'는 동등한 것을 비교할 때 사용하는 구문으로 '~만큼 …한'이라는 의미이다. as와 as 사이에는 형용사 또는 부사의 원급 형태가 쓰이는 것에 유의한다.

❻ Nowadays, in New Zealand, rugby players **usually** perform a *haka* before a game **to show** their strength to the other team.
usually는 '대개, 주로'라는 의미의 빈도부사로 조동사와 be동사 뒤, 일반동사 앞에 위치한다. to show는 to부정사의 부사적 용법 중 '…하기 위해서'라는 뜻을 나타내는 목적의 의미로 쓰였다.

- **perform** 동 공연하다 e.g. Have you heard that he will **perform** at the city festival?
- **traditional** 형 전통적인 e.g. This is one of the most popular Korean **traditional** foods.
- **originally** 부 원래 e.g. These stories were **originally** written in French.
- **strength** 명 힘 e.g. Most male animals try to show their **strength** to others.
- **enemy** 명 적 e.g. A person whom I used to think of as an **enemy** became a friend.
- **wild** 형 야생의 e.g. It is not easy to keep **wild** animals.

Grammar

as … as ~

'as … as ~'는 동등(원급) 비교 구문으로 'as+형용사/부사의 원급+as+비교 대상'의 형태로 쓰며, '~만큼 …한'이라는 의미를 나타낸다.

- I want to be **as** tall **as** my father. (나는 우리 아빠만큼 키가 크고 싶다.)
- Suji is **as** smart **as** her sister. (수지는 그녀의 언니만큼 똑똑하다.)
- This candy is **as** sweet **as** sugar. (이 사탕은 설탕만큼 달다.)
- This bicycle is **as** expensive **as** the car. (이 자전거는 차만큼 비싸다.)

Mini Test

정답과 해설 p. 340

A 본문의 내용과 일치하면 T, 일치하지 않으면 F를 쓰시오.

1. The *haka* dancers perform the modern dance with scary faces. (   )
2. Rugby players in New Zealand usually perform a *haka* before they play games. (   )

B 우리말과 일치하도록 주어진 표현을 바르게 배열하여 문장을 완성하시오.

그 무용수들은 싸움 전에 야생 동물들만큼 무섭게 보였다.

(as, the dancers, before fighting, wild animals, as, scary, looked)

→ ____

Korea: Buchaechum

① *Buchaechum* is a traditional Korean fan dance. ② The dancers wear colorful *hanbok*. ③ They dance with large fans that are painted in bright colors. ④ The dancers move the fans gracefully to show different kinds of beauty. ⑤ Their movements look as beautiful as flowers or flying birds. ⑥ In Korea, *Buchaechum* is so popular that people can see it in many traditional festivals.

Q3 What do the dancers try to show with the fans in *Buchaechum*?

fan popular

How fast can you read?

- **1st:** ____ min. ____ sec.
- **2nd:** ____ min. ____ sec.

Q3 What do the dancers try to show with the fans in *Buchaechum*?
무용수들은 부채춤에서 부채로 무엇을 보여 주려고 합니까?

A3 They try to show different kinds of beauty. 그들은 다양한 종류의 아름다움을 보여 주려고 합니다.

해설 The dancers move the fans gracefully to show different kinds of beauty.에서 무용수들이 부채춤으로 다양한 종류의 아름다움을 보여 주려 한다는 것을 알 수 있다.

해석

한국: 부채춤

①부채춤은 한국 전통 춤입니다. ②그 무용수들은 다채로운 한복을 입습니다. ③그들은 밝은 색으로 칠해진 큰 부채를 가지고 춤을 춥니다. ④그 무용수들은 다양한 종류의 아름다움을 보여 주기 위해서 우아하게 부채를 움직입니다. ⑤그들의 움직임은 꽃 또는 날아가는 새들만큼 아름답게 보입니다. ⑥한국에서 부채춤은 너무 인기가 있어서 사람들은 많은 전통 축제에서 그것을 볼 수 있습니다.

구문

❸ They dance with large fans **that are painted in bright colors.**
that are painted in bright colors는 앞에 있는 선행사 large fans를 꾸며 주는 주격 관계대명사절이다. are painted는 'be동사+과거분사' 형태의 수동태 구문으로 주어가 large fans로 복수이므로 be동사 are가 사용되었다.

❹ The dancers move the fans **gracefully to show** different kinds of beauty.
gracefully는 '우아하게'라는 의미의 부사로 동사 move를 꾸며주고 있다. to show는 to부정사의 부사적 용법 중 '…하기 위해서'라는 뜻을 나타내는 목적의 의미로 쓰였다.

❺ Their movements look **as beautiful as** flowers or flying birds.
'as ... as ~'는 동등한 것을 비교할 때 사용하는 구문으로 '~만큼 …한'이라는 의미이다. as와 as 사이에는 형용사 또는 부사의 원급 형태가 쓰이는 것에 유의한다.

❻ In Korea, *Buchaechum* is **so popular that** people can see **it** in many traditional festivals.
'so+형용사/부사+that ...'은 '너무 …해서 ~하다'라는 의미로 that 이하에 '주어+동사+…'의 문장 형태가 나오는 것에 유의한다. 대명사 it은 앞에 나온 *Buchaechum*을 가리킨다.

단어·숙어

- **fan** ⓜ 부채 e.g. You need a **fan** to cool yourself in summer, so take one.
- **gracefully** ⓟ 우아하게 e.g. The actress stepped up **gracefully** onto the stage.
- **beauty** ⓜ 아름다움, 미 e.g. I was impressed by the **beauty** of the mountain.
- **popular** ⓗ 인기 있는 e.g. Socks are always **popular** as presents.

Grammar +

to부정사의 부사적 용법 (목적)

to부정사의 부사적 용법 중 목적은 '~하기 위해서'라는 뜻으로 in order to와 바꿔 쓸 수 있다.

- Tracy went to the shop **to buy** a new dress. (Tracy는 새 드레스를 사기 위해 가게에 갔다.)
  = Tracy went to the shop **in order to buy** a new dress.
- She got up earlier than she usually does **to catch** the first train. (그녀는 첫 기차를 타기 위해서 평소보다 더 일찍 일어났다.)
- Do I have to take the subway **to get** to the city hall? (시청에 가기 위해서 제가 지하철을 타야 하나요?)
- Why don't you go to the lost and found **to look** for your wallet? (네 지갑을 찾기 위해서 분실물 보관소에 가 보는 것이 어때?)

Mini Test

정답과 해설 p. 341

다음 글을 읽고, 물음에 답하시오.

Buchaechum is a traditional Korean fan dance. The dancers wear colorful *hanbok*. They dance with large fans that are painted in bright colors. The dancers move the fans gracefully to show different kinds of ⓐ(beauty / beautiful). Their movements look as ⓑ(beauty / beautiful) as flowers or flying birds. In Korea, *Buchaechum* is so popular ________ people can see it in many traditional festivals.

1. 윗글의 괄호 ⓐ와 ⓑ에서 알맞은 말을 골라 쓰시오.
   ⓐ ________ ⓑ ________
2. 윗글의 빈칸에 알맞은 것을 고르시오.
   ① as ② so ③ that ④ too ⑤ to
3. 윗글의 밑줄 친 it이 가리키는 것을 찾아 쓰시오. ________

교과서 p.102

A Look and Write 다음 Dance Festival 홍보물을 완성해 봅시다.

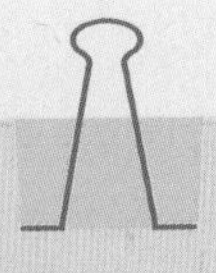

The Meaning of Dances

India: *Kathakali*

- A dance that tells a <u>story</u>
- Tells stories between <u>good</u> and <u>evil</u>

New Zealand: *Haka*

- A Maori dance before a <u>fight</u>
- Shows strength to the <u>enemy</u>

Korea: *Buchaechum*

- A traditional <u>fan</u> dance
- Creates different kinds of <u>beauty</u>

단어·숙어
meaning ⓜ 의미
strength ⓜ 힘
traditional ⓗ 전통적인
create ⓓ 창조하다

해석
춤의 의미
인도: 카타칼리
• 이야기를 말해 주는 춤
• 선과 악의 이야기를 말해 준다
뉴질랜드: 하카
• 싸움 전에 마오리족의 춤
• 적에게 힘을 보여 준다
한국: 부채춤
• 전통적인 부채춤
• 다양한 종류의 아름다움을 만들어 낸다

풀이 본문에서 인도의 카타칼리, 뉴질랜드의 하카, 한국의 부채춤을 나타내는 특징적인 단어를 파악하여 춤 축제 홍보물을 완성해 본다.

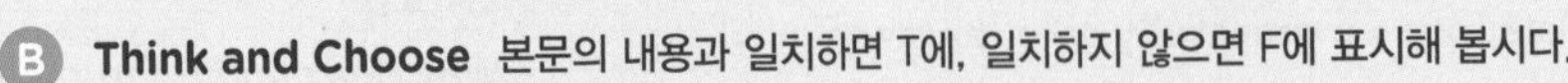

B Think and Choose 본문의 내용과 일치하면 T에, 일치하지 않으면 F에 표시해 봅시다.

1. Good characters in *Kathakali* paint their faces black. ☐T ☑F
2. The Maori performed the *haka* to show their strength to the enemy. ☑T ☐F
3. You can see the *haka* at rugby matches nowadays. ☑T ☐F
4. *Buchaechum* dancers wear colorful *hanbok* and hold brightly colored fans. ☑T ☐F
5. *Buchaechum* dancers sometimes hold flowers in their hands. ☐T ☑F

풀이
1 교과서 본문 99쪽 Dancers who are playing good characters paint their faces green.에서 선한 역할을 하는 등장인물들은 얼굴을 초록색으로 칠한다고 했으므로 일치하지 않는다.
2 교과서 본문 100쪽 They wanted to show their strength to the enemy.에서 일치함을 알 수 있다.
3 교과서 본문 100쪽 Nowadays, in New Zealand, rugby players usually perform a *haka* before a game에서 일치함을 알 수 있다.
4 교과서 본문 101쪽 The dancers wear colorful *hanbok*. They dance with large fans that are painted in bright colors.에서 일치함을 알 수 있다.
5 교과서 본문 101쪽 부채춤 무용수들이 그들의 손에 꽃을 든다는 내용은 없으므로 일치하지 않는다.

단어·숙어
character ⓜ 등장인물
perform ⓓ 공연하다
match ⓜ 경기, 시합
nowadays ⓑ 요즘에는
brightly ⓑ 밝게
hold ⓓ 잡고 있다, 쥐다

해석
1 카타칼리에서 선한 역할을 하는 등장인물들은 그들의 얼굴을 검게 칠한다.
2 마오리족은 적에게 그들의 힘을 보여 주기 위해서 하카를 추었다.
3 요즘에는 럭비 시합에서 하카 춤을 볼 수 있다.
4 부채춤 무용수들은 다채로운 색의 한복을 입고 밝은 색으로 칠해진 부채를 든다.
5 부채춤 무용수들은 때때로 그들의 손에 꽃을 든다.

본문에 소개된 나라들의 다른 춤을 조사하여 발표해 봅시다.

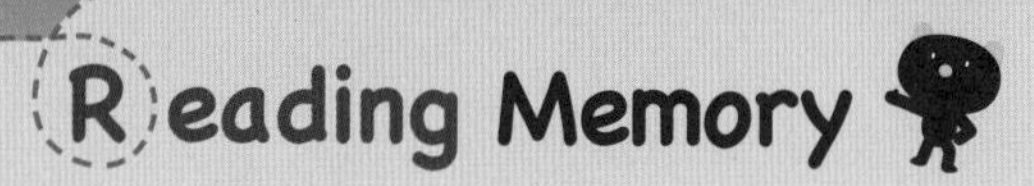

● 본문 내용을 떠올려 빈칸을 채워 봅시다.

Why do people dance? They dance ________ ________ feelings, give happiness to others, or enjoy themselves. Let's take a ________ at difference kinds of dance around the world.

India: *Kathakali*

Kathakali tells a story. The dancers tell stories through their body movements. These stories are usually about a fight between ________ ________ ________. Dancers who are playing good characters paint their faces green. Those who are playing evil characters wear black make-up. Interestingly, in *Kathakali*, only men ________ ________ ________ dance. The body movements are ________ ________ that the dancers need to train for many years.

New Zealand: *Haka*

When people visit New Zealand, they may meet a group of *haka* dancers. The dancers perform this traditional dance with scary faces. This dance was originally ________ by the Maori before a fight. They wanted to show their strength to the ________. The dancers looked ________ ________ ________ wild animals before fighting. Nowadays, in New Zealand, rugby players usually perform a *haka* before a game to show their strength to the other team.

Korea: *Buchaechum*

Buchaechum is a traditional Korean fan dance. The dancers wear colorful *hanbok*. They dance with large fans that ________ ________ in bright colors. The dancers move the fans gracefully to show different kinds of beauty. Their movements look ________ ________ ________ flowers or flying birds. In Korea, *Buchaechum* is so popular ________ people can see it in many traditional festivals.

정답 I to, express, look, good, and, evil, are, allowed, to, so, powerful, performed, enemy, as, scary, as, are, painted, as, beautiful, as, that

Word Builder

교과서 p.161

A 그림에 맞게 철자를 배열하여 단어를 완성한 후, 그 뜻을 써 봅시다.

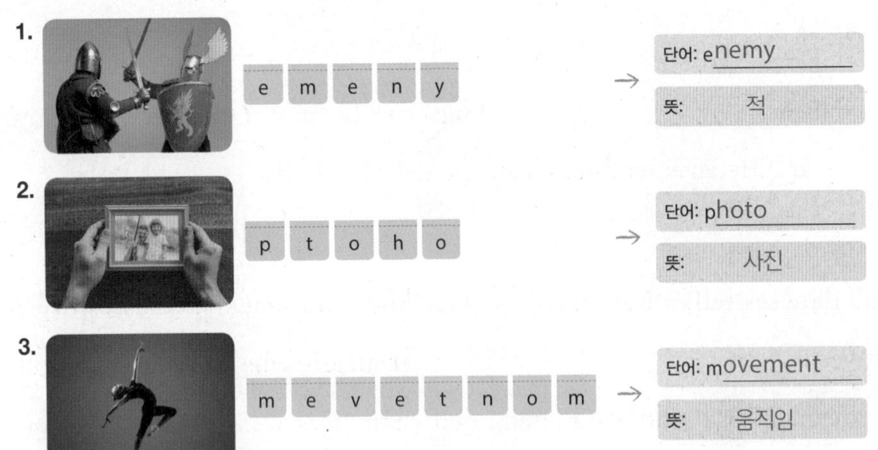

풀이
1 enemy는 '적'이라는 의미이다.
2 photo는 '사진'이라는 의미이다.
3 movement는 '동작, 움직임'이라는 의미이다.

B 그림에 맞게 빈칸에 알맞은 말을 단어 상자에서 골라 써 봅시다.

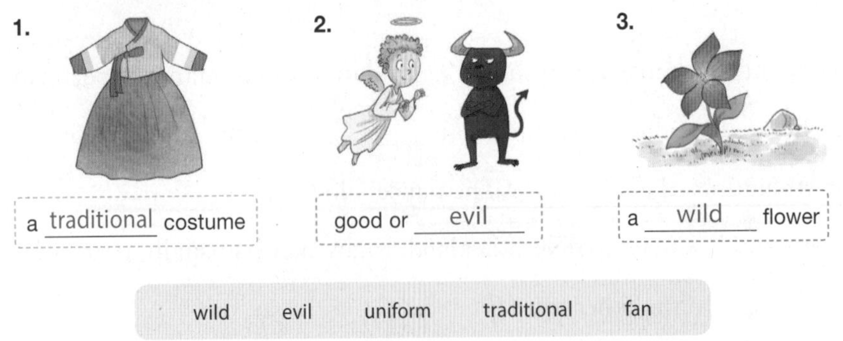

a traditional costume　　good or evil　　a wild flower

wild　evil　uniform　traditional　fan

풀이
1 그림은 한복, 즉 우리나라 전통 의상이므로 '전통적인'이라는 의미의 traditional이 알맞다.
2 그림에 천사와 악마가 있으므로 '악'이라는 의미의 evil이 알맞다.
3 '야생의'라는 의미인 wild가 들어가서 그림에 맞게 '야생화'라는 wild flower가 되는 것이 알맞다.

단어·숙어
costume ⑲ 의상

해석
1 전통 의상
2 선 또는 악
3 야생화

C 빈칸에 알맞은 말을 단어 카드에서 골라 써 봅시다.

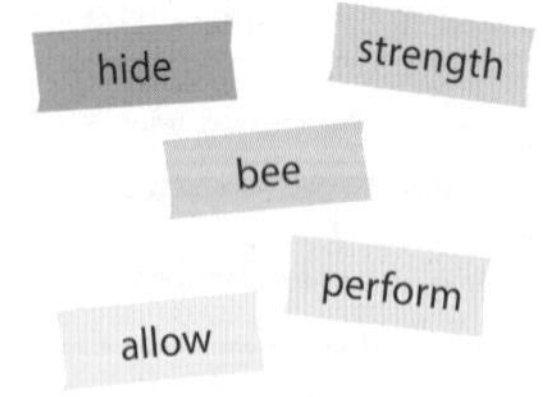

1. He used his strength to move the big rock.
2. My mother won't allow me to go there.
3. Students will perform a play at the town festival.

풀이
1 큰 바위를 움직이기 위해 사용한 것은 힘이므로 '힘'이라는 의미의 strength가 와야 한다.
2 'A가 B하는 것을 허락하다'라는 의미의 'allow A to B'가 되어야 하므로 allow가 와야 한다.
3 학생들이 마을 축제에서 공연할 것이라는 의미가 되도록 '공연하다'라는 의미의 perform이 와야 한다.

단어·숙어
strength ⑲ 힘
rock ⑲ 바위, 돌
allow A to B A가 B하는 것을 허락하다
perform ⑧ 공연하다
play ⑲ 연극

해석
1 그는 큰 바위를 움직이기 위해서 그의 힘을 사용했다.
2 우리 엄마는 내가 거기에 가는 것을 허락하지 않을 것이다.
3 학생들은 마을 축제에서 연극을 공연할 것이다.

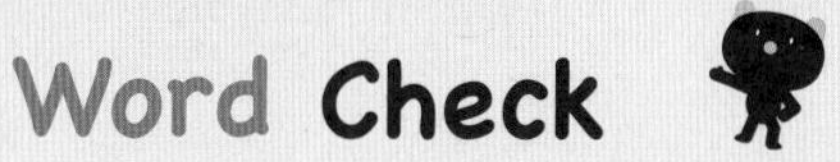

정답과 해설 p. 341

A 다음 영어 표현은 우리말로, 우리말은 영어로 쓰시오.

1. popular ______________
2. be allowed to ______________
3. gracefully ______________
4. keep up the good work ______________
5. enemy ______________
6. 동작, 움직임 ______________
7. …을 살펴보다 ______________
8. 공연하다 ______________
9. 원래 ______________
10. …을 통해 ______________

B 다음 지시에 알맞은 단어를 [보기]에서 골라 쓰시오. (㊒ 유의어, ㉤ 반의어)

보기

make it   create   good   costume   comfortable   traditional

1. make ㊒ ______________
2. clothes ㊒ ______________
3. cozy ㊒ ______________
4. evil ㉤ ______________
5. modern ㉤ ______________
6. fail ㉤ ______________

C 다음 빈칸에 알맞은 단어를 [보기]에서 골라 쓰시오.

보기

try your best   give up   creative   express   communicate

1. To keep imagining is one of the best ways of becoming ______________.
2. If I study English hard, I will be able to ______________ with foreigners.
3. It can be hard for them to ______________ their true feelings.
4. If you ______________ at everything, you won't regret it.
5. To ______________ easily is not a good habit, is it?

so ... that ~

A **Look and Say** 다음 만화 속 등장인물들의 표정을 보고, 감정을 나타내는 문장을 말해 봅시다.

1.
I was so happy that I sang all day! (happy, sing)
2.
I was so sad that I cried all day! (sad, cry)
3.
I was so scared that I hid under my bed. (scared, hide)

단어·숙어
all day 하루 종일
scared ⓐ 무서운
hide ⓥ 숨다, 숨기다

해석
1 나는 너무 행복해서 하루 종일 노래를 불렀다!
2 나는 너무 슬퍼서 하루 종일 울었다!
3 나는 너무 무서워서 침대 밑에 숨었다.

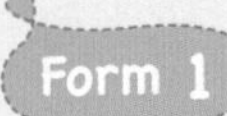
풀이 'so+형용사/부사+that+주어+동사+…' 구문 형태에 맞춰서 주어진 표현을 바르게 써넣어 문장을 완성한다.

Form 1 ▶ **so ... that ~**

'so ... that ~'은 '너무 …해서 ~하다'라는 뜻으로 that 이하에 결과가 온다. so와 that 사이에는 형용사나 부사가 오고, that 이하에는 주어와 동사가 쓰인 문장의 형태가 오는 것에 유의한다.

- 'so+형용사/부사+that+주어+can+동사 ~'의 경우는 '형용사+enough+to+동사 ~'와 바꿔 쓸 수 있다.
  My friend is **so smart that she is able to solve** all the puzzles here.
  = My friend is **smart enough to solve** all the puzzles here.
  (내 친구는 너무 똑똑해서 그녀는 여기에 있는 모든 수수께끼를 풀 수 있다.)
- 'so+형용사/부사+that+주어+can't+동사 ~'의 경우는 'too+형용사+to+동사 ~'와 바꿔 쓸 수 있다.
  My sister's bag was **so heavy that she couldn't carry** it by herself.
  = My sister's bag was **too heavy** for her **to carry** it by herself.
  (내 여동생의 가방이 너무 무거워서 그녀는 그것을 혼자서 들 수 없었다.)

e.g. The problem is **so difficult that** I spent a lot of time solving it.
(그 문제는 너무 어려워서 나는 그것을 푸는 데 많은 시간을 썼다.)
It was **so windy that** we didn't go on a picnic that day.
(너무 바람이 불어서 우리는 그날 소풍 가지 않았다.)
He turned the music on **so loud that** it was all I could hear.
(그가 음악을 너무 크게 틀어서 내가 들을 수 있는 건 음악뿐이었다.)
The car went **so fast that** the people around were shocked.
(그 차가 너무 빠르게 지나가서 주변의 사람들이 깜짝 놀랐다.)

as ... as ~

B **Look and Write** 다음 그림을 보고, 문장을 완성해 봅시다.

1. Sujin is as brave as a lion.
2. My cat is as white as snow.
3. Ted is as busy as a bee.
4. Her smile is as bright as the sun.

단어·숙어 brave ⓗ 용감한 busy ⓗ 바쁜

해석
1 수진이는 사자만큼 용감하다.
2 내 고양이는 눈만큼 하얗다.
3 Ted는 벌만큼 바쁘다.
4 그녀의 미소는 태양만큼 밝다.

풀이 'as+형용사/부사의 원급+as' 구문 형태에 맞춰서 주어진 그림에 맞는 단어를 써 넣어 문장을 완성한다.

Form 2 ▶ **as ... as ~**

'as ... as ~'는 '~만큼 …한'이라는 뜻으로 비교 대상의 같은 성질을 비교할 때 사용한다. as와 as 사이에는 형용사나 부사의 원급을 쓰는 것에 유의한다.

- **부정형:** not+as+형용사/부사의 원급+as
- **원급을 이용한 최상급 표현:** No other+단수 명사+동사+as ... as ~
  No other star is as bright as that one. = That star is the brightest one.
  (다른 어떤 별도 그 별만큼 밝지 않다. = 그 별이 가장 밝다.)
- **관용적 표현:** as free as a bird (매우 자유로운) / as wise as an owl (매우 현명한)
  as blind as a bat (시력이 매우 안 좋은) / as quiet as a mouse (쥐 죽은 듯이 조용한)

e.g. Your painting is **as creative as** Picasso's.
(너의 그림은 피카소의 그림만큼 창의적이다.)
I think I should stay here **as long as** I can.
(나는 내가 할 수 있는 만큼 여기에 머물러야 한다고 생각한다.)
It's not easy for me to read it **as quickly as** you do.
(네가 하는 것만큼 내가 그것을 빠르게 읽는 것은 쉽지 않다.)
My laptop computer doesn't run **as fast as** my father's.
(나의 노트북 컴퓨터는 아빠의 노트북 컴퓨터만큼 빠르게 작동되지 않는다.)

Self-check

	☺	☹
• I can use 'so ... that ~.'	☐	☐
• I can use 'as ... as ~.'	☐	☐

Grammar Builder ☹ p.162 ☺ p.163

Grammar Builder A

교과서 p.162

Point 1 so ... that ~

A 설명을 읽고, 어울리는 표현끼리 연결하여 문장을 완성해 봅시다.

- **so ... that ~: '너무 …해서 ~하다'라는 의미로 사용된다.**

  He is so funny that he can be a comedian.
  (강조 / 결과)

  The problem is so hard that I can't solve it.

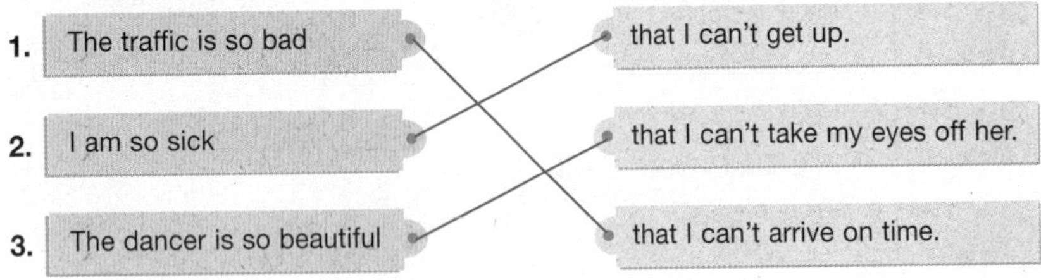

1. The traffic is so bad
2. I am so sick
3. The dancer is so beautiful
that I can't get up.
that I can't take my eyes off her.
that I can't arrive on time.

풀이
1 '교통이 너무 막힌다'라는 내용은 '나는 제시간에 도착할 수 없다'라는 결과와 연결되는 것이 자연스럽다.
2 '나는 너무 아프다'라는 내용은 '나는 일어날 수 없다'라는 결과와 연결되는 것이 자연스럽다.
3 '그 무용수는 너무 아름답다'라는 내용은 '나는 그녀에게서 눈을 뗄 수 없다'라는 결과와 연결되는 것이 자연스럽다.

단어·숙어
solve ⓢ 풀다, 해결하다
traffic ⓜ 교통
get up 일어나다
take one's eyes off …에서 눈을 떼다
arrive ⓢ 도착하다
on time 제시간에

해석
- 그는 너무 웃겨서 코미디언이 될 수 있다.
- 그 문제는 너무 어려워서 나는 그것을 풀 수 없다.

1 교통이 너무 막혀서 나는 제시간에 도착할 수 없다.
2 나는 너무 아파서 일어날 수 없다.
3 그 무용수는 너무 아름다워서 나는 그녀에게서 눈을 뗄 수 없다.

Point 2 as ... as ~

B 설명을 읽고, 주어진 단어를 사용하여 문장을 완성해 봅시다.

- **as ... as ~: '~만큼 …한'이라는 의미로 두 대상의 정도가 같음을 나타낸다.**

  He is as tall as his brother.

  Kevin is as slow as a turtle.

- **(주의) as ... as 사이에는 단어 원래의 형태를 써야 한다.**

  Tom is as light as air. (O)

  Tom is as lighter as air. (X)

1. He runs as ___fast___ as a rabbit. (fast)
2. Her hair is ___as red as___ a tomato. (red)
3. Sena ___is as cute as___ a baby. (cute)

풀이
1 as와 as 사이에는 형용사의 원래 형태를 써야 하므로 fast가 알맞다.
2 '토마토만큼 빨간'이라는 구문을 만들어야 하므로 as red as가 알맞다.
3 '세나는 아기만큼 귀엽다.'라는 문장을 만들어야 하므로 빈칸에 is as cute as가 들어가는 것이 알맞다.

단어·숙어
turtle ⓜ 거북
light ⓗ 가벼운

해석
- 그는 그의 형만큼 키가 크다.

  Kevin은 거북이만큼 느리다.
- Tom은 공기만큼 가볍다.

1 그는 토끼만큼 빨리 달린다.
2 그녀의 머리카락은 토마토만큼 빨갛다.
3 세나는 아기만큼 귀엽다.

교과서 p.163

Point 1 so ... that ~

A 주어진 단어를 사용하여 세나와 Brad의 대화를 완성해 봅시다. (단어는 한 번씩만 사용할 것)

Sena Brad, how was your weekend?
Brad Not good. When I went to bed, the music next door was so ___loud___ that I couldn't ___sleep___.
Sena I'm sorry to hear that.
Brad How about you? Did you do anything fun?
Sena I watched a movie with my sister.
Brad How was it?
Sena The movie was great, but it was so ___sad___ that I ___cried___ a lot. Also, when I came out, it was so ___windy___ that I caught a ___cold___.

sad cried cold sleep loud windy

풀이 '너무 …해서 ~하다'라는 뜻을 나타내는 'so ... that ~' 구문을 쓸 때는 so 다음에는 형용사나 부사가, that 다음에는 '주어+동사+…'로 이루어진 절이 온다.

표현 • Did you do **anything fun**?: '-thing, -body, -one'으로 끝나는 대명사는 형용사가 뒤에서 꾸며 주는 형태로 쓰인다.

단어·숙어
catch a cold 감기에 걸리다
windy ⓗ 바람이 많이 부는

해석
세나: Brad, 주말 어땠니?
Brad: 별로였어. 내가 잠자리에 들었을 때, 옆집의 음악 소리가 너무 커서 나는 잠을 잘 수가 없었어.
세나: 그것 참 안됐구나.
Brad: 너는 어땠어? 재미있는 것이 있었니?
세나: 난 여동생과 함께 영화 봤어.
Brad: 어땠어?
세나: 영화는 좋았는데 너무 슬퍼서 나는 많이 울었어. 또한 밖에 나왔을 때 너무 바람이 많이 불어서 나는 감기에 걸렸어.

Point 2 as ... as ~

B 다음 그림에 맞게 두 문장을 한 문장으로 바꿔 써 봅시다.

e.g. (2kg) The dog is light. The cat is the same weight.
→ The dog is as light as the cat.

1. 
$20,000

The ring is expensive. The car is the same price.
→ The ring is ___as expensive as___ the car.

2. 
190cm

My brother is tall. That basketball player is the same height.
→ My brother is ___as tall as that basketball player___.

3. 
3 ton

The rock is heavy. The elephant is the same weight.
→ ___The rock is as heavy as the elephant___.

풀이
1 비교 대상인 반지와 차의 가격이 같으므로 'as ... as ~'를 사용한다. 이때, as와 as 사이에는 주어진 형용사의 원급을 쓰고, 두 번째 as 뒤에는 비교하는 대상을 넣는 것에 유의한다.
2 비교 대상인 나의 형과 그 농구 선수의 키가 같으므로 'as ... as ~'를 사용한다.
3 비교 대상인 바위와 코끼리의 무게가 같으므로 'as ... as ~'를 사용한다.

단어·숙어
weight ⓜ 무게
expensive ⓗ (값이) 비싼
price ⓜ 가격
height ⓜ 키

해석
그 개는 가볍다. 그 고양이는 몸무게가 같다.
→ 그 개는 그 고양이만큼 가볍다.
1 그 반지는 비싸다. 그 차는 가격이 같다.
→ 그 반지는 그 차만큼 비싸다.
2 나의 형은 키가 크다. 그 농구 선수는 키가 같다.
→ 나의 형은 그 농구 선수만큼 키가 크다.
3 그 바위는 무겁다. 그 코끼리는 무게가 같다.
→ 그 바위는 그 코끼리만큼 무겁다.

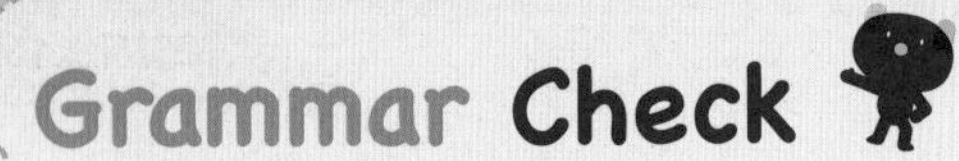

정답과 해설 p. 341

A 다음 괄호 안에서 알맞은 말을 고르시오.

1. Can you help me? This box is as (heavy / heaviness) as a rock.
2. I saw a deer last night and it ran as (fast / faster) as a car.
3. The children were so tired (to / that) they soon fell asleep.
4. It was (as / so) hot that I couldn't help turning on the air conditioner.
5. My mom's spaghetti was so (delicious / deliciously) that I couldn't stop eating it.

Grammar Tip

1, 2. 'as ... as ~'는 '~만큼 … 한'이라는 뜻을 나타내는 동등 비교 구문으로 as와 as 사이에는 형용사나 부사의 원급을 쓴다.

3, 4, 5. 'so ... that ~'은 '너무 …해서 ~하다'라는 뜻을 나타내며, so와 that 사이에는 형용사나 부사를 쓰고 that 다음에는 '주어+동사'로 이루어진 문장 형태가 온다.

B 다음 문장에서 어법상 어색한 부분을 찾아 바르게 고쳐 쓰시오.

1. I couldn't prepare for the test as more as my friends did.
2. The *bulgogi* was so delicious that they wanting to know how to cook it.
3. Look at my favorite singer! Her appearance is as beautifully as her voice.
4. The performance was so exciting as I couldn't help but stand up.

C 다음 주어진 단어를 바르게 배열하여 문장을 완성하시오.

1. (other, as, is, building, no)
   → ______________________ tall as this one.
2. (a doll, as, is, as, cute)
   → My baby sister ______________________.
3. (as, a bed, as, comfortable)
   → Is this sofa ______________________?

1. 원급을 사용해 최상급 표현을 나타낼 때는 'No other+단수 명사+동사+as+형용사/부사의 원급+as+비교 대상'의 형태로 쓴다.

D 다음 대화를 읽고, 우리말과 일치하도록 주어진 단어를 활용하여 문장으로 쓰시오.

A How was your field trip to the zoo yesterday?
B It was not bad. I was surprised to learn that lions and bears are really big.
A <u>사자가 곰만큼 크니?</u> (lions, bears, big)
B No, they are not. The bears are bigger than the lions.
A Oh, I see. How was the weather yesterday?
B <u>너무 더워서 우리는 밖에 오래 머물 수 없었어.</u> (could, hot, so, stay, long, outside)
A Oh, was it? That's too bad.

Let's Write

My Favorite Dance

교과서 p.104

Ready 모둠별로 한 나라를 골라 그 나라의 전통 춤을 조사하고, 표를 완성해 봅시다. group

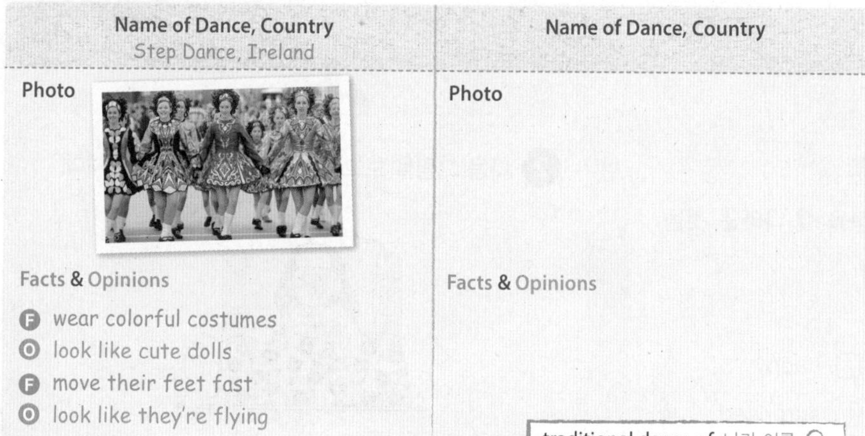

Name of Dance, Country Step Dance, Ireland	Name of Dance, Country
Photo 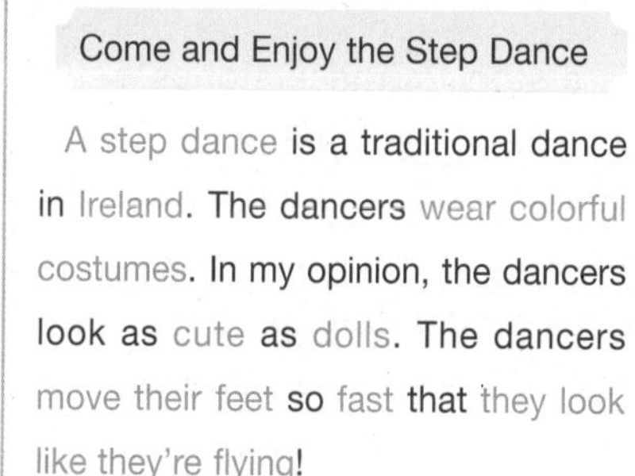	Photo
Facts & Opinions F wear colorful costumes O look like cute dolls F move their feet fast O look like they're flying	Facts & Opinions traditional dance of 나라 이름

단어 숙어
fact 명 사실
opinion 명 의견

해석
춤의 이름, 나라
스텝 댄스, 아일랜드
사실과 의견
사실 다채로운 의상을 입는다
의견 귀여운 인형처럼 보인다
사실 그들의 발을 빠르게 움직인다
의견 그들은 날고 있는 것처럼 보인다

활동 방법 한 나라를 골라 그 나라의 전통 춤을 조사하여 형식에 맞게 표를 완성해 본다.

Write 위의 내용을 바탕으로 그 나라의 전통 춤을 소개하는 홍보 사이트를 완성해 봅시다. group

Come and Enjoy the Step Dance

A step dance is a traditional dance in Ireland. The dancers wear colorful costumes. In my opinion, the dancers look as cute as dolls. The dancers move their feet so fast that they look like they're flying!

Come and Enjoy the Flamenco

Flamenco is a traditional dance in Spain. The dancers wear special skirts. In my opinion, the dancers look as dynamic as waves. The dancers make sounds with their hands and feet so powerfully that they look like they're shaking the ground!

활동 방법 위의 내용을 바탕으로 'as+형용사/부사의 원급+as+비교 대상' 구문과 'so+형용사/부사+that+주어+동사+…' 구문을 활용하여 전통 춤을 소개하는 글을 완성해 본다.

해석
와서 스텝 댄스를 즐겨 봐.
스텝 댄스는 아일랜드의 전통 춤이다. 그 무용수들은 다채로운 색상의 의상을 입는다. 내 생각에, 그 무용수들은 인형만큼 귀엽다. 그 무용수들은 그들의 발을 너무 빠르게 움직여서 그들이 마치 날고 있는 것처럼 보인다!

해석
와서 플라멩코를 즐겨 봐.
플라멩코는 스페인의 전통 춤이다. 그 무용수들은 특별한 치마를 입는다. 내 생각에, 그 무용수들은 물결만큼 역동적으로 보인다. 그 무용수들은 너무 역동적으로 그들의 손과 발로 소리를 내어서 그들이 땅을 흔들고 있는 것처럼 보인다!

Present 모둠별로 완성한 홍보 사이트를 발표해 봅시다.

Peer Review	☺	☹
• 한 나라의 전통 춤을 조사하여 정리한 후, 홍보 사이트를 잘 완성하였나요?	☐	☐
• 'so ... that ~'과 'as ... as ~' 표현을 이해하고 잘 사용하였나요?	☐	☐

Let's Check

❶ 대화를 듣고, 동준이의 감정을 잘 나타낸 것을 골라 봅시다.

☐ happy
☑ surprised

❷ 다음 그림을 보고, 소녀의 상태를 말해 봅시다.

In my opinion, she is sick.

❸ 글의 흐름에 맞게 ⓐ~ⓒ를 바르게 배열해 봅시다. ⓒ-ⓐ-ⓑ

Kathakali tells a story. ⓐThese stories are usually about a fight between good and evil. ⓑDancers who are playing good characters paint their faces green. ⓒThe dancers tell stories through their body movements. Those who are playing evil characters wear black make-up.

❹ 다음 글을 읽고, 물음에 답해 봅시다.

When people visit New Zealand, they may meet a group of *haka* dancers. The dancers perform this traditional dance with scary faces. This dance was originally performed by the Maori before a fight.

Q. What is *haka* in New Zealand?

A. It's a traditional dance that was first performed by the Maori.

❺ 주어진 단어를 사용하여 다음 그림을 묘사하는 문장을 완성해 봅시다.

The boy's shoes are so comfortable that he can wear them all day, but his jacket is so small that he can't wear it.

small wear comfortable

❻ 다음 그림을 보고, 자신의 생각을 말해 봅시다.

e.g. The dancers look as scary as dragons.

The dancers' costumes look as colorful as flowers.
The dancers look as big as real animals.

My Score	4-6	2-3	0-1
/ 6	☺	😐	☹

1

Script G: Look at the dancing girls, Dongjun. Aren't they amazing?
B: Girls? I can only see one dancer.
G: Look more closely. Do you see many arms behind her?
B: Wow. I didn't know that there were other dancers behind her.
G: That's right. I'm sure there are more than 10 dancers.

해석 G: 저 춤추는 소녀들을 봐, 동준아. 놀랍지 않니?
B: 소녀들? 나는 한 사람만 보이는데.
G: 더 자세히 봐. 그녀 뒤에 많은 팔들이 보이니?
B: 와. 나는 그녀 뒤에 많은 무용수들이 있다는 걸 몰랐어.
G: 맞아. 나는 10명 이상의 무용수들이 있다고 확신해.

풀이 동준이는 무용수 한 명이 춤을 추는 줄 알았는데 많은 무용수들이 있다는 것을 알았으므로 그가 느낀 감정으로는 '놀란(surprised)'이 알맞다.

단어·숙어
amazing ㊗ 놀라운
closely ㊚ 가까이, 자세히
behind ㊝ …뒤에

2

해석 내 생각에 그녀는 아프다.

풀이 그림 속 소녀는 머리에 수건을 올리고 침대에 누워 있으며 옆 탁자에는 물과 체온계가 있는 것으로 보아 아프다고 볼 수 있다. 자신의 의견을 말할 때 쓰는 표현인 In my opinion, 뒤에 소녀의 건강 상태를 나타내는 말을 쓰면 된다.

단어·숙어
opinion ㊐ 의견, 견해, 생각

3

해석 카타칼리에는 이야기가 있습니다. 그 무용수들은 그들의 몸동작을 통해서 이야기합니다. 이 이야기들은 주로 선과 악의 싸움에 대한 것입니다. 선한 역할을 맡은 무용수들은 그들 자신의 얼굴을 초록색으로 칠합니다. 악한 역할을 맡은 무용수들은 검은색 화장을 합니다.

풀이 카타칼리에는 이야기가 있다는 내용의 첫 문장은 이야기들을 어떤 방식으로 표현하는지에 관한 문장 ⓒ와 자연스럽게 연결되고, ⓒ의 stories는 ⓐ의 These stories와 연결된다. 또한 마지막 문장에서 악한 역할을 맡은 무용수들의 분장 내용이 나오는 것으로 보아 ⓑ의 문장과 연결되므로 ⓒ–ⓐ–ⓑ의 순서가 되어야 한다.

단어·숙어
evil ㊗ 악
through ㊝ …을 통해
character ㊐ 등장인물
movement ㊐ 동작, 움직임

4

해석 사람들이 뉴질랜드에 방문할 때, 그들은 하카 무용수들의 무리를 만날지도 모릅니다. 그 무용수들은 무서운 얼굴로 이 전통 춤을 춥니다. 이 춤은 원래 싸움 전에 마오리족에 의해 행해졌습니다.
Q. 뉴질랜드에서 하카는 무엇입니까?
A. 그것은 마오리족에 의해 처음 행해진 전통 춤입니다.

풀이 주어진 글의 내용으로 보아 하카는 뉴질랜드의 '전통 춤'이며, '마오리족'에 의해 처음 추어진 것을 알 수 있다.

단어·숙어
perform ㊍ 공연하다
scary ㊗ 무서운
traditional ㊗ 전통적인
originally ㊚ 원래

5

해석 그 소년의 신발은 너무 편해서 그는 그것들을 하루 종일 신을 수 있지만, 그의 재킷은 너무 작아서 그는 그것을 입을 수 없다.

풀이 '너무 …해서 ~할 수 있다'라는 뜻의 'so ... that ~' 구문을 사용하여 so 뒤에는 comfortable이나 small이 오고, that 이하에는 '주어+동사+…'로 이루어진 문장이 와야 한다. 네 번째 빈칸에서 동사 wear 다음에 jacket을 가리키는 목적어로 대명사 it이 와야 한다.

단어·숙어
all day 하루 종일
comfortable ㊗ 편안한

6

해석 그 무용수들은 용들만큼 무서워 보인다.
그 무용수들의 의상은 꽃들만큼 다채로워 보인다.
그 무용수들은 진짜 동물들만큼 커 보인다.

풀이 as와 as 사이에는 형용사나 부사의 원급이 와야 하고, 두 번째 as 뒤에는 비교하고자 하는 대상이 와서 '…만큼 ~한'이라는 뜻의 문장이 되어야 한다.

Dances from Around the World

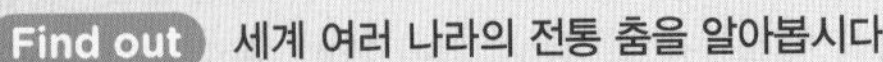

Find out 세계 여러 나라의 전통 춤을 알아봅시다.

***Tarantella*, Italy**

In the past, people danced the *tarantella* for sick people. Nowadays, it is a couple's dance. People dance the *tarantella* on happy days such as weddings.

***Adumu*, Kenya**

This dance is performed before a fight. It is also called a jumping dance. Dancers jump high in the air. When a dancer jumps, other dancers cheer him on with loud noises.

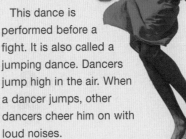

***Nongakmu*, Korea**

Nongakmu is performed by farmers. They dance it to thank each other for their hard work in the fields. They wear special hats and move their heads to the music they play.

Try out 다른 나라의 전통 춤을 더 조사한 후, 특징을 말해 봅시다.

e.g.

***Yoruba* Dance, Nigeria**

People don't stand up when they dance. They usually use their arms and hands.

단어·숙어

past ⓜ 과거
such as …와 같은
in the air 공중에서
cheer A on B A를 B로 응원하다
noise ⓜ 소리, 소음
farmer ⓜ 농부
thank ⓓ 감사하다
field ⓜ 들판, 밭
stand up 일어나다

표현

- *Nongakmu* **is performed by** farmers.: 'be동사+과거분사(p.p.)+by+행위자' 형태의 수동태 구문으로 '~에 의해 …하다'라는 뜻이다.
- They wear special hats **and** move their heads to **the music they play**.: and 다음에 주어 they가 생략된 형태로 등위접속사 and로 연결된 문장이다. the music과 they play 사이에는 목적격 관계대명사 that이 생략되었다.

해석 **Find out**

- ***Tarantella*, 이탈리아**
  과거에 사람들은 아픈 사람들을 위해 타란텔라 춤을 추었다. 요즘에는 그것은 두 사람이 추는 춤이다. 사람들은 결혼식 같은 행복한 날에 타란텔라 춤을 춘다.
- ***Adumu*, 케냐**
  이 춤은 싸움 전에 행해진다. 그것은 또한 점핑 댄스라고 불린다. 무용수들은 공중으로 높이 뛰어오른다. 한 무용수가 뛸 때, 다른 무용수들은 큰 소리로 그를 응원한다.
- **농악무, 한국**
  농악무는 농부들에 의해서 행해진다. 그들은 밭일의 고된 노동에 대해 서로에게 감사하기 위해서 이 춤을 춘다. 그들은 특별한 모자를 쓰고 그들이 연주하는 음악에 맞추어 그들의 머리를 흔든다.

Try out

요루바 춤, 나이지리아 춤을 출 때 사람들은 일어나지 않는다. 그들은 주로 그들의 팔과 손을 사용한다.

Ready 모둠별로 감정을 나타내는 춤 동작을 생각한 후, 정리해 봅시다. group

Feelings	Dance moves
happy	smile and turn around
sad	drop your head and walk slowly
excited	keep jumping up and down
scared	put your arms around yourself

Create 위에서 정리한 춤 동작을 실제로 표현해 보고, UCC로 만들어 봅시다. group

e.g. How can dance express our feelings? We picked four feelings: happy, sad, excited, and scared. We expressed each feeling with different dance moves. I'm sure you'll enjoy watching our video clip.

Smile and turn around.

Drop your head and walk slowly.

Keep jumping up and down.

Put your arms around yourself.

Share 완성한 UCC를 친구들에게 소개해 봅시다.

MEMO

Ready

활동 방법 모둠별로 감정 몇 가지를 선택하고, 그것을 나타낼 수 있는 춤 동작을 생각해서 정리해 본다.

해석

감정	춤 동작
행복한	미소 지으며 빙그르르 돈다
슬픈	고개를 떨어뜨리고 천천히 걷는다
신나는	위아래로 계속 뛴다
두려운	팔로 자신의 몸을 감싼다

단어 숙어
turn around 돌다
drop ⓢ 떨어뜨리다
keep -ing 계속해서 …하다

Create

활동 방법 위에서 모둠별로 정리한 춤 동작을 실제로 표현해서 UCC로 만들어 본다.

해석

춤은 어떻게 우리의 감정을 표현할 수 있나요? 우리는 네 가지 감정을 골랐습니다: 행복한, 슬픈, 신난, 그리고 두려운 감정. 우리는 다른 춤 동작으로 각각의 느낌을 표현했습니다. 저는 당신이 우리의 비디오 클립을 보는 것을 즐길 것이라고 확신합니다.

- 미소 지으며 빙그르르 돌아라.
- 고개를 떨어뜨리고 천천히 걸어라.
- 위아래로 계속 뛰어라.
- 너의 팔로 너의 몸을 감싸라.

단어 숙어
express ⓢ 표현하다
feelings ⓜ 감정
move ⓜ 움직임

Share

활동 방법 완성한 UCC를 친구들에게 소개해 본다.

단원 종합 평가

01 대화를 듣고, 남자의 심정으로 가장 적절한 것을 고르시오.

① happy ② bored
③ anxious ④ angry
⑤ disappointed

02 대화를 듣고, 여자의 마지막 말에 이어질 남자의 응답으로 가장 적절한 것을 고르시오.

① How about reading a newspaper?
② I think students try hard to read good books.
③ In my opinion, you need to read those stories.
④ Yes. I want to go to the museum next Saturday.
⑤ Keep up the good work. I'm sure you can make it.

03 대화를 듣고, 빈칸에 알맞은 말을 쓰시오.

Some male birds dance because it shows their ________ to female birds, and some bees dance because it shows where to find ________.

04 다음 말에 이어질 대화의 순서를 바르게 배열하시오.

What do you think about this painting, Minsu?

(A) You're right.
(B) Umm... The people look like they're having fun.
(C) I agree. In my opinion, the dancing boy really enjoys dancing.

( ) – ( ) – ( )

[05-07] 다음 대화를 읽고, 물음에 답하시오.

Junsu You know what? The school dance contest will be held soon. (①)
Emily That's right. I heard Jimin's class is going to perform a taekwondo dance and Tim's class is going to do a K-pop dance. (②)
Brian We should also decide what to do.
Mina (③) ⓐIn my opinion, it is easy to learn, and it's also beautiful.
Emily That sounds like a good idea. But who will teach us? (④)
Brian Mina is good at traditional dances. Can you help us, Mina? (⑤)
Mina Of course, I will. ________ⓑ________
Junsu Great. Let's give it a try.

05 위 대화의 ①~⑤ 중 주어진 문장이 들어갈 알맞은 곳은?

How about a *Buchaechum*?

① ② ③ ④ ⑤

06 위 대화의 밑줄 친 ⓐ와 바꿔 쓸 수 없는 것은?

① In my view ② I think that
③ I believe that ④ I'm sorry
⑤ To my mind

07 위 대화의 빈칸 ⓑ에 알맞은 것은?

① I'm sure we'll have a lot of fun.
② I don't think we can make it.
③ I'm afraid of trying new things.
④ I'm sorry, but I can't help you.
⑤ I believe you can do it by yourself.

08 다음 단어의 영영 풀이로 바르지 않은 것은?

① popular: liked or enjoyed by many people
② traditional: consisting of or derived from tradition
③ originally: in the beginning; when something first happened or began
④ enemy: someone who likes, protects or tries to help another person
⑤ character: a person who appears in a story, book, play, movie, or television show

09 다음 짝 지어진 두 단어의 관계가 나머지와 다른 하나는?

① move – movement
② express – expression
③ tradition – traditional
④ perform – performance
⑤ communicate – communication

10 다음 글의 빈칸에 공통으로 알맞은 것은?

> Why don't you ________ it a try? Otherwise, you'll regret it. Trust yourself, and do not ________ up this time.

① stand ② take ③ make
④ work ⑤ give

11 다음 밑줄 친 부분의 반대말로 알맞은 것은?

> He is such a talented singer. I believe that he can make it as a world-famous singer.

① fail ② succeed ③ dance
④ sing ⑤ arrive

12 우리말과 일치하도록 어법상 어색한 부분을 바르게 고쳐 쓰시오.

> 너무 어두워서 우리는 어떤 것도 볼 수 없었다.
> → It was as dark as we couldn't see anything.

________ → ________

[13-14] 다음 중 어법상 올바른 문장을 고르시오.

13 ① The movie was so boring that I wanted to stop watching it.
② Her waffles are so deliciously that everybody likes them.
③ I was so tired that going to bed right away.
④ She is so beautiful to I couldn't take my eyes off her.
⑤ The children were so excited that keep running around.

14 ① This mango is as not yummy as the one I had before.
② People in this city look as busier as bees.
③ Wasn't his voice as loudly as thunder?
④ I wanted to jump as high as my P.E. teacher did.
⑤ No other cities in France is as beautiful as here.

15 주어진 두 문장을 한 문장으로 바꿔 쓸 때 빈칸에 알맞은 말을 쓰시오.

> He is 165 cm.
> His brother is 165 cm, too.

→ He is ________________.

[16-18] 다음 글을 읽고, 물음에 답하시오.

Kathakali tells a story. The dancers tell stories through their body movements. These stories are usually about a fight between good and evil. Dancers who are ⓐplay good characters paint their faces green. Those who are playing evil characters wear black make-up. Interestingly, in *Kathakali*, only men are ⓑallow to dance. 그 몸동작들은 매우 힘이 넘쳐서 무용수들은 수년 동안 훈련할 필요가 있습니다.

16 윗글의 밑줄 친 ⓐ와 ⓑ를 어법에 맞게 고쳐 쓰시오.

ⓐ ________ ⓑ ________

17 윗글의 밑줄 친 우리말을 바르게 영작하시오.

→ ________________________________
the dancers need to train for many years.

18 윗글을 읽고, 알 수 없는 것은?

① How the *Kathakali* dancers tell stories
② When people started to dance *Kathakali*
③ What the stories of *Kathakali* are about
④ If women can dance *Kathakali* or not
⑤ Which color the good characters paint their faces

[19-21] 다음 글을 읽고, 물음에 답하시오.

Buchaechum is a traditional Korean fan dance. The dancers wear colorful *hanbok*. They dance with large fans ___ⓐ___ are painted in bright colors. The dancers move the fans gracefully to show different kinds of beauty. ⓑ(as, their movements, as, look, beautiful) flowers or flying birds. In Korea, *Buchaechum* is so popular ___ⓐ___ people can see it in many traditional festivals.

19 윗글의 빈칸 ⓐ에 공통으로 알맞은 것은?

① as ② so ③ which
④ what ⑤ that

20 윗글의 괄호 ⓑ에 주어진 표현을 바르게 배열하여 문장을 완성하시오.

→ ________________________________
flowers or flying birds.

21 윗글의 내용과 일치하지 않는 것은?

① 사람들은 많은 전통 축제에서 부채춤을 볼 수 있다.
② 부채춤 무용수들은 밝은 색의 큰 부채를 들고 있다.
③ 부채춤 무용수들은 부채를 우아하게 움직인다.
④ 부채춤은 피어나는 꽃의 모습을 춤으로 표현한다.
⑤ 부채춤 공연에서 다채로운 한복을 볼 수 있다.

[22-24] 다음 글을 읽고, 물음에 답하시오.

When people visit New Zealand, they may ①met a group of *haka* dancers. The dancers perform this traditional dance with scary faces. This dance was originally ②performing by the Maori before a fight. They wanted ③showing their strength to the enemy. The dancers looked as ④scary as wild animals before fighting. Nowadays, in New Zealand, rugby players usually perform a *haka* before a game ⑤show their strength to the other team.

22 윗글에서 다음 영영 풀이에 해당하는 단어를 찾아 쓰시오.

to entertain an audience by singing, acting, etc.

23 윗글의 밑줄 친 ①~⑤ 중 어법상 올바른 것은?

① ② ③ ④ ⑤

24 다음 질문에 알맞은 답을 윗글에서 찾아 쓰시오.

Q Who usually performs *haka* in New Zealand nowadays?
A ________________________________

정답과 해설 p. 346

01 'so ... that ~' 구문을 사용하여 다음 두 문장을 한 문장으로 바꿔 쓰시오.

(1) The cookies were delicious. I ate them all.

→ ______________________________

(2) It was snowing heavily. The school canceled the field trip.

→ ______________________________

(3) This book was interesting. She read it all night long.

→ ______________________________

02 다음 Judy의 다이어리를 보고 대화를 완성하시오. (주어진 표현을 활용할 것)

A: What did you do last weekend, Judy?

B: Hey, Tom. (1) ______________, ZooTopia, last weekend.

A: How was it?

B: In (2) ______________, it is an (3) ______________. Have you seen it?

A: No, I haven't. Do you think I would like it?

B: Yes. I'm (4) ______________.

03 다음 표의 과일들을 비교하는 글을 완성하시오. ('as ... as ~' 구문을 반드시 사용할 것)

Weight	400g	100g	1.2kg	1.2kg
Price	4,000원	1,000원	10,000원	10,000원

Let's take a look at the table above. Those fruits have various colors and different prices. Some are expensive, and others are not, but melons (1) ______________. Also, melons (2) ______________.

Lesson 7 Magic or Science?

Functions

- 질문하기 **Which sport** do you want to learn? 너는 어떤 운동을 배우고 싶니?
- 희망 · 기대 표현하기 **I can't wait to** see the difference. 저는 그 차이를 빨리 보고 싶어요.

Forms

- **It's** exciting **to** watch a magic show. 마술 쇼를 관람하는 것은 신나는 일이다.
- **How come** the water rose into the glass? 어째서 물이 유리컵 속으로 올라간 거지?

Dancing Coins

Bottled Eggs

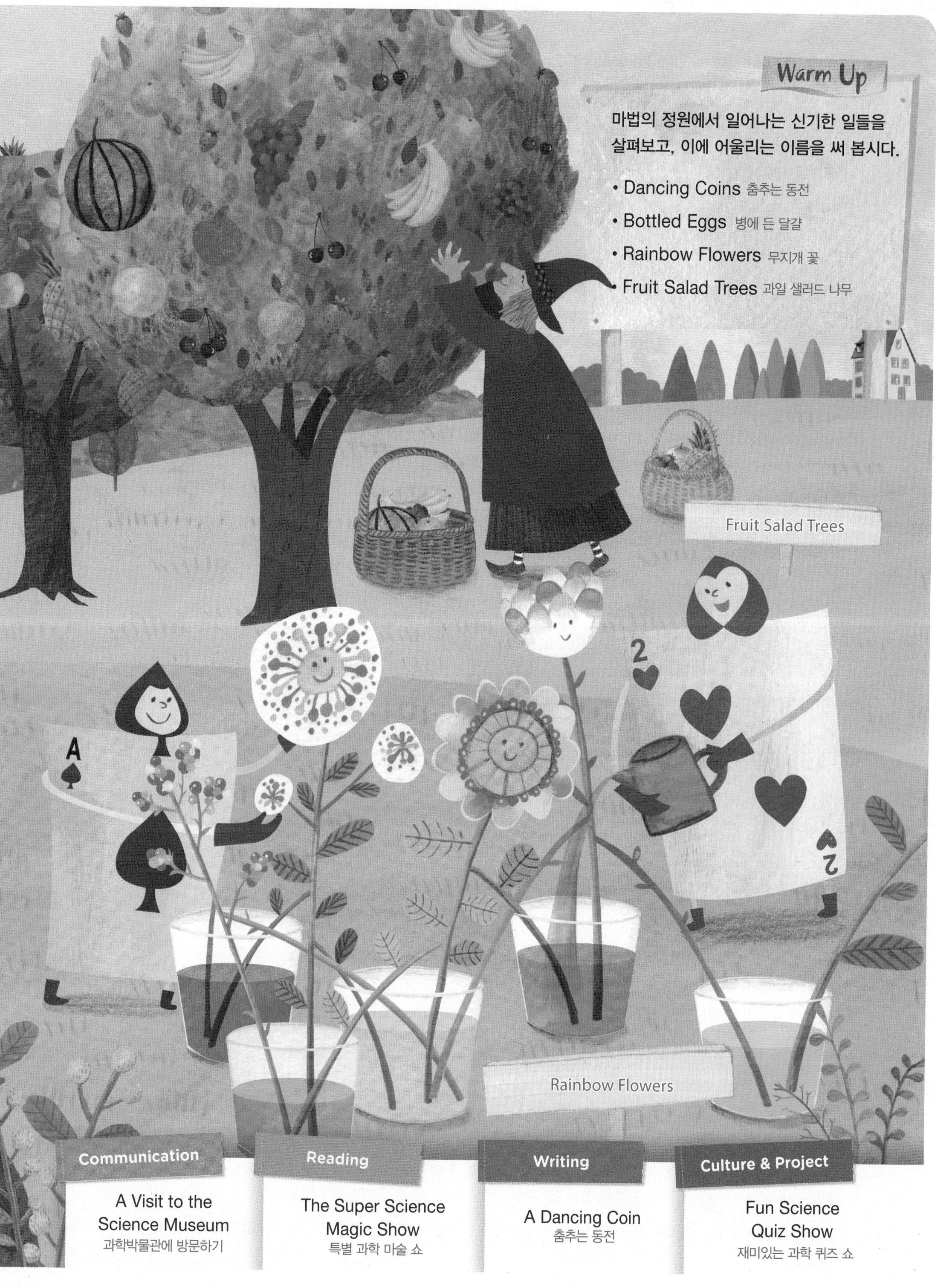
Warm Up
마법의 정원에서 일어나는 신기한 일들을
살펴보고, 이에 어울리는 이름을 써 봅시다.
• Dancing Coins 춤추는 동전
• Bottled Eggs 병에 든 달걀
• Rainbow Flowers 무지개 꽃
• Fruit Salad Trees 과일 샐러드 나무
Fruit Salad Trees
Rainbow Flowers
Communication
A Visit to the Science Museum
과학박물관에 방문하기
Reading
The Super Science Magic Show
특별 과학 마술 쇼
Writing
A Dancing Coin
춤추는 동전
Culture & Project
Fun Science Quiz Show
재미있는 과학 퀴즈 쇼

Listen & Speak 1

A **Listen and Choose** Which picture does NOT match the talk?
다음 말과 일치하지 않는 그림은 무엇입니까?

단어·숙어
flavor 명 맛, 풍미
mix 동 섞다
heavy cream 헤비 크림(유지가 많은 크림)
half 명 반, 절반
cut ... into small pieces …을 잘게 썰다
freezer 명 냉동실
try -ing …해 보다

Script

W: Today we'll make ice cream. Which flavor do you want to make? How about strawberry? First, mix two cups of milk, two cups of heavy cream, and half a cup of sugar. Next, cut five strawberries into small pieces. Then, mix everything together and put it in the freezer. That's it. It's easy to make, isn't it? Why don't you try making it at home?

해석

W: 오늘 우리는 아이스크림을 만들 거예요. 여러분은 어떤 맛을 만들고 싶은가요? 딸기 맛은 어때요? 먼저, 우유 두 컵과 헤비 크림 두 컵, 그리고 설탕 반 컵을 섞으세요. 다음으로, 딸기 다섯 개를 잘게 써세요. 그런 다음, 모두 함께 섞고 냉동실에 넣으세요. 이게 다예요. 만들기 쉽죠, 그렇지 않나요? 집에서 아이스크림을 만들어 보는 게 어때요?

풀이 아이스크림을 만드는 재료가 우유 두 컵, 헤비 크림 두 컵, 설탕 반 컵과 잘게 썬 딸기 다섯 개이므로 그림에서 설탕 한 컵의 그림이 일치하지 않는다.

표현 • **Which flavor do you want to make?:** Which ...?는 '어떤 …을' 선택할지 묻는 표현이다.

B **Listen and Write** Circle the bad eggs. Fill in the blanks with the words in the box.
상한 달걀에 동그라미 해 봅시다. 상자에 주어진 단어로 빈칸을 채워 봅시다.

When eggs __float__ in water, they're not fresh.
달걀이 물에 뜨면 신선하지 않다.
Bad eggs have __gas__ inside. It acts like the air in a balloon.
상한 달걀은 속에 가스가 찬다. 가스가 풍선 속의 공기 같은 역할을 한다.

float sink water gas

단어·숙어
pick out …을 골라내다
sink 동 가라앉다
float 동 뜨다
inside 부 …의 안에
act 동 역할을 하다

Script

B: Yujin, why did you put the eggs in water?
G: I'm picking out the bad eggs.
B: Which eggs are fresh, and which ones are not?
G: Eggs that sink in water are fresh. When eggs float in water, they're not fresh. You shouldn't eat them.
B: That's interesting. Why do the bad eggs float?
G: Because they have gas inside. The gas acts like the air in a balloon.
B: Oh, I see.

해석

B: 유진아, 왜 달걀을 물속에 넣었니?
G: 나는 상한 달걀을 골라내고 있어.
B: 어떤 달걀이 신선하고, 어떤 게 신선하지 않은 거야?
G: 물에 가라앉는 달걀이 신선해. 달걀이 물에 뜨면 신선한 게 아니야. 그것들은 먹으면 안 돼.
B: 그거 재미있다. 상한 달걀은 왜 물에 뜨지?
G: 상한 달걀은 속에 가스가 차기 때문이야. 가스가 풍선 속의 공기 같은 역할을 해.
B: 아, 이제 이해했다.

풀이 달걀이 물에 뜨면(float) 신선하지 않은데, 이는 상한 달걀 속에 있는 가스(gas)가 풍선 속의 공기 같은 역할을 하고 있기 때문이다. 따라서 물에 떠 있는 두 개의 달걀이 상한 것이다.

표현 • **That's interesting.:** 상대방이 한 말이나 주제에 관심이 있음을 표현한다. 유사 표현으로 That interests me (a lot).이 있다.

C Talk Together Fill in the blanks and talk with your partner. pair
빈칸을 채우고 짝과 대화해 봅시다.

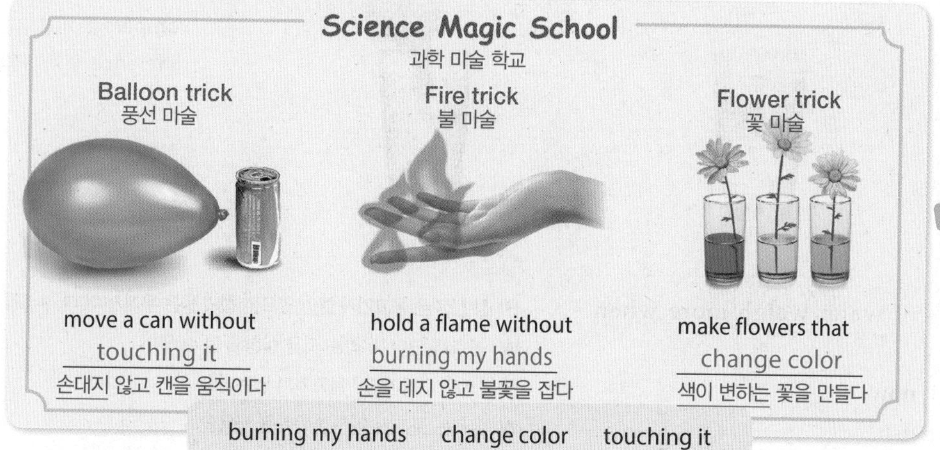

burning my hands change color touching it

A: Which trick do you want to learn?

B: The balloon trick looks interesting! I want to learn how to move a can without touching it.

단어·숙어
- trick 명 마술, 속임수
- without 전 …하지 않고, … 없이
- hold 동 잡다, 쥐다
- flame 명 불꽃
- burn 동 데다, 화상을 입다
- how to+동사원형 …하는 방법

해석
A: 너는 어떤 마술을 배우고 싶니?
B: 풍선 마술이 재미있어 보여! 나는 손대지 않고 캔을 움직이는 방법을 배우고 싶어.

활동 방법 자신이 배우고 싶은 마술을 고른 후, 주어진 대화문을 이용하여 짝과 대화해 본다.

- A: Which trick do you want to learn?
  B: The fire trick looks interesting! I want to learn how to hold a flame without burning my hands.
- A: Which trick do you want to learn?
  B: The flower trick looks interesting! I want to learn how to make flowers that change color.

- A: 너는 어떤 마술을 배우고 싶니?
  B: 불 마술이 재미있어 보여! 나는 손을 데지 않고 불꽃을 잡는 방법을 배우고 싶어.
- A: 너는 어떤 마술을 배우고 싶니?
  B: 꽃 마술이 재미있어 보여! 나는 색이 변하는 꽃을 만드는 방법을 배우고 싶어.

Function 1 질문하기: Which ... ?

Which ... ?는 '어떤 …?'라는 뜻으로, What ... ?과는 달리 정해진 범위 내에서 어떤 것을 선택하고자 하는지를 묻는 표현이다. Which 뒤에는 activity, color, flavor, movie 등의 표현이 오고, 뒤에 두세 가지의 선택 사항이 제시되기도 한다.

- A: **Which music** do you want to listen to? Pop or classical?
  (너는 어떤 음악을 듣고 싶니? 팝 아니면 클래식?)
  B: I want to listen to pop. (나는 팝을 듣고 싶어.)
- A: **Which color** do you like better, red or blue?
  (너는 어떤 색이 더 좋니, 빨강 아니면 파랑?)
  B: I like red better. (나는 빨강이 더 좋아.)

Listen & Speak 2

A **Listen and Choose** Which things will Ms. Jeong weigh for the test? Choose two.
정 선생님이 실험을 위해 무게를 잴 것은 무엇입니까? 두 개를 골라 봅시다.

단어·숙어
weigh ⓢ 무게가 나가다
instead of … 대신에
compare ⓢ 비교하다
difference ⓜ 차이(점)

☑ 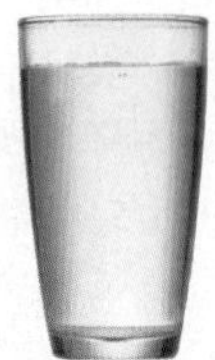

☐ 

☑ 

Script

B: Ms. Jeong, does a glass of water weigh more when there's a fish in it?
W: Yes, it does. We can test it now.
B: But how? We don't have a fish.
W: We can use a finger instead of a fish.
B: How will that work?
W: I'll weigh a glass of water first. Then I will put my finger in the water and weigh it to compare.
B: Oh, I can't wait to see the difference.

해석

B: 정 선생님, 물고기가 들어 있으면 컵의 물은 무게가 더 나가나요?
W: 응, 그렇단다. 우리는 지금 실험해 볼 수 있어.
B: 하지만 어떻게요? 물고기가 없는데요.
W: 우리는 물고기 대신 손가락을 사용할 수 있단다.
B: 어떻게 할 수 있어요?
W: 우선 물 한 컵의 무게를 잴 거야. 그다음에 비교하기 위해 물속에 내 손가락을 넣고 무게를 잴 거란다.
B: 아, 그 차이를 빨리 보고 싶어요.

풀이 물컵 한 잔의 무게와 그 안에 물고기가 들어 있는 물컵 한 잔의 무게를 비교하려고 하는데, 물고기가 없어서 대신 손가락을 넣어 물컵의 무게 변화를 알아보려고 한다. 따라서 정 선생님은 물만 있는 컵과 손가락을 넣은 물컵의 무게를 잴 것이다.

표현 • **I can't wait to see the difference.:** I can't wait to ...는 희망이나 기대를 말할 때 쓰는 표현으로, '나는 …이 몹시 기다려진다' 또는 '빨리[얼른] …하고 싶다'라는 뜻이다.

B **Listen and Talk** Fill in the blanks and talk with your partner. pair
빈칸을 채우고 짝과 대화해 봅시다.

단어·숙어
prepare for …을 준비[대비]하다
dry season 건기
last ⓢ 지속되다, 계속되다

King Sejong

There has been no __rain__ for a long time.
We should do something to help the __farmers__.
세종대왕: 오랫동안 비가 오지 않는구나. 농부들을 돕기 위해 무언가를 해야 한다.

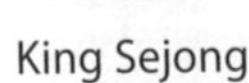

How about making a special __clock__?
We can use it to prepare for the __dry__ season.

Jang Yeongsil

장영실: 특별한 시계를 만드는 것은 어떨까요?
건기를 대비하기 위해 그것을 사용할 수 있습니다.

Script

King Sejong: It hasn't rained for a long time.
Jang Yeongsil: Yes. The dry season is lasting too long. The farmers are very worried.
King Sejong: We should do something to help them.
Jang Yeongsil: How about making a special clock?
King Sejong: A clock? How will that help?
Jang Yeongsil: The clock will show the time and the seasons. We can use it to prepare for the dry season.

해석

세종대왕: 오랫동안 비가 오지 않는구나.
장영실: 네. 건기가 너무 오래 지속되고 있습니다. 농부들이 걱정이 많습니다.
세종대왕: 그들을 돕기 위해 무언가를 해야 한다.
장영실: 특별한 시계를 만드는 것은 어떨까요?
세종대왕: 시계? 그것이 어떻게 도움이 되겠느냐?
장영실: 그 시계가 시간과 계절을 알려줄 겁니다. 건기를 대비하기 위해 그것을 사용할 수 있습니다.

King Sejong: That sounds like a good idea. But who's going to make it?
Jang Yeongsil: I'll give it a try. I know a lot about time and the seasons.
King Sejong: Okay, I can't wait to see your clock.

세종대왕: 좋은 생각 같구나. 하지만 누가 그것을 만들겠느냐?
장영실: 제가 한번 해 보겠습니다. 저는 시간과 계절에 대해 많이 알고 있습니다.
세종대왕: 좋다, 네가 만든 시계를 빨리 보고 싶구나.

풀이 세종대왕이 '비'가 오지 않아 '농부들'을 도와주고 싶어 하자, 장영실이 특별한 '시계'를 만들어 '건기'에 대비할 것을 제안하고 있다.

표현 • **I'll give it a try.**: give it a try는 '(시험 삼아) 한번 해 보다, 시도해 보다'라는 의미로, 유사 표현으로 give it a shot이 있다.

C Talk Together Fill in the blanks and talk with your partner. pair
빈칸을 채우고 짝과 대화해 봅시다.

drive a robot
walk on water
float in the air

I'm floating in the air.
나는 공중에 떠 있다.
I'm driving a robot.
나는 로봇을 조종하고 있다.
I'm walking on water.
나는 물 위를 걷고 있다.

A: Look at that girl. She's driving a robot.
B: That looks really fun. I can't wait to try it.

단어·숙어
drive ⑧ 운전하다, 조종하다
walk on water 물 위를 걷다
float ⑧ 뜨다, 띄우다
look fun 재미있어 보이다

해석
A: 저 소녀를 봐. 로봇을 조종하고 있어.
B: 정말 재미있어 보인다. 나도 빨리 해 보고 싶어.

활동 방법 그림을 보고 말풍선을 채운 후, 주어진 대화문을 이용하여 짝과 대화해 본다.

예시 대화
• A: Look at that boy. He's floating in the air.
  B: That looks really fun. I can't wait to try it.
• A: Look at that boy. He's walking on water.
  B: That looks really fun. I can't wait to try it.

• A: 저 소년을 봐. 공중에 떠 있어.
  B: 정말 재미있어 보인다. 나도 빨리 해 보고 싶어.
• A: 저 소년을 봐. 물 위를 걷고 있어.
  B: 정말 재미있어 보인다. 나도 빨리 해 보고 싶어.

Function 2 희망 · 기대 표현하기: I can't wait to … .

I can't wait to … .는 기다릴 수 없을 정도로 그 일을 몹시 하고 싶다는 희망이나 기대감을 나타낼 때 사용하는 표현으로, '나는 …이 무척 기다려진다', 또는 '빨리 …하고 싶다'로 해석한다. to 뒤에는 동사원형이 오고, 뒤에 명사(구)가 오면 'I can't wait for+명사(구)'로 쓴다.

• 유사 표현 – I'm looking forward to -ing … . / I'm dying to … . / I'm eager to … . / I'm longing to … .

• A: Did you know that Mr. Parker will visit our store this Friday?
  (너는 이번 주 금요일에 Parker 씨가 우리 가게를 방문할 거라는 걸 알고 있었니?)
  B: Yes. **I can't wait to** meet him in person. (응. 빨리 그를 직접 만나보고 싶어.)

Real Life Communication

A **Watch and Write** 동영상을 보고, 미나가 신청한 수업을 고른 후 내용을 요약해 써 봅시다.

☐ 

☑ 

Mina signed up for a magic/special class. She is excited about learning new magic tricks. I hope I can see them some day.

미나는 마술/특별 수업을 신청했다. 그녀는 새로운 마술 기법을 배우는 것에 대해 들떠 있다. 나는 언젠가 그 마술을 볼 수 있기를 바란다.

단어·숙어
- sign up for 신청하다, 등록하다
- magic tricks 마술 묘기
- practice 명 연습 동 연습하다
- some day (미래에) 언젠가; 머지않아

Script

Brian: Mina, will you join our tennis club?

Mina: It sounds interesting, but I signed up for a special class this fall.

Brian: Which class did you sign up for?

Mina: I signed up for a magic class. I can't wait to learn new magic tricks there.

Brian: That sounds cool! Have you learned magic tricks before?

Mina: Yes, I learned some before, but I need more practice.

Brian: I hope I can see your magic tricks some day.

해석

Brian: 미나야, 우리 테니스 동아리에 가입할래?

미나: 재미있겠다, 하지만 나는 이번 가을에 특별 수업을 신청했어.

Brian: 어떤 수업을 신청했는데?

미나: 마술 수업을 신청했어. 거기서 새로운 마술 묘기를 빨리 배우고 싶어.

Brian: 멋지다! 전에 마술 묘기를 배운 적이 있니?

미나: 응, 전에 조금 배웠지만 연습이 더 필요해.

Brian: 언젠가 네 마술 묘기를 볼 수 있기를 바라.

풀이 · 미나는 이미 특별 수업인 마술 수업을 신청해서 새로운 마술을 배울 것을 몹시 기대하고 있다.

표현 • **It sounds interesting. / That sounds cool.:** 상대방이 한 말이나 제안에 긍정적으로 맞장구를 치는 표현으로, 주어인 It[That]을 생략해서 말하기도 한다.

B **Write and Talk**

Step 1 특별 활동 수강 신청서를 작성해 봅시다.

Name: ________ Grade: ________ Class: ________

☐ computer	컴퓨터	make a computer program	컴퓨터 프로그램을 만들다
☐ magic	마술	learn magic tricks	마술 묘기를 배우다
☐ science	과학	do science experiments	과학 실험을 하다
☐ badminton	배드민턴	play badminton	배드민턴을 치다
your own ☐ ________		________________	

활동 방법 수강할 프로그램을 선택하여 특별 활동 수강 신청서를 작성한다. 작성한 내용을 바탕으로 특별 활동 수강에 관해 짝과 대화해 본다.

단어·숙어
- do science experiments 과학 실험을 하다
- take a class 수업을 받다[수강하다]

Step 2 위에서 작성한 내용을 바탕으로 짝과 대화해 봅시다. pair

A: Which class do you want to sign up for?

B: I want to take the badminton class. I like playing badminton. How about you?

A: I want to take the computer class. I can't wait to make a computer program there.

B: That sounds cool!

해석

A: 넌 어떤 수업을 신청하고 싶니?

B: 난 배드민턴 수업을 받고 싶어. 나는 배드민턴 치는 것을 좋아해. 너는 어때?

A: 난 컴퓨터 수업을 받고 싶어. 빨리 거기에서 컴퓨터 프로그램을 만들고 싶어.

B: 멋진 것 같다!

C Communication Task group

A Visit to the Science Museum

Step 1 과학관에서 해 보고 싶은 프로그램을 선택해 봅시다.

Step 2 친구들과 대화하면서 과학관 방문을 계획하고 표를 채워 봅시다.

e.g. A: Which program do you want to do at the science museum, Mira?

B: I want to make lightning.

C: I want to see a 4D movie. I can't wait to go there.

Name	Activity
Mira	make lightning

활동 방법

Step 1

과학관에서 해 보고 싶은 프로그램을 선택한다.

Step 2

친구들과 대화하면서 과학관 방문을 계획하고 표를 채운다.

단어 숙어

science museum 과학관

lightning ㉠ 번개

activity ㉠ 활동

해석

A: 미라야, 과학관에서 어떤 프로그램을 해 보고 싶니?

B: 나는 번개를 만들고 싶어.

C: 나는 4D 영화를 보고 싶어. 빨리 거기에 가고 싶다.

Sounds 다음을 듣고, 표시된 선의 높낮이에 유의하여 따라 말해 봅시다.

1. Which eggs are fresh, and which ones are not? 어떤 달걀이 신선하고, 어떤 것이 그렇지 않은가요?
2. I can't wait to learn new magic tricks. 나는 빨리 새로운 마술을 배우고 싶다.

Tip

강조하고자 하는 부분을 좀 더 높고 길게 발음한다.

Self-check	☺	☹
• I can use 'Which (program) ... ?'	☐	☐
• I can use 'I can't wait to ... .'	☐	☐

Let's Read의 단어들을 미리 익혀 보세요.

- ☐ magic — ⓜ 마술, 마법 (the power to make impossible things happen)
- ☐ trick — ⓜ 마술, 속임수 (something done to surprise or confuse someone)
- ☐ candle — ⓜ 초, 양초 (wax that has a string in the middle and can be burned)
- ☐ expand — ⓢ 팽창하다 (to increase in size, range, or amount)
- ☐ pressure — ⓜ 압력 (the weight or force that is produced when something pushes against something else)
- ☐ contract — ⓢ 수축하다 (to become smaller)
- ☐ flame — ⓜ 불꽃 (the hot, glowing gas that can be seen when a fire is burning)
- ☐ burn out — 타 버리다
- ☐ cool down — 차가워지다, 식다
- ☐ confuse — ⓢ 혼동하게 하다, 혼란시키다 (to mistake one person or thing for another; to make someone unsure what to think)
- ☐ disappear — ⓢ 사라지다 (to stop being visible)
- ☐ material — ⓜ 재료, 물질 (a substance that things can be made from)
- ☐ absorb — ⓢ 흡수하다 (to take in something in a natural or gradual way)
- ☐ turn ... into ~ — …이 ~으로 변하다, …을 ~으로 바꾸다
- ☐ necessary — ⓗ 필요한, 필연적인 (so important that you must do it or have it)
- ☐ see through — 속을 들여다보다, 꿰뚫어 보다

Mini Test

정답과 해설 p. 346

A 다음 빈칸에 알맞은 단어를 [보기]에서 골라 쓰시오.

보기: turn / confuse / disappear / necessary / pressure

1. Neither good nor bad memories don't ____________ easily.
2. The witch will ____________ the prince into a frog.
3. Good food and enough sleep are ____________ for good health.
4. Too much information will ____________ him.
5. This drug is used to lower blood ____________.

B 다음 영영 풀이에 해당하는 단어를 [보기]에서 골라 쓰시오.

보기: trick / absorb / contract / expand / material

1. ____________: to become smaller
2. ____________: a substance that things can be made from
3. ____________: something done to surprise or confuse someone
4. ____________: to increase in size, range, or amount
5. ____________: to take in something in a natural or gradual way

교과서 p.114

A **Think and Talk** 다음 실험을 보고, 어떤 촛불이 제일 먼저 꺼질지 짝과 대화해 봅시다. pair

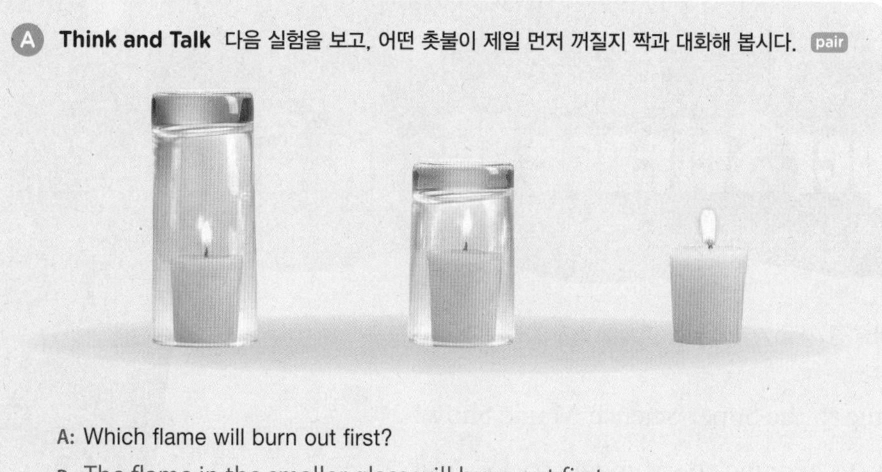

A: Which flame will burn out first?

B: The flame in the smaller glass will burn out first.

활동 방법 먼저 그림을 보고, 실험 내용에 관해 짝과 대화를 나눈 후 그림과 관련된 질문에 답한다.

단어 숙어
flame 명 불꽃
burn out 타 버리다

해석
A: 어느 불꽃이 제일 먼저 타 버릴까?
B: 더 작은 유리컵 안의 불꽃이 제일 먼저 다 타고 꺼질 것이다.

B **Look and Write** 다음 그림을 보고, 주어진 표현을 사용하여 마술 주문을 완성해 봅시다.

Abracadabra! Candle, disappear!

Candle Glass

Flame, burn out and turn into a flower!

stick to burn out

Balloon, expand!

contract expand

풀이 첫 번째 빈칸에는 양초가 사라지는 마술이므로 Candle이 알맞다.
두 번째 빈칸에는 불꽃이 타 버려서 꽃으로 변하는 마술이므로 burn out이 알맞다.
세 번째 빈칸에는 풍선이 병 위에서 팽창하는 마술이므로 expand가 알맞다.

단어 숙어
abracadabra 수리수리마수리
disappear 동 사라지다
candle 명 초, 양초
turn into …로 변하다
stick to …에 달라붙다
contract 동 수축하다
expand 동 팽창하다

해석
수리수리마수리! 양초야, 사라져라!
불꽃아, 타 버리고 꽃으로 변해라!
풍선아, 팽창해라!

Let's Read

The Super Science Magic Show

지금까지 봤던 마술 중 가장 기억에 남는 마술을 소개해 봅시다.

Jina ❶ Welcome to the Super Science Magic Show! ❷ It's always exciting to see magic tricks. ❸ And it's more exciting to find out the secrets behind them. ❹ Some people think the secret of magic is science. ❺ Today, Ken, a member of the School Magic Club, will use science to perform his tricks. ❻ Which tricks will he show us? ❼ I can't wait to see them.

'It's exciting to ... .'에서 'It'은 'to ...'를 대신합니다.

Q1 What will Ken use to perform his magic tricks?

magic trick

Q1 What will Ken use to perform his magic tricks? Ken은 마술을 수행하기 위해서 무엇을 이용할 것입니까?

A1 He will use science to perform his tricks. 그는 마술을 수행하기 위해 과학을 이용할 것입니다.

해설 Today, Ken, a member of the School Magic Club, will use science to perform his tricks.에서 Ken이 과학을 이용하여 마술을 수행할 것임을 알 수 있다.

특별 과학 마술 쇼

지나: ①특별 과학 마술 쇼에 오신 것을 환영합니다! ②마술을 보는 것은 항상 신나는 일입니다. ③그리고 마술 뒤에 숨겨진 비밀을 알아내는 것은 더 신나는 일입니다. ④어떤 사람들은 마술의 비밀이 과학이라고 생각합니다. ⑤오늘 학교 마술 동아리 회원인 Ken은 마술을 수행하기 위해 과학을 이용할 것입니다. ⑥그는 우리에게 어떤 마술을 보여 줄까요? ⑦빨리 보고 싶군요.

구문

❶ **Welcome to** the Super Science Magic Show!
Welcome to ...!는 '…에 오신 것을 환영합니다!'라는 뜻으로 전치사 to 뒤에는 장소나 행사명이 온다.

❷ **It**'s always exciting **to see** magic tricks.
It은 가주어로 진주어 to see magic tricks를 대신한다. to see는 주어 역할을 하는 명사적 용법의 to부정사이다.

❸ And **it**'s **more exciting to find out** the secrets behind **them**.
it은 가주어로 진주어 to find out the secrets behind them을 대신한다. exciting의 비교급 형태는 more exciting이며, 비교 대상은 앞 문장의 to see magic tricks이다. 대명사 them은 magic tricks를 가리킨다.

❹ Some people **think** the secret of magic is science.
think 뒤에 목적어절을 이끄는 접속사 that이 생략되어 있다.

❺ Today, **Ken, a member of the School Magic Club**, will use science **to perform** his tricks.
Ken 뒤에 쓰인 콤마(,)는 동격으로 쓰였으며, 콤마 뒤에는 Ken을 설명하는 말이 온다. to perform은 '…하기 위해서'라는 뜻으로 목적을 나타내는 to부정사의 부사적 용법으로 쓰였다.

❻ **Which tricks** will he show us?
Which는 '어떤'이라는 뜻의 의문형용사로 뒤의 명사와 함께 의문문을 만든다.

❼ **I can't wait to** see **them**.
I can't wait to ... .는 '나는 …이 무척 기다려진다.' 또는 '빨리 …하고 싶다.'라는 뜻으로 I'm looking forward to seeing them.으로 바꿔 쓸 수 있다. 대명사 them은 Ken's magic tricks를 가리킨다.

단어·숙어

- **magic** 명 마술, 마법 형 마술의 e.g. Kevin has practiced **magic** for five years.
- **trick** 명 마술, 속임수 e.g. The magician didn't tell us how to do magic **tricks**.
- **find out** 알아내다 e.g. I **found out** that the painting was worth a million dollars.
- **perform** 동 행하다, 공연하다 e.g. They will **perform** the same tests sooner or later.

Grammar 

형용사나 부사의 비교급

-ive, -ful, -ing, -ous로 끝나는 대부분의 2음절 또는 3음절 이상의 단어 앞에는 more를 붙여 비교급을 만든다.

active – more active
careful – more careful
boring – more boring
famous – more famous

Mini Test

정답과 해설 p. 347

다음 글을 읽고, 물음에 답하시오.

Welcome to the Super Science Magic Show! It's always exciting to see magic tricks. And it's more exciting to find out the secrets behind ⓐ them. Some people think the secret of magic is science. Today, Ken, a member of the School Magic Club, will use science to perform his tricks. Which tricks will he show us? I can't wait to see ⓑ them.

1. 윗글의 밑줄 친 ⓐ them이 가리키는 것을 본문에서 찾아 쓰시오. ____________

2. 윗글의 밑줄 친 ⓑ them이 가리키는 것을 본문에서 찾아 쓰시오. ____________

The Amazing Rising Water

Ken ① Hello, everyone. ② Today, I'm going to show you something amazing. ③ Here's a dish with water in it. ④ Now, I'll put a candle in the middle of the dish. ⑤ Next, I'll light the candle and cover it with a glass. ⑥ "Abracadabra!"

Jina ⑦ Look at the water! ⑧ How come it rose into the glass?

Ken ⑨ Air expands when it gets hot and creates higher pressure. ⑩ When it gets cold, air contracts and creates lower pressure. ⑪ When the flame burnt out, the air inside the glass cooled down. ⑫ As the air cooled down, the air pressure dropped. ⑬ So the air outside the glass was at a higher pressure. ⑭ It pushed the water into the glass.

'How come ... ?'은 이유를 묻는 말입니다.
e.g. How come it rose ... ? (O)
How come did it rise ... ? (X)

Q2 What happened to the water after the flame in the glass burnt out?

....

candle abracadabra expand pressure contract
flame burn out 타 버리다 cool down 차가워지다

Q2 What happened to the water after the flame in the glass burnt out?
유리컵 속의 불꽃이 타 버린 후에 물에 무슨 일이 일어났습니까?

A2 The water rose into the glass. 물이 유리컵 속으로 올라갔습니다.

해설 Look at the water! How come it rose into the glass? 문장과 It pushed the water into the glass.에서 촛불이 꺼진 다음에 외부 공기의 누르는 힘(the air pressure)에 의해 물이 유리컵 속으로 올라갔음을 알 수 있다.

해석

신비한 솟아오르는 물

Ken: ①안녕하세요, 여러분. ②오늘 저는 여러분에게 놀라운 무언가를 보여 주려고 합니다. ③여기에 물이 담긴 접시가 있습니다. ④이제, 저는 접시 한가운데에 초를 놓을 것입니다. ⑤그다음에 초에 불을 켜고 유리컵으로 초를 덮어 보겠습니다. ⑥"수리수리마수리!"

지나: ⑦물을 보세요! ⑧어째서 물이 유리컵 속으로 올라간 거지요?

Ken: ⑨공기가 뜨거워지면 팽창해서 더 높은 압력을 만듭니다. ⑩공기가 차가워지면 수축해서 더 낮은 압력을 만듭니다. ⑪불꽃이 다 타 버렸을 때 유리컵 속의 공기는 식어 버렸습니다. ⑫공기가 식었을 때 기압이 낮아졌습니다. ⑬그래서 유리컵 밖의 공기 압력이 더 높아졌습니다. ⑭높아진 압력의 공기가 물을 유리컵 속으로 밀어 넣었습니다.

구문

❷ Today, I'm going to show you **something amazing**.
-thing으로 끝나는 대명사 something을 형용사 amazing이 뒤에 위치하며 수식한다.

❽ **How come it** rose into the glass?
How come ...?은 '어째서 …?'라는 뜻으로 '이유'를 묻는 표현이며, 뒤에 '주어+동사'가 온다. it은 the water를 가리킨다.

⓬ **As** the air cooled down, the air pressure dropped.
as는 접속사로 '…일 때'라는 뜻이며, 시간을 나타내는 접속사 when과 바꿔 쓸 수 있다.

⓮ It **pushed** the water **into** the glass.
push ~ into ...는 '~을 … 안으로 밀다'라는 뜻이다.

- **cover** ⓢ 씌우다, 덮다 (↔ uncover 덮개를 벗기다) e.g. She **covered** the table with a tablecloth.
- **expand** ⓢ 팽창하다, 확장하다 (↔ contract 수축하다) e.g. The balloon **expanded**, then exploded.
- **pressure** ⓜ 압력, 압박 e.g. He is under a lot of **pressure** to succeed.
- **contract** ⓢ 수축하다, 줄어들다 (↔ expand 팽창하다) e.g. This sweater **contracted** a lot after I washed it.
- **flame** ⓜ 불꽃 e.g. The plane crashed and burst into **flames**.
- **burn out** 타 버리다 e.g. The light bulb has **burnt out**.
- **cool down** 차가워지다, 식다 e.g. Wait until the engine has **cooled down**.

Grammar 

접속사 as의 다양한 뜻

① 때: …일 때, …하면서
I saw him **as** I was getting off the bus. (내가 버스에서 내릴 때 나는 그를 봤다.)

② 이유: …이므로, … 때문에
As she was sick, she stayed at home. (그녀는 아팠기 때문에 집에 있었다.)

③ 양태: …처럼, …대로
When in Rome, do **as** Romans do. (로마에서는 로마인처럼 해라.)

④ 비교: …와 같이, …만큼
I don't eat as much **as** I used to. (나는 예전만큼 많이 먹지 않는다.)

⑤ 비례: …함에 따라, …할수록
As she grew older, she became wiser. (그녀는 나이 들수록 더 현명해졌다.)

cf. 전치사 as '…로서'
He was famous **as** a singer.
(그는 가수로서 유명했다.)

Mini Test

정답과 해설 p. 347

A 본문의 내용과 일치하면 T, 일치하지 않으면 F를 쓰시오.

1. Air creates higher pressure when it gets cold. (　　)
2. The air pressure inside the glass changed when the flame burnt out. (　　)

B 우리말과 일치하도록 괄호 안에 주어진 표현을 바르게 배열하여 문장을 완성하시오.

어째서 그것이 유리컵 속으로 올라간 거지요?

(come, into the glass, it, how, rose)

→ ______________________________________?

The Secret of the Disappearing Water

Ken ① Now, I'm going to fill one of these cups with water. ② I will move them around to confuse you. ③ Jina, which cup has the water in it?

Jina ④ That's easy! ⑤ It's the middle one.

Ken ⑥ Okay, let's check. ⑦ See? ⑧ No water.

Jina ⑨ Show me the other cups.

Ken ⑩ See? ⑪ There's no water.

Jina ⑫ Wow! ⑬ How come the water disappeared?

Ken ⑭ Before the trick, I put a special material into one of the cups. ⑮ The material absorbed the water and turned it into jelly. ⑯ Then the jelly stuck to the bottom. ⑰ If you want to try this trick, it's necessary to use cups that you can't see through.

Jina ⑱ Thank you for your great performance. ⑲ It was really amazing!

Q3 How come the water in the cup turned into jelly?

Think How come Ken used cups that you can't see through?

'소듐폴리아크릴레이트'는 '슬러시 파우더'라고도 불리며, 물을 잘 흡수하는 성질이 있어서 기저귀의 재료로 쓰입니다.

How fast can you read?

- **1st:** ____ min. ____ sec.
- **2nd:** ____ min. ____ sec.

material absorb turn ... into ~ …이 ~으로 변하다
necessary see through 속을 들여다보다

Q3 How come the water in the cup turned into jelly? 컵 안의 물이 왜 젤리로 변했습니까?

A3 Ken put a special material into the cup. It absorbed the water and turned it into jelly.
Ken이 컵 안에 특별한 물질을 넣었습니다. 그것이 물을 흡수해서 물을 젤리로 변하게 했습니다.

해설 Before the trick, I put a special material into one of the cups. The material absorbed the water and turned it into jelly.에서 Ken이 컵 안에 미리 넣어 둔 특별한 물질이 물을 흡수해서 물을 젤리로 변하게 한 것을 알 수 있다.

Think How come Ken used cups that you can't see through? Ken은 왜 속을 들여다볼 수 없는 컵을 사용했습니까?
→ He used cups that you can't see through to hide the special material. 그는 특별한 물질을 감추기 위해서 속을 들여다볼 수 없는 컵을 사용했습니다.

해석

사라지는 물의 비밀

Ken: ①이제, 이 컵들 중 하나를 물로 채워 보겠습니다. ②여러분을 헷갈리게 하려고 이 컵들을 섞어 보겠습니다. ③지나, 어떤 컵에 물이 있을까요?
지나: ④쉽네요! ⑤가운데 컵이에요.
Ken: ⑥좋습니다, 확인해 봅시다. ⑦보이죠? ⑧물이 없네요.
지나: ⑨다른 컵들도 보여 주세요.
Ken: ⑩보이죠? ⑪물이 없어요.
지나: ⑫와! ⑬어째서 물이 사라진 거죠?
Ken: ⑭마술 전에, 저는 특별한 물질을 컵들 중 하나에 넣어 두었습니다. ⑮그 물질은 물을 흡수하고 그것을 젤리로 변하게 했습니다. ⑯그러고 나서 젤리는 컵 바닥에 달라붙었습니다. ⑰여러분이 이 마술을 해 보고자 한다면, 속을 들여다볼 수 없는 컵을 사용하는 것이 필요합니다.
지나: ⑱멋진 공연 고맙습니다. ⑲정말 놀라웠습니다!

구문

❷ I will move **them** around **to confuse** you.
them은 these cups를 가리킨다. to confuse는 '헷갈리게 하기 위해'라는 뜻으로 목적을 나타내는 to부정사의 부사적 용법으로 쓰였다.

❺ It's the middle **one**.
one은 (a) cup을 받는 부정대명사이다.

❾ **Show me the other cups.**
'show+간접목적어(~에게)+직접목적어(…을)'의 어순으로 사용되었다.

⓱ If you want to try this trick, **it**'s necessary **to use** cups **that** you can't see through.
it은 가주어, to use 이하는 진주어에 해당한다. that은 선행사 cups를 수식하는 목적격 관계대명사로 which로 바꿔 쓰거나 생략할 수 있다.

단어·숙어

- **fill A with B** A를 B로 채우다 e.g. She **filled** the pot **with** boiling water.
- **disappear** ⑧ 사라지다 (↔ appear 나타나다) e.g. The sun **disappeared** behind the clouds.
- **material** ⑲ 물질, 재료 e.g. Tom wrote a report about the mysterious **material**.
- **absorb** ⑧ 흡수하다 e.g. The sponge **absorbed** the water on the floor.
- **turn A into B** A를 B로 바꾸다 e.g. Medusa's look **turned** men **into** stone.
- **necessary** ⑱ 필요한 (⑲ essential) (↔ unnecessary 불필요한)
  e.g. Sometimes it is **necessary** to take a risk.
- **see through** 속을 들여다보다 e.g. He couldn't **see through** the windows.

Grammar+

부정대명사 one

특정한 사람이나 사물을 가리키지 않고 정해지지 않은 막연한 사람이나 사물을 가리키거나, 앞에 나온 명사의 반복을 피하기 위해 부정대명사 one을 사용한다.

I can't find my pen. I should buy **one**. (one = a pen) (나는 내 펜을 찾을 수가 없어. 하나를 사야겠어.)

cf. I can't find my pen. My sister bought **it** for me. (it = my pen) (나는 내 펜을 찾을 수가 없어. 우리 누나가 내게 그것을 사 줬어.)

두 개의 목적어를 취하는 동사

'send, give, show, teach+간접목적어+직접목적어'는 'send, give, show, teach+직접목적어+to+간접목적어'로 바꿔 쓸 수 있다.

She sent me a letter.
→ She sent a letter **to** me. (그녀는 내게 편지를 보냈다.)

Mini Test

정답과 해설 p. 347

다음 글을 읽고, 물음에 답하시오.

Before the trick, I put a special material _________ one of the cups. The material absorbed the water and turned it _________ jelly. Then the jelly stuck to the bottom. If you want to try this trick, it's necessary to use cups that you can't see through.

1. 윗글의 빈칸에 공통으로 알맞은 말을 쓰시오. ________________

2. 윗글의 밑줄 친 it이 가리키는 것을 본문에서 찾아 쓰시오. ________________

After You Read

교과서 p.118

A **Think and Order** 두 과학 마술의 절차를 순서대로 배열해 봅시다.

Rising Water Trick	Disappearing Water Trick

1. Get a dish with water in it.	1. Fill a cup with water.
2. Put a candle in the middle of the dish.	2. Move the cups around.
3. Light the candle and cover it with a glass.	3. Ask your friends, "Which cup has the water in it?"

a. Move the cups around.
b. Fill a cup with water.
c. Light the candle and cover it with a glass.
d. Put a candle in the middle of the dish.

단어·숙어
disappear 사라지다
move … around …을 이리저리 옮기다
fill A with B A를 B로 채우다
in the middle of …의 중앙에, …의 한가운데에

해석
솟아오르는 물 마술
1. 물이 든 접시를 준비하라.
2. 접시 한가운데에 초를 두어라.
3. 촛불을 켜고 유리컵으로 초를 덮어라.

사라지는 물 마술
1. 컵에 물을 채워라.
2. 컵을 섞어라.
3. "어떤 컵에 물이 있어?"라고 친구들에게 물어라.

활동 방법 '솟아오르는 물 마술'은 교과서 본문 116쪽을, '사라지는 물 마술'은 교과서 본문 117쪽을 다시 읽어 보고, 두 과학 마술의 절차를 순서대로 배열해 본다.

B **Think and Write** 두 과학 마술의 원리를 요약하여 빈칸에 써 봅시다.

Rising Water Trick

When the flame burnt out, the air inside the glass cooled down and the air pressure dropped. The higher air pressure outside the glass pushed the water into the glass.

Disappearing Water Trick

The special material in the cup absorbed the water and turned it into jelly. Then the jelly stuck to the bottom.

단어·숙어
burn out 타 버리다
cool down 차가워지다, 식다
drop ⑧ 떨어지다, 낮아지다
air pressure 기압
material ⑲ 재료, 물질

해석
솟아오르는 물 마술
불꽃이 다 타 버렸을 때, 유리컵 안의 공기가 식어 버렸고, 기압이 낮아졌다. 유리컵 밖의 더 높은 기압이 물을 유리컵 안으로 밀어 넣었다.

사라지는 물 마술
컵 안의 특별한 물질이 물을 흡수했고 그것을 젤리로 변하게 했다. 그러고 나서 젤리가 바닥에 달라붙었다.

활동 방법 두 과학 마술의 원리를 요약하여 빈칸에 쓴다.

과학 원리를 이용한 재미있는 마술을 더 찾아봅시다.

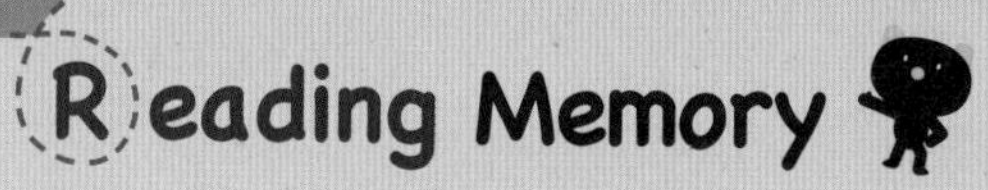

● 본문 내용을 떠올려 빈칸을 채워 봅시다.

Jina Welcome to the Super Science Magic Show! It's always exciting to see ________ ________. And it's more exciting to find out the ________ behind them. Some people think the secret of magic is ________. Today, Ken, a member of the School Magic Club, will use science to perform his tricks. Which tricks will he show us? I can't wait to see them.

The Amazing Rising Water

Ken Hello, everyone. Today, I'm going to show you something ________. Here's a dish with water in it. Now, I'll put a candle in the middle of the dish. Next, I'll light the candle and cover it with a glass. "Abracadabra!"

Jina Look at the water! How come it ________ into the glass?

Ken Air ________ when it gets hot and creates ________ pressure. When it gets cold, air ________ and creates ________ pressure. When the flame ________ ________, the air inside the glass cooled down. As the air cooled down, the air pressure ________. So the air outside the glass was at a ________ pressure. It pushed the water into the glass.

The Secret of the Disappearing Water

Ken Now, I'm going to fill one of these cups with water. I will move them around to ________ you. Jina, which cup has the water in it?

Jina That's easy! It's the middle one.

Ken Okay, let's check. See? No water.

Jina Show me the other cups.

Ken See? There's no water.

Jina Wow! How come the water ________?

Ken Before the trick, I put a special material into one of the cups. The material ________ the water and turned it into jelly. Then the jelly stuck to the bottom. If you want to try this trick, it's necessary to use cups that you can't ________ ________.

Jina Thank you for your great performance. It was really amazing!

정답 | magic, tricks, secrets, science, amazing, rose, expands, higher, contracts, lower, burnt, out, dropped, higher, confuse, disappeared, absorbed, see, through

Word Builder

교과서 p.164

A 같은 색 상자에 적힌 철자를 사용하여 단어를 완성한 후, 그 뜻을 바르게 연결해 봅시다.

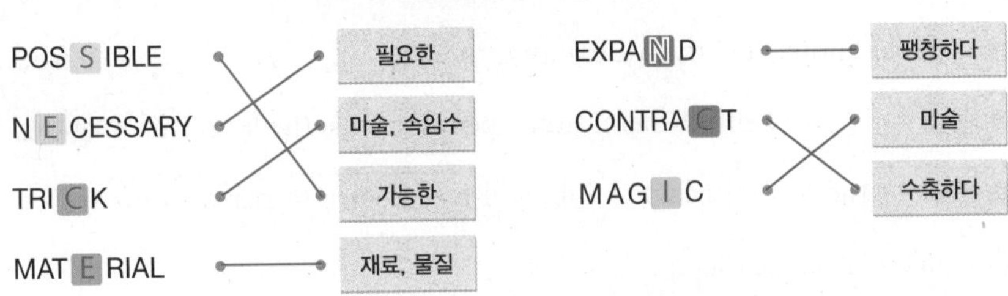

풀이 각 단어의 철자 색에 맞게 단어를 완성하면 science(과학)가 된다.

단어·숙어
possible 형 가능한
necessary 형 필요한
trick 명 마술, 속임수
material 명 재료, 물질
expand 동 팽창하다
contract 동 수축하다
magic 명 마술

해석 과학은 재미있다!

B 단어와 관련 있는 그림을 연결한 후, 그림에 맞는 표현을 완성해 봅시다.

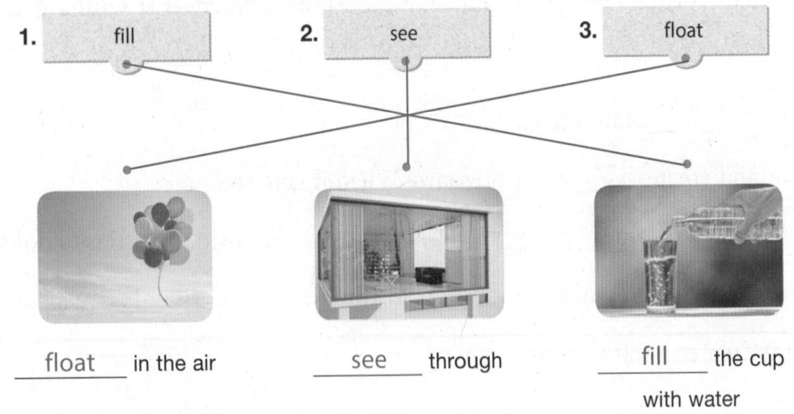

float in the air　　see through　　fill the cup with water

풀이
1 fill은 '채우다'라는 뜻이므로 컵을 물로 채우는 그림이 알맞다.
2 see through는 '속을 들여다보다'라는 뜻이므로 유리창을 통해 내부가 훤히 보이는 그림이 알맞다.
3 float는 '뜨다, 띄우다'라는 뜻이므로 공중에 풍선이 떠 있는 그림이 알맞다.

단어·숙어
in the air 공중에
through …을 통해
fill A with B A를 B로 채우다

C 붓 자국에서 단어들을 구분하고, 빈칸에 알맞은 단어를 골라 문장을 완성해 봅시다.

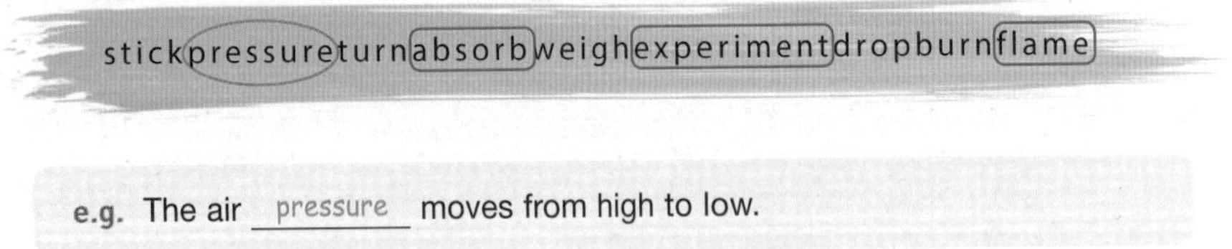

e.g. The air pressure moves from high to low.

1. This room is made of a special material that absorb s sound.
2. Students are doing a science experiment with a candle.
3. The flame s grew higher because of the strong wind.

풀이 붓 자국에 있는 단어는 stick, pressure, turn, absorb, weigh, experiment, drop, burn, flame이다.
1 붓 자국에 있는 단어들 중 sound를 목적어로 두고, 어울리는 의미를 가진 동사는 absorb이다.
2 do a science 다음에 오는 단어로 알맞은 것은 experiment이다.
3 grow higher 할 수 있는 것은 flame이다.

단어·숙어
be made of …으로 만들어지다
do a science experiment 과학 실험을 하다
because of … 때문에

해석
기압은 높은 곳에서 낮은 곳으로 이동한다.
1 이 방은 소리를 흡수하는 특수 재료로 만들어졌다.
2 학생들은 양초로 과학 실험을 하고 있다.
3 불길은 강풍 때문에 더 높이 타올랐다.

Word Check

정답과 해설 p. 347

A 다음 영어 표현은 우리말로, 우리말은 영어로 쓰시오.

1. material ______________
2. trick ______________
3. necessary ______________
4. flame ______________
5. candle ______________
6. 흡수하다 ______________
7. 압력 ______________
8. 타 버리다 ______________
9. …을 신청하다 ______________
10. 혼동하게 하다 ______________

B 다음 밑줄 친 단어의 반의어를 [보기]에서 골라 쓰시오.

보기

appear sink contract difference

1. Do you know the similarity between you and me?
2. These plants are light enough to float on the water.
3. If metal gets hot, it will expand.
4. The couple trusted the man, but he disappeared with their money.

C 다음 빈칸에 알맞은 단어를 [보기]에서 골라 어법에 맞게 고쳐 쓰시오.

보기

fill stick turn push act

1. The audience applauded as the magician ______________ the egg into a dove.
2. Parents should ______________ like parents, not like kids.
3. When I touched the gum, it ______________ to my finger.
4. The room was ______________ with smoke, so it was difficult to breathe.
5. They ______________ him into the car and drove away.

Language in Use

It is ~ to ….

A Look and Say 다음 그림을 보고, 자신의 생각을 말해 봅시다.

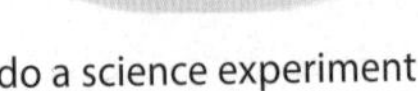

do a science experiment

wear sunscreen to prevent sunburn

play with fire at home

e.g. It is fun to do a science experiment.

(not) fun
(not) necessary
(not) safe

단어·숙어
sunscreen ⓜ 자외선 차단제
prevent ⓥ 방지하다, 예방하다
sunburn ⓜ 햇볕으로 인한 화상
necessary ⓐ 필요한

해석
- 과학 실험을 하다
- 햇볕에 화상을 입는 것을 방지하기 위해 자외선 차단제를 바르다
- 집에서 불장난을 하다

과학 실험을 하는 것은 재밌다.

예시 정답
- It is necessary to wear sunscreen to prevent sunburn.
  햇볕에 화상을 입는 것을 방지하기 위해 자외선 차단제를 바르는 것이 필요하다.
- It is not safe to play with fire at home.
  집에서 불장난하는 것은 안전하지 않다.

Form 1 ▶ **It is ~ to ….**

to부정사가 주어로 사용되는 경우, 일반적으로 주어 자리에 It(가주어)을 두고 to부정사(진주어)를 뒤로 보내는 경향이 있다. 이 경우 It은 '그것'이라는 뜻이 없고, to부정사를 대신하는 역할로 '…하는 것은 ~이다.'라는 의미로 해석한다.

형태 It is/was ~ to … .
(It: 가주어, to: 진주어)

To lose weight is not easy.
→ It is not easy to lose weight.
(It: 가주어, to lose weight: 진주어)

e.g. **It** is natural **to agree** with your opinion. (네 의견에 동의하는 것은 당연하다.)
It is useful **to learn** a foreign language. (외국어를 배우는 것은 유용하다.)
It is your right **to speak** your mind. (네 생각을 말하는 것은 너의 권리이다.)

기타 1. **주어가 that절인 경우** 주어가 절(주어+동사)이 오는 경우에는 앞에 가주어 It을 쓰고, 주어절(that+주어+동사 …)을 뒤로 보내는 것이 일반적이다.

e.g. **It** is true **that** he looks younger than his age. (그가 나이보다 젊어 보이는 것은 사실이다.)

2. **진주어(to …)의 동작을 하는 대상을 명시하고 싶은 경우** to부정사 앞에 'for/of+목적격'을 사용하여 to부정사의 의미상 주어를 나타낸다. 'for+목적격'을 쓰는 경우는 앞의 형용사가 '상황에 대한 의견(easy, difficult, strange, interesting, wonderful 등)'을 나타낼 때, 'of+목적격'을 쓰는 경우는 앞의 형용사가 '사람의 성격(kind, nice, wise, careful, polite, rude 등)'을 나타낼 때이다.

e.g. **It** was hard for him **to arrive** at the party on time. (그는 제때에 파티에 도착하는 것이 힘들었다.)
It is very kind of you **to say** so. (그렇게 말씀하시다니 당신은 매우 친절하시군요.)

How come ... ?

B Think and Write 같은 색의 벽돌 단어를 사용하여 질문을 완성해 봅시다.

Brad	Sujin	the eggs
are floating	broke	missed
the window	the bus again	in the water

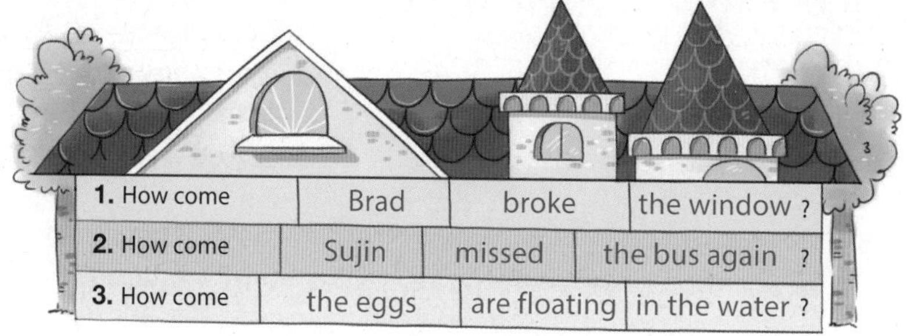

1. How come | Brad | broke | the window ?
2. How come | Sujin | missed | the bus again ?
3. How come | the eggs | are floating | in the water ?

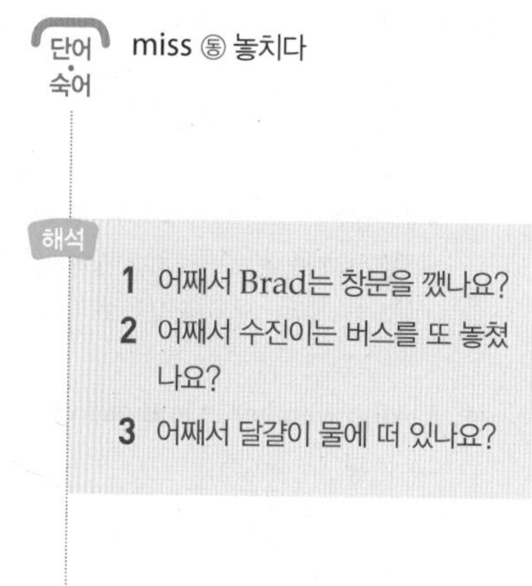

단어·숙어 miss ⓢ 놓치다

해석
1 어째서 Brad는 창문을 깼나요?
2 어째서 수진이는 버스를 또 놓쳤나요?
3 어째서 달걀이 물에 떠 있나요?

Form 2 ▶ How come ... ?

How come ... ?은 의문사 why와 비슷한 뜻으로 '이유'를 묻는 표현이다. '도대체 왜 …?', '어째서 …?'라는 의미로 해석하지만, 문장을 구성할 때 why와는 어순의 차이가 있음에 유의한다.

형태 How come+주어+동사 …?

- How come you(주어) are(동사) so sad? *vs.* Why are(동사) you(주어) so sad?
- How come Brian(주어) lied(동사) to me? *vs.* Why did(조동사) Brian(주어) lie((일반)동사) to me?

※ How come is it so hot in here? (×) / How came Julia failed the exam? (×)

e.g. **How come** it happened? (도대체 왜 그 일이 일어났니?)
How come you did it? (도대체 왜 너는 그것을 했니?)
How come she still hasn't returned? (도대체 왜 그녀는 아직 돌아오지 않는 걸까?)
How come you didn't tell her the truth? (도대체 왜 너는 그녀에게 사실을 말하지 않았니?)
How come the fever hasn't come down? (도대체 왜 열이 내려가지 않는 거야?)
How come the elevator isn't working? (도대체 왜 엘리베이터가 작동하지 않는 거지?)
How come you know so much about the man?
(어째서 너는 그 남자에 대해서 그렇게 많이 알고 있는 거야?)
How come you can read and write German so easily?
(어째서 너는 독일어를 그렇게 쉽게 읽고 쓸 수 있니?)

Self-check

- I can use 'It is ~ to ... .' ☐ ☐
- I can use 'How come ... ?' ☐ ☐

Grammar Builder p.165 p.166

교과서 p.165

Point 1 It is ~ to ... .

A 설명을 읽고, 주어진 문장과 같은 뜻이 되도록 문장을 완성해 봅시다.

- It is/was 상태를 나타내는 말 to 동작을 나타내는 말 : '…하는 것은 ~하다'라는 뜻이다.
  It is important to eat healthy food. (건강한 음식을 먹는 것이 중요하다.)
- 상태를 나타내는 말 : easy, difficult, interesting, exciting, necessary, safe
  동작을 나타내는 말 : study, solve, get, use, watch, wear
  Studying English is fun. → It is fun to study English.

1. Talking with her is interesting.
   → It is interesting to talk with her.
2. Swimming here is not safe.
   → It is not safe to swim here.
3. Solving the problem was difficult.
   → It was difficult to solve the problem.

단어·숙어
safe ⓗ 안전한 (↔ unsafe 위험한)
solve ⓢ 풀다, 해결하다
talk with …와 이야기하다

해석
- 영어를 공부하는 것은 재밌다.
1 그녀와 이야기하는 것은 재밌다.
2 여기서 수영하는 것은 안전하지 않다.
3 그 문제를 푸는 것은 어려웠다.

풀이
1 It is 다음에 형용사(상태를 나타내는 말)가 와야 하므로 interesting을 쓰고, 동명사 주어인 Talking with her는 문장 뒤로 보내면서 to부정사(to+동사원형)로 바꿔야 하므로 to 다음에 talk를 쓴다.
2 It is not 다음에 형용사가 와야 하므로 safe를 쓰고, 동명사 주어를 형용사 뒤로 보내면서 진주어인 to부정사로 바뀌므로 to 다음에 swim을 쓴다.
3 It was 다음에 형용사가 와야 하므로 difficult를 쓰고, 동명사 주어를 형용사 뒤로 보내면서 to부정사로 바뀌므로 to 다음에 solve를 쓴다.

Point 2 How come ... ?

B 설명을 읽고, 빈칸에 알맞은 말을 넣어 대화를 완성해 봅시다.

- How come ... ?: '도대체 왜 / 어째서 … ?'라는 뜻이다.
  How come you're late again?
- (주의) How come 행위자 동작/상태를 나타내는 말 순서로 나타낸다.
  How come he broke the window? (O)
  How come did he break the window? (X)

1. A: Did Chris go to school today?
   B: No, he didn't.
   A: How come he didn't go to school?
2. A: Do they work on Sunday?
   B: Yes, they do.
   A: How come they work on Sunday?

단어·숙어
break ⓢ 깨다, 부러지다
go to school 학교에 가다
on Sunday 일요일에

해석
- 도대체 왜 너는 또 늦었니?
- 도대체 왜 그는 유리창을 깼니?
1 A: Chris는 오늘 학교에 갔니?
  B: 아니, 안 갔어.
  A: 도대체 왜 그는 학교에 가지 않았니?
2 A: 그들은 일요일에 일하니?
  B: 응, 일해.
  A: 도대체 왜 그들은 일요일에 일하니?

풀이
1 'How come+주어+동사 …?'이므로 주어인 he를 쓰고, 학교에 가지 않았으므로 didn't go를 써야 한다.
2 'How come+주어+동사 …?'이므로 주어인 they를 쓰고, 일요일에 일하므로 work를 써야 한다.

Grammar Builder B

교과서 p.166

Point 1 It is ~ to ... .

A 주어진 단어와 표현을 사용하여 문장을 써 봅시다.

easy difficult fun boring

learn a K-pop dance

run 100 meters in 15 seconds

stay home all day

e.g. It is easy to learn a K-pop dance.

1. It is difficult to run 100 meters in 15 seconds.
2. It is fun to learn a K-pop dance.
3. It is boring to stay home all day.

단어·숙어
boring ⓗ 지루한
stay (at) home 집에 있다
all day 하루 종일 (= all day long)

해석
K-pop 춤을 배우는 것은 쉽다.
1 15초 안에 100미터를 달리는 것은 어렵다.
2 K-pop 춤을 배우는 것은 재밌다.
3 하루 종일 집에 있는 것은 지루하다.

풀이
1 'It is+형용사+to부정사 ….'의 형태로, 두 번째 그림에서 달리는 모습이 힘들어 보이므로 형용사는 difficult가 와야 하고, 가주어 It과 진주어 to run으로 문장을 만든다.
2 첫 번째 그림에서 즐거운 표정으로 춤을 추고 있으므로 형용사는 fun이 와야 하고, 가주어 It과 진주어 to learn으로 문장을 만든다.
3 세 번째 그림에서 지루한 표정을 짓고 있으므로 형용사는 boring이 와야 하고, 가주어 It과 진주어 to stay로 문장을 만든다.

Point 2 How come ... ?

B 주어진 대답에 알맞게 빈칸을 채워 대화를 완성해 봅시다.

1.

elephants

A: How come elephants have big ears?
B: They have big ears to stay cool.

2.

seahorses

A: How come seahorses change color?
B: They change color when they're in trouble.

3.

flying fish

A: How come flying fish jump out of the water?
B: They jump out of the water to escape from bigger sea creatures.

단어·숙어
stay cool 시원함을 유지하다
be in trouble 곤경에 처하다
flying fish 날치
jump out of … 밖으로 뛰어오르다
escape from …로부터 도망가다
sea creature 바다 생물

해석
1 A: 어째서 코끼리는 큰 귀를 가지고 있나요?
B: 그것들은 시원함을 유지하기 위해 큰 귀를 가지고 있어요.
2 A: 어째서 해마는 색깔이 변하나요?
B: 그것들은 곤경에 처하면 색깔이 변해요.
3 A: 어째서 날치는 물 밖으로 뛰어 오르나요?
B: 그것들은 더 큰 바다 생물들로부터 도망가기 위해 물 밖으로 뛰어올라요.

풀이
1 'How come+주어+동사 …?'는 이유(원인)를 묻는 질문으로 코끼리가 큰 귀를 가지고 있는 이유를 물어야 한다.
2 B의 대답이 해마가 색깔이 변하는 이유(원인)를 말하고 있으므로 색깔이 변하는 이유를 물어야 한다.
3 B의 대답이 날치가 더 큰 바다 생물들로부터 도망가기 위해 물 밖으로 뛰어오르고 있음을 설명하고 있으므로 왜 물 밖으로 뛰어오르는지를 물어야 한다.

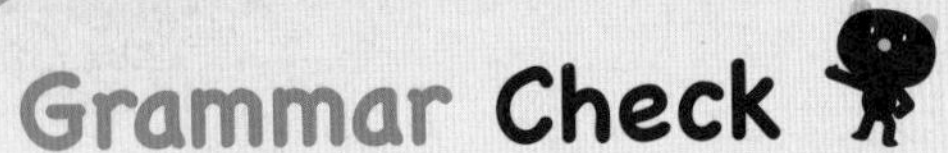

정답과 해설 p. 348

A 다음 괄호 안에서 알맞은 말을 고르시오.

1. (It / That) is useless to cry over spilt milk.
2. It was rude (for / of) him to talk to me like that.
3. (Why / How come) you didn't call me yesterday?
4. (Why / How come) are you so disappointed?

B 다음 주어진 문장과 같은 뜻이 되도록 문장을 완성하시오.

1. Going out alone at night is dangerous.
   = ______________ dangerous ______________ out alone at night.
2. Mastering English in a month is impossible.
   = ______________ impossible ______________ English in a month.
3. Telling a lie to him was not a good idea.
   = ______________ not a good idea ______________ a lie to him.
4. Having a snowball fight is fun.
   = ______________ fun ______________ a snowball fight.

C 다음 괄호 안에 주어진 단어를 바르게 배열하여 문장을 완성하시오.

1. ______________________________ in here?
   (are, many, come, people, there, how, so)
2. ______________________________ so easily?
   (could, how, Tom, solve, come, it)
3. ______________________________ about this?
   (anything, didn't, me, come, tell, how, you)

D 우리말과 일치하도록 괄호 안에 주어진 표현을 활용하여 문장을 완성하시오.

1. 계속해서 책을 읽는 것이 중요하다. (important, read)
   → It ______________________________ constantly.
2. 에너지를 아끼는 것이 정말로 필요하다. (necessary, save)
   → It ______________________________ energy.
3. 어째서 너는 너의 오래된 차를 팔았니? (sell, old car)
   → How ______________________________?
4. 도대체 왜 그녀는 그와 헤어졌니? (break up with)
   → How ______________________________?

Grammar Tip

1. 가주어, 진주어 용법에서 가주어는 It을 쓴다.
2. to부정사의 의미상 주어는 'for+목적격'이나 'of+목적격'으로 쓰는데, 사람의 성격이나 특성을 나타내는 형용사가 사용된 경우에는 of를 쓴다.
3, 4. How come 다음에는 '주어+동사'의 어순이 오고, why는 그 반대의 어순이 온다.

• 동명사인 주어의 길이가 길 때, 가주어 It을 사용하고 진주어를 to부정사의 형태로 뒤에 써 주어도 같은 뜻이 된다.

• How come ...?은 다른 의문사의 의문문과 달리 뒤에 '주어+동사'의 어순으로 쓴다.

1, 2. 진주어, 가주어 용법에서 진주어는 to부정사의 형태로 뒤에 써 준다.
3, 4. How come ...? 뒤에는 평서문의 어순으로 쓴다.

Ready 다음 그림을 보고, 알맞은 단어를 골라 실험 절차와 원리를 완성해 봅시다.

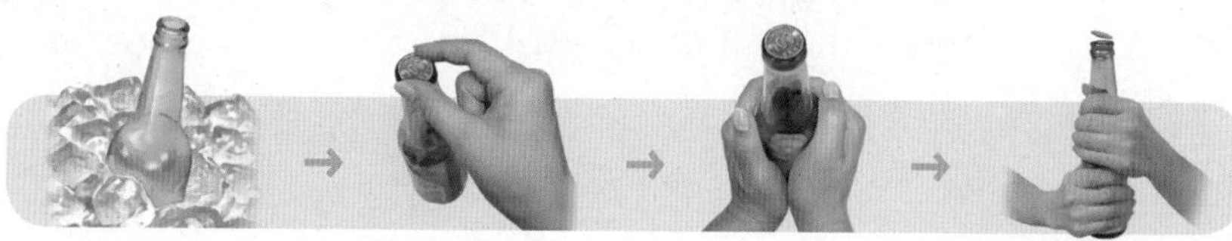

1. It is important to ___cool___ the bottle.
2. ___Put___ a coin on the mouth of the bottle.
3. ___Hold___ the bottle in your hands for a while.
4. The coin ___moves___ up and down.

put	cool
warm	hold
escape	expands
moves	

How come? Your hands ___warm___ the cold air inside the bottle. As the air gets warm, it ___expands___. The expanding air tries to ___escape___ from the bottle.

활동 방법 그림을 보고, 알맞은 단어를 골라 실험 절차와 그 원리를 완성한다.

단어·숙어
bottle 명 병
for a while 잠시 동안
up and down 위아래로
warm 동 따뜻하게 하다, 데우다
escape 동 달아나다, 빠져나오다
try to …하려고 하다

해석
1 병을 차게 하는 것이 중요하다.
2 병 입구에 동전을 두어라.
3 잠시 동안 손으로 병을 잡아라.
4 동전이 위아래로 움직인다.

어째서?
손이 병 내부의 찬 공기를 데운다. 공기가 따뜻해지면, 그것은 팽창한다. 팽창한 공기가 병에서 빠져나오려고 한다.

Write 위에서 알맞은 내용을 골라 실험 보고서를 써 봅시다.

A Dancing Coin

Can a coin dance? Let's test it.
You need a coin and a bottle.
Before you start, ___it is important to cool the bottle___.

How do you do it?
First, put a coin on the mouth of the bottle.
Then, ___hold the bottle in your hands for a while___

What happens?
The coin moves up and down.

How come the coin moves?
___Your hands warm the cold air inside the bottle___.
As the air gets warm, it expands. ___The expanding air tries to escape from the bottle___.

단어·숙어 happen 동 일어나다

표현
- **As** the air gets warm, it expands.: 이 문장에서 as는 접속사로 쓰여서 '…하면서, …할 때'라는 뜻을 나타낸다.

활동 방법 위에서 완성한 실험 절차를 바탕으로 빈칸에 알맞은 문장을 넣어 실험 보고서를 완성한다.

해석

춤추는 동전

동전이 춤을 출 수 있는가? 그것을 실험해 보자. 동전 한 개와 하나의 병이 필요하다. 시작하기 전에 병을 차게 하는 것이 중요하다.

어떻게 하는가?

첫째, 동전을 병의 입구에 두어라. 그런 다음, 잠시 동안 손으로 병을 잡아라.

무슨 일이 일어나는가?

동전이 위아래로 움직인다.

어째서 동전이 움직이는가?

손이 병 내부의 찬 공기를 데운다. 공기가 따뜻해지면 그것은 팽창한다. 팽창한 공기가 병에서 빠져나오려고 한다.

Present 모둠별로 관심 있는 과학 실험을 해 보고, 과학 실험 보고서를 쓴 후 발표해 봅시다.

Peer Review	🙂	😟
• 실험 절차와 원리, 실험 보고서를 바르게 작성하고 발표하였나요?	☐	☐
• 'It is ~ to … .'와 'How come … ?' 표현을 이해하고 잘 사용하였나요?	☐	☐

Let's Check

❶ 대화를 듣고, 내용과 관련 있는 그림을 골라 봅시다.

☑ 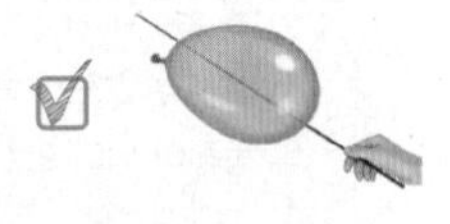 ☐ 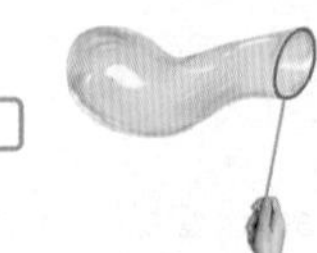

❷ 표의 정보를 활용하여 세준이가 하고 싶은 것을 짝과 대화해 봅시다.

country to visit	sport to play
Indonesia	basketball

A: Which country/sport does Sejun want to visit/play the most?

B: He wants to visit Indonesia / play basketball.

❸ 다음 글을 읽고, 알맞은 말을 골라 봅시다.

When air gets cold, it ☐ expands ☑ contracts and creates lower pressure. When the flame burnt out, the air inside the glass cooled down. As the air cooled down, the air pressure dropped. So the air outside the glass was at a ☐ lower ☑ higher pressure. It pushed the water into the glass.

❹ 다음 문장을 순서대로 배열해 봅시다.

a. Which cup has the water in it?
b. See? There's no water.
c. That's easy! It's the middle one.
d. Wow! How come the water disappeared?

a → c → b → d

❺ 다음 그림을 보고, 짝과 묻고 답해 봅시다.

A: How come the house is floating in the air?

B: The house is floating because of the balloons.

your own

❻ 주어진 단어를 사용하여 과학실 안전 수칙을 만들어 발표해 봅시다.

important necessary

- listen carefully to the teacher
- wash your hands after experiments
- clean up your table after experiments

Science Safety Rules
- It is important to listen carefully to the teacher.
- It is necessary to wash your hands after experiments.
- It is important to clean up your table after experiments.

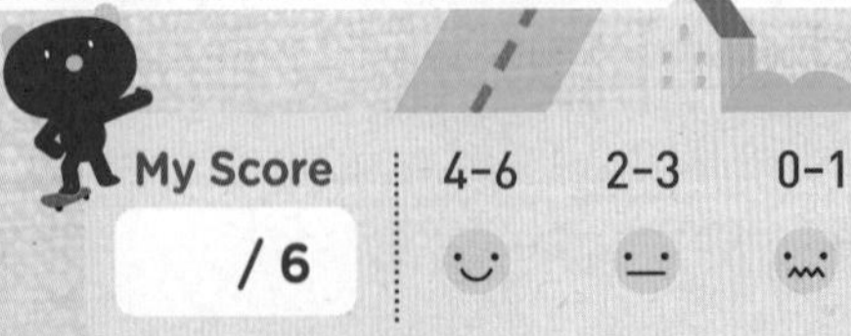

My Score	4-6	2-3	0-1
/ 6	:)	:|	:(

1

Script B: What are you reading, Jiwon?
G: I'm reading a book about magic and science.
B: That sounds interesting.
G: Yes. This book introduces 100 magic tricks that use science. I've learned about half of them.
B: That's cool. Can you show me some of the tricks?
G: Sure. I can show you a balloon trick now.
B: Great! I can't wait to see it.

해석 B: 지원아, 무엇을 읽고 있니?
G: 마술과 과학에 관한 책을 읽고 있어.
B: 그거 재미있겠다.
G: 응. 이 책은 과학을 이용한 100가지의 마술을 소개하고 있어. 나는 지금까지 반 정도를 배웠어.
B: 멋지다. 마술 중 몇 가지를 보여 줄 수 있니?
G: 물론이지. 지금 풍선 마술을 보여 줄 수 있어.
B: 좋았어! 빨리 보고 싶어.

풀이 I can show you a balloon trick now.에서 지원이는 풍선을 이용한 마술을 보여 주려고 함을 알 수 있다.

단어·숙어 introduce ⓢ 소개하다
half ⓜ 반, 절반

2

해석 A: 세준이는 어떤 나라/운동을 가장 가고/하고 싶어 하니?
B: 그는 인도네시아에 가고/농구를 하고 싶어 해.

풀이 Which ...?를 사용하여 세준이가 하고 싶은 것을 물어본다.

3

해석 공기가 차가워지면 수축해서 더 낮은 압력을 만듭니다. 불꽃이 다 타 버렸을 때, 유리컵 속의 공기는 식어 버렸습니다. 공기가 식었을 때 기압이 낮아졌습니다. 그래서 유리컵 밖의 공기 압력이 더 높아졌습니다. 높아진 압력의 공기가 물을 유리컵 속으로 밀어 넣었습니다.

풀이 공기가 차가워지면 공기는 수축(contract)한다. 유리컵 속의 온도가 내려가면 유리컵 밖의 공기 압력이 더 높아(higher)진다.

단어·숙어 get cold 차가워지다
expand ⓢ 팽창하다
contract ⓢ 수축하다
pressure ⓜ 압력
flame ⓜ 불꽃
burn out 타 버리다
cool down 차가워지다, 식다
drop ⓢ 떨어지다, 낮아지다
push A into B A를 B로 밀어 넣다

4

해석 a. 어떤 컵에 물이 있을까요?
b. 보이죠? 물이 없네요.
c. 쉽네요! 가운데 컵이에요.
d. 와! 어째서 물이 사라진 거죠?

풀이 a. 어떤 컵에 물이 있을까요? (질문) → c. 쉽네요! 가운데 컵이에요. (대답) → b. 보이죠? 물이 없네요. (근거) → d. 와! 어째서 물이 사라진 거죠? (이유 질문)

표현 • **There's no water.**: not ... any ~ 구문을 사용하여 There isn't any water.로 바꿔 쓸 수 있다.

5

해석 A: 어째서 집이 공중에 떠 있는 거야?
B: 풍선 때문에 집이 떠 있는 거야.

풀이 'How come+주어(the house)+동사(float)?'의 어순으로 답을 하되, B가 응답하는 시제가 현재진행형이므로 동사를 is floating으로 한다.

단어·숙어 in the air 공중에
float ⓢ 뜨다
because of+명사(구) … 때문에

6

해석 **과학실 안전 수칙**
• 선생님 말씀을 주의 깊게 듣는 것이 중요하다.
• 실험을 한 후에 손을 씻을 필요가 있다.
• 실험을 한 후에 탁자를 치우는 것이 중요하다.

단어·숙어 necessary ⓗ 필요한
carefully ⓟ 주의 깊게
experiment ⓜ 실험

풀이 'It (가주어) ~ to (진주어) ...' 구문을 사용한다.

Find out 세계 불가사의 중 다음 세 가지 미스터리에 대해 알아봅시다.

Bermuda
Florida
North Atlantic Ocean
Puerto Rico

North Atlantic Ocean
- The Bermuda Triangle UNSOLVED

A number of airplanes and ships have disappeared in the Bermuda Triangle. How come? It's still a mystery.

USA
- The moving rocks in Death Valley 

How come the rocks move on their own? They weigh up to 300 kilograms each. Some scientists have watched their movements closely for a long time. Now we know that ice and wind move the rocks.

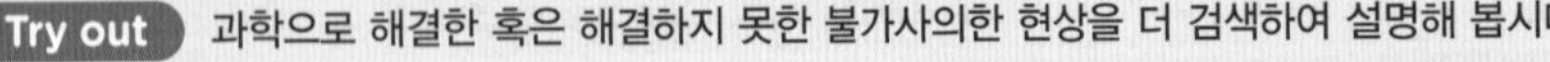

Egypt
- The pyramids UNSOLVED

Some of the rocks that were used to build the pyramids weigh about 70 tons. How was it possible to move such heavy rocks back then? It's still a mystery.

Try out 과학으로 해결한 혹은 해결하지 못한 불가사의한 현상을 더 검색하여 설명해 봅시다.

e.g. The lost city of Atlantis is still a mystery. It was first talked about in two of Plato's dialogs, but no one has found the city yet.

단어·숙어

a number of 많은
on one's own 스스로
weigh ⓢ 무게가 …이다
movement ⓜ 움직임, 동작
closely ⓟ 자세히
for a long time 오랫동안

표현

- Now we know **that** ice and wind move the rocks.: that은 동사 know의 목적어절을 이끄는 접속사로 뒤에 '주어+동사' 형태의 문장이 와야 한다.
- Some of the rocks **that were used to** build the pyramids weigh about 70 tons.: that은 주어이자 선행사인 Some of the rocks를 수식하는 주격 관계대명사로 쓰였다. 'be used to+동사원형'은 '(예전에) …했었다'라는 뜻이다.

해석

Find out

- 북대서양 – 버뮤다 삼각 지대 (미해결)
  많은 비행기와 선박이 버뮤다 삼각 지대에서 사라졌다. 도대체 왜일까? 그것은 여전히 미스터리이다.
- 미국 – Death Valley(죽음의 계곡)의 움직이는 바위들 (해결)
  어째서 바위들이 스스로 움직이는 걸까? 이 바위들은 각각 무게가 300킬로그램까지 나간다. 몇몇 과학자들이 오랫동안 그것들의 움직임을 자세히 지켜봤다. 이제 우리는 얼음과 바람이 바위들을 움직인다는 것을 알고 있다.
- 이집트 – 피라미드 (미해결)
  피라미드를 만드는 데 사용된 몇몇 바위들은 무게가 약 70톤인 것들도 있다. 어떻게 그 시대에 그렇게 무거운 바위를 옮기는 것이 가능했을까? 그것은 여전히 미스터리이다.

Try out

사라진 도시인 아틀란티스는 여전히 미스터리이다. 그것은 플라톤의 대화들 중 두 군데에서 처음 이야기되었는데, 아직까지 아무도 그 도시를 발견하지 못했다.

Culture & Life Project

Fun Science Quiz Show

교과서 p.123

Ready 모둠 친구들과 함께 재미있는 과학 퀴즈를 만들어 봅시다. group

Fun Science Facts

Q1. How come the ocean doesn't freeze over?

① Sea animals warm ocean water.

② Ocean water is too salty.

Create 문제 카드와 점수 카드를 만들어 봅시다. group

Question Card

+5 points / -2 points

Q1 How come the ocean doesn't freeze over?

① Sea animals warm ocean water.

② Ocean water is too salty.

Answer: ②

Score Card

Group ________

	Q1	Q2	Q3	Q4
O/X	O			
Score	+5			

Total Score ________

Share 위에서 만든 퀴즈를 모아 과학 퀴즈 대회를 실시해 봅시다.

A: The answer is ①.

B: No, you're wrong. You lose 2 points.

A: The answer is ②.

B: Your answer is correct! You win 5 points.

How to play

1. 모둠별로 2문제씩 만들어 돌아가며 문제를 냅니다.
2. 문제를 듣고 모둠 정답판에 답을 적어 동시에 들어 보여 줍니다.
3. 가장 높은 점수를 얻은 모둠이 우승 팀이 됩니다.

MEMO

Ready

활동 방법 모둠 친구들과 함께 재미있는 과학 상식을 조사하고, 퀴즈 문제를 만들어 보게 한다.

해석

질문 1. 어째서 바닷물은 얼지 않는 것일까?

① 바다 동물들이 바닷물을 데우기 때문이다.

② 바닷물이 너무 짜기 때문이다.

단어 숙어

ocean ⓜ 대양, 바다

freeze over 꽁꽁 얼다

salty ⓗ 소금이 든, 짠

Create

활동 방법 조사한 내용을 바탕으로 문제 카드와 점수 카드를 만들어 보게 한다.

Share

활동 방법

1 위에서 만든 퀴즈를 모으게 한다.

2 How to play의 방법으로 퀴즈 대회를 실시하게 한다.

해석

A: 정답은 ①입니다.

B: 아니요, 틀렸습니다. 2점 잃었네요.

A: 정답은 ②입니다.

B: 답이 맞네요! 5점을 얻었습니다.

단원 종합 평가

01 대화를 듣고, 남자가 인터뷰할 사람의 직업으로 가장 적절한 것을 고르시오.

① a doctor ② a chef
③ a scientist ④ a magician
⑤ a vet

02 대화를 듣고, 빈칸에 알맞은 말이 순서대로 바르게 짝 지어진 것을 고르시오.

> **Q** ________ people float in the water without sinking?
> **A** It's because ________ is so dense. It means the water is ________ than the human body.

① Why – the East Sea – lighter
② Why – the Dead Sea – heavier
③ How come – the Dead Sea – heavier
④ How come – the Dead Sea – lighter
⑤ How come – the East Sea – lighter

03 대화를 듣고, 두 사람이 이번 토요일에 할 일로 가장 적절한 것을 고르시오.

① 소방서 가기 ② 마술 쇼 보러 가기
③ 병문안 가기 ④ 과학관 견학 가기
⑤ 불꽃놀이 보러 가기

[04-05] 다음 대화를 읽고, 물음에 답하시오.

B Yujin, why did you put the eggs in water?
G I'm picking out the bad eggs.
B Which eggs are fresh, and which ones are not?
G Eggs that sink in water are fresh. When eggs float in water, they're not fresh. You shouldn't eat ⓐthem.
B That's interesting. Why do the bad eggs float?
G Because they have gas inside. The gas acts like ____ⓑ____.
B Oh, I see.

04 위 대화의 밑줄 친 ⓐthem이 가리키는 것을 우리말로 쓰시오.

→ ________________________

05 위 대화의 빈칸 ⓑ에 알맞은 것은?

① a fish in water ② the air in a balloon
③ a cloud in the sky ④ the engine in a car
⑤ a rat in a trap

[06-07] 다음 대화를 읽고, 물음에 답하시오.

B Mina, will you join our tennis club?
G It sounds interesting, but I signed up for a special class this fall. (①)
B Which class did you sign up for? (②)
G I signed up for a magic class. (③)
B That sounds cool! Have you learned magic tricks before? (④)
G Yes, I learned some before, but I need more practice. (⑤)
B I hope I can see your magic tricks some day.

06 위 대화의 ①~⑤ 중 주어진 문장이 들어갈 알맞은 곳은?

> I can't wait to learn new magic tricks there.

① ② ③ ④ ⑤

07 위 대화의 내용과 일치하지 않는 것은?

① 소년은 미나에게 테니스 동아리에 가입할지 물었다.
② 미나는 이번 가을에 특별 수업을 신청했다.
③ 미나는 마술 수업을 신청했다.
④ 미나는 마술을 배운 적이 없다.
⑤ 소년은 미나의 마술을 볼 수 있기를 바란다.

08 다음 밑줄 친 부분과 바꿔 쓸 수 없는 것은?

> I can't wait to see your clock.

① I'm dying to ② I'm eager to
③ I'm longing to ④ I can hardly wait to
⑤ I'm looking forward to

09 다음 영영 풀이에 해당하는 단어는?

> to make someone feel uncertain about what to think or do

① absorb ② contract ③ compare
④ confuse ⑤ expand

10 다음 짝 지어진 단어의 관계가 나머지와 다른 하나는?

① float – sink ② cover – hide
③ light – extinguish ④ contract – expand
⑤ appear – disappear

11 다음 중 나머지를 모두 포함할 수 있는 단어는?

① metal ② wood ③ plastic
④ rubber ⑤ material

12 다음 밑줄 친 It과 쓰임이 같은 것은?

> It is not simple to find a solution.

① Take it easy.
② It is getting colder day by day.
③ It was stupid of her to ignore his opinion.
④ It has two long ears and a small tail.
⑤ It is delicious and easy to make.

13 주어진 문장과 의미가 같도록 괄호 안의 단어를 사용하여 두 개의 의문문을 만드시오. (단어는 반복하여 사용할 수 있음)

> What brings you here?

(why, come, here, you, are, how)

→ ______________________________

→ ______________________________

14 다음 밑줄 친 ①~⑤ 중 어법상 어색한 것은?

> It is ①quite silly ②to afraid ③of things ④that haven't ⑤happened yet.

15 다음 밑줄 친 부분의 쓰임이 나머지 넷과 다른 하나는?

① It's time to say goodbye to your friends.
② My goal is to live a happy and healthy life.
③ I want to go to the movies with Jake tonight.
④ It is important to do your best in your situation.
⑤ It's a good idea to make a plan for it in advance.

16 다음 우리말을 바르게 영작한 것은?

> 어째서 너는 나에게 초대장을 보내지 않았니?

① How come you not sent me an invitation?
② How come you didn't send me an invitation?
③ How come you didn't send an invitation me?
④ How come didn't you send me an invitation?
⑤ How come didn't you send an invitation me?

[17-18] 다음 글을 읽고, 물음에 답하시오.

> Welcome to the Super Science Magic Show! ___ⓐ___ is always exciting ___ⓑ___ see magic tricks. ___ⓐ___ is more exciting ___ⓑ___ find out the secrets behind them. Some people think the secret of magic is science. Today, Ken, a member of the School Magic Club, will use science ⓒto perform his tricks. Which tricks will he show us? I can't wait to see them.

17 윗글의 빈칸 ⓐ와 ⓑ에 알맞은 말을 쓰시오.

ⓐ __________ ⓑ __________

18 윗글의 밑줄 친 ⓒto와 쓰임이 같은 것은?

① He has no one to marry.
② I have few friends to talk with.
③ You need to exercise for your health.
④ Ella taught us how to make a pancake.
⑤ Tracy cleaned the house to help her mother.

[19-22] 다음 글을 읽고, 물음에 답하시오.

A Hello, everyone. Today, I'm going (A) (you, amazing, show, something, to). Here's a dish with water in it. Now, I'll put a candle in the middle of the dish. Next, I'll light the candle and cover it with a glass. "Abracadabra!"

B Look at the water! (B) How come did it rise into the glass?

A Air expands when it gets hot and creates higher pressure. When ⓐit gets cold, air contracts and creates lower pressure. When the flame burnt out, the air inside the glass cooled down. As the air cooled down, the air pressure dropped. So the air outside the glass was at a higher pressure. It pushed ________________.

19 윗글의 괄호 (A)에 주어진 단어를 바르게 배열하시오.

→ ________________

20 윗글의 밑줄 친 (B)를 어법에 맞게 바르게 고쳐 쓰시오.

→ ________________

21 윗글의 밑줄 친 ⓐit이 가리키는 것을 본문에서 찾아 쓰시오.

→ ________________

22 윗글의 빈칸에 알맞은 것은?

① the water into the glass
② the glass into the water
③ the water into the flame
④ the air into the water
⑤ the water into the air

[23-25] 다음 글을 읽고, 물음에 답하시오.

A I'm going to fill one of these cups ___①___ water. I will move them around to confuse you. Jina, which cup has the water in it?

B That's easy! It's the middle one.

A Okay, let's check. See? No water.

B Show me the other cups.

A See? There's no water.

B Wow! How come the water disappeared?

A Before the trick, I put a special material ___②___ one of the cups. The material absorbed the water and turned it ___③___ jelly. Then the jelly stuck ___④___ the bottom. If you want to try this trick, it's necessary to use cups that ________________.

B Thank you ___⑤___ your great performance. It was really amazing!

23 윗글의 제목으로 알맞은 것은?

① How to Make Jelly
② The Secret of the Hidden Cups
③ The Secret of the Disappearing Cups
④ The Secret of the Disappearing Water
⑤ How to Change Water into Jelly

24 윗글의 빈칸 ①~⑤에 각각 알맞은 것은?

① of ② on ③ into
④ in ⑤ to

25 윗글의 빈칸에 알맞은 것은?

① you can hold easily
② you can't see through
③ the water can't pass through
④ are made of clear and colorless glass
⑤ are deep enough to hold the water

정답과 해설 p. 352

01 괄호 안의 주어진 단어를 사용하여 대화를 완성하시오.

A: Amy, why don't we go see a movie this weekend?
B: Sounds interesting. Look. There are some of the latest movie posters in the newspaper.
A: (1) ____________________? (which, want, movie)
B: How about this Marvel movie? I'm very interested in superhero films.
A: Me, too. I'll book two tickets for this Saturday.
B: That's great. (2) ____________________. (wait, see)
A: Me neither.

02 다음 지시에 따라 빈칸에 알맞은 말을 쓰시오.

02-1 주어진 표현을 사용하여 문장을 완성하시오. ('It ~ to ...' 구문을 사용할 것)

(1) ____________________ when you ride a bicycle. (safe, wear a helmet)
(2) ____________________ when you leave the room. (necessary, turn off the lights)
(3) ____________________ with wet hands. (dangerous, change a light bulb)

02-2 주어진 표현을 활용하여 대화를 완성하시오.

A: Where were you last night?
B: Last night? I was at home.
A: Then (1) ____________________? (how come, not answer my phone calls)
I called you several times.
B: Oh, I was taking a shower then.
A: Didn't you check for missed calls?
B: I did.
A: Then (2) ____________________? (how come, not call me back)
B: Oh, I forgot. I was too tired.

03 다음 각 문항의 주어진 표현을 사용하여 실험 보고서를 완성하시오.

Putting an Egg into a Bottle Without Touching It

Can you put an egg into a bottle without touching it? Let's try it.

It is (1) ____________________ (appropriate materials, prepare, important) for the experiment. You need a hard-boiled egg without the shell, and a glass bottle that has a smaller opening than the egg.

How do you do it?

First, light a match and put it into the bottle. Then, quickly set the egg on the opening of the bottle.

What happens?

The egg falls into the bottle when the flame burns out.

(2) ____________________ (how come)?

When the flame burns out, the air inside the bottle gets cold and (3) ⓐ ________. As a result, the ⓑ ________ ________ inside the bottle becomes lower. Then the ⓒ ________ ________ ________ outside the bottle pushes the egg into the bottle.

Lesson 8

Call It Courage

Functions

- 알고 있는지 묻기

  Have you heard of the Gobi Desert? 너는 고비 사막에 대해 들어 봤니?

  Have you heard about the soccer match on Saturday? 너는 토요일 축구 경기에 대해 들어 봤니?

- 격려하기 **Don't give up!** 포기하지 마!

Forms

- My mom **made** me **clean** my room. 엄마는 나에게 내 방을 청소하도록 시키셨다.
- **Although** it was raining, I played soccer. 비록 비가 내리고 있었지만, 나는 축구를 했다.

[Fly like a Bird]

[Find Your Greatness]

One Step Further

그림 속 사람들에게 어울리는 표현을 써 봅시다.

Find Your Greatness
너의 위대함을 발견하라

Fly like a Bird
새처럼 날아라

One Step Further
한 발짝 더 멀리

Be a Team
한 팀이 되어라

START

Be a Team

Communication
Movies with a Message
메시지가 있는 영화

Reading
Playing Soccer on the Water
물 위에서 축구하기

Writing
My Experience with Sports
스포츠에 관한 나의 경험

Culture & Project
Building Together
함께 쌓기

Listen & Speak 1

A **Listen and Match** What does each student want to do?
각 학생이 하고 싶어 하는 것은 무엇입니까?

a. I want to cross the Gobi Desert in 50 days.
나는 50일 안에 고비 사막을 건너고 싶어.

b. I want to experience life in the Gobi Desert.
나는 고비 사막에서 삶을 경험해 보고 싶어.

단어·숙어
desert ⓝ 사막
cross ⓥ 건너다, 횡단하다
on foot 걸어서, 도보로
It takes+목적어+시간(+to부정사) 목적어가 (to부정사 하는데) … 시간이 걸리다

Script

G: Tim, have you heard of the Gobi Desert?
B: Yes, I have. Isn't it in Mongolia and China?
G: Yes, it is. Yesterday, I saw a TV show about people who crossed the desert on foot.
B: Only on foot?
G: Yes, it took them about 51 days.
B: Wow, that's amazing. I want to experience life in the desert but I don't want to cross it on foot.
G: Well, I want to try and cross the Gobi Desert in 50 days.

해석

G: Tim, 너는 고비 사막에 대해 들어 봤니?
B: 응, 들어 봤어. 그것은 몽골과 중국에 있지 않니?
G: 응, 맞아. 어제 나는 걸어서 그 사막을 건넌 사람들에 관한 TV 쇼를 봤어.
B: 단지 걸어서만?
G: 응, 51일 정도 걸렸대.
B: 와, 놀랍구나. 나는 사막에서의 삶을 경험해 보고 싶지만 걸어서 사막을 건너고 싶지는 않아.
G: 음, 나는 시도해 보고 싶고 50일 안에 고비 사막을 건너고 싶어.

풀이 Tim은 사막에서의 삶을 경험해 보고 싶지만 걸어서 사막을 건너고 싶지는 않다고 말한다. 반면에 여학생은 51일이 아닌 50일 안에 걸어서 사막을 건너보고 싶어 한다.

표현 • **Have you heard of the Gobi Desert?:** Have you heard of/about ... ?은 '너는 …을 들어 봤니?'라는 뜻으로, 상대방이 이떤 것을 알고 있는지 묻는 표현이다.

B **Listen and Write** Fill in the blanks to complete the poster.
빈칸을 채워 포스터를 완성해 봅시다.

UGLY SWEATER PARTY
못생긴 스웨터 파티
December 5th 12월 5일
4 PM–6 PM 오후 4시 – 6시
Student Center
학생회관

단어·숙어
ugly ⓐ 못생긴, 추한
in front of …의 앞에서
Student Center 학생회관

Script

G: Alex, have you heard about this year's "Ugly Sweater Party?"
B: Of course, I have. It's on December 5th, right?
G: That's right. Are you going to go?
B: I want to, but I don't have an ugly sweater.
G: I have one that I don't wear at home. You can have it if you want.
B: Thanks. That would be great.
G: Let's meet in front of the Student Center and go inside together.
B: Sure. See you then.

해석

G: Alex, 올해의 '못생긴 스웨터 파티'에 대해서 들어 봤니?
B: 물론 들어 봤지. 그것은 12월 5일에 열려, 맞지?
G: 맞아. 너 갈 거니?
B: 가고 싶지만 나는 못생긴 스웨터가 없어.
G: 집에 내가 입지 않는 스웨터가 한 벌 있어. 원하면 네가 가져도 돼.
B: 고마워. 그러면 정말 좋을 거야.
G: 학생회관 앞에서 만나서 같이 들어가자.
B: 좋아. 그때 보자.

풀이 '못생긴 스웨터 파티'는 12월 5일에 열린다. 여자의 '학생회관 앞에서 만나서 같이 들어가자.'라는 말에서 파티가 열리는 곳이 '학생회관(the Student Center)'임을 알 수 있다.

표현 • **That would be great.:** '그거 좋겠군요.'라는 뜻으로 상대방의 제안이나 계획에 응하거나 맞장구칠 때 쓰는 표현이다.

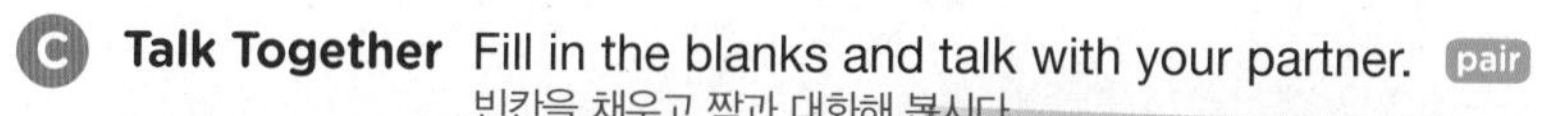

C Talk Together Fill in the blanks and talk with your partner. pair
빈칸을 채우고 짝과 대화해 봅시다.

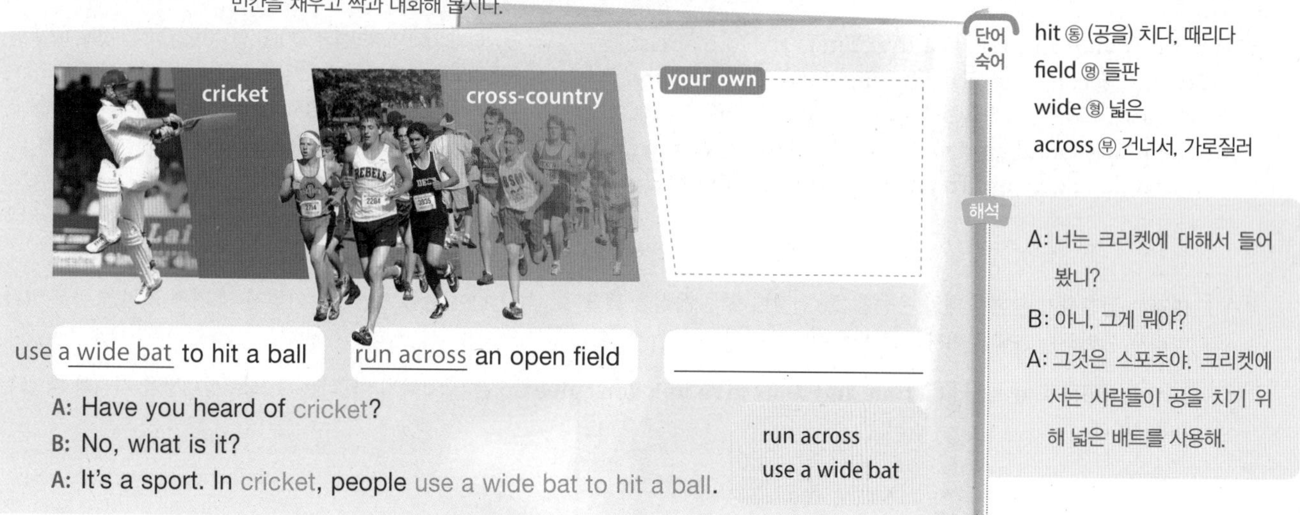

cricket
cross-country
your own
use a wide bat to hit a ball
run across an open field
A: Have you heard of cricket?
B: No, what is it?
A: It's a sport. In cricket, people use a wide bat to hit a ball.
run across
use a wide bat

단어·숙어
hit ⑧ (공을) 치다, 때리다
field ⑲ 들판
wide ⑱ 넓은
across ⑮ 건너서, 가로질러

해석
A: 너는 크리켓에 대해서 들어 봤니?
B: 아니, 그게 뭐야?
A: 그것은 스포츠야. 크리켓에서는 사람들이 공을 치기 위해 넓은 배트를 사용해.

활동 방법
1 주어진 그림 속 스포츠 관련 정보를 이야기해 본다.
2 그림 속 스포츠 정보를 완성한 후, 주어진 대화문을 이용하여 짝과 대화해 본다.

예시 대화
• A: Have you heard of cross-country?
B: No, what is it?
A: It's a sport. In cross-country, people run across an open filed.

• A: 너는 크로스컨트리에 대해서 들어 봤니?
B: 아니, 그게 뭐야?
A: 그것은 스포츠야. 크로스컨트리에서는 사람들이 드넓은 들판을 가로질러서 달려.

Function 1 알고 있는지 묻기: Have you heard of/about ...?

Have you heard of/about ... ?은 '너는 …을 들어 봤니?'라는 의미로, 상대방이 어떤 것을 알고 있는지 묻는 표현이다. Have you heard of ... ?는 어떤 사실, 사물, 사람의 존재를 아는지 물을 때 사용하고, Have you heard about ... ?은 어떤 일을 구체적으로 아는지 물을 때 사용한다.

예시 대화
• A: **Have you heard of** Steven Spielberg? (Steven Spielberg에 대해 들어 봤니?)
B: Of course. He is one of the greatest movie directors in the world.
(물론이지. 그는 세계에서 가장 위대한 영화감독들 중 한 사람이야.)

A Listen and Choose Which is NOT part of the woman's advice?
여자의 충고에 해당하지 않는 것은 무엇입니까?

☑ 

☐ 

☐ 

단어·숙어
healthy ⓗ 건강한, 건강에 좋은
exercise ⓢ 운동하다
meal ⓜ 식사
tip ⓜ 조언
take one step at a time 한 발 한 발 내딛다, 차근차근하다
give up 포기하다

Script

W: What can you do to be healthy? First, try to exercise every day. Second, try to eat healthy food. Don't eat too much fast food. Third, wash your hands before meals. Do these tips sound hard to do? Well, take one step at a time and don't give up. Then you'll live a healthy life.

해석

W: 건강하기 위해서 여러분은 무엇을 할 수 있을까요? 첫째, 매일 운동하도록 하세요. 둘째, 건강에 좋은 음식을 먹도록 하세요. 패스트푸드는 너무 많이 먹지 마세요. 셋째, 식사하기 전에 손을 씻으세요. 이런 조언들이 실천하기에 어렵게 들리나요? 자, 한 번에 하나씩 해 나가고 포기하지 마세요. 그러면 여러분은 건강한 삶을 살게 될 것입니다.

풀이 여자는 건강하기 위해서 매일 운동할 것, 건강에 좋은 음식을 먹을 것, 식사 전에 손을 씻을 것, 이렇게 세 가지 조언을 하고 있다. 따라서 샤워하는 그림은 여자의 조언에 해당하지 않는다.

표현 • **Well, take one step at a time and don't give up!:** don't give up.은 '포기하지 마.'라는 뜻으로 상대방을 격려할 때 쓰는 표현이다.

B Listen and Talk Fill in the blanks and give advice to Hojun.
빈칸을 채워 호준이에게 조언해 봅시다.

You're good at ice hockey, so don't ___give___ ___up___!
You should ___try___ ___out___ for the team.
너는 아이스하키를 잘하니까 포기하지 마! 그 팀에 지원해 봐.

단어·숙어
be good at …을 잘하다
try out for …에 지원하다
be about to 막 …하려고 하다
try one's best 최선을 다하다

Script

G: Hojun, are you going to try out for the school ice hockey team? The new season is about to start.
B: I'm not sure.
G: Why not?
B: I heard that Tony and Brad are also trying out for the team. They're so good.
G: Well, you're also good at ice hockey, so don't give up!
B: Okay, I'll try my best. Thanks a lot.

해석

G: 호준아, 너 학교 아이스하키 팀에 지원할 거니? 새 시즌이 곧 시작돼.
B: 잘 모르겠어.
G: 왜 몰라?
B: Tony와 Brad도 그 팀에 지원할 거라고 들었어. 그 애들은 정말 잘해.
G: 음, 너도 아이스하키를 잘하니까 포기하지 마!
B: 알았어, 최선을 다할게. 정말 고마워.

풀이 호준이가 아이스하키 팀에 지원하는 걸 자신 없어 하지만, 여자는 호준이에게 아이스하키를 잘한다고 칭찬하면서 지원해 보라고 격려하고 있다.

표현 • **I'll try my best.:** '최선을 다할게.'라는 뜻으로, 어떤 일에 대한 자신의 굳은 다짐을 나타내는 표현이다. 유사 표현으로 I'll do my best.가 있다.

C **Talk Together** What do you want to do well? Choose one and talk with your partner. pair
무엇을 잘하고 싶습니까? 하나를 골라 짝과 대화해 봅시다.

단어·숙어
practice ⑧ 연습하다
join ⑧ 가입하다

방과 후에 매일 연습하다
practice every day after school
join a dance club 춤 동아리에 가입하다
your own ____________

A: I'd like to play soccer well, but it's not easy.
B: Don't give up. Why don't you practice every day after school?
A: That's a good idea. I'll try, thanks.

해석
A: 나는 축구를 잘하고 싶은데 쉽지 않아.
B: 포기하지 마. 방과 후에 매일 연습하는 건 어때?
A: 그거 좋은 생각이다. 해 볼게, 고마워.

활동 방법
1 주어진 그림을 보고, 잘하고 싶어 하는 것을 선택한다.
2 선택한 것을 바탕으로 주어진 대화문을 이용하여 짝과 대화해 본다.

예시 대화
- A: I'd like to dance well, but it's not easy.
  B: Don't give up. Why don't you join a dance club?
  A: That's a good idea. I'll try, thanks.
- A: I'd like to play guitar well, but it's not easy.
  B: Don't give up. Why don't you practice every day after school?
  A: That's a good idea. I'll try, thanks.

- A: 나는 춤을 잘 추고 싶은데 쉽지 않아.
  B: 포기하지 마. 춤 동아리에 가입하는 건 어때?
  A: 그거 좋은 생각이다. 해 볼게, 고마워.
- A: 나는 기타를 잘 치고 싶은데 쉽지 않아.
  B: 포기하지 마. 방과 후에 매일 연습하는 건 어때?
  A: 그거 좋은 생각이다. 해 볼게, 고마워.

Function 2 격려하기: Don't give up!

Don't give up!은 '포기하지 마!'라는 의미로 상대방을 격려할 때 사용하는 표현이다.
유사 표현 – You can do it! / You can make it! / You'll do better next time. / Believe in yourself. / You're doing great. / (Just) Go for it! / You never know until you try it! / Cheer up!

예시 대화
- A: I don't think I can do this any more. (내가 이것을 더 이상 할 수 있을 것 같지 않아.)
  B: **Don't give up** so easily. You can make it. (그렇게 쉽게 포기하지 마. 넌 해낼 수 있어.)

Real Life Communication

A Watch and Write 동영상을 보고, Emily의 블로그를 완성해 봅시다.

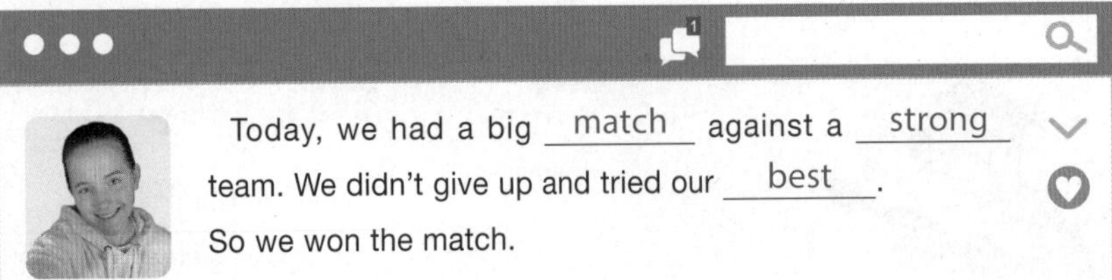

Today, we had a big match against a strong team. We didn't give up and tried our best. So we won the match.

단어·숙어
match 명 경기
against 전 …에 맞서(반대하여)
weak 형 약한

해석
오늘, 우리는 강한 팀을 상대로 큰 경기를 치렀다. 우리는 포기하지 않았고 최선을 다했다. 그래서 우리가 경기에서 이겼다.

Script

Father: Emily, are you excited about your match on Saturday?
Emily: Not really. We're playing against a strong team. I think we'll lose.
Father: Don't say that. Have you heard about the Greek team in the 2004 Euro Cup?
Emily: No, I haven't. What about them?
Father: They were a weak team, so everyone thought that they would lose.
Emily: What happened?
Father: They played as a team and worked hard. Finally, they won the Euro Cup. So, don't give up.
Emily: Thanks, Dad. We'll try our best.

해석

아빠: Emily, 토요일에 있을 경기로 들떠 있니?
Emily: 그렇지는 않아요. 강한 팀하고 경기하거든요. 우리가 질 것 같아요.
아빠: 그런 말 하지 마. 2004년 유로컵에서 그리스 팀에 대해 들어 봤니?
Emily: 아니요, 들어 보지 못했어요. 그들이 어땠는데요?
아빠: 그들은 약한 팀이어서 모두가 그들이 질 거라고 생각했단다.
Emily: 무슨 일이 있었는데요?
아빠: 그들은 한 팀으로 경기하며 열심히 노력했어. 결국 그들이 유로컵에서 우승했어. 그러니까 포기하지 마.
Emily: 고마워요, 아빠. 우리도 최선을 다할게요.

풀이 Emily는 토요일에 있었던 큰 '경기'에서 '강한' 팀에 맞서 포기하지 않고 '최선'을 다해 경기를 이겼다고 말하고 있다.

표현 • **Not really.**: '꼭 그런 것은 아니다.', '사실 그렇지는 않다.'는 의미로, 상대방이 한 말이나 질문에 동의하지 않거나 부정의 응답을 할 때 쓴다.

B Choose and Talk

Step 1 고민을 읽고, 본보기가 될 운동선수에게 번호를 써 봅시다.

1. I want to be a basketball player but I'm too short.
나는 농구 선수가 되고 싶지만, 키가 너무 작아.

2. I want to be a baseball player but I'm not good at it.
나는 야구 선수가 되고 싶지만, 야구를 잘 못해.

2 **Jim Abbott**
• no right hand 오른손이 없음
• won 87 games 87 경기를 이겼음

1 **Anthony Webb**
• short 키가 작음
• won the 1986 Slam Dunk Contest 1986년 슬램덩크 대회에서 우승했음

Step 2 위의 내용을 바탕으로 역할극을 해 봅시다. pair

A: I want to be a basketball player but I'm too short. Should I give up?
B: No, don't give up! Have you heard of Anthony Webb?
A: No, I haven't. Who is he?
B: He was a basketball player. He was short, but he won the 1986 Slam Dunk Contest.

활동방법 고민을 읽고 본보기가 될 운동선수와 연결한다. 위의 내용을 바탕으로 역할극을 하고, 짝과 함께 나눈 대화를 발표한다.

단어·숙어
too 부 너무
short 형 키가 작은
win 동 이기다 (↔ lose 지다)

해석
A: 나는 농구 선수가 되고 싶지만 키가 너무 작아. 포기해야 할까?
B: 아니, 포기하지 마! Anthony Webb에 대해 들어 봤니?
A: 아니, 못 들어 봤어. 그가 누구야?
B: 그는 농구 선수였어. 그는 키가 작았지만, 1986년 슬램덩크 대회에서 우승했어.

- A: I want to be a baseball player but I'm not good at it. Should I give up?
  B: No, don't give up! Have you heard of Jim Abbott?
  A: No, I haven't. Who is he?
  B: He was a baseball player. He had no right hand, but he won 87 games.

- A: 나는 야구 선수가 되고 싶지만, 야구를 잘 못해. 포기해야 할까?
  B: 아니, 포기하지 마! Jim Abbott에 대해 들어 봤니?
  A: 아니, 못 들어 봤어. 그가 누구야?
  B: 그는 야구 선수였어. 그는 오른손이 없었지만 87 경기를 이겼어.

C Communication Task

Movies with a Message

Step 1 고난과 역경을 다룬 스포츠 영화를 골라 조사해 봅시다.

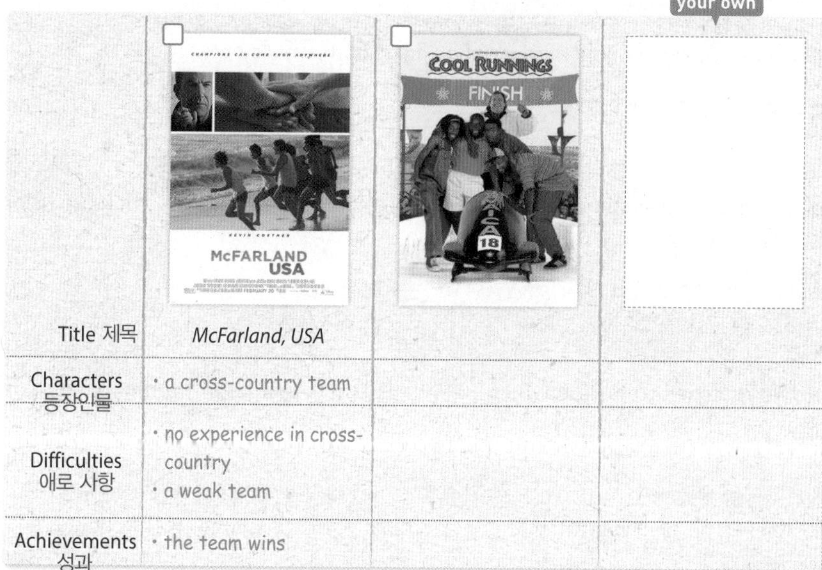

	☐	☐	your own
Title 제목	McFarland, USA		
Characters 등장인물	· a cross-country team		
Difficulties 애로 사항	· no experience in cross-country · a weak team		
Achievements 성과	· the team wins		

Step 2 위의 내용을 바탕으로 친구들에게 영화 내용을 소개해 봅시다.

Have you heard about the movie "*McFarland, USA*?" It's about a cross-country team. The boys had no experience in cross-country. So people thought that they were a weak team. However, the team won in the end. The message of the movie is: Don't give up!

활동 방법

Step 1
고난과 역경을 다룬 스포츠 영화를 골라 조사한다.

Step 2
조사한 내용을 바탕으로 친구들에게 영화 내용을 소개한다.

단어 숙어

message 명 메시지, 교훈
character 명 등장인물
difficulty 명 어려움, 곤경, 장애
achievement 명 성과
in the end 결국

해석

영화 'McFarland, USA'에 대해 들어 봤니? 그것은 크로스컨트리 팀에 관한 거야. 그 소년들은 크로스컨트리를 해 본 경험이 없었어. 그래서 사람들은 그들이 약한 팀이라고 생각했지. 그러나 결국 그 팀이 이겼어. 이 영화의 교훈은 '포기하지 마!'야.

Sounds 다음을 듣고, 밑줄 친 부분에 유의하여 따라 말해 봅시다.

1. Have you heard about the party?
   너는 그 파티에 대해 들어 봤니?
2. So, don't give up.
   그러니까 포기하지 마.

Tip
두 단어를 연이어 발음할 때, 앞 단어의 마지막 자음이 모음으로 시작되는 뒤 단어에 연결되어 한 단어처럼 발음하게 된다. heard about을 [hə:rd] [əbaut]으로 따로 끊어서 발음하지 않고, heard의 마지막 [d]를 뒤의 about의 [ə]에 붙여 [hə:rdəbaut]으로 발음한다. 마찬가지로 give up의 경우도 [givʌp]으로 give의 마지막 [v]가 뒤의 up의 [ʌ]에 붙어 [vʌ]로 한 단어처럼 발음한다.

Self-check	😊	😟
· I can use 'Have you heard of/about ... ?'	☐	☐
· I can use 'Don't give up!'	☐	☐

Word Preview

Let's Read의 단어들을 미리 익혀 보세요.

☐	although	㊟ 비록 …일지라도 (despite the fact that – used to introduce a fact that makes another fact unusual or surprising)
☐	laugh at	비웃다
☐	villager	㊔ 마을 사람 (a person who lives in a village)
☐	give up	포기하다
☐	gather	㊕ 모으다 (to choose and collect things)
☐	shaky	㊖ 흔들리는, 휘청거리는 (not firm or steady)
☐	everywhere	㊗ 모든 곳에, 어디나 (in or to all places)
☐	fall into	…에 빠지다
☐	slippery	㊖ 미끄러운 (difficult to stand on, move on, or hold because of being smooth, wet, icy, etc.)
☐	bare	㊖ 벌거벗은, 맨– (not covered by clothes, shoes, a hat, etc.)
☐	in fact	사실은
☐	tournament	㊔ 토너먼트 (a competition in which players compete against each other in a series of games until there is one winner)
☐	give it a try	한번 해 보다, 시도해 보다
☐	be about to	막 …하려고 하다
☐	semi-final	㊔ 준결승 (either one of two matches to decide which people or teams will be in the final match of a competition)
☐	completely	㊗ 완전히 (totally)
☐	proud	㊖ 자랑스러워하는, 자랑스러운 (feeling pleased about something good that you or someone else has done)

Mini Test

정답과 해설 p. 353

A 다음 빈칸에 알맞은 단어를 [보기]에서 골라 쓰시오.

보기: fact / fall / about / give / laugh

1. Others will ____________ at you when you make a fool of yourself.
2. He didn't ____________ up hope and decided to study hard.
3. If the ice breaks, you may ____________ into the freezing water.
4. She looks like teenager, but in ____________ she is 30 years old.
5. He was ____________ to speak but she stopped him.

B 다음 영영 풀이에 해당하는 단어를 [보기]에서 골라 쓰시오.

보기: bare / gather / villager / slippery / everywhere

1. ____________: to choose and collect things
2. ____________: a person who lives in a village
3. ____________: in or to all places
4. ____________: not covered by clothes, shoes, a hat, etc.
5. ____________: difficult to hold or stand on because of being smooth, wet, icy, etc.

A Look and Say 다음 그림 속 상황에 나타난 어려움이 무엇인지 말해 봅시다.

e.g. I think it would be hard to play soccer in the rain.
나는 빗속에서 축구를 하는 것은 힘들 것이라고 생각한다.

활동 방법
1 제시된 그림을 보고 경험해 본 적이 있는 활동을 말해 본다.
2 각 그림 속 상황에 나타난 어려움이 무엇인지 말해 본다.

예시 정답
- I think it would be hard to ride a bike in the mountains.
  나는 산에서 자전거를 타는 것은 힘들 것이라고 생각한다.
- I think it would be hard to run in a hot desert.
  나는 뜨거운 사막에서 달리는 것은 힘들 것이라고 생각한다.

단어·숙어
hard ⓗ 힘든
in the rain 빗속에서
ride a bike 자전거를 타다
desert ⓜ 사막

B Think and Write 빈칸에 알맞은 단어를 넣어 영화 소개글을 완성해 봅시다.

A Soccer Team with Courage

Who? Boys in Koh Panyee

What?

The boys make a soccer team but there is no place to play soccer. However, they aren't __discouraged__. They make a floating field. It's __shaky__ and they play in __bare__ feet but they're happy. One day, they take part in a __tournament__. Will they make it to the finals?

단어·숙어
floating ⓗ 떠 있는
take part in …에 참가하다 (= participate in)
make it to …에 이르다, 도착하다
final ⓜ 결승전
tournament ⓜ 토너먼트(승자 진출전)
discouraged ⓗ 낙담한
shaky ⓗ 흔들리는, 휘청거리는

해석

용기 있는 축구팀

누구? Koh Panyee에 있는 소년들

무엇을?

소년들은 축구팀을 만들지만 축구를 할 장소가 없다. 그러나 그들은 낙담하지 않는다. 그들은 떠 있는 축구장을 만든다. 축구장은 흔들거리고 그들은 맨발로 축구를 하지만 행복하다. 어느 날, 그들은 토너먼트에 참가한다. 그들은 결승전까지 갈 것인가?

풀이 첫 번째 빈칸에는 소년들이 축구팀을 만들지만 축구할 장소가 없다는 앞의 내용에 반대의 의미가 되어야 하므로 discouraged가 와야 알맞다.
두 번째와 세 번째 빈칸에는 소년들이 떠 있는 축구장을 만들었는데 그곳은 '흔들거리고', 소년들이 '맨발'로 축구한다는 의미가 되어야 하므로 shaky와 bare가 와야 알맞다.
네 번째 빈칸에는 문맥상 그들이 '…에 참가하다'라는 의미가 되어야 하므로 tournament가 알맞다.

Let's Read

Playing Soccer on the Water

글의 제목을 보고, 물 위에서 축구하는 것이 어떻게 가능할지 추측해 봅시다.

❶ Koh Panyee was a small floating village in the middle of the sea. ❷ Although the boys in the village never played soccer before, they loved watching it on TV. ❸ One day, the boys decided to make their own soccer team. ❹ However, people laughed at their idea.

'Koh Panyee'는 태국 남부에 있는 아주 작은 수상 마을입니다.

'Although'는 '비록 …일지라도'라는 뜻입니다.

Q1 Where is Koh Panyee?

although laugh at 비웃다

Q1 Where is Koh Panyee? Koh Panyee는 어디에 있습니까?

A1 It is in the middle of the sea. 바다 가운데에 있습니다.

해설 Koh Panyee was a small floating village in the middle of the sea.에서 알 수 있듯이 Koh Panyee는 바다 가운데에 있다.

물 위에서 축구하기

①Koh Panyee는 바다 가운데 떠 있는 작은 수상 마을이었다. ②비록 마을의 소년들이 이전에 축구를 해 본 적이 없었지만, 그들은 TV로 축구 경기 보는 것을 정말 좋아했다. ③어느 날, 소년들은 그들만의 축구팀을 만들기로 결정했다. ④그러나 사람들은 그들의 생각을 비웃었다.

구문

② **Although** the boys in the village never played soccer before, **they loved watching it** on TV.
although는 '비록 …일지라도, …이기는 하지만'이라는 의미의 양보를 나타내는 접속사로, although가 이끄는 절에는 뒤에 오는 절과 대비되는 내용이 온다. although가 이끄는 부사절은 혼자 쓰일 수 없고, 앞이나 뒤에 또 다른 절인 주절이 온다. 주절의 they는 although절의 주어인 the boys를 가리킨다. love는 동명사 또는 to부정사를 둘 다 목적어로 취하므로 loved to watch로 바꿔 쓸 수 있다. 대명사 it이 가리키는 내용은 앞부분에 나온 soccer이다.

③ **One day**, the boys **decided to make** their own soccer team.
one day는 과거의 '어느 날'을 말하며, 미래의 '어느 날'을 말할 때는 some day를 쓴다. decide는 to부정사를 목적어로 취하는 동사이다.

④ **However**, people laughed at **their** idea.
however는 '그러나'라는 의미의 접속부사로, however 앞의 내용과 however 뒤의 내용은 대조를 이룬다. their는 앞의 the boys를 가리켜서 the boys'로 바꿔 쓸 수 있다.

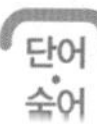
단어 숙어

- **floating** ⓗ 떠 있는 e.g. Tourists love visiting the **floating** markets.
- **village** ⓜ 마을 e.g. One day, the king looked around a **village**.
- **in the middle of** …의 중앙에, …의 가운데에 e.g. I got lost **in the middle of** the city.
- **although** ⓙ 비록 …일지라도, …이긴 하지만 e.g. **Although** our team lost the game, we were proud of them.
- **decide** ⓢ 결정하다 e.g. They **decided** to buy a car for their new baby.

Mini Test

정답과 해설 p. 353

다음 글을 읽고, 물음에 답하시오.

Koh Panyee was a small floating village in the middle of the sea. (A) [Because / Although] the boys in the village never played soccer before, they loved watching it on TV. One day, the boys decided (B) [making / to make] their own soccer team. However, people laughed at their idea.

1. 윗글의 (A)에서 알맞은 것을 골라 쓰시오. __________
2. 윗글의 (B)에서 알맞은 것을 골라 쓰시오. __________

Grammar

접속부사 however vs. 등위접속사 but

둘 다 '그러나'의 의미로 앞의 내용과 however, but 이하의 내용이 대조를 이룬다. but은 반드시 문장 앞에 쓰는 반면, however는 다음에 콤마(,)를 쓰고, 문장 앞, 문장 중간, 문장 끝 어느 위치에나 올 수 있다.

- **However**, there are a few minor problems.
(하지만 소소한 문제가 몇 가지 있다.)
= There are, **however**, a few minor problems.
= There are a few minor problems, **however**.

의미의 변화 없이 동명사와 to부정사를 둘 다 목적어로 취하는 동사

love, like, prefer, hate, start, begin, continue 등

- He **started to paint** the wall. (그는 벽을 칠하기 시작했다.)
= He **started painting** the wall.

to부정사만을 목적어로 취하는 동사

need, want, wish, hope, decide, promise, plan, refuse, expect, agree 등

- He **refused to answer** the question. (그는 질문에 답하는 것을 거부했다.)
We never **expected to get** through to the final. (우리가 결승전을 통과할 수 있을 것이라고는 절대 예상하지 못했다.)

❶ "That's impossible."

❷ "What makes you say so?"

❸ "Look around. Where are you going to play soccer?"

❹ The villagers were right. ❺ The boys had no place to play soccer. ❻ They were discouraged.

❼ "Don't give up! We can still play soccer."

❽ "How?"

❾ "Let's make our own soccer field."

'make'는 다음과 같이 사용됩니다.
e.g. make you say (O)
make you to say (X)
이처럼 사용되는 것으로는 let과 have가 있습니다.

Q2 Why were the boys discouraged?

villager discouraged give up 포기하다

Q2 Why were the boys discouraged? 소년들은 왜 낙담했습니까?

A2 It's because they had no place to play soccer. 그들이 축구를 할 장소가 없었기 때문입니다.

해설 They were discouraged.의 앞 문장 The boys had no place to play soccer.에서 알 수 있듯이 축구팀을 만들어도 축구를 할 수 있는 장소가 없었기 때문이다.

해석

①"그것은 불가능해."
②"왜 그렇게 말하는 거죠?"
③"주위를 둘러봐. 너희가 어디서 축구를 할 거니?"
④마을 사람들이 옳았다. ⑤소년들은 축구를 할 장소가 없었다. ⑥그들은 낙담했다.
⑦"포기하지 마! 우리는 여전히 축구를 할 수 있어."
⑧"어떻게?"
⑨"우리만의 축구장을 만들자."

구문

❶ **That**'s impossible.
That은 앞에 나온 내용인 making their(= the boys') own soccer team을 가리킨다.

❷ What **makes** you **say** so?
make는 '…하게 만들다'라는 사역동사로 목적어(대상)와 목적격 보어(동작)를 취하며, 목적격 보어로 대개 동사원형이 온다. 이와 같은 동사로 have, let 등이 있다.

❺ The boys had no place **to play** soccer.
to play는 to부정사의 형용사적 용법으로 앞에 나온 명사 place를 수식한다. 이 문장은 The boys didn't have any place to play soccer.로 바꿔 쓸 수 있다.

❻ **They** were **discouraged**.
They는 the boys를 가리킨다. discouraged는 '낙담한'이라는 의미로 동사 discourage(낙담시키다)에서 수동의 의미를 담고 있는 과거분사 형태가 형용사화된 것이다. 따라서 주체가 직접 감정을 느끼는 경우 discouraged를 써야 한다.

❾ **Let's make** our own soccer field.
'Let's+동사원형 …'은 '…하자'라는 제안을 나타내는 표현으로 Why don't we make ...?나 How[What] about making ...? 등으로 바꿔 쓸 수 있다.

단어·숙어

- **impossible** ⓗ 불가능한 e.g. If you never give up, nothing is **impossible**.
- **look around** 둘러보다 e.g. The guide make me **look around** the museum.
- **discouraged** ⓗ 낙담한 (↔ encouraged 기운을 얻은) e.g. Don't be **discouraged** by the first failure.
- **give up** 포기하다 e.g. I won't **give up** so easily. I'll fight to the death for my people.
- **field** ⓜ 들판, –장, 경기장 e.g. Have you ever been to a baseball **field**?

Grammar+

to부정사의 형용사적 용법

수식을 받는 명사와 to부정사와의 관계는 주어, 목적어, 동격, 수단 등이 있다.

- He is not a man to cheat others. (주어)
(그는 남을 속일 사람이 아니다.)
- Would you like something to drink? (목적어)
(마실 뭔가를 원하니?)
- I have a dream to become a teacher. (동격)
(나는 선생님이 되고 싶은 꿈이 있다.)
- It's time to wake up. (수단)
(일어날 시간이다.)

discouraged vs. discouraging

문장의 주어가 직접 그 감정을 느낄 수 있는 존재이면 -ed(과거분사 형용사)를, 그 감정을 불러일으키는 존재이면 -ing(현재분사 형용사)를 쓴다.

- **People** are **discouraged** by the high cost of living in Seoul. (사람들은 서울의 높은 물가에 낙담한다.)
- **The high cost** of living in Seoul is **discouraging**. (서울의 높은 물가가 낙담시킨다.)

Mini Test

정답과 해설 p. 354

A 본문의 내용과 일치하면 T, 일치하지 않으면 F를 쓰시오.

1. The boys were so discouraged that they gave up making a soccer team. (　　)
2. The villagers were in favor of the boys' idea of making a soccer team. (　　)

B 우리말과 일치하도록 주어진 단어를 바르게 배열하여 문장을 완성하시오.

그들은 축구를 할 장소가 없었다. (soccer, place, play, had, they, to, no)

→ ______________________________

①The boys gathered old boats and pieces of wood. ②They put the boats together and nailed the wood to them. ③After much hard work, they finally had a floating field. ④It was shaky and had nails everywhere. ⑤The ball and the boys would often fall into the sea, so the field was always wet and slippery. ⑥They had no shoes so they had to play in bare feet. ⑦Still, they didn't care. ⑧In fact, they built excellent skills and enjoyed playing soccer more.

Q3 What did the boys use to make the soccer field?

Think Do you want to play soccer on a floating field?
If so, why? If not, why not?

gather shaky everywhere fall into …에 빠지다 slippery bare in fact 사실은

Q3 What did the boys use to make the soccer field? 소년들은 축구장을 만들기 위해서 무엇을 사용했습니까?

A3 They used old boats and pieces of wood. 그들은 낡은 배들과 나무 조각들을 사용했습니다.

해설 The boys gathered old boats and pieces of wood.에서 낡은 배들과 나무 조각들을 모아서 축구장을 만들었음을 알 수 있다.

Think Do you want to play soccer on a floating field? If so, why? If not, why not?
여러분은 떠 있는 축구장에서 축구를 하고 싶습니까? 만약 그렇다면 왜입니까? 만약 그렇지 않다면 왜 그렇지 않습니까?

→ Yes, I want to play soccer on a floating field because I can go into the sea to cool down when I get hot.
예, 저는 떠 있는 축구장에서 축구를 하고 싶은데, 더울 때 몸을 식히기 위해 바다 속으로 들어갈 수 있기 때문입니다.

→ No, I don't want to play soccer on a floating field because I can't fully enjoy playing soccer itself.
아니요, 저는 떠 있는 축구장에서 축구를 하고 싶지 않은데, 축구 자체만을 충분히 즐길 수 없기 때문입니다.

해석

①소년들은 낡은 배들과 나무 조각들을 모았다. ②그들은 배들을 합치고 그것들에 나무를 못으로 박았다. ③매우 열심히 일한 후, 그들은 마침내 물 위에 떠 있는 축구장을 가지게 되었다. ④그것은 흔들리고 곳곳에 못이 있었다. ⑤공과 소년들은 종종 바다에 빠져서 축구장은 항상 젖어 있고 미끄러웠다. ⑥그들은 신발이 없어서 맨발로 축구를 해야 했다. ⑦그런데도 그들은 상관하지 않았다. ⑧실제로 그들은 훌륭한 기술을 쌓았고 축구를 더 즐겼다.

구문

❷ **They** put the boats together and nailed the wood to **them**.
They는 the boys를 가리키고, them은 the boats (that were put together)로 '(합쳐진) 배들'을 가리킨다.

❸ **After much** hard **work**, they finally had a floating field.
after는 '…한 후에'라는 의미의 전치사로 뒤에 명사(구)가 온다. work가 셀 수 없는 명사로 쓰여서 many 대신 much가 work를 수식한다.

❹ **It** was shaky and had nails everywhere.
It은 앞에 나온 a floating field를 가리킨다.

❺ The ball and the boys **would often** fall into the sea, so the field was **always** wet and slippery.
would는 '…하곤 했다'라는 의미로, 과거의 '습관'을 나타내는 조동사이다. often은 '종종,' always는 '항상'이라는 의미의 빈도 부사로 일반적으로 조동사와 be동사 뒤, 일반동사 앞에 위치한다.

❽ In fact, they built excellent skills and **enjoyed playing** soccer more.
enjoy는 동명사만을 목적어로 취하는 동사이다.

- **gather** ⓢ 모으다 (ⓤ collect) e.g. They **gather** leaves and burn them in autumn.
- **put ... together** …을 합치다, 조립하다 e.g. Don't touch the pieces. Ted is going to **put** them **together**.
- **nail** ⓢ 못을 박다 ⓜ 못 e.g. She **nailed** the two boards together.
- **shaky** ⓗ 흔들리는, 휘청거리는 e.g. The old bridge was **shaky**.
- **everywhere** ⓟ 모든 곳에, 어디나 e.g. Pink, my puppy, follows me **everywhere**.
- **fall into** …에 빠지다 e.g. She nearly **fell into** the river.
- **slippery** ⓗ 미끄러운 e.g. The floor was as **slippery** as an icy road.
- **bare** ⓗ 벌거벗은, 맨- (ⓤ naked) e.g. He killed the snake with his **bare** hands.
- **still** ⓟ 그런데도, 그럼에도 불구하고 e.g. It rained all day. **Still**, I had a great time.
- **in fact** 사실은, 실제로 (ⓤ actually) e.g. **In fact**, failure often leads to success later.
- **excellent** ⓗ 훌륭한, 탁월한 e.g. The town has a lot of **excellent** restaurants.

Grammar

과거의 불규칙적 습관을 나타내는 조동사 would

'…하곤 했다'의 의미를 가진 조동사 would는 뒤에 '동작'을 나타내는 동사가 온다. 반면 used to는 규칙적인 습관을 나타내며, 뒤에 상태나 동작을 나타내는 동사 둘 다 올 수 있고 현재에 더 이상 영향을 끼치지 않을 때 사용한다.

- Sometimes she **would** be late for school. (때때로 그녀는 학교에 지각하곤 했다.)
- She **would** often cry when she was a little girl. (그녀는 어렸을 때 자주 울곤 했다.)
- I **used to** play baseball when I was a boy. (나는 내가 소년이었을 때 야구를 하곤 했다. → 지금은 하지 않는다.)

Mini Test

정답과 해설 p. 354

다음 글을 읽고, 물음에 답하시오.

> After (A) [many / much] hard work, they finally had a floating field. They had no shoes so they had to play in bare feet. Still, they didn't care. In fact, they built excellent skills and enjoyed (B) [playing / to play] soccer more.

1. 윗글의 (A)에서 알맞은 것을 고르시오. ____________
2. 윗글의 (B)에서 알맞은 것을 고르시오. ____________

①One day, a boy brought a poster about a soccer tournament. ②They decided to give it a try. ③When they were about to leave, the villagers gave them new shoes and uniforms. ④Some even came to watch the game. ⑤This made the boys feel better. ⑥At first, people saw them as the weakest team. ⑦However, when the tournament started, the soccer team surprised everyone.

⑧On the day of the semi-final, it was raining hard. ⑨They were losing by two goals and it looked impossible to win.

⑩"The other team is so strong," they thought.

⑪But the boys didn't give up. ⑫They took off their shoes during the second half and the game changed completely. ⑬They played better in the rain thanks to the slippery field at home. ⑭Although they lost by a score of three to two, still, they felt proud of themselves. ⑮They didn't give up when they were losing. ⑯They tried their best until the end.

해석

①어느 날 한 소년이 축구 토너먼트에 관한 포스터를 가지고 왔다. ②그들은 한번 해 보기로 결정했다. ③그들이 떠나려고 할 때 마을 사람들이 그들에게 새 신발과 축구복을 주었다. ④심지어 몇몇은 경기를 보러 왔다. ⑤이것은 소년들의 기분을 더 좋게 만들었다. ⑥처음에 사람들은 그들을 가장 약한 팀으로 보았다. ⑦그러나 토너먼트가 시작되었을 때 그 축구팀은 모두를 놀라게 했다.

⑧준결승전 날, 비가 심하게 내리고 있었다. ⑨그들은 두 골 차로 지고 있었고 이기는 것은 불가능해 보였다.

⑩"다른 팀이 너무 강해."라고 그들은 생각했다.

⑪그러나 소년들은 포기하지 않았다. ⑫후반전에서 그들은 신발을 벗었고 경기는 완전히 바뀌었다. ⑬고향의 미끄러운 축구장 덕분에 그들은 빗속에서 더 잘했다. ⑭비록 그들은 3대 2의 점수로 졌지만, 그럼에도 불구하고 그들은 스스로를 자랑스럽게 여겼다. ⑮그들은 지고 있을 때 포기하지 않았다. ⑯그들은 끝까지 최선을 다했다.

Q4 What did the villagers give to the boys?

Think Why do you think they felt proud of themselves?

tournament　give it a try 시도해 보다　be about to 막 …하려고 하다　semi-final
take off 벗다　completely　proud

Q4 What did the villagers give to the boys? 마을 사람들은 소년들에게 무엇을 주었습니까?

A4 They gave them new shoes and uniforms. 그들은 소년들에게 새 신발과 축구복을 주었습니다.

해설 When they were about to leave, the villagers gave them new shoes and uniforms.에서 새 신발과 축구복을 주었음을 알 수 있다.

Think Why do you think they felt proud of themselves? 여러분은 왜 그들이 스스로를 자랑스럽게 여겼다고 생각합니까?

→ I think it's because they didn't give up when they were losing. Also, they tried their best until the end.

그들이 지고 있을 때도 포기하지 않았기 때문이라고 생각합니다. 또한 그들은 끝까지 최선을 다했습니다.

구문 ❸ **When** they were about to leave, the villagers **gave them new shoes and uniforms.**
접속사 when은 '…할 때'라는 의미로 시간 부사절을 이끈다. give는 수여동사로서 'give+간접목적어+직접목적어'의 어순을 취하고, give new shoes and uniforms to them이라는 3형식 문장으로 바꿔 쓸 수 있다. 이때 them은 Koh Panyee 축구팀 소년들을 가리킨다.

❹ Some even came **to watch** the game.
to watch는 '보기 위해'라는 '목적'을 나타내는 to부정사의 부사적 용법으로 쓰였다.

❺ This **made** the boys **feel** better.
make는 '…하게 만들다'라는 의미의 사역동사로 목적어와 목적격 보어를 취하며, 목적격 보어 자리에 대개 동사원형(feel)이 온다. 이와 같은 동사에는 have, let 등이 있다.

❾ They **were losing** by two goals and **it** looked impossible **to win.**
were losing은 과거진행형으로 과거 어느 시점에서 지속되는 동작을 나타낸다. it은 뒤의 to win을 대신하는 가주어이고, to win이 진주어이다.

⓭ They played better **in** the rain **thanks to** the slippery field at home.
전치사 in은 '(환경) … 속에서'라는 뜻을 가지며, thanks to는 '… 덕분에'라는 의미의 전치사구로 뒤에 명사(구)가 온다.

⓮ Although they lost by a score of three to two, **still**, they felt proud of **themselves.**
still은 '그럼에도 불구하고'라는 의미로 접속사 although의 의미를 한 번 더 강조해서 쓰였으며, 앞의 내용과 상반되는 내용이 나옴을 나타낸다. themselves는 '그들 자신'이라는 의미로 문장의 목적어로 쓰인 재귀대명사이다.

- **tournament** 명 토너먼트(승자 진출전) e.g. The **tournament** was canceled because of the heavy rain.
- **give it a try** 시도해 보다, 한번 해 보다 e.g. Why don't you **give it a try**?
- **be about to** 막 …하려고 하다 e.g. When I **was about to** leave, she came in.
- **semi-final** 명 준결승전 e.g. We reached the **semi-final** last year.
- **take off** 벗다 e.g. He **took off** his glasses and rubbed them.
- **completely** 부 완전히 e.g. It took several months before he was **completely** free of pain.
- **thanks to** … 덕분에 e.g. **Thanks to** your help, I could hand in my history report in time.
- **proud** 형 자랑스러운 e.g. He was very **proud** of his achievements.

Grammar

전치사 during vs. 접속사 while

during과 while은 둘 다 '…하는 동안'이라는 의미이지만, 시간을 나타내는 전치사 during 뒤에는 '명사(구)'가 오고, 접속사 while 뒤에는 '주어+동사'의 절이 온다.

- Mr. Johnson walked out **during the performance.** (Johnson 씨는 공연 도중에 나가 버렸다.)
- I kept studying **while she** was watching TV. (그녀가 TV를 보는 동안 나는 공부를 계속 했다.)

Mini Test

정답과 해설 p. 354

A 본문의 내용과 일치하면 T, 일치하지 않으면 F를 쓰시오.

1. Some villagers came to watch the boys' game. (　　)
2. The boys took off their shoes during the second half of the final. (　　)

B 우리말과 일치하도록 주어진 표현을 활용하여 문장을 완성하시오.

그들은 한번 해 보기로 결정했다. (give it a try, decide)

→ ______________________________

교과서 p.136

A Look and Order 다음 그림을 본문의 내용에 맞게 순서대로 배열해 봅시다.

풀이 교과서 본문에 나온 순서에 맞게 그림을 배열해 본다. 교과서 본문 133쪽에서 소년들이 낡은 배들과 나무 조각들을 모아 못으로 박았다는 내용이 가장 먼저 나와야 하므로 두 번째 그림이 1번, 그렇게 만든 떠 있는 축구장 위에서 축구를 했으므로 네 번째 그림이 2번으로 와야 한다. 교과서 본문 134쪽에서 소년들이 축구 토너먼트를 하기 위해 떠난다고 했으므로 첫 번째 그림이 3번으로, 비가 심하게 내리는 중에 준결승을 치른 소년들의 모습인 세 번째 그림이 4번으로 와야 한다.

B Read and Correct 다음은 Koh Panyee Soccer Team에게 쓴 편지입니다. 내용상 잘못된 부분을 바르게 고쳐 봅시다.

Dear Koh Panyee Soccer Team,

Hello, I became your fan after watching one of your matches. Everyone thought you would lose because the other team was strong. But you didn't give up. During the first half (→ second), I was surprised to see you play in bare feet. You were playing better than before! I guess playing soccer on a field in the mountains (→ sea) helped you a lot. Although you lost by a score of two to one (→ three to two), I became a fan of your team. Hope to see you soon.

Yours,
Fern Yahtie

단어 숙어
give up 포기하다
bare 형 벌거벗은, 맨-
field 명 들판, 경기장, 운동장
although 접 비록 …일지라도

풀이 Koh Panyee Soccer Team은 후반전(the second half)에서 신발을 벗고 맨발로 경기를 했다. 바다(sea) 위에 떠 있는 축구장에서 축구를 한 것이 도움이 되었지만, 결국 3대 2(three to two)로 졌다.

해석
Koh Panyee 축구팀에게
안녕하세요. 저는 당신들의 경기 중 하나를 본 후 당신들의 팬이 되었어요. 다른 팀이 강해서 모두 당신들이 질 것이라고 생각했어요. 그러나 당신들은 포기하지 않았죠. 후반전 동안 저는 당신들이 맨발로 경기하는 것을 보고 놀랐어요. 당신들은 그전보다 더 잘했어요! 제 생각에는 바다에 있는 경기장에서 축구를 한 것이 당신들에게 많은 도움이 되었다고 생각해요. 비록 당신들은 3대 2로 졌지만, 저는 당신들 팀의 팬이 되었어요. 당신들을 곧 만나길 바라요.
안녕.
Fern Yahtie로부터

Koh Panyee Soccer Team 관련 영상을 찾아보고, 서로 느낀 점을 말해 봅시다.

● 본문 내용을 떠올려 빈칸을 채워 봅시다.

Koh Panyee was a small ________ village in the middle of the sea. Although the boys in the village never played soccer before, they loved ________ it on TV. One day, the boys decided to make their own soccer team. However, people ________ at their idea.

"That's impossible."

"What makes you say so?"

"Look around. Where are you going to play soccer?"

The villagers were right. The boys had ________ ________ to play soccer. They were discouraged.

"Don't ________ ________! We can still play soccer."

"How?"

"Let's ________ our own soccer field."

The boys gathered old boats and pieces of wood. They put the boats together and nailed the wood to them. After much hard work, they finally had a ________ ________. It was shaky and had ________ everywhere. The ball and the boys would often fall into the ________, so the field was always wet and ________. They had no shoes so they had to play in ________ feet. Still, they didn't care. In fact, they built excellent skills and enjoyed playing soccer more.

One day, a boy brought a poster about a soccer tournament. They decided to give it a try. When they were about to leave, the villagers gave them new ________ and ________. Some even came to watch the game. This made the boys feel better. At first, people saw them as the ________ team. However, when the tournament started, the soccer team surprised everyone.

On the day of the semi-final, it was ________ hard. They were losing by two goals and it looked impossible to win.

"The other team is so strong," they thought.

But the boys didn't give up. They took off their ________ during the ________ half and the game changed completely. They played better in the rain thanks to the slippery field at home. Although they ________ by a score of ________ to two, still, they felt proud of themselves. They didn't ________ ________ when they were losing. They tried their best until the end.

정답 | floating, watching, laughed, no, place, give, up, make, floating, field, nails, sea, slippery, bare, shoes, uniforms, weakest, raining, shoes, second, lost, three, give, up

교과서 p.167

A 의미에 알맞게 철자를 넣은 후, 각 색의 철자를 이용하여 운동 이름을 써 봅시다.

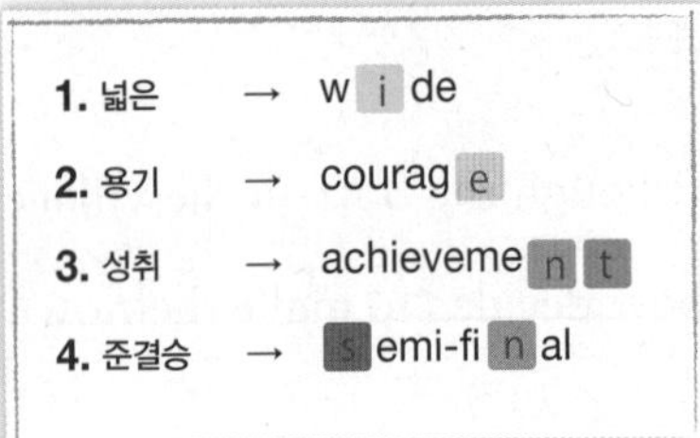

1. 넓은 → w i de
2. 용기 → courag e
3. 성취 → achieveme n t
4. 준결승 → s emi-fi n al

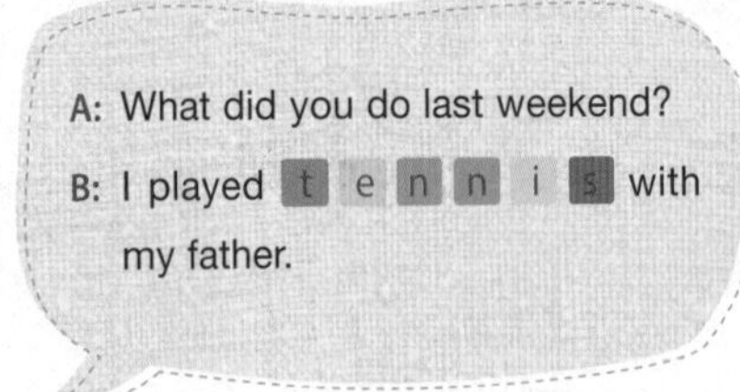

A: What did you do last weekend?
B: I played t e n n i s with my father.

단어·숙어 weekend ⓜ 주말

해석
A: 너는 지난 주말에 무엇을 했니?
B: 나는 아빠와 테니스를 쳤어.

풀이 i, e, n, t, s, n의 철자를 대화의 네모와 같은 색 순서로 배치하면 tennis이다.

B 의미에 알맞게 연결한 후, 빈칸에 알맞은 말을 넣어 문장을 완성해 봅시다.

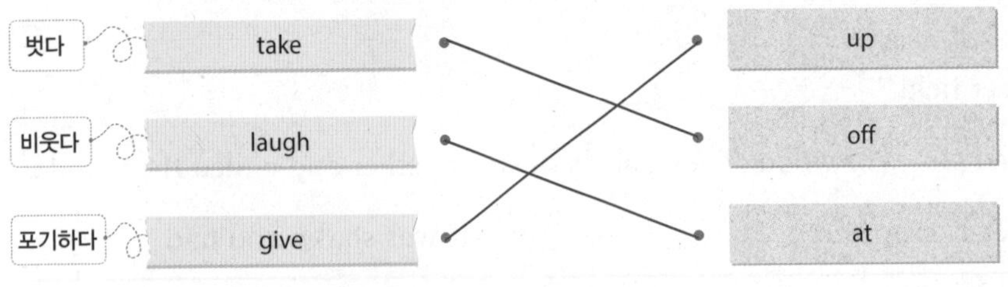

1. Don't laugh at other people.
2. You shouldn't give up playing handball.
3. It's so cold that I can't take off my coat.

풀이
1 '벗다'라는 의미의 영어 표현은 take off이다.
2 '비웃다'라는 의미의 영어 표현은 laugh at이다.
3 '포기하다'라는 의미의 영어 표현은 give up이다.

단어·숙어 handball ⓜ 핸드볼

해석
1 다른 사람들을 비웃지 마라.
2 너는 핸드볼 경기하는 것을 포기하면 안 된다.
3 너무 추워서 나는 코트를 벗을 수가 없다.

C 빈칸에 알맞은 말을 단어 상자에서 골라 써 봅시다.

discouraged	tournament	bare	shoot

1. Our team won the soccer tournament.
2. Although she didn't win the medal, she wasn't discouraged.
3. I like to walk on the beach in bare feet.

풀이
1 soccer 뒤에 어울리는 단어는 토너먼트(tournament)이다.
2 접속사 although는 주절과 상반되는 내용을 이끌고 although절의 내용이 메달을 따지 못했다는 것이므로 주절에는 이와 상반되는 내용인 '낙담하지 않다(not discouraged)'가 나와야 알맞다.
3 feet을 앞에서 수식하는 형용사가 와야 하는데, bare는 '맨-'이라는 뜻이므로 '맨발(bare feet)'이 알맞다.

단어·숙어
discouraged ⓗ 낙담한
shoot ⓢ 슛을 하다
win the medal 메달을 따다
beach ⓜ 해변
in bare feet 맨발로

해석
1 우리 팀은 축구 토너먼트에서 이겼다.
2 비록 그녀는 메달을 따지 못했지만, 낙담하지 않았다.
3 나는 맨발로 해변을 걷는 것을 좋아한다.

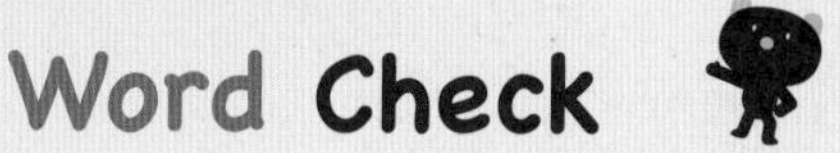

정답과 해설 p. 354

A 다음 영어 표현은 우리말로, 우리말은 영어로 쓰시오.

1. floating ____________
2. bare ____________
3. gather ____________
4. everywhere ____________
5. shaky ____________
6. 성과 ____________
7. 용기 ____________
8. 준결승전 ____________
9. 포기하다 ____________
10. 못질하다 ____________

B 다음 문장에서 단어의 쓰임이 어색한 부분을 찾아 바르게 고쳐 쓰시오.

1. Before putting on the shoes, dry them complete.
2. We should have the courageous to try new things.
3. She was discouraging when she heard the news.
4. Hundreds of villages gathered in the town hall.
5. Mr. Anderson is very strong because he is old.

C 다음 빈칸에 알맞은 단어를 [보기]에서 골라 쓰시오.

보기
at in into off try

1. At first, I thought they were laughing ____________ me because I was ugly.
2. ____________ fact, she is the smartest student in our school.
3. I don't think I'll be good at doing Sudoku, but I just want to give it a ____________.
4. All of a sudden, my three-year old boy slipped and fell ____________ the pool.
5. Why don't you take ____________ your coat and put this on?

Language in Use

make/let/have someone (shout)

A **Read and Write** 괄호 안의 표현을 바르게 배열하여 시를 완성해 봅시다.

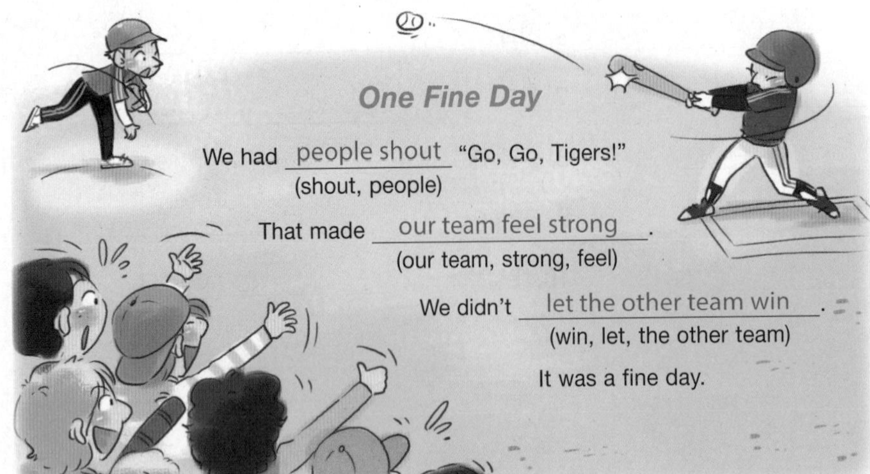

One Fine Day
We had people shout "Go, Go, Tigers!"
(shout, people)
That made our team feel strong.
(our team, strong, feel)
We didn't let the other team win.
(win, let, the other team)
It was a fine day.

단어·숙어
shout ⓢ 외치다, 소리치다
feel strong 기운이 나다
win ⓢ 이기다 (↔ lose 지다)

해석

어느 멋진 날

우리는 사람들에게 "파이팅, 파이팅, Tigers!"라고 외치게 했다.
그것은 우리 팀이 기운 나게 했다.
우리는 다른 팀이 이기도록 두지 않았다.

Form 1 ▶ **make/let/have someone (shout)**

make/let/have 등은 '누군가에게 무언가를 하도록 시키다/허락하다/…하게 하다'라는 의미를 가지는 사역동사로 쓰이는데, 사역(使役)이란 '사람을 부리어 일을 시킴'이라는 뜻이다. 이런 사역동사는 목적어와 목적격 보어를 취하는데 이때 목적어가 능동적으로 목적격 보어의 행동을 할 때 목적격 보어를 동사원형으로 쓴다. 'make/have/let+목적어+동사원형'의 형태가 된다.

make (…하게 시키다, 만들다) let (…하도록 놔두다, 허락하다) have (…하게 하다)

e.g. Mr. Park **made us clean** our classroom after school.
(박 선생님은 우리에게 방과 후에 교실을 청소하도록 시키셨다.)
Tom **had his sister return** the books to the library.
(Tom은 그의 여동생에게 도서관에 책을 반납하게 했다.)
Please **let me know** if you have any questions. (질문이 있으시면 제게 알려 주세요.)

※ **준사역동사 help**

help는 목적격 보어로 동사원형이나 to부정사 모두를 취할 수 있다. 'help+목적어+동사원형/to부정사'의 형태로 쓰며 '누군가에게 무언가를 하도록 도와주다'라는 의미를 나타낸다.

e.g. Kevin **helped me do** my math homework last weekend.
(Kevin은 지난 주말에 내가 수학 숙제하는 것을 도와주었다.)
They **helped me to understand** the difference. (그들은 내가 그 차이점을 이해하도록 도와주었다.)

Although ~, ...

B **Think and Say** 내용이 어울리는 문장 카드끼리 골라 진우의 하루 상황을 말해 봅시다.

Although I got up late,	I didn't miss the school bus.	Although it was windy,
I studied hard in class.	Although I was tired,	I went out to play soccer.

Although I got up late, I didn't miss the school bus.

Although it was windy, I went out to play soccer.
Although I was tired, I studied hard in class.

Self-check

- I can use 'make/let/have someone (shout) ... .' ☐ ☐
- I can use 'Although ~, ...' ☐ ☐

Grammar Builder p.168 p.169

단어·숙어
although 접 비록 …일지라도
miss 동 놓치다
windy 형 바람이 부는
in class 수업 중에

해석
- 비록 나는 늦게 일어났지만, 통학 버스를 놓치지 않았다.
- 비록 바람이 불었지만, 나는 축구를 하러 밖에 나갔다.
- 비록 나는 피곤했지만, 수업 시간에 열심히 공부했다.

Form 2 ▶ **Although ~, ...**

부사절을 이끄는 접속사 although는 '비록 …일지라도, 비록 …이지만'의 의미로 주절의 내용과 상반되는 내용을 이끌며, though로 바꿔 쓸 수 있다. although절을 포함하여 부사절이 문장 앞에 오고 뒤에 주절이 올 때는 부사절 뒤에 콤마(,)를 쓴다.

e.g. **Although** my cake didn't look good, it was really delicious.
(비록 내 케이크는 모양은 좋지 않았지만, 정말로 맛있었다.)
The restaurant has a nice view **although** the service is poor.
(그 식당은 비록 서비스는 나쁘지만 경치가 좋다.)
Lucy can't drive a car **although** she got her driver's license 10 years ago.
(Lucy는 비록 10년 전에 운전면허증을 땄지만 차를 운전하지 못한다.)

※ in spite of/despite: '…에도 불구하고'의 의미를 가지며, although와는 달리 뒤에 '명사(구)'가 온다.
e.g. **Although it rained** a lot, we enjoyed ourselves. (비록 비가 많이 왔지만, 우리는 즐거웠다.)
= **In spite of the heavy rain**, we enjoyed ourselves.
= **Despite the heavy rain**, we enjoyed ourselves.

Self-check

- I can use 'make/let/have someone (shout) ... .' ☐ ☐
- I can use 'Although ~, ...' ☐ ☐

Grammar Builder p.168 p.169

교과서 p.168

Point 1 make/let/have someone (shout)

A 설명을 읽고, 밑줄 친 부분을 바르게 고쳐 써 봅시다.

- make/let/have 대상 동작 의 형태로 문장에서 사용되기도 한다.
  He made me sing in front of people.
- let과 have도 make처럼 쓰일 수 있다.
  She let us play in the garden.
  I will have him call you back.
- 주의 '동작'의 자리에 오는 단어의 형태에 유의한다.
  She let me go there. (O)
  She let me goes there. (X)

1. She let her dog running around. let her dog run
2. Jake made her eats breakfast. made her eat
3. He made us moved the chairs. made us move
4. My parents had me exercising in the evening. had me exercise

풀이
1 let은 '~가 …하게 허락하다/두다'의 의미이며, 목적격 보어로 동사원형인 run을 취한다.
2 make는 '~가 …하게 만들다/시키다'의 의미이며, 목적격 보어로 동사원형인 eat을 취한다.
3 make는 '~가 …하게 만들다/시키다'의 의미이며, 목적격 보어로 동사원형인 move를 취한다.
4 have는 '~가 …하게 하다'의 의미이며, 목적격 보어로 동사원형인 exercise를 취한다.

단어·숙어
run around 뛰어다니다
exercise ⓢ 운동하다

해석
- 그는 나를 사람들 앞에서 노래 부르게 했다.
- 그녀는 우리를 정원에서 놀게 했다.
  나는 그가 네게 다시 전화하게 할 것이다.
- 그녀는 내가 거기에 가게 허락했다.

1 그녀는 그녀의 개가 뛰어다니도록 두었다.
2 Jake는 그녀가 아침 식사를 하게 했다.
3 그는 우리가 그 의자들을 옮기게 했다.
4 우리 부모님은 저녁에 내가 운동을 하게 하셨다.

Point 2 Although ~, ...

B 설명을 읽고, 괄호 안에서 알맞은 표현을 골라 봅시다.

- although ...: '비록 …일지라도'라는 의미로 서로 상반되는 두 문장을 연결하는 말이다.
- although가 이끄는 문장이 맨 앞에 올 때, 뒤따라오는 문장 사이에 콤마(,)를 넣는다.
  Although he was sick, he went to school.

1. Although there was a heavy (sun / storm), people were safe inside.
2. Although his (throat was sore / feet were sore), he sang beautifully.
3. (Although she was upset / Although she was wise), she smiled at him.

풀이
1 although가 이끄는 부사절과 주절은 서로 상반되는 내용으로 이루어져야 하므로 주절에서 safe와 상반되는 것으로 storm이 알맞다.
2 although절에서 주절의 sang beautifully와 상반되는 내용은 sore throat이다.
3 although절에 주절의 smile at him과 상반되는 내용이 와야 하므로 upset이라는 표현이 있는 although절이 알맞다.

단어·숙어
storm ⓝ 폭풍
throat ⓝ 목구멍, 목
sore ⓐ 아픈, 따가운
upset ⓐ 속상한, 화난
wise ⓐ 현명한
smile at …에게 미소를 짓다

해석
- 비록 그는 아팠지만, 학교에 갔다.

1 비록 심한 폭풍이 있었지만, 사람들은 실내에서 안전했다.
2 비록 그는 목이 아팠지만, 아름답게 노래했다.
3 비록 그녀는 화가 났지만, 그에게 미소를 지었다.

교과서 p.169

Point 1 make/let/have someone (shout)

A 괄호 안의 단어를 바르게 배열하여 일기를 완성해 봅시다.

November 24th, 20XX

Today was my mother's birthday party. My dad baked a cake. He <u>had me write</u> (me, had, write) letters on the cake with chocolate cream. Then, we made some cookies. Lastly, he <u>made me clean</u> (me, clean, made) the table. At the party, we gave our mother a camera. She <u>let me take</u> (take, let, me) the first picture. I took a picture of my parents. It was a great party.

단어·숙어
bake ⓢ (빵 등을) 굽다
lastly ⓟ 마지막으로
take a picture of …의 사진을 찍다

해석
오늘 우리 엄마의 생신 파티가 있었다. 나의 아빠는 케이크를 구우셨다. 아빠는 <u>내가</u> 초콜릿 크림으로 케이크 위에 글씨를 <u>쓰게 하셨다</u>. 그런 다음 우리는 쿠키를 만들었다. 마지막으로 아빠는 <u>내가</u> 식탁을 <u>치우게 하셨다</u>. 파티에서 우리는 엄마에게 카메라를 드렸다. 엄마는 <u>내가</u> 첫 번째 사진을 <u>찍도록 해 주셨다</u>. 나는 우리 부모님의 사진을 찍었다. 정말 멋진 파티였다.

풀이 첫 번째 빈칸에는 '그는 내가 초콜릿 크림으로 케이크 위에 글자를 쓰게 했다.'의 의미가 되도록 'have+목적어+동사원형'의 형태로 써야 한다. 따라서 had me write가 알맞다.
두 번째 빈칸에는 '그는 내가 식탁을 치우게 했다.'의 의미가 되도록 'make+목적어+동사원형'의 형태를 써야 하므로 made me clean이 알맞다.
세 번째 빈칸에는 '그녀는 내가 첫 번째 사진을 찍도록 했다.'의 의미가 되도록 'let+목적어+동사원형'의 형태를 써야 하므로 let me take가 알맞다.

Point 2 Although ~, … .

B 'Although'를 사용하여 두 문장을 한 문장으로 바꿔 써 봅시다.

1. 
The weather was cold. She went out for a walk.
→ Although the weather <u>was cold</u>, <u>she went out for a walk</u>.

2. He doesn't have time. He tries to exercise every day.
→ Although he <u>doesn't have time</u>, <u>he tries to exercise</u> every day.

3. Ben is 7 years older than me. Ben is like a friend to me.
→ Ben is like a friend to me <u>although he is 7 years older than me</u>.

단어·숙어
go out for a walk 산책하러 나가다
try+to부정사 …하려고 노력하다
like ⓟ …처럼, …같이

해석
1 비록 날씨가 <u>추웠지만</u>, <u>그녀는 산책하러 나갔다</u>.
2 비록 그는 <u>시간이 없지만</u>, <u>그는 매일 운동하려고 노력한다</u>.
3 <u>비록 그는 나보다 일곱 살이 많지만</u>, Ben은 나에게 친구 같다.

풀이 부사절을 이끄는 접속사 although는 '비록 …일지라도, …이기는 하지만'의 의미로, 사실에 근거한 상황을 나타낼 때 사용하며 though로 바꿔 쓸 수 있다. although가 이끄는 절은 주절의 내용과 상반되는 내용을 이끈다. 3번에서처럼 주절에 Ben이라는 사람을 부사절에서 다시 지칭할 때는 대명사(he)를 사용한다.

정답과 해설 p. 355

A 다음 괄호 안에서 알맞은 말을 고르시오.

1. I think she is right (although / because) I don't like her.
2. (Although / If) he failed the test again, it seemed that he didn't care.
3. Jessy let her friend (use / to use) her cell phone during the break.
4. The police tried to make him (talking / talk) for hours.
5. He had us (waited / wait) in the lobby instead of letting us in.

Grammar Tip

1, 2. 부사절과 주절이 서로 상반되는 내용일 때 접속사 although를 사용할 수 있다.
3, 4, 5. 사역동사 'let/make/have+목적어+동사원형'의 형태로 쓴다.

B 다음 중 어법상 어색한 부분을 찾아 바르게 고쳐 쓰시오.

1. Let me to see your student ID card.
2. I asked the little boy where his mother was and that made him to cry.
3. Mr. Parker had his son washes his car this morning.
4. I helped him standing on his own two feet.

• 사역동사의 목적격 보어 형태는 동사원형을 쓴다. 다만 help는 동사원형이나 to부정사를 둘 다 쓸 수 있다.

C 다음 두 문장을 **although**나 **because**를 사용하여 한 문장으로 바꿔 쓰시오.

1. She was sick. She stayed home all day long.
→ ____________________
2. She was sick. She went to work.
→ ____________________
3. It was true. He didn't believe it.
→ ____________________

D 다음 글의 빈칸에 [보기]의 단어를 사용하여 글을 완성하시오. (단어의 중복 사용 가능)

보기
sleep share clean make although because

________ I went to bed early last night, I got up late. Ms. Kim ________ me ________ the windows after school ________ I was late for school. Sora, my partner, didn't bring her English book, so Mr. Johnson had me ________ my book with her. ________ I slept a lot last night, I felt sleepy in class. I wanted to take a short nap during the lunch break, but my friends didn't let me ________. We played soccer after lunch and it was fun. ________ I had to clean the windows after school, I had a good day today.

• 두 문장의 내용에 따른 접속사의 올바른 쓰임과 사역동사의 형태에 주의한다.

Let's Write

My Experience with Sports

교과서 p.138

Ready 좋아하는 운동과 관련하여 자신이 경험한 것을 정리해 봅시다.

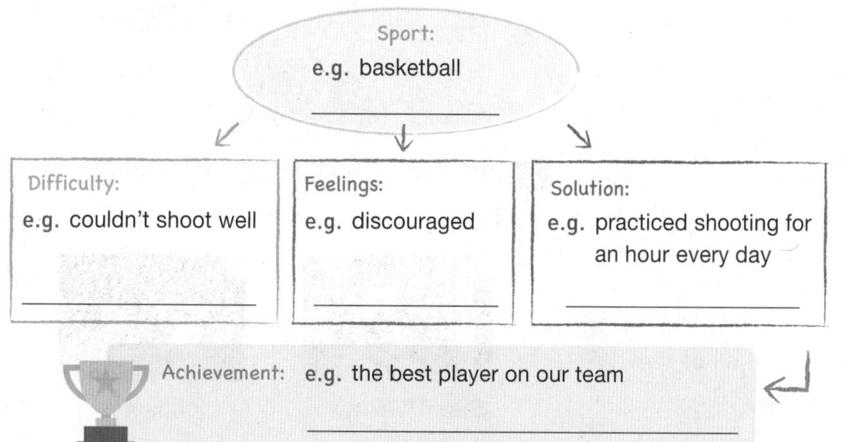

Achievement: e.g. the best player on our team

단어·숙어
shoot ⓢ 슛을 하다
discouraged ⓗ 낙담한

해석
운동: 농구
어려운 점: 슛을 잘 쏠 수 없었음
심정: 낙담한
해결책: 매일 한 시간씩 슛을 연습했음
성과: 우리 팀에서 가장 잘하는 선수

활동 방법 좋아하는 운동과 관련하여 자신이 경험한 것을 생각한 후, 표에 정리한다.

Write 위의 내용을 바탕으로 블로그 글을 써 봅시다.

My favorite sport is basketball. However, I wasn't really good at it at first. I couldn't shoot well unlike other players. Although I felt discouraged, I didn't give up. I practiced shooting for an hour every day. This made me shoot well. Now, I'm the best player on our team.

My favorite sport is __tennis__. However, I wasn't really good at it at first. I __couldn't serve well__ unlike other players. Although I felt __depressed__, I didn't give up. __I practiced serving for two hours every day__. This made me __serve well__. Now, I'm __the best tennis player in our school__.

단어·숙어
be good at …을 잘하다
at first 처음에는
unlike ⓩ …와는 달리

활동 방법
1 주어진 예시 글을 읽고, 어려운 단어가 있는지 확인하여 짝과 뜻을 유추해 본다.
2 Ready에서 완성한 내용을 바탕으로 주어진 블로그 글을 완성한다.

해석
내가 가장 좋아하는 운동은 농구이다. 그러나 처음에 나는 정말로 농구를 잘하지 못했다. 다른 선수들과는 달리 나는 슛을 잘 쏘지 못했다. 비록 나는 낙담했지만, 포기하지 않았다. 나는 매일 한 시간씩 슛 하는 것을 연습했다. 이것이 내가 슛을 잘하게 만들었다. 이제 나는 우리 팀에서 가장 잘하는 선수이다.

해석
내가 가장 좋아하는 운동은 테니스이다. 그러나 처음에 나는 정말로 테니스를 잘하지 못했다. 다른 선수들과는 달리 나는 서브를 잘하지 못했다. 비록 나는 낙담했지만, 포기하지 않았다. 나는 매일 두 시간씩 서브하는 것을 연습했다. 이것이 내가 서브를 잘하게 만들었다. 이제 나는 우리 학교에서 가장 잘하는 테니스 선수이다.

Present 완성한 블로그 글을 친구들 앞에서 발표해 봅시다.

Peer Review
- 운동과 관련된 경험을 적은 블로그 글을 잘 완성하였나요? ☐ ☐
- 'made me (shoot) ...'과 'Although ~, ...' 표현을 이해하고 잘 사용하였나요? ☐ ☐

Let's Check

1 다음을 듣고, 문장을 완성해 봅시다.

Thomas Edison was a great scientist. When he was young, he couldn't ___read___ well. Also, he lost all of the hearing in his ___left___ ear.

2 다음 운동 경기 중 하나를 골라 짝과 대화해 봅시다.

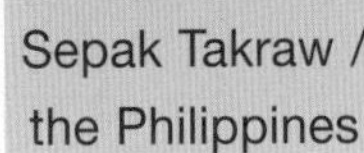

☐ Sepak Takraw / the Philippines

☐ cricket / the UK

A: Have you heard of ___Sepak Takraw / cricket___?
B: No, what is it?
A: It's a popular sport in ___the Philippines / the UK___.

3 다음 글을 읽고, ⓐ~ⓒ에서 흐름상 어색한 것을 골라 봅시다.

The boys put the boats together and nailed the wood to them. ⓐ After much hard work, they finally had a floating field. ⓑ The ball and the boys would often fall into the sea, so the field was always wet and slippery. ⓒ They liked their floating field. Still, they didn't care. In fact, they enjoyed playing soccer more.

4 다음 글을 읽고, 인터뷰를 완성해 봅시다.

On the day of the semi-final, it was raining hard and the boys were losing. But they didn't give up. They took off their shoes during the second half. They played better in the rain thanks to the slippery field at home.

Q. What did you do to play better in the rain?
A. We took off ___our___ ___shoes___.

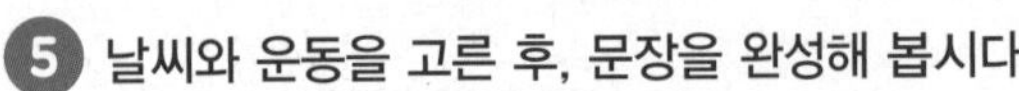

5 날씨와 운동을 고른 후, 문장을 완성해 봅시다.

Weather: raining ☐ snowing ☐

Sport: ☐ ☐

➡ Although ___it was raining / it was snowing___, we played ___soccer / baseball___.

your own

6 다음 질문에 답을 한 후, 짝과 대화해 봅시다.

Q. How does playing sports make you feel?
A. It makes me ___feel happy / feel proud___.

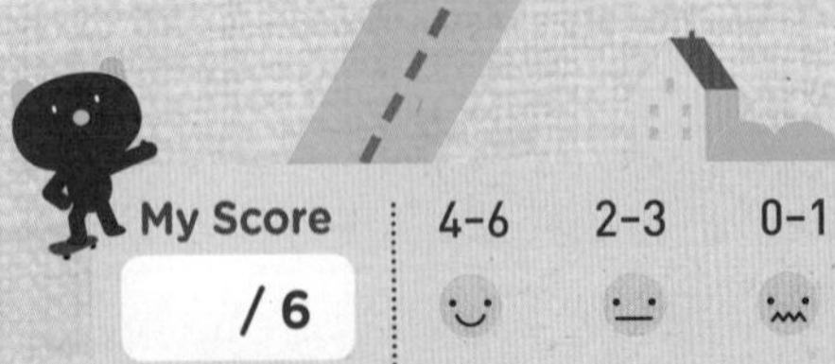

1

Script B: Have you heard of Thomas Edison? When he was young, he couldn't read well. Also, he lost all of the hearing in his left ear. Still, he became a great scientist. Although you may have difficulties, be like Edison and don't give up.

해석 B: 당신은 Thomas Edison에 대해 들어 본 적이 있나요? 그는 어렸을 때 글을 잘 읽지 못했습니다. 또한, 그는 왼쪽 청력을 완전히 잃었습니다. 그런데도 그는 위대한 과학자가 되었습니다. 비록 당신에게 어려움이 있을 수 있지만, Edison처럼 포기하지 마세요.

풀이 토마스 에디슨은 어렸을 때 글을 잘 읽지 못했으며, 왼쪽 청력을 완전히 잃었다. 따라서 빈칸에는 '읽다'와 '왼쪽'에 해당하는 영어 표현이 와야 한다.

단어·숙어
still ㊜ 그런데도, 그럼에도 불구하고
difficulty ㊔ 어려움

2

해석 A: 너는 세팍타크로/크리켓에 관해 들어 봤니?
B: 아니, 그것이 뭔데?
A: 그것은 필리핀/영국에서 인기 있는 운동이야.

풀이 상대방에게 어떤 것을 들어 봤는지를 물을 때 Have you heard of ... ? 표현을 사용하여 물을 수 있다.

단어·숙어
popular ㊕ 인기 있는

3

해석 그 소년들은 배들을 합치고 그것들에 나무를 못으로 박았다. 매우 열심히 일한 후, 그들은 마침내 물 위에 떠 있는 축구장을 가지게 되었다. 공과 소년들은 종종 바다에 빠져서 그 축구장은 항상 젖어 있고 미끄러웠다. (그들은 떠 있는 축구장이 좋았다.) 그런데도 그들은 상관하지 않았다. 실제로 그들은 축구를 더 즐겼다.

풀이 ⓒ 다음에 물 위에 떠 있는 축구장으로 인해 바다에 빠져서 축구장이 젖어 있고 미끄러운 것에 상관하지 않았다는 내용이 이어지므로 떠 있는 축구장이 좋았다는 내용은 흐름상 어색하다.

단어·숙어
put ... together …을 합치다, 조립하다
nail ㊔ 못 ㊍ 못을 박다
fall into …에 빠지다
slippery ㊕ 미끄러운
in fact 사실은, 실제로

4

해석 준결승전 날, 비가 심하게 오고 있었고 소년들은 지고 있었다. 그러나 그들은 포기하지 않았다. 후반전에서 그들은 신발을 벗었다. 고향의 미끄러운 축구장 덕분에 그들은 빗속에서 더 잘했다.
Q. 빗속에서 더 잘하기 위해 당신들은 무엇을 했나요?
A. 우리는 우리 신발을 벗었습니다.

풀이 물 위에 떠 있는 고향의 축구장은 미끄러웠기 때문에 이러한 축구장의 상황이 비 내리는 날의 상황과 비슷하다는 것을 알 수 있다. 따라서 그들은 고향에서 축구를 하던 것과 비슷한 상황을 만들기 위해 신발을 벗고 맨발로 축구를 했다.

단어·숙어
semi-final ㊔ 준결승전
take off 벗다
thanks to … 덕분에

5

해석 비록 비가/눈이 내리고 있었지만, 우리는 축구/야구를 했다.

풀이 although는 '비록 …일지라도, 비록 …이지만'이라는 의미의 접속사로 뒤에 주어와 동사가 오며, 문장이 축구나 야구를 할 수 없는 상황인데 그것을 했다는 의미가 되어야 한다. 따라서 it was raining이나 it was snowing이 이어지는 것이 알맞다.

6

해석 Q. 운동하는 것은 당신이 어떤 기분이 들게 하나요?
A. 그것은 내가 행복하게/자랑스럽게 느끼도록 만들어요.

풀이 운동을 하면서 느끼는 감정들이 빈칸에 와야 한다. 사역동사 make는 목적격 보어로 동사원형을 취한다는 것에 유의한다.

Culture & Life

Great Moments

교과서 p.140

Find out 각 나라별로 감동을 주었던 스포츠 팀의 실제 이야기를 알아봅시다.

Zimbabwe: Women's field hockey

The women's field hockey team from Zimbabwe surprised the whole world. Although they had only a month to prepare, they won the gold medal at the 1980 Olympic Games.

Greece: Men's soccer

The Greek team entered the 2004 Euro Cup without much hope. They were back in the tournament for the first time in 24 years. They met a strong team from Portugal in the final. Still, they won the game and it was a historic moment.

Korea: Women's handball

The women's handball team from South Korea won a medal in the 2004 Olympic Games. Although people saw them as a weak team, they fought hard against the team from Denmark.

Try out 우리나라 스포츠 팀 중 어려움을 극복한 실제 이야기를 말해 봅시다.

e.g. In the 2002 World Cup, the Korean soccer team played against strong teams such as Italy and Portugal. It was amazing that the Korean team made it to the semi-finals.

단어·숙어

- surprise ⑧ 놀라게 하다
- whole ⑱ 전체의, 모든
- prepare ⑧ 준비하다
- enter ⑧ 참가하다, 들어가다
- without ㉑ … 없이
- for the first time 처음으로
- final ⑲ 결승전
- historic ⑱ 역사적으로 중요한, 역사적인
- against ㉑ …에 반대하여[맞서]
- make it to …에 이르다

해석 **Find out**

- 짐바브웨: 여자 필드하키

  짐바브웨 여자 필드하키 팀은 전 세계를 놀라게 했다. 비록 그들은 준비하는 데 겨우 한 달밖에 없었지만, 1980년 올림픽 경기에서 금메달을 땄다.
- 그리스: 남자 축구

  2004년 그리스 팀은 유로컵에 별 희망 없이 참가했다. 그들은 24년 만에 처음으로 토너먼트에 참가하는 것이었다. 그들은 결승전에서 강한 포르투갈 팀과 만났다. 그럼에도 불구하고, 그들은 경기에서 이겼고 그것은 역사적인 순간이었다.
- 대한민국: 여자 핸드볼

  대한민국 여자 핸드볼 팀은 2004년 올림픽 경기에서 메달을 땄다. 비록 사람들은 그들을 약한 팀으로 봤지만, 그들은 덴마크 팀을 상대로 열심히 싸웠다.

Try out

2002년 월드컵에서 대한민국 축구팀은 이탈리아와 포르투갈과 같은 강한 팀들을 상대로 경기했다. 대한민국 팀이 준결승전까지 간 것은 놀라운 일이었다.

Building Together

교과서 p.141

Ready 모둠별로 다음 재료로 만들 가장 높은 탑을 구상하여 스케치해 봅시다. group

Building materials	Tower design
• 15 pieces of paper • tape	

Create 위에서 그린 스케치를 바탕으로 학급에서 가장 높은 탑을 만들어 봅시다. group

Build the tallest paper tower that will stand strong!

How to play

1. Make a team of 3 or 4 students.
2. Use the building materials and build the tallest paper tower that you can in 10 minutes.

Share 모둠별로 만든 탑을 모아 가장 높은 탑을 만든 모둠을 선정한 후, 탑을 만들면서 느낀 점을 말해 봅시다.

e.g. Although our tower wasn't the tallest, we felt like a team while we were making it.

MEMO

Ready

활동 방법 제시된 재료를 가지고, 모둠별로 만들 가장 높은 탑을 구상하여 스케치한다.

단어·숙어
material ⓜ 재료, 물질
tower ⓜ 탑

Create

활동 방법 위에서 그린 스케치를 바탕으로 학급에서 가장 높은 탑을 만든다.

해석 굳건히 서 있을 가장 높은 종이 탑을 만드세요!

게임하는 방법

1. 3명 또는 4명의 학생들로 이루어진 모둠을 만드세요.
2. 만들기 재료를 사용하여 10분 안에 가장 높은 종이 탑을 만드세요.

Share

활동 방법
1 어느 모둠이 가장 높은 탑을 만들었는지 알아본다.
2 모둠별로 탑을 만들면서 느낀 점을 말해 본다.

해석 비록 우리 탑이 가장 높지는 않았지만, 우리는 탑을 만들면서 한 팀처럼 느꼈다.

단원 종합 평가

01 대화를 듣고, wakeboarding에 대한 설명으로 일치하지 <u>않는</u> 것을 고르시오.

① It is a water sport.
② It needs a motorboat.
③ It is an extreme sport.
④ It needs a long board.
⑤ More and more people are enjoying it these days.

02 대화를 듣고, 남자의 심정으로 가장 적절한 것을 고르시오.

① happy ② angry
③ bored ④ excited
⑤ discouraged

03 다음을 듣고, 내용과 일치하는 것을 고르시오.

① Beethoven은 이탈리아 사람이다.
② Beethoven은 30대 후반부터 청력이 손실되기 시작했다.
③ Beethoven은 위대한 작곡가가 되었다.
④ Beethoven은 청력을 잃은 후에는 작곡하지 않았다.
⑤ 사람들은 Beethoven처럼 어려움을 겪어야 한다.

04 다음 대화의 빈칸에 알맞지 <u>않은</u> 것은?

A Are you going to sign up for the school dance contest?
B Well, I don't know. There are many good dancers in our school.
A Oh, come on. You are also a good dancer. ____________________
B Okay, I'll try. Thanks a lot.

① Don't worry.
② Just go for it.
③ Don't give up.
④ Don't get me wrong.
⑤ You'll never know until you try it.

05 자연스러운 대화가 되도록 ⓐ~ⓓ를 순서대로 바르게 배열하시오.

A Are you going to try out for the school ice hockey team? The new season is about to start.
ⓐ I heard that Tony and Brad are also trying out for the team. They're so good.
ⓑ Why not?
ⓒ Well, you're also good at ice hockey, so don't give up!
ⓓ I'm not sure.
B Okay, I'll try my best. Thanks a lot.

06 다음 중 대화의 내용과 일치하는 것은?

Alex Sera, this year's "Ugly Sweater Party" is on December 5th, right?
Sera That's right. Are you going to go?
Alex I want to, but I don't have an ugly sweater.
Sera I have one that I don't wear at home. You can have it if you want.
Alex Thanks. That would be great.
Sera Let's meet in front of the Student Center and go inside together.
Alex Sure. See you then.

① Alex and Sera need ugly sweaters to attend the party.
② Alex doesn't want to go to the party.
③ Sera doesn't have an ugly sweater.
④ Alex will give a sweater to Sera.
⑤ Alex and Sera will meet inside the Student Center.

정답과 해설 p. 355

07 자연스러운 대화가 되도록 빈칸 ①~⑤에 각각 알맞지 않은 것은?

Father	Emily, are you excited about your match on Saturday?
Emily	Not really. We're playing against a ___①___ team. I think we'll ___②___.
Father	Don't say that. Have you heard about the Greek team in the 2004 Euro Cup?
Emily	No, I haven't. What about them?
Father	They were a ___③___ team, so everyone thought that they would ___④___.
Emily	What happened?
Father	They played as a team and worked hard. Finally, they ___⑤___ the Euro Cup. So, don't give up.
Emily	Thanks, dad. We'll try our best.

① weak ② lose ③ weak
④ lose ⑤ won

08 다음 글을 읽고, 밑줄 친 these tips로 언급하지 않은 것은?

> What can you do to be healthy? First, try to exercise every day. Second, try to eat healthy food. Don't eat too much fast food. Third, wash your hands before meals. Do these tips sound hard to do? Well, take one step at a time and don't give up. Then you'll live a healthy life.

① 매일 운동한다.
② 식사 전에 손을 씻는다.
③ 한 번에 한 종류 음식을 먹는다.
④ 패스트푸드를 적게 먹는다.
⑤ 건강에 좋은 음식을 먹는다.

09 다음 짝 지어진 두 단어의 관계가 나머지와 다른 하나는?

① lose – win
② weak – strong
③ shaky – steady
④ completely – totally
⑤ encouraged – discouraged

10 다음 영영 풀이에 해당하는 단어는?

> to do or see something that happens to you

① laugh ② gather
③ achieve ④ exercise
⑤ experience

11 다음 빈칸에 알맞은 말이 순서대로 바르게 짝 지어진 것은?

> • Don't be afraid, just ________ it a try.
> • In ________, I was against your opinion at first.
> • I ________ off my rain coat and sighed deeply.

① make – fact – turned
② give – truth – turned
③ give – fact – took
④ make – fact – took
⑤ take – truth – took

12 다음 두 문장이 같은 뜻이 되도록 빈칸에 알맞은 것은?

> We've known each other for a long time, but we're not very good friends.
> = ________ we've known each other for a long time, we're not very good friends.

① If ② As ③ So
④ Because ⑤ Although

13 다음 괄호 안의 단어를 활용하여 우리말 뜻에 맞게 문장을 완성하시오.

> 엄마는 종종 나에게 달걀을 사오게 하신다.
> (have, eggs, buy, often)

→ My mother ________________________.

14 다음 밑줄 친 ①~⑤ 중 어법상 어색한 부분을 찾아 바르게 고쳐 쓰시오.

> She never lets(①) her son(②) playing(③) computer(④) games for more than two hours a day(⑤).

__________ → __________

15 다음 두 문장을 한 문장으로 연결할 때 올바른 것은?

> • I didn't eat anything.
> • I was hungry.

① Despite I didn't eat anything, I was hungry.
② I didn't eat anything although I was hungry.
③ I didn't eat anything because I was hungry.
④ I didn't eat anything in spite of I was hungry.
⑤ Although I didn't eat anything, I was hungry.

16 다음 중 어법상 어색한 문장은?

① What made you go there?
② I'm sure you'll make her study.
③ His laziness made him to lose his job.
④ Jay made spaghetti for his sick mother.
⑤ I don't think we'll make it to the concert on time.

[17-19] 다음 글을 읽고, 물음에 답하시오.

> Koh Panyee was a small floating village in the middle of the sea. The boys in the village never played soccer before, but they loved watching it on TV. One day, the boys decided ⓐ [make / to make] their own soccer team. However, people ____(A)____ their idea.
> "That's impossible."
> "What makes you ⓑ [say / to say] so?"
> "Look around. Where are you going to play soccer?"
> The villagers were right. The boys had no place ⓒ [play / to play] soccer. They were discouraged.
> "Don't give up! We can still play soccer."
> "How?"
> "Let's make our own soccer field."

17 윗글의 네모 ⓐ~ⓒ에서 알맞은 말이 순서대로 바르게 짝 지어진 것은?

① make – say – play
② make – to say – play
③ to make – say – play
④ to make – say – to play
⑤ to make – to say – to play

18 윗글의 빈칸 (A)에 알맞은 것은?

① laughed at
② agreed with
③ felt proud of
④ made use of
⑤ came up with

19 윗글을 읽고, 대답할 수 없는 질문은?

① Where did the boys live?
② What did the boys like to watch on TV?
③ What was the name of the country the boys lived in?
④ Why couldn't the boys play soccer before?
⑤ What did the boys need before they could make their own soccer team?

[20-21] 다음 글을 읽고, 물음에 답하시오.

The boys gathered old boats and pieces of wood. They put the boats together and nailed the wood to them. (①) After much hard work, they finally had a floating field. (②) The ball and the boys would often fall into the sea, so the field was always wet and slippery. (③) They had no shoes so they had to play in bare feet. (④) Still, they didn't care. (⑤) In fact, they built excellent skills and enjoyed playing soccer more.

20 윗글의 밑줄 친 The boys에 대한 설명으로 올바른 것은?

① They were excited and full of energy.
② They felt tired of making a soccer field.
③ They were disappointed with their situation.
④ They felt sorry about their bare feet when they played soccer.
⑤ The field was so slippery that they couldn't play soccer well.

21 윗글의 ①~⑤ 중 주어진 문장이 들어갈 알맞은 곳은?

> It was shaky and had nails everywhere.

① ② ③ ④ ⑤

[22-25] 다음 글을 읽고, 물음에 답하시오.

One day, a boy brought a poster about a soccer tournament. They made a decision to take part ___①___ the tournament. When they were ___②___ to leave, the villagers gave them new shoes and uniforms. Some even came to watch the game. ________(A)________ (this, better, make, them, feel). ___③___ first, people saw them as the weakest team. ___(B)___, when the tournament started, the soccer team surprised everyone.

___④___ the day of the semi-final, it was raining hard. They were losing ___⑤___ two goals and it looked impossible to win.

"The other team is so strong," they thought.

But the boys didn't give up. They played in bare feet during the second half and the game changed completely. They played better in the rain thanks to the ___(C)___ field at home. They lost the match, but still, they felt proud of themselves. They didn't give up when they were losing. They tried their best until the end.

22 윗글의 빈칸 ①~⑤에 각각 알맞지 않은 것은?

① in ② about ③ At
④ On ⑤ to

23 윗글의 빈칸 (A)에 괄호 안의 단어를 활용하여 '이것은 그들의 기분을 더 좋게 만들었다.'라는 의미의 문장을 쓰시오.

→ ____________________

24 윗글의 빈칸 (B)에 알맞은 것은?

① If ② Because
③ However ④ Therefore
⑤ Although

25 윗글의 빈칸 (C)에 알맞은 것은?

① weak ② stable
③ rough ④ smooth
⑤ slippery

정답과 해설 p. 359

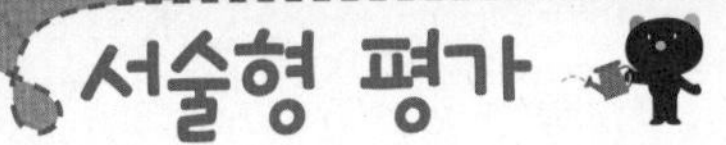

01 다음 Short Play Festival 포스터를 보고, 주어진 표현을 활용하여 대화를 완성하시오.

A: Our school play club is looking for some actors. (1) ______________________? (see the notice)
B: Yes, I have. Are you trying out for the school play club?
A: I'm not sure.
B: Why not?
A: I heard that Tina and Kate are also trying out for the club. They are so pretty and good at acting.
B: Well, it's not like you to say something stupid like that. You also have a great talent for acting.
(2) ______________! (not give) Just go for it.
A: Okay, I'll try my best. Thanks a lot.

02 다음 두 문장을 although나 because를 사용하여 한 문장으로 바꿔 쓰시오.

(1) Tony left school during school hours. He felt sick.
→ ____

(2) She couldn't sleep well. She was very tired.
→ ____

(3) I thought I'd better invite them to my housewarming party. I don't like them very much.
→ ____

03 괄호 안의 주어진 표현을 활용하여 대화를 완성하시오.

A: What did you do last weekend, Jane?
B: I washed my father's car. On Saturdays, ______________________.(have, wash his car)
In return, he gives me some extra pocket money.
A: I see. What are you going to do this weekend? Did you see the movie, *My Old Days*?
B: Oh, I already saw it. ______________________. (make, cry a lot)
A: Really? Was it that sad?
B: Yes, it was. By the way, how about sleeping over at Anna's house? I heard that Anna is having a pajama party this Friday.
A: I'm afraid I can't. My parents ______________________ overnight. (will, not let, stay out)

교과서 p.142

Science in Sports

Focus 멀리뛰기 거리와 도움닫기 거리 간의 관계를 나타내는 그래프를 완성해 발표해 봅시다.

단어·숙어
distance ⓜ 거리
farthest ⓗ 가장 먼 ⓟ 가장 멀리 (far의 최상급)

Think 다음 질문을 읽고, 가장 멀리 뛸 수 있는 도움닫기 거리를 예측하여 말해 봅시다.

Q Which starting distance – 3m, 6m or 9m – will be best for jumping the farthest?

In my opinion, ...
I'm sure ... .

starting distance는 멀리뛰기를 하기 전 도움닫기를 위해 선수들이 뛰는 거리입니다.

해석
Q: 3m, 6m, 그리고 9m 중 어느 도움닫기 거리가 가장 멀리뛰기에 최적일까?
• 내 생각에 6m가 가장 멀리뛰기에 최적의 도움닫기 거리일 것이다.
• 나는 9m가 가장 멀리뛰기에 최적의 도움닫기 거리라고 확신한다.

e.g.
- In my opinion, 6m will be the best starting distance for jumping the farthest.
- I'm sure that 9m will be the best starting distance for jumping the farthest.

선수, 측정자, 기록자 등 역할을 먼저 분배해 봅시다.

활동 방법 주어진 질문을 읽고, 서로 예측한 효과적인 도움닫기 거리를 말해 보도록 한다.

Try 모둠별로 한 명의 선수를 뽑아 서로 다른 도움닫기 거리에서 뛰어 멀리뛰기한 거리를 측정한 후, 다음 표에 정리해 봅시다.

단어·숙어
average ⓜ 평균

Starting distance (m) \ Jumping distance (m)	1st try	2nd try	Average
3m			
6m			
9m			

활동 방법 서로 다른 도움닫기 거리에서 뛰어 멀리뛰기를 한 거리를 측정한 후, 표에 정리한다.

Make 위의 결과를 바탕으로 막대그래프를 그려 봅시다.

e.g.

Jumping distance (m)

1.6
1.4
1.2
1.0
0.8
0.6
0.4
0.2
0

3m 6m 9m Starting distance (m)

Self-check	☺	☹
• 각자가 예측한 결과를 잘 이야기하였나요?	☐	☐
• 측정 결과에 따라 그래프를 완성하였나요?	☐	☐
• 측정하고 표로 정리할 때 자신의 역할을 성실히 수행하였나요?	☐	☐
• 그래프를 그릴 때 적극적으로 참여하였나요?	☐	☐

활동 방법

1 멀리뛰기 측정 결과표를 바탕으로 막대그래프를 그린다.
2 필요한 경우, 다양한 방법으로 그래프를 그려 본다.

Present 완성한 그래프를 보면서 모둠별로 발표해 봅시다.

as ... as make/let/have Which ~ ... ?

e.g.
Which starting distance will be the best for jumping the farthest? We made our friend do a long jump from different starting distances. We found out that the starting distance of 6 meters was the best. What about your findings? Are they different from those of our group?

Peer Review	☺	☹
• 주어진 표현을 활용하여 그래프 내용을 잘 전달하였나요?	☐	☐
• 발표가 자연스럽고 내용이 잘 전달되었나요?	☐	☐

활동 방법

1 주어진 글을 잘 읽어본 후, 완성한 그래프를 발표하기 위한 글을 쓴다.
2 제시된 언어형식과 표현을 활용하여 글을 완성한다.

단어 숙어 finding ⓜ 결과, 결론

해석
어느 도움닫기 거리가 가장 멀리 뛰기에 최적일까요? 우리는 우리 친구가 각기 다른 도움닫기 거리들에서 멀리뛰기를 하게 하였습니다. 우리는 도움닫기 거리 6m가 최적임을 알아냈습니다. 여러분의 결과는 어떤가요? 우리 모둠의 결과와 다른가요?

정답과 해설 p. 360

01 다음 중 나머지와 관련 없는 하나는?

① mystery ② detective ③ suspect
④ clue ⑤ culture

02 다음 단어의 영영 풀이로 바르지 않은 것은?

① perform: to entertain audiences by singing, acting, etc.
② wild: living in nature with human control or care
③ escape: to get away from a place such as a prison
④ win: to get something such as a competition, race, etc.
⑤ delete: to remove something, such as words, pictures, or files from a document, computer, etc.

03 다음 밑줄 친 부분과 같은 의미로 쓰인 것은?

> She is such a talented dancer. I'm sure she will make it as a world-class dancer.

① I don't think we can make it on time.
② He can make it if he tries harder.
③ Please, do not make it worse for me.
④ This is delicious. How did you make it?
⑤ What time did you make it to the place?

04 다음 빈칸에 공통으로 알맞은 것은?

> • It might be difficult, but be brave and give it a ________.
> • My teachers always ________ their best to teach us.

① win ② do ③ try
④ make ⑤ turn

05 다음 대화의 빈칸에 알맞지 않은 것은?

> **A** What do you think about this novel?
> **B** ________________

① I think it's a bit boring.
② I totally agree with your opinion.
③ I believe it has an interesting story.
④ In my view, children will love to read the story.
⑤ I would say that you'll like it once you start to read it.

06 다음 대화의 빈칸에 알맞은 것은?

> **A** This game is like a soccer game but the players are dragons and seahorses. You need to use these buttons to play.
> **B** Sounds fun. ________________
> **A** Sure.

① Can I borrow your soccer ball?
② I want to buy the soccer ball.
③ I don't want to play the soccer game.
④ Can you explain how to use the buttons?
⑤ Can you explain why the buttons are broken?

07 다음 짝 지어진 대화 중 자연스럽지 않은 것은?

① **A** Do you want to solve a riddle?
B Why not? What is it?
② **A** Can you tell me about the news?
B Yes, I can. I haven't heard about it.
③ **A** I'm so worried about the speaking contest tomorrow.
B Don't worry. I'm sure you can do it well.
④ **A** First, fold a paper in half to make a triangle.
B Okay. What should I do next?
⑤ **A** I think that it's important to work out regularly.
B I totally agree with you.

[08-09] 다음 대화를 읽고, 물음에 답하시오.

A Minsu, do you know the TV show about the student detective?
B Yes. I love ①that show, but I didn't see ②it this week. What was ③it about?
A Well, all of the bikes at school disappeared.
B So, what did he do?
A First, he looked around the school. ______, he met some suspects and asked questions. Finally, he found ④the thief. The thief was ... .
B No, don't tell me! I'll watch ⑤it later.

08 위 대화의 밑줄 친 ①~⑤ 중 가리키는 것이 나머지와 다른 하나는?

① ② ③ ④ ⑤

09 위 대화의 빈칸에 알맞은 것은?

① But ② Then ③ At last
④ However ⑤ Third

[10-12] 다음 대화를 읽고, 물음에 답하시오.

Junsu You know what? The school dance contest will be held soon.
Emily That's right. I heard Jimin's class is going to perform a taekwondo dance and Tim's class is going to do a K-pop dance.
Brian We should also decide what to do.
Mina How about a *Buchaechum*? In my opinion, it is easy to learn, and it's also beautiful.
Emily That sounds like a good idea. But who will teach us?
Brian Mina is good at traditional dances. Can you help us, Mina?
Mina ______________ I'm sure we'll have a lot of fun.
Junsu Great. Let's give it a try.

10 위 대화의 빈칸에 알맞은 것은?

① No, thanks.
② I'm sorry, I can't.
③ I'm not good at it.
④ Of course, I will.
⑤ That's too much.

11 위 대화로 보아 다음 질문에 대한 대답으로 알맞은 것은?

Q What does Mina think about *Buchaechum*?
A She thinks ______________.

① it is not helpful for her
② it is very new to many people
③ it is easy to learn and beautiful
④ it is better than a taekwondo dance
⑤ it's not good to perform in the contest

12 위 대화의 내용과 일치하지 않는 것은?

① There will be the school dance contest soon.
② Tim's class decided what to do for the contest.
③ Mina is not interested in any kinds of dances.
④ Emily seems to like the idea of *Buchaechum*.
⑤ Brian wants Mina to teach them *Buchaechum*.

13 다음 중 어법상 올바른 문장은?

① Where was these pictures taken?
② English is spoke by many people.
③ The chair not was made yesterday.
④ This letter will sent to you tomorrow.
⑤ Can this laptop be fixed until this week?

14 다음 중 어법상 어색한 문장은?

① The rock is as big as the house.
② The riddle is too difficult to solve.
③ It's so hot that I don't want to go out.
④ The book is enough easy to understand.
⑤ She is as intelligent as her older brother.

15 다음 주어진 문장과 의미가 같은 것은?

> No other building is as tall as this one.

① This building is the tallest one.
② This building is the shortest one.
③ Other buildings are as tall as this one.
④ This building is not as tall as other ones.
⑤ Other buildings are taller than this one.

16 다음 대화의 빈칸에 알맞은 것은?

> **A** Look! This is a special pen.
> **B** What is special about it?
> **A** You can write with it. Also, it ______ as a speaker. You can listen to music when you write!

① uses　② can use
③ are used　④ can used
⑤ can be used

[17-18] 다음 글을 읽고, 물음에 답하시오.

> Mr. Doodle was hit by a car on Sunday afternoon. Luckily, he wasn't badly hurt, but he didn't see the driver. A police officer questioned three suspects. Ms. A said she was reading a book at the time of the accident. Mr. B said he was walking his dog. Ms. C said she was making breakfast. Who hit Mr. Doodle? Do you have the answer? Write it down. Then you can move to the next room.

17 윗글의 밑줄 친 문장을 수동태 문장으로 바꿔 쓰시오.

→ ______________________________

18 윗글을 읽고, 대답할 수 없는 질문은?

① When was Mr. Doodle hit by a car?
② Where did Mr. Doodle hurt in the accident?
③ Did Mr. Doodle see the driver after the accident?
④ How did the police officer know what the suspects were doing then?
⑤ What should you do to go to the next room?

19 다음 글의 밑줄 친 ①~⑤와 바꿔 쓸 수 없는 것은?

> Congratulations! You ①made it to the second room. However, the second room is ②much ③harder to ④escape than the first one. ⑤Good luck!

① reached　② very
③ more difficult　④ get out
⑤ Wish you luck

[20-21] 다음 글을 읽고, 물음에 답하시오.

Jay gets an email from his favorite clothing store. The title reads "You won our Lucky Day event!" (①) Jay is surprised. (②) He quickly opens it. (③)

Congratulations!

You have won a special prize. During our Lucky Day event, you can choose any seven items from our store for free! Come to our store on November 31. We can't wait to see you.

Truly yours,
Kay Brown

(④) And he deletes the email. (⑤) Can you explain why?

20 윗글의 ①~⑤ 중 주어진 문장이 들어갈 알맞은 곳은?

> However, Jay thinks that the event isn't real.

① ② ③ ④ ⑤

21 윗글의 내용과 일치하는 것은?

① Jay는 옷 가게에 이메일을 보냈다.
② Jay는 옷 가게로부터 이메일을 받고 놀랐다.
③ 행사 동안 Jay는 일곱 가지 상품을 돈을 주고 사야만 한다.
④ 옷 가게는 11월에 개점한다.
⑤ Jay는 이메일을 보관했다.

[22-23] 다음 글을 읽고, 물음에 답하시오.

Kathakali ①tells a story. The dancers tell stories through their body movements. These stories are usually about a fight between good and evil. Dancers who ②are playing good characters paint their faces green. Those who are playing evil characters ③wear black make-up. Interestingly, in *Kathakali*, only men are ④allowed to dance. The body movements are so powerful ⑤as the dancers need to train for many years.

22 윗글의 밑줄 친 ①~⑤ 중 어법상 어색한 것은?

① ② ③ ④ ⑤

23 윗글의 내용과 일치하지 않는 것은?

① *Kathakali* dancers tell stories.
② A fight between good and evil is the main theme of *Kathakali*.
③ All the *Kathakali* dancers paint their faces green.
④ Women may not dance *Kathakali* in India.
⑤ *Kathakali* dancers have to practice for many years.

[24-25] 다음 글을 읽고, 물음에 답하시오.

When people visit New Zealand, they may meet a group of *haka* dancers. ①The dancers perform this traditional dance with scary faces. ②This dance was originally performed by the Maori before a fight. ③They wanted to show their strength to the enemy. ④The dancers looked as scary as wild animals before fighting. Nowadays, in New Zealand, rugby players usually perform a *haka* before a game to show their strength to the other team. ⑤Rugby is one of the most popular sports in New Zealand.

24 윗글의 밑줄 친 ①~⑤ 중 글의 흐름상 어색한 것은?

① ② ③ ④ ⑤

25 윗글의 밑줄 친 부분과 쓰임이 같은 것은?

① I'll bring my new basketball to show it to my friends.
② It might be hard for him to show his real feelings.
③ The magician got so many things to show.
④ They want to show the things that people want to see from them.
⑤ I'm so happy to show you my new house.

[26-27] 다음 글을 읽고, 물음에 답하시오.

Buchaechum is a traditional Korean fan dance. The dancers wear colorful *hanbok*. They dance with large fans that ①paint in bright colors. The dancers move the fans gracefully ②show different kinds of beauty. Their movements look as ③beautifully as flowers or ④fly birds. In Korea, *Buchaechum* is so ⑤more popular that people can see it in many traditional festivals.

26 윗글의 밑줄 친 ①~⑤를 어법상 바르게 바꾼 것은?

① → is painted
② → shown
③ → beautiful
④ → flew
⑤ → popularer

27 윗글의 제목으로 알맞은 것은?

① Beauty of Korea from *Hanbok*
② Many Traditional Festivals in Korea
③ How to Make Korean Traditional Fans
④ Korean Traditional Dance, *Buchaechum*
⑤ Different Kinds of Movements in *Buchaechum*

서술형(주관식) 평가

28 다음 주어진 문장을 참고하여 문장을 바꿔 쓰시오.

- I'm too tired to help you.
  → I'm so tired that I can't help you.
- This is easy enough to learn.
  → This is so easy that I can learn it.

(1) Dennis is too young to drive.
→ ____________________

(2) I'm healthy enough to climb the mountain.
→ ____________________

28 다음 글을 읽고, 틀린 부분을 두 군데 찾아 바르게 고쳐 쓰시오.

Dohun was at home. Suddenly, he heard a sound in the next room. When he went into the room, the window was broke. When he looked outside, Sujin was holding a baseball bat and Ted was throwing a ball to his dog. Who broke the window? How can it explain?

(1) __________ → __________
(2) __________ → __________

30 다음 밑줄 친 우리말과 일치하도록 바르게 영작하시오.

Who hit Mr. Doodle? 당신은 왜 그런지 설명할 수 있나요? Do you have the answer? Write it down.

→ ____________________

01 다음 단어의 품사가 나머지와 다른 하나는?

① dry ② ugly
③ necessary ④ shaky
⑤ completely

02 다음 문장의 빈칸에 공통으로 알맞은 말을 쓰시오.

- Would you please ________ ________ your cap inside?
- The flight will ________ ________ at 7:10 A.M.
- I want to ________ ________ two days next week, so I have to work hard this week.

03 다음 빈칸에 알맞은 말이 순서대로 바르게 짝 지어진 것은?

- Remember that small changes can make a big ________.
- He answered all my questions without ________.
- They were ________ out of control after Mr. Kim left.

① different – difficult – complete
② different – difficulty – complete
③ difference – difficulty – complete
④ difference – difficult – completely
⑤ difference – difficulty – completely

04 다음 영영 풀이에 해당하는 단어는?

a substance that things can be made from, such as metal, wood or plastic

① case ② glass ③ candle
④ material ⑤ achievement

[05-06] 다음 대화를 읽고, 물음에 답하시오.

A Ms. Jeong, does a glass of water weigh more when there's a fish in it?
B Yes, it does. We can test it now.
A But how? We don't have a fish.
B We can use a finger ____ⓐ____ a fish.
A How will that work?
B I'll weigh a glass of water first. Then I will put my finger in the water and weigh it to compare.
A Oh, ⓑI'm looking forward to seeing the difference.

05 위 대화의 빈칸 ⓐ에 알맞은 것은?

① with ② thanks to
③ instead of ④ because of
⑤ for instance

06 위 대화의 밑줄 친 ⓑ와 바꿔 쓸 수 있는 것은?

① I can wait to see
② I'm longing to see
③ I'm pleased to see
④ I'm afraid I can't see
⑤ I can't die for seeing

[07-08] 다음 대화를 읽고, 물음에 답하시오.

Brian Mina, will you ①join our tennis club?
Mina It sounds interesting, but I signed up for a special class this fall.
Brian ②Which class did you sign up for?
Mina I signed up for a magic class. I can't wait ③to learning new magic tricks there.
Brian That sounds cool! Have you ④learned magic tricks before?
Mina Yes, I learned ⑤some before, but I need more practice.
Brian I hope I can see your magic tricks some day.

정답과 해설 p. 364

07 위 대화의 밑줄 친 ①~⑤ 중 어법상 <u>어색한</u> 것은?

① ② ③ ④ ⑤

08 위 대화의 내용과 일치하지 <u>않는</u> 것은?

① Brian already joined a tennis club.
② Mina won't join the tennis club.
③ Mina liked the magic class.
④ There are some magic tricks Mina can do.
⑤ Brian wants to see Mina's magic tricks.

09 다음 글의 ①~⑤ 중 주어진 문장이 들어갈 알맞은 곳은?

> Don't eat too much fast food.

> What can you do to be healthy? (①) First, try to exercise every day. (②) Second, try to eat healthy food. (③) Third, wash your hands before meals. (④) Do these tips sound hard to do? (⑤) Well, take one step at a time and don't give up. Then you'll live a healthy life.

[10-11] 다음 대화를 읽고, 물음에 답하시오.

> **A** Tim, ________________ the Gobi Desert?
> **B** Yes, I have. Isn't ①<u>it</u> in Mongolia and China?
> **A** Yes, ②<u>it</u> is. Yesterday, I saw a TV show about people who crossed ③<u>the desert</u> on foot.
> **B** Only on foot?
> **A** Yes, ④<u>it</u> took them about 51 days.
> **B** Wow, that's amazing. I want to experience life in the desert but I don't want to cross ⑤<u>it</u> on foot.
> **A** Well, I want to try and cross the Gobi Desert in 50 days.

10 위 대화의 빈칸에 알맞은 것은?

① don't you like
② have you heard of
③ have you listened to
④ would you like to go to
⑤ what do you know about

11 위 대화의 밑줄 친 ①~⑤ 중 가리키는 것이 나머지와 <u>다른</u> 하나는?

① ② ③ ④ ⑤

12 다음 대화의 빈칸에 알맞은 것은?

> **A** Hojun, are you going to try out for the school ice hockey team? The new season is about to start.
> **B** I'm not sure.
> **A** Why not?
> **B** I heard that Tony and Brad are also trying out for the team. They're so good.
> **A** Well, you're also good at ice hockey, so ________________!
> **B** Okay, I'll try my best. Thanks a lot.

① take care ② calm down
③ try them on ④ don't give up
⑤ take off your uniform

13 다음 주어진 문장의 밑줄 친 <u>It</u>과 쓰임이 <u>다른</u> 하나는?

> <u>It</u> was hard to arrive at the station on time.

① <u>It</u> was easy to solve the problem.
② <u>It</u> is 500m from my school to my house.
③ <u>It</u> is much better to live in the country.
④ I think <u>it</u> is important to prepare for the worst.
⑤ You know <u>it</u> is unfair to expect me to do everything.

14 다음 대화의 빈칸에 알맞은 것은?

> **A** Andy's party last night was fantastic!
> ______________
> **B** Well, my mother was very sick.

① How didn't you come?
② How come you came?
③ How come did you come?
④ How come didn't you come?
⑤ How come you didn't come?

15 다음 중 어법상 올바른 문장은?

① I had him to drive me home.
② Glasses make me to look older.
③ I won't let them to get me down.
④ They can't make me doing anything.
⑤ Mr. Smith made me clean the classroom.

16 다음 빈칸에 알맞은 것은?

> She passed the exit exam __________ she didn't study very hard.

① although ② because
③ that ④ despite
⑤ instead

[17-18] 다음 글을 읽고, 물음에 답하시오.

> Welcome to the Super Science Magic Show! It's always exciting ⓐto see magic tricks. And it's more exciting to find out the __ⓑ__s behind them. Some people think the __ⓒ__ of magic is science. Today, Ken, a member of the School Magic Club, will use science to perform his tricks. Which tricks will he show us? I can't wait to see them.

17 윗글의 밑줄 친 ⓐ to와 쓰임이 같은 것은?

① It is useful to learn how to do CPR.
② She was surprised to find me home.
③ It was serious enough to worry about.
④ James stayed up all night to finish his homework.
⑤ It is time to stop crying and try something new.

18 윗글의 빈칸 ⓑ와 ⓒ에 공통으로 알맞은 것은?

① tip ② skill ③ tool
④ secret ⑤ problem

[19-20] 다음 글을 읽고, 물음에 답하시오.

> **Ken** Hello, everyone. Today, I'm going to show you ①something amazing. Here's a dish with water in it. Now, I'll put a candle in the middle of the dish. Next, I'll light the candle and cover ②them with a glass. "Abracadabra!"
> **Jina** Look at the water! How come it ③rose into the glass?
> **Ken** Air expands when it gets hot and creates higher pressure. When it ④gets cold, air contracts and creates lower pressure. When the flame burnt out, the air inside the glass cooled down. ⑤As the air cooled down, the air pressure dropped. So the air outside the glass was at a higher pressure. It pushed the water into the glass.

19 윗글의 밑줄 친 ①~⑤ 중 어법상 어색한 것은?

① ② ③ ④ ⑤

20 윗글의 내용과 일치하지 않는 것은?

① Ken은 양초를 가지고 마술을 하고 있다.
② 물이 유리컵 밖으로 흘렀다.
③ 공기가 뜨거워지면 더 높은 압력을 만든다.
④ 공기가 식으면 압력이 낮아진다.
⑤ 높아진 압력의 공기는 물을 유리컵 속으로 밀어 넣는다.

[21-22] 다음 글을 읽고, 물음에 답하시오.

Ken Now, I'm going to fill one of these cups with water. I will move them around to confuse you. Jina, which cup has the water in it?

Jina That's easy! It's the middle one.

Ken Okay, let's check. See? No water.

Jina Show me the other cups.

Ken See? There's no water.

Jina Wow! Why did the water (A) [appear / disappear]?

Ken Before the trick, I put a special material into one of the cups. The material (B) [observed / absorbed] the water and (C) [turned / took] it into jelly. Then the jelly stuck to the bottom. If you want to try this trick, it's ________ to use cups that you can't see through.

Jina Thank you for your great performance. It was really amazing!

21 윗글의 (A), (B), (C)에 알맞은 것끼리 바르게 짝 지어진 것은?

	(A)	(B)	(C)
①	appear	··· observed	··· turned
②	appear	··· observed	··· took
③	disappear	··· observed	··· turned
④	disappear	··· absorbed	··· turned
⑤	disappear	··· absorbed	··· took

22 윗글의 빈칸에 알맞은 것은?

① useless ② possible ③ necessary
④ difficult ⑤ dangerous

[23-24] 다음 글을 읽고, 물음에 답하시오.

(A) Koh Panyee was a small floating village in the middle of the sea. Although the boys in the village never played soccer before, they loved watching it on TV. One day, the boys decided to make their own soccer team. ________, people laughed at their idea.

(B) "Don't give up! We can still play soccer."
"How?"
"Let's make our own soccer field."

(C) "That's impossible."
"What makes you say so?"
"Look around. Where are you going to play soccer?"

The villagers were right. The boys had no place to play soccer. They were discouraged.

23 윗글의 (A)~(C)를 글의 흐름에 맞게 배열하시오.

________ → ________ → ________

24 윗글의 빈칸에 알맞은 것은?

① Instead ② Therefore
③ However ④ In addition
⑤ As a result

25 다음 글을 읽고, 대답할 수 없는 질문은?

The boys gathered old boats and pieces of wood. They put the boats together and nailed the wood to them. After much hard work, they finally had a floating field. It was shaky and had nails everywhere. The ball and the boys would often fall into the sea, so the field was always wet and slippery. They had no shoes so they had to play in bare feet. Still, they didn't care.

① How was the soccer field the boys made?
② Why did the boys play soccer in bare feet?
③ Why was the field always wet and slippery?
④ What did the boys use to make the soccer field?
⑤ For how long did the boys work to make the soccer field?

[26-27] 다음 글을 읽고, 물음에 답하시오.

One day, a boy brought a poster about a soccer tournament. They decided to give it a try. When they were about to leave, the villagers gave them new shoes and uniforms. Some even came to watch the game. 이것이 소년들을 더 기분 좋게 만들었다. At first, people saw them as the weakest team. However, when the tournament started, the soccer team surprised everyone.

On the day of the semi-final, it was raining hard. They were losing by two goals and it looked impossible to win.

"The other team is so strong," they thought.

But the boys didn't give up. They took off their shoes during the second half and the game changed completely. They played better in the rain thanks to the slippery field at home. Although they lost by a score of three to two, still, they felt proud of themselves. They didn't give up when they were losing. They tried their best until the end.

26 윗글의 밑줄 친 우리말과 일치하도록 바르게 영작한 것은?

① This made the boys felt better.
② This made the boys feel better.
③ This made the boys to feel better.
④ This made the boys feeling better.
⑤ This made the boys to be felt better.

27 윗글의 내용과 일치하지 않는 것은?

① The villagers supported the boys' decision to take part in the tournament.
② People thought that the boys were a weak team at first.
③ Playing on the field at home helped the boys play better in the rain.
④ The boys lost the semi-final by two goals in the end.
⑤ The boys felt proud of themselves because they didn't give up.

서술형(주관식) 평가

28 다음 주어진 문장을 참고하여 문장을 바꿔 쓰시오.

To do the same things every day is boring.
→ It is boring to do the same things every day.

(1) To play dodgeball is fun.
→ ______________________

(2) To meet people online is not safe.
→ ______________________

(3) To follow the class rules is necessary.
→ ______________________

29 다음 두 문장을 although나 because를 사용하여 한 문장으로 바꿔 쓰시오.

(1) Kevin succeeded in business. He still felt unhappy.
→ ______________________

(2) Kate didn't want to walk home. She was tired.
→ ______________________

(3) I couldn't get to sleep. My neighbors made a lot of noise.
→ ______________________

30 다음 밑줄 친 우리말을 주어진 표현을 활용하여 영작하시오.

A (1) 어째서 너 혼자 교실을 청소했니? (how come, clean, alone)
B (2) 선생님께서 나에게 혼자 그것을 청소하도록 하셨어. (make, clean)

(1) ______________________
(2) ______________________

정답과 해설

Lesson 1

Word Preview Mini Test p. 16

A 1. hear 2. bite 3. time 4. changes 5. break

B 1. personal 2. email 3. handle 4. nail 5. traffic

A 해석 1. 나는 나의 옛 친구로부터 편지를 받았다. 나는 그녀로부터 소식을 듣게 돼서 정말 기뻤다.
2. 나는 긴장할 때 손톱을 물어뜯는다.
3. 7시다. 일어날 때다.
4. 학교는 겨울 방학 동안 몇 가지 변화가 있었다.
5. 나는 나의 오래된 습관을 고치기 위해 열심히 노력했다.

B 해석 1. 개인적인: 한 특정한 사람에 관련되거나 속하는
2. 이메일: 이메일로 누군가에게 메시지를 보내다
3. 손잡이: 손에 의해 잡힐 수 있도록 특별히 디자인된 부분
4. 손톱; 발톱: 손가락이나 발가락 끝을 감싸고 있는 딱딱한 것; 손톱 또는 발톱
5. 교통: 한 지역을 통과하거나 길을 따라 차량 또는 보행자의 움직임

Let's Read ❶ Mini Test p. 19

1. during 2. ②

해설 1. 빈칸 다음에 숫자를 포함하지 않은 기간이 나와 있고, '방학 동안'이라는 의미가 되어야 하므로 during이 알맞다.
2. 등위 접속사 and가 있으므로 emailed와 같은 형태인 talked가 되어야 한다.

Let's Read ❷ Mini Test p. 21

A 1. T 2. F

B hobby, other

A 해설 1. 준호는 겨울 방학 동안 두 가지 개인적인 변화가 있었다고 Eric에게 말하고 있다.
2. 준호는 방학 동안 손톱을 물어뜯는 나쁜 습관을 고쳤다고 했으므로 지금은 물어뜯지 않는다.

B 해설 준호는 방학 동안 두 가지 개인적인 변화가 있었는데, 하나는 새로운 취미를 찾았고 나머지 다른 하나는 나쁜 습관 중 하나를 고친 것이다.

Let's Read ❸ Mini Test p. 23

1. is 2. ②

해설 1. if 조건절에서는 미래 시제가 아니라 현재 시제가 쓰인다. 따라서 현재 시제 is가 와야 한다.
2. 문맥상 원인이나 이유를 나타내는 접속사 because가 들어가야 한다.

Word Check p. 27

A 1. 깨물다 2. 개인적인 3. 이메일(을 보내다) 4. 손톱; 발톱 5. 담임 선생님 6. these days 7. handle 8. traffic 9. each other 10. decide

B heavy

C 1. changes 2. break 3. time 4. miss 5. into

B 해석 • 정부는 교통 체증에 대해 걱정하고 있다.
• 나는 노부인이 무거운 가방을 들고 있는 것을 봤다. 나는 그녀를 도와줬다.

C 해석 1. 기술은 미래에 변화를 가져올 것이다.
2. 나는 공부하는 도중에 스마트폰을 사용하는 나쁜 습관이 있다. 나는 이 습관을 버리고 싶다.
3. 영어 시험이 다가오고 있다. 영어 공부를 할 때이다.
4. 나는 뉴욕에 살고 있는 나의 가장 친한 친구가 그립다.
5. 요즘에 나는 K-pop에 빠져있다.

Grammar Check p. 32

A 1. The other 2. The other 3. study 4. goes

B 1. I will go swimming
2. I will play computer games
3. you will feel happier

C 1. Other → The other
2. will get → get
3. Other → Another

D get up, will do, The other

A 해석 1. 나는 모자가 두 개 있다. 하나는 빨간색이다. 나머지 다른 하나는 검은색이다.
2. 그는 아들이 두 명 있다. 한 명은 미국에 산다. 나머지 다른 한 명은 캐나다에 산다.

3. 만약 네가 더 열심히 공부한다면, 너는 시험에 합격할 것이다.
4. 만약 그가 중국에 간다면, 그는 만리장성을 볼 것이다.

해설 1. 둘 중에서 각각을 가리킬 때는 One ... . The other ... . 표현을 사용한다.
2. 둘 중에서 각각을 가리킬 때는 One ... . The other ... . 표현을 사용한다.
3. if 조건절에서는 현재 시제가 미래의 의미를 대신하므로 현재 동사 study가 적절하다.
4. if 조건절에서는 현재 시제가 미래의 의미를 대신하고 주어가 he이므로 3인칭 동사 goes가 적절하다.

B 해석 1. 만약 날씨가 덥고 화창하다면, 나는 수영하러 갈 것이다.
2. 만약 학교가 일찍 끝난다면, 나는 컴퓨터 게임을 할 것이다.
3. 만약 네가 다른 사람들을 먼저 배려한다면, 너는 더 행복해질 것이다.

해설 1. if 조건절의 주절에서는 미래 시제를 써야 하므로 I will go swimming이 와야 한다.
2. if 조건절의 주절에서는 미래 시제를 써야 하므로 I will play computer games가 와야 한다.
3. if 조건절의 주절에서는 미래 시제를 써야 하므로 you will feel happier가 와야 한다.

단어·숙어 put ... first …을 가장 중시하다

C 해석 1. 나는 읽을 책이 두 권 있다. 한 권은 '해리 포터'이다. 나머지 다른 하나는 '반지의 제왕'이다.
2. 만약 애완동물 강아지가 있다면, 나는 매일 그를 산책시킬 것이다.
3. 방에 세 사람이 있다. 한 사람은 책을 읽고 있다. 또 다른 한 사람은 음악을 듣고 있다. 나머지 한 사람은 TV를 보고 있다.

해설 1. 둘 중에서 각각을 가리킬 때는 One ... . The other ... . 표현을 써야 하므로 Other가 아닌 The other로 고쳐야 한다.
2. if 조건절에서는 현재 시제가 미래의 의미를 대신하므로 will get이 아닌 get으로 고쳐야 한다.
3. 셋을 지칭할 때는 One ... . Another ... . The other ... . 표현을 써야 하므로 Other가 아닌 Another로 고쳐야 한다.

D 해석 만약 내가 내일 일찍 일어난다면, 나는 두 가지 일을 할 것이다. 하나는 내 방을 청소하는 것이다. 나머지 다른 하나는 숙제를 끝내는 것이다.

해설 if 조건절에서는 현재 시제가 미래의 의미를 대신하며 주절에서는 미래의 의미를 나타내는 will을 사용해야 한다. '(둘 중) 하나는 …. 나머지 다른 하나는 ….'이라는 의미를 나타내려면 One ... . The other ... . 표현을 사용한다.

단원 종합 평가

pp. 38~40

1. ③ 2. ① 3. ① 4. (C) – (B) – (A) – (D) 5. ④ 6. ⑤ 7. thinking 8. ④ 9. ⑤ 10. ③ 11. bite, my, nails 12. ⑤ 13. If school finishes early he will ride his bike. 14. ④ 15. will finish → finish, play → will play 16. ① 17. ① 18. during 19. ④ 20. ⓐ One ⓑ The other 21. ⑤ 22. ① 23. ② 24. ④ 25. ③

1 듣기 대본
G: Charles, what are you going to do this Saturday?
B: I'm going to Yeouido.
G: Is there a special event there?
B: I'm thinking of going to see the cherry blossom.

해석 G: Charles, 너는 이번 토요일에 무엇을 할 거니?
B: 나는 여의도에 갈 거야.
G: 거기에 특별한 행사가 있니?
B: 나는 벚꽃 보러 갈 생각이야.

해설 마지막에 Charles가 I'm thinking of seeing the cherry blossom.이라고 말했으므로 이번 주 토요일에 할 일로 가장 적절한 것은 ③ '벚꽃 보러 가기'이다.

단어·숙어 event ⓜ 사건, 행사
cherry blossom 벚꽃

2 듣기 대본
B: You know what? I won first prize in the essay contest.
G: Oh, really? That's amazing. I'm so proud of you.

해석 B: 너 그거 아니? 나 글쓰기 대회에서 일등상을 탔어.
G: 오, 정말? 대단하다. 나는 네가 너무 자랑스러워.

해설 마지막에 여자가 I'm so proud of you.라고 말했으므로 여자의 심정으로 가장 적절한 것은 ① proud(자랑스러운)이다.
② 놀란 ③ 슬픈 ④ 흥미 있는 ⑤ 무서운

단어·숙어 win first prize 일등상을 타다
be proud of …을 자랑스러워하다

3 듣기 대본 G: What is your plan for Parents' Day?
B: I'm thinking of making a cake for my parents.
G: That's so sweet.
B: How about you?
G: I'm thinking of writing a thank-you letter.

해석 G: 어버이날을 위한 너의 계획은 무엇이니?
B: 나는 부모님을 위해 케이크를 만들 생각이야.
G: 정말 다정하구나.
B: 너는 어때?
G: 나는 감사 편지를 쓸 생각이야.

해설 어버이날의 계획에 관한 대화에서 How about you? 라고 묻는 질문에 의도나 계획에 대해 말해야 하므로 ① '나는 감사 편지를 쓸 생각이야.'가 오는 것이 가장 적절하다.
② 축하해! 그 말을 듣게 돼서 기뻐.
③ 깜짝 파티를 하는 것이 어때?
④ 나도 역시 그렇게 생각해.
⑤ 나쁘지 않아.

단어 숙어 thank-you letter 감사 편지
surprise party 깜짝 파티

4 해석 있잖아. 나는 노래 수업을 받을 생각이야.
(C) 정말? 왜 너는 그것을 하려고 결심했니?
(B) 왜냐하면 나는 K-pop 가수들처럼 노래를 부르고 싶기 때문이야.
(A) 너는 가수가 될 생각이니?
(D) 그러길 바라.

해설 주어진 문장에서 '노래 수업을 받을 예정이야.'라고 했으므로 이에 관해 이유를 묻는 (C) Why did you decide to do that?이 먼저 오고, 그 뒤에 이유를 나타내는 (B)가 이어져야 한다. 그 다음 가수가 될 생각인지를 묻는 (A)가 이어지고, 이에 그러기를 바란다는 (D)의 대답이 와야 자연스럽다.

5~6

해석 A: 민수야, 수진이와 나는 동아리를 만들 생각이야.
B: 정말? 어떤 종류의 동아리야?
A: 우리는 별과 행성에 관해 배우고 싶어. 그래서 우리는 우주 과학 동아리를 만들 생각이야.
B: 좋은 생각이다. 너희들은 얼마나 자주 모일 거야?
A: 아마도 일주일에 한 번쯤.
B: 그렇구나. 너희들은 어디서 모일 거니?
A: 101호에서. 민수야, 우리 동아리에 가입할래?
B: 응, 나도 우주에 관심이 있어.

5 해설 전치사 of 뒤에는 동명사가 와야 하므로 빈칸에는 ④ starting이 알맞다.

6 해설 민수는 우주 과학 동아리에 가입하라는 제안에 동의하고 있을 뿐 아직 동아리에는 가입하지 않았기 때문에 일치하지 않는 것은 ⑤이다.

7~8

해석 A: 준수야, 너 그거 아니? 나는 그림 수업을 들을 생각이야.
B: 정말? Emily, 너는 왜 그림 수업을 들으려고 결심했니?
A: 나는 예술 고등학교에 가고 싶어서야.
B: 너는 장래에 예술가가 될 생각이니?
A: 그러길 바라. 나는 그림 그리는 것에 관심이 있거든.
B: 그거 잘됐다. 네 꿈이 이뤄지기를 바라.
A: 고마워. 최선을 다할게.

7 해설 I'm thinking of ... .는 '…할 생각이다.'라는 뜻으로 자신의 의도를 나타낼 때 쓰는 표현이다. 의문문은 Are you thinking of ...?의 형태로 나타낸다.

8 해설 대화의 흐름상 Emily의 꿈이 실현되길 바라는 긍정적인 말이 들어가야 하므로 ④ '그림 수업이 끝나길'이라는 말은 알맞지 않다.
① 너의 소망이 실현되기를
② 네가 유명한 예술가가 되기를
③ 너의 꿈이 실현되기를
⑤ 네가 너의 꿈을 이루기를

단어 숙어 come true 실현되다
achieve ⑧ 이루다

9 해설 ⑤ '손가락이나 발가락 끝을 감싸고 있는 단단한 것'이라는 영영 풀이는 nail(손톱; 발톱)에 관한 것이다.
① 결심하다: 어떤 것에 대한 선택을 하다
② 손잡이: 손에 의해 잡히도록 설계된 무언가의 부분
③ 깨물다: 무언가를 자르기 위해 이(치아)를 사용하다
④ 이메일을 보내다: 이메일을 통해 누군가에게 메시지를 보내다

단어 숙어 hard ⑱ 단단한
finger ⑲ 손가락
toe ⑲ 발가락

10 해석 우리는 너를 정말 많이 그리워할 거야. 나는 너를 곧 보길 바라.
해설 너를 곧 보기를 바란다고 했으므로 상대방을 그리워하는 의미가 들어가야 함을 유추할 수 있다. 따라서 ③ miss(그리워하다)가 알맞다.
① 부수다 ② 듣다 ④ 만들다 ⑤ 선호하다

11 해설 손톱을 깨물다: bite one's nails

12 해석 너는 마니또 게임을 아니? 그 게임에는 두 가지 규칙이 있다. 하나는 비밀리에 너의 마니또에게 선물을 주는 것이다. 나머지 다른 하나는 게임이 끝나기 전까지 너의 마니또를 도와주는 것이다.

해설 two rules(두 가지 규칙)가 있다고 언급했으므로 둘 중에 하나와 나머지 다른 하나를 나타내는 One … . The other … . 구문이 와야 한다.

단어·숙어 gift ⓝ 선물
in secret 비밀리에

13 해설 조건을 나타내는 if 부사절을 사용하여 'If+주어+동사 …, 주어+will+동사원형 ~.'의 형태에 맞춰 써야 하므로 If school finishes early, he will ride his bike.가 되어야 한다.

14 해석 ① 나는 쌍둥이를 한 명과 나머지 다른 한 명을 구분할 수 없다.
② 만약 내가 자유 시간이 있다면, 나는 자원 봉사를 할 것이다.
③ 만약 네가 내일 숙제를 제출하지 않는다면, 너는 감점을 받을 것이다.
④ 세 개의 모자가 있다. 하나는 빨간색이고, 또 다른 하나는 파란색이고, 나머지 하나는 검은색이다.
⑤ Tom은 두 권의 공책을 빌렸다. 한 권은 내 것이고, 나머지 다른 하나는 Jane의 것이다.

해설 ① 둘 중(the twins)에서 하나와 나머지 다른 하나를 나타낼 때는 one, the other를 써야 하므로 another는 the other가 되어야 한다.
② 조건을 나타내는 if 문장에서 if절은 현재 시제가 미래의 의미를 대신하므로 I will have는 I have가 되어야 한다.
③ 조건을 나타내는 if 문장에서 if절은 현재 시제가 미래의 의미를 대신하지만, 주절에서는 미래 시제로 써야 하므로 you get은 you will get이 되어야 한다.
⑤ 둘 중(two notebooks)에서 하나와 나머지 다른 하나를 나타내야 하므로 One … . The other … . 구문을 써서 another는 the other가 되어야 한다.

단어·숙어 volunteer work 자원 봉사
borrow ⓥ 빌리다
notebook ⓝ 공책

15 해석 만약 내가 점심을 일찍 먹는다면, 나는 친구들과 농구를 할 것이다.

해설 조건을 나타내는 if 문장에서 if절은 현재 시제가 미래의 의미를 대신하므로 will finish는 finish가 되어야 하고, 주절에서는 미래 시제로 써야 하므로 play는 will play가 되어야 한다.

16 해석 ① 만약 내일 비가 온다면, 나는 집에 있을 것이다.
② 만약 네가 최선을 다하지 않는다면, 너는 경기에서 질 것이다.
③ 만약 그들이 너를 초대한다면, 너는 파티에 올 거니?
④ 그녀는 아들이 두 명 있다. 한 명은 파리에 산다. 나머지 다른 한 명은 도쿄에 산다.
⑤ 나는 선물 두 개를 받았다. 하나는 나의 여동생에게 받은 것이다. 나머지 다른 한 개는 나의 남동생에게 받은 것이다.

해설 ① 조건을 나타내는 if 문장에서 if절은 현재 시제가 미래의 의미를 대신하므로 rain은 주어 it에 어울리는 3인칭 단수 동사 rains가 되어야 한다.

단어·숙어 come over 오다[가다]
invite ⓥ 초대하다

17~18
해석 나의 친구 Eric과 나는 방학 동안 흥미로운 변화가 있었다. 우리는 서로에게 이메일을 보냈고 우리의 변화에 관해 이야기했다.

17 해설 make changes는 '변화를 이루다'라는 뜻으로 시제가 과거이므로 made가 와야 한다.

18 해설 '~동안'에 해당하는 전치사 during이 와야 한다.

19~21
해석 안녕 Eric,
서울은 아름다운 봄이야. 지난겨울 방학은 나에게 멋진 시간이었어. 나는 방학 동안 두 가지 개인적인 변화가 있었어. 하나는 나의 새로운 취미야. 그것은 컵케이크를 만드는 거야. 나만의 컵케이크를 만드는 것은 정말 재미있어. 나머지 다른 변화는 나의 나쁜 습관 중 하나를 없애는 거야. 예전에 나는 종종 손톱을 물어뜯곤 했어. 이제 나는 더 이상 그러지 않아. 나는 그런 변화가 정말 기분 좋아. 만약 네가 변화하려고 노력한다면, 너도 나처럼 기분이 좋을 거라고 확신해. 곧 소식 전해 줘.
진정한 친구,
준호가

19 해설 이 글은 준호가 Eric에게 쓴 '이메일'이다.
① 일기 ② 신문 ③ 이야기 ⑤ 연극

20 해설 두 개(two personal changes)를 나열할 때는 One … . The other … . 구문을 사용한다.

21 해설 어떻게 나쁜 습관을 버렸는지에 대한 방법은 본문에 언급되어 있지 않으므로 대답할 수 없는 질문은 ⑤이다.
① 서울의 계절은 무엇인가?
② 방학 동안 준호는 어떤 변화가 있었나?
③ 준호의 새로운 취미는 무엇인가?
④ 준호의 나쁜 습관은 무엇이었나?

⑤ 준호는 어떻게 그의 나쁜 습관을 버렸나?

22~25

해석 안녕 준호,

시드니에서는 3월이 가을이야. 너는 이메일에서 너에게 일어난 변화들을 말해 주었지. 이제 나의 새로운 변화를 말해 줄 차례야. 요즈음, 나는 3D 프린팅에 열중하고 있어. 나는 3D 프린터로 두 가지를 인쇄했어. 하나는 모형 드림 자동차야. 만약 교통이 혼잡하면, 그것은 날 수 있는 차로 바뀌어. 나머지 다른 하나는 우리 할아버지를 위한 특수 컵이야. 할아버지는 편찮으셔서 컵을 잘 들지 못하셔. 나의 특수 컵은 손잡이가 3개 있어서 들기 쉬워. 할아버지는 아주 행복해하셔. 그건 그렇고, 나는 너의 컵케이크를 언젠가 맛보고 싶다. 준호야, 잘 지내길.

행운을 빌어,

Eric

22 해설 '…에 열중하다'라는 의미를 표현할 때는 be into 구문을 사용한다.

23 해설 조건을 나타내는 if 문장에서 if절은 현재 시제가 미래의 의미를 대신하므로 is가 들어가야 한다.

24 해설 내용상 할아버지를 위한 특수 컵을 만든 것에 대해 할아버지가 매우 행복해하시는 것이므로 주어진 문장이 들어가기에 알맞은 곳은 ④이다.

25 해설 본문에서 Eric은 모형 드림 자동차를 3D 프린터로 인쇄했다고 했으므로 일치하지 않는 것은 ③이다.

서술형 평가

p. 41

1. (1) thinking of making pizza and spaghetti
   (2) thinking of playing board games
   (3) thinking of writing a card
2. will talk about our group project, free time after school, will play soccer, One, The other
3. |예시 답안| kind, positive, getting healthier, The other, reading many books, exercise every day, read one book per week

1 해석 Jane은 만화영화를 볼 생각이다.

(1) Tom은 피자와 스파게티를 만들 생각이다.

(2) Kevin은 보드 게임을 할 생각이다.

(3) 준수는 카드를 쓸 생각이다.

해설 주어진 예시 문장처럼 I'm thinking of ... 표현으로 문장을 완성한다. 이때, of 뒤에는 동명사가 오는 것에 유의한다.

2 해석 해야 할 일 리스트

- 지수 만나기 → 우리의 모둠 프로젝트에 대해 이야기하기
- 방과 후 자유 시간 → 친구들과 축구하기
- 저녁 시간 → 운동하기, 할머니와 할아버지 찾아뵙기

만약 내일 내가 지수를 만난다면, 나는 우리의 모둠 프로젝트에 대해 이야기할 것이다. 만약 내가 방과 후에 자유 시간이 있다면, 친구들과 축구를 할 것이다. 저녁 시간에 나는 두 가지 특별한 일을 하고 싶다. 하나는 운동하는 것이다. 나머지 다른 하나는 나의 할머니와 할아버지를 찾아뵙는 것이다.

해설 if 조건절에서는 현재 시제로 미래의 의미를 나타내는 것에 유의한다. 두 가지를 나열할 때는 One ..., The other ... 표현을 사용한다.

3 해석

- 나는 친절하고 긍정적이다.
- 나는 더 건강해지고 책을 많이 읽고 싶다.
- 나는 매일 운동하고 일주일에 한 권의 책을 읽기 위해 노력할 것이다.

나에게,

너는 매우 친절하고 긍정적이야. 그러나 너는 여전히 두 가지 변화를 이루고 싶어 해. 하나는 더 건강해지는 거야. 나머지 다른 하나는 책을 많이 읽는 거야. 너의 소망을 위한 나의 조언이 여기에 있어. 만약 네가 매일 운동을 하고 일주일에 한 권의 책을 읽으면 너의 소망은 이루어질 거야!

사랑을 담아서,

나로부터

해설 자신의 장점과 이루고 싶은 변화를 작성하고, 그것을 이루기 위한 방법을 생각한 후에 주어진 형태에 맞게 글을 완성한다.

Lesson 2

Word Preview Mini Test p. 50

A 1. avoid 2. shake 3. empty 4. disaster 5. earthquake
B 1. stairs 2. survive 3. strike 4. pole 5. injury

A 해석 1. 몇몇 사람들은 위험을 피하기 위해 조심스럽게 걷는다.
2. 나는 기차가 지나갔을 때 땅이 흔들리는 것을 느낄 수 있었다.
3. 그는 텅 빈 집에서 외로움을 느꼈다.
4. 우리는 자연재해를 준비할 필요가 있다.
5. 지진은 많은 피해를 일으킬 수 있다.

B 해석 1. 계단: 한 층에서 다음 층으로 올라가는 연이은 단
2. 살아남다: 살아있음을 유지하다; 살아있는 것을 계속하다
3. 발생하다: 나쁜 방법으로 갑자기 누군가나 어떤 것에 영향을 주다
4. 기둥: 무언가를 잡을 때 쓰이는 나무나 금속으로 만들어진 길고 가는 막대기
5. 상처: 사고나 공격에 의한 신체 부위의 상처나 피해

Let's Read ❶ Mini Test p. 53

ⓔ to getting → to get

해설 ⓔ to부정사의 부사적 용법 중 '목적'을 나타내므로 to 다음에는 동사원형 get이 와야 한다.

Let's Read ❷ Mini Test p. 55

A 1. T 2. F
B table, desk

A 해설 1. 두 번째 단락의 첫 번째 문장 Don't run outside when things are shaking.에서 물건들이 흔들릴 때 밖으로 뛰어나가지 말라고 했으므로 안에 머물러야 한다는 내용은 일치한다.
2. 두 번째 단락의 마지막 문장 They can break during an earthquake and hurt you.에서 창문들이 깨져 다칠 수 있다고 했으므로 창문이 지진으로부터 보호해줄 수 있다는 내용은 일치하지 않는다.

B 해설 두 번째 단락의 두 번째 문장 Find a table or a desk and take cover under it.에서 물건들이 흔들릴 때 '탁자'나 '책상' 밑으로 숨으라고 했다.

Let's Read ❸ Mini Test p. 57

1 ⓐ that ⓑ who
2 Earthquakes

1 해설 ⓐ 앞의 명사 an empty space를 꾸며 주는 주격 관계대명사 that이 알맞다.
ⓑ 앞의 명사 people을 꾸며 주는 주격 관계대명사 who가 알맞다.

2 해설 대명사 They는 앞 문장의 Earthquakes를 가리킨다.

Word Check p. 61

A 1. 재난, 재해 2. 지진 3. 기둥 4. 발생하다 5. 상처, 부상 6. survive 7. avoid 8. hold on to 9. take cover 10. stairs
B t(T)ake
C 1. forget 2. stay 3. protect 4. follow 5. hurt

B 해석 • 지진이 발생할 때 너는 엘리베이터를 타서는 안 된다.
• 지진 발생 시 탁자나 책상 아래로 숨어라.

C 해석 1. 자기 전에 양치질 하는 것을 잊지 마라.
2. 나는 사람들이 붐비는 장소에서 떨어지려고 노력했다.
3. 우리는 아이들을 위험으로부터 보호해야 할 필요가 있다.
4. 왜 너는 나의 충고를 따르지 않았니?
5. 나는 자전거 타다 넘어졌을 때 다리를 다쳤다.

Grammar Check p. 66

A 1. how 2. that 3. what 4. that
B 1. what to do
2. what to say to her
3. how to make friends
C 1. live → lives 2. what → which/that
3. are → is
D what to do, what to prepare, which has helpful things

A 해석 1. 지성이는 아이들에게 축구 잘하는 방법을 가르쳤다.
2. 이 고양이는 상자 안에서 놀기를 좋아하는 고양이다.
3. 우리는 스승의 날에 무엇을 해야 할지에 관해 생각 중이다.
4. 벤치 옆에 있는 그 자동차는 비싸다.

해설 1. 'how to+동사원형'의 구문을 써서 '어떻게 …할 지/…하는 방법'이라는 뜻을 나타낸다.
2. 선행사가 the cat이고 동물이므로 주격 관계대명사 that이 와야 한다.
3. 'what to+동사원형'의 구문을 써서 '무엇을 …할 지'라는 뜻을 나타낸다.
4. 선행사가 The car이고 사물이므로 주격 관계대명사 that이 와야 한다.

B 해석 1. 그 책은 지진 발생 시 무엇을 해야 할지에 관한 것이다.
2. 나는 그녀에게 무엇을 말할지를 모르겠다.
3. 친구 사귀는 방법을 배우는 것은 학교생활에서 매우 중요하다.

해설 1, 2. 'what to+동사원형'의 구문을 써서 '무엇을 …할 지'라는 뜻을 나타낸다.
3. 'how to+동사원형'의 구문을 써서 '어떻게 …할 지/…하는 방법'이라는 뜻을 나타낸다.

C 해석 1. 나는 캐나다에 살고 있는 친구가 있다.
2. 저기에서 뛰어다니는 개는 내 것이다.
3. 큰 가방을 들고 있는 소녀가 나의 여동생이다.

해설 1. 선행사가 a friend로 단수 명사이므로 관계대명사절 안에 있는 동사 live는 단수 동사로 고쳐 lives가 되어야 한다.
2. 선행사가 the dog이므로 주격 관계대명사는 which나 that이 되어야 한다.
3. 선행사가 The girl로 단수 명사이므로 관계대명사절 안에 있는 동사 are는 단수 동사로 고쳐 is가 되어야 한다.

D 해석 재해가 올 때 여러분은 무엇을 해야 할지 알아야만 한다. 여기에 여러분이 살아남도록 도와줄 몇몇 조언들이 있다. 먼저 무엇을 준비해야 할지에 대해 말해 보자. 여러분은 생존 가방을 준비할 수 있다. 식량, 물, 성냥, 그리고 약을 그 안에 넣을 수 있다. 유용한 것을 가지고 있는 생존 가방은 재해를 견뎌내는데 도움을 줄 것이다.

해설 첫 번째 빈칸에는 '무엇을 …할지'라는 뜻이 되도록 what to do가 되어야 한다.
두 번째 빈칸에는 '무엇을 준비해야 할지'라는 뜻이 되도록 what to prepare가 되어야 한다.
세 번째 빈칸에는 A survival bag이 주어이자 선행사이고 사물이므로 which has helpful things가 되어야 한다.

단원 종합 평가

pp. 72~74

1. ④ 2. ⑤ 3. ⑤ 4. ② 5. ① 6. ④
7. ⓐ cleaning ⓑ clean 8. ② 9. ④ 10. ②
11. earthquake, struck 12. ④ 13. ⑤ 14. what to take 15. (1) who → which/that (2) making → make
16. ⑤ 17. which/that 18. ③ 19. ③ 20. ③
21. find an empty space that is far from buildings 22. ⑤
23. ③ 24. how to 25. ①

1 듣기 대본
G: I'm going to Busan this weekend.
B: That sounds great! Did you check the weather?
G: Yes, it'll be very sunny.
B: Then you should take your sunglasses.

해석 G: 나는 이번 주말에 부산에 갈 거야.
B: 좋겠다! 넌 날씨 확인했니?
G: 응, 매우 화창할 거래.
B: 그러면 넌 선글라스를 가져가야만 해.

해설 남자의 마지막 말에서 선글라스를 가져가라고 했으므로 ④가 적절하다.

단어·숙어 sunny ⓗ 화창한
take ⓢ 가져가다

2 듣기 대본
G: I'm worried about my headache.
B: You should get more sleep.

해석 G: 나는 내 두통이 걱정돼.
B: 너는 잠을 더 자야만 해.

해설 여자가 두통이 걱정이라고 말하니 남자가 잠을 더 자라고 조언했으므로 ⑤가 적절하다.

3 듣기 대본
B: Hey, what's wrong?
G: I'm worried about my leg.
B: Why? What happened?
G: I broke it yesterday during the soccer game.
B: Sorry to hear that. I hope you feel better soon.

해석 B: 이봐, 무슨 일이야?
G: 나는 내 다리가 걱정돼.
B: 왜? 무슨 일인데?
G: 어제 축구 경기하는 동안 다리가 부러졌어.

B: 유감이야. 네가 곧 낫기를 바라.

해설 여자의 다리가 부러졌다는 말에 대한 위로의 말이 이어져야 하므로 ⑤가 적절하다.
① 응, 그래.
② 유감이지만 그렇지는 않아.
③ 네 말에 동의해.
④ 좋아. 너는 한 번 더 시도해야만 해.

4 해석 A: 나는 토네이도가 걱정돼.
B: 너는 실내에 머물러야만 해.

해설 토네이도를 걱정하고 있으므로 이에 이어질 수 있는 말은 충고나 조언이 와야 하므로 ②가 알맞다.
① 밖으로 나가자.
③ 나는 실내에 있는 게 싫어.
④ 나는 토네이도에 대해 생각 중이야.
⑤ 왜 너는 실내에 머물고 있니?

5~6

해석 A: 미나야, 어제 시립 도서관에서 큰 화재가 있었어.
B: 응, 들었어. 거기에 있었던 사람들이 걱정이 됐어.
A: 걱정하지 마. 모두 괜찮대. 사람들이 모두 안전 규칙을 따랐대.
B: 정말? 그 규칙이 뭔데?
A: 너는 젖은 수건으로 코와 입을 가려야만 해. 그러고 나서 낮은 자세로 탈출해야 해.
B: 아, 그건 몰랐네.
A: 너는 그것을 명심해야 해. 언젠가 도움이 될 수도 있어.

5 해설 keep A in mind 구문으로 'A를 명심하다'라는 뜻이다.

6 해설 세 번째 A의 말에서 화재가 발생하면 젖은 수건으로 코와 입을 가리라고 언급했으므로 일치하지 않는 것은 ④이다.

7~8

해석 A: 아빠, 저는 민우와 농구하러 나갈 거예요.
B: 네 방 청소하는 건 끝냈니?
A: 아니요, 아직요. 나중에 해도 되나요?
B: 아니. 너는 네 방 청소를 먼저 해야만 해.
A: 알았어요. 방 청소하고 나서 농구할게요.
B: 좋아. 6시까지 집에 오는 것을 잊지 마라.
A: 네.

7 해설 ⓐ finish는 동명사를 목적어로 취하는 동사이므로 cleaning이 와야 한다.
ⓑ should 뒤에는 동사원형이 와야 하므로 clean이 와야 한다.

8 해설 '…을 명심해.'나 '…하는 것을 잊지 마.'라는 아빠의 당부가 이어져야 하고, 그 중 to부정사를 받는 것이어야 하므로 ② Don't forget이 알맞다.

9 해설 ④ '누군가 또는 무언가가 해로움을 받는 것을 막다'라는 풀이는 protect(보호하다)에 관한 것이다.
① 생존하다: 살아있는 상태로 남다
② 부상: 해로움 또는 피해
③ 숨다: 숨어있을 장소를 찾다
⑤ 발생하다: 나쁜 방식으로 갑자기 누군가나 무언가에 영향을 끼치다

10 해석 • 그 남자는 부상으로 고통 받았다.
• 그는 부상 때문에 경기에 참가하지 못했다.

해설 ② injury(부상)가 들어가야 한다.
① 피하다 ③ 텅 빈 ④ 해로움 ⑤ 보호하다

11 해설 '지진이 발생하다'는 An earthquake strikes로 표현할 수 있는데, 시제가 과거이므로 strike의 과거형 struck을 사용하여 An earthquake struck으로 쓴다.

12 해석 나는 개를 봤다. 그 개는 공원에서 뛰고 있었다.
→ 나는 공원에서 뛰고 있는 개를 봤다.

해설 두 문장을 연결할 때는 관계대명사를 사용할 수 있다. 선행사가 a dog으로 동물이므로 주격 관계대명사 that이 빈칸에 와야 한다.

13 해석 ① 자전거를 타고 있는 소년이 있다.
② 나는 요리를 좋아하는 친구가 있다.
③ 나는 지루한 이야기가 싫다.
④ 그는 영국 출신 남자이다.
⑤ 그녀는 흥미로운 영화를 만드는 유명한 영화감독이다.

해설 ① 두 문장을 연결할 때 관계대명사를 사용해야 하므로 a boy와 is 사이에 who나 that이 와야 한다.
② 선행사가 단수 명사 a friend이므로 관계대명사절의 동사는 단수 동사 loves로 고쳐야 한다.
③ 선행사가 복수 명사인 the stories이므로 관계대명사절의 동사는 복수 동사 are로 고쳐야 한다.
④ 선행사가 the man으로 사람이므로 관계대명사를 who나 that으로 고쳐야 한다.

14 해설 '무엇을 가져가야 할지'를 what to ...를 사용하여 what to take로 써야 한다. to 다음에는 동사원형이 와야 한다.

15 해석 나는 멕시코 음식을 만드는 방법에 관한 책을 읽었다.

해설 선행사가 the book으로 사물이므로 주격 관계대

명사 who는 which나 that으로 써야 한다. how to making은 'how to+동사원형' 구문인 how to make로 고쳐야 한다.

16 해석 ① 그는 우리에게 경기하는 방법을 말해줄 것이다.
② 나는 프랑스에서 만들어진 의자를 샀다.
③ 나는 지진 발생 시 무엇을 해야 할지 모른다.
④ 야구하는 거 좋아하는 사람 있니?
⑤ 나는 많은 사물에 호기심이 있는 고양이가 있다.

해설 ⑤에서 선행사가 a cat으로 단수이므로 관계대명사절의 동사는 단수형 is로 고쳐야 한다.

17~19
해석 퀴즈가 어떠셨나요? 당신은 지진에서 안전하게 살아남을 수 있나요? 여기에 지진 발생 시 도움이 될 수 있는 안전 팁이 몇 가지 있습니다. 하나하나 확인하면서 무엇을 해야 하는지를 배워 봅시다.
물건들이 흔들리기 시작할 때 밖으로 뛰어나가지 마세요. 탁자나 책상을 찾아서 그 밑에 숨으세요. 자신을 보호하기 위해 탁자나 책상 다리를 붙들고 있으세요. 또한, 창문으로부터 멀리 떨어지세요. 지진이 일어나는 동안 창문들이 깨져 다칠 수 있으니까요.

17 해설 두 문장을 연결하는 관계대명사가 들어가야 한다. 선행사가 some safety tips로 사물이므로 관계대명사는 which나 that이 와야 한다.

18 해석 ① 세호: 물건들이 흔들릴 때 나는 나 자신을 보호하기 위해 밖으로 뛰어나갈 것이다.
② 민준: 지진이 발생할 때 나는 탈출하기 위해 창문을 찾을 것이다.
③ Eric: 지진 발생 시 나는 창문으로부터 멀리 떨어질 것이다. 왜냐하면 창문이 나를 다치게 할 수 있기 때문이다.
④ 진희: 나는 지진 발생 시 창문을 잡고 있을 것이다.
⑤ Jenny: 지진 발생 시 나는 외부에 머물고 나무 아래에 숨을 것이다.

해설 지진이 일어나는 동안 창문들이 깨져 다칠 수 있다고 했으므로 창문에서 멀리 떨어져 있겠다고 한 ③ Eric이 지진 안전 수칙을 바르게 숙지한 사람이다.

19 해설 (A) '무엇을 …할지'라는 뜻으로 what to do가 와야 한다.
(B) '보호하기 위해서'라는 뜻으로 to부정사의 부사적 용법 중 목적으로 to protect가 와야 한다.
(C) 앞의 조동사 can에 연결되는 동사원형이 와야 하므로 hurt가 와야 한다.

20~23
해석 흔들림이 멈추었을 때 밖으로 나가도 됩니다. 건물에서 나가기 위해 엘리베이터를 이용하지 마세요. 계단을 이용하세요. 그것이 훨씬 더 안전합니다. 일단 밖으로 나가면, 건물로부터 멀리 떨어진 공터를 찾으세요. 기둥이나 나무를 꼭 잡고 있으려는 사람들이 있을 수 있지만, 다시 생각해 보세요. 그것이 당신 위로 넘어질 수 있으므로 그것은 좋지 않은 생각입니다.

20 해설 주어진 문장에서는 비교급 safer가 사용되었으므로 두 가지 내용을 비교한 뒤에 주어진 문장이 나와야 한다. ③ 앞에는 엘리베이터를 이용하는 것과 계단을 이용하는 것이 비교되고 있고, It이 지칭하는 것을 Taking the stairs로 보면 맥락이 자연스럽다. 따라서 ③에 들어가는 것이 알맞다.

21 해설 두 문장을 연결하는 주격 관계대명사를 사용해야 한다. 선행사 an empty space가 사물이므로 주격 관계대명사 that이 나오고 단수 동사 is가 와야 한다.

22 해설 빈칸에는 이유를 나타내는 접속사 because가 알맞다.

23 해석 ① 흔들림이 시작할 때 너는 밖으로 나갈 수 없다.
② 건물을 나가기 위해서 너는 계단을 이용해야만 한다.
③ 네가 밖에 있을 때 다른 건물로 들어가야 한다.
④ 네가 밖에 있을 때 기둥을 잡지 말아야 한다.
⑤ 밖에 있는 기둥이나 나무는 네 위로 넘어질 수 있다.

해설 밖에 있을 때는 건물과 떨어져 있는 공터를 찾으라고 했으므로 일치하지 않는 것은 ③이다.

24~25
해석 지진은 언제든지 발생할 수 있습니다. 지진은 모두에게 무서운 경험일 것입니다. 따라서 지진으로부터 안전을 지키는 법을 배우세요. 부상을 방지하고 자신을 보호할 수 있습니다. 이 조언을 따르고 안전을 지키세요!

24 해설 '안전을 지키는 법'은 'how to+동사원형' 구문을 사용하여 표현하므로 how to가 알맞다.

25 해설 지진 안전 수칙을 배우면 부상을 피할 수 있다는 것이 자연스러우므로 ① avoid(방지하다, 피하다)가 오는 것이 알맞다.
② 부수다 ③ 유지하다 ④ 만들다 ⑤ 찾다

서술형 평가

p. 75

1. |예시 답안|
   (1) A: I'm worried about heavy rain.
   B: You should take your umbrella.
   (2) A: I'm worried about my pimples.
   B: You should wash your hands.
   (3) A: I'm worried about heavy snowfall.
   B: You should wear boots.
2. In April, Seyeong read the book which/that was similar to *Harry Potter*.
   In May, Seyeong read the book which/that had two characters: an old lady and a dog.
   In June, Seyeong read the book which/that taught her how to improve her English.
3. No doing warm-up exercises, have heart attack, do enough warm-up exercises before you swim

1 해석 A: 나는 내 두통이 걱정돼.
B: 너는 약을 좀 먹어야 해.
(1) A: 나는 폭우가 걱정돼.
B: 너는 우산을 가져가야 해.
(2) A: 나는 내 여드름이 걱정돼.
B: 너는 손을 씻어야 해.
(3) A: 나는 폭설이 걱정돼.
B: 너는 부츠를 신어야 해.

해설 그림에 맞는 고민을 I'm worried about ... 표현에 맞춰 쓰고, 그에 맞는 조언은 You should ... 표현을 사용하여 문장을 완성한다.

2 해석 3월에 세영이는 김밥을 만드는 방법에 관한 책을 읽었다.
4월에 세영이는 해리 포터와 비슷한 책을 읽었다.
5월에 세영이는 할머니와 강아지라는 두 등장인물이 나오는 책을 읽었다.
6월에 세영이는 영어를 향상시키는 방법을 그녀에게 가르쳐 준 책을 읽었다.

해설 주격 관계대명사 which나 that을 사용하여 읽은 책을 소개하는 글을 완성한다.

3 해석 수영할 때 위험할 수 있는 많은 상황들이 있다. 여기에 몇 가지 팁이 있다. 무엇을 해야 할지를 배우고 안전해지자!
준비 운동을 하지 않는 것은 위험할 수 있다. 여러분은 심장마비에 걸릴 지도 모른다. 그래서 여러분은 수영하기 전에 충분한 준비 운동을 해야만 한다.

해설 수영할 때 위험할 수 있는 상황을 생각해 보고, 그것을 방지하기 위한 방법을 주어진 형식에 맞게 완성한다.

Lesson 3

Word Preview Mini Test

p. 84

A 1. mentor 2. effort 3. waste 4. put 5. arrow
B 1. refrigerator 2. coin 3. confusing 4. success 5. secret

A 해석 1. 나는 나의 멘토를 일주일에 한 번 만나서 조언을 얻고 있다.
2. 외국어를 숙달하는 것은 많은 노력을 필요로 한다.
3. 컴퓨터 게임에 너의 시간을 낭비하지 마라.
4. 그는 그의 가게 앞에 '할인' 표지판을 세웠다.
5. 일련의 화살표들이 국립 박물관으로 가는 길을 가리키고 있다.

단어•숙어 master ⓢ 숙달하다 require ⓢ 요구하다 a series of 일련의

B 해석 1. 냉장고: 물건들을 시원하게 유지하기 위해 사용되는 장치
2. 동전: 돈으로 사용되는 작은 금속 조각
3. 혼란스러운: 이해하기 어려운
4. 성공: 시도에 대해 올바르거나 바랐던 결과
5. 비밀의: 다른 사람들로부터 숨겨진

단어•숙어 device ⓜ 장치 desired ⓗ 바랐던 attempt ⓜ 시도 hidden ⓗ 숨겨진

Let's Read ❶ Mini Test

p. 87

내가 어제 읽은 두 가지 이야기

해설 대명사 them은 앞에 나온 two stories which I read yesterday를 가리킨다.

Let's Read ❷ Mini Test

p. 89

1. F 2. T

해설 1. 뉴욕 길거리에는 문제점이 아니라 공중전화가 많다고 했으므로 일치하지 않는다.
2. 사랑하는 사람에게 전화하며 사람들은 미소를 지었고, 그 남자의 아이디어는 뉴욕의 많은 사람들에게 행복을 가져다주었다고 했으므로 일치한다.

Let's Read ❸ Mini Test

p. 91

1. confusing 2. ask others to explain the maps

해설 1. 서울의 버스 지도에는 충분한 정보가 없었으므로 지도는 매우 '혼란스러웠다.'
2. 'ask+목적어+to부정사' 구문을 사용하여 배열한다.

Word Check p. 95

A 1. 표지판 2. 나누어 주다 3. 붙이다
4. 냉장고 5. …을 설치하다 6. plastic bag
7. arrow 8. secret 9. mentor
10. nobody
B 1. came 2. Thanks, to 3. waste
C 1. mentees 2. effort 3. success
4. confusing 5. tip

B 해석 1. 갑자기 그녀는 좋은 생각이 떠올라서 문제를 해결할 수 있었다.
2. 그의 발명 덕분에, 많은 사람들이 더 나은 삶을 살고 있다.
3. 너는 컴퓨터 게임을 하며 시간을 낭비하고 있다.

단어·숙어 suddenly 부 갑자기 solve 동 해결하다
invention 명 발명 uselessly 부 쓸데없이

C 해석 1. 멘토들은 그들의 멘티들이 약점을 극복하고 강점을 발전시키도록 도울 수 있다.
2. 그 새로운 게임은 마스터하기 위해 얼마간의 노력이 필요하다.
3. 그 보이 그룹은 첫 번째 앨범에서 큰 성공을 거두었다.
4. 다시 말씀해 주시겠습니까? 혼란스럽군요.
5. 컴퓨터를 사는 데 유용한 조언을 해 줘서 고마워.

단어·숙어 overcome 동 극복하다
weakness 명 약점
strength 명 강점
develop 동 발전시키다

Grammar Check p. 100

A 1. them 2. to marry 3. that 4. whom
B 1. Kim Minho is a baseball player who(m)/that every Korean knows.
2. Those books which/that you lent me were very useful.
3. I want to solve the problems which/that we faced several months ago.
4. The man who(m)/that you met on Monday is my brother. / The man is my brother who(m)/that you met on Monday.
C 1. My mother allowed me to eat ice cream for dessert.
2. The doctor told him to avoid salty food.
3. The teacher wanted Jennifer to read more books.
4. My parents always ask me to clean my room.
D 1. whom → which/that
2. share → to share

A 해석 1. 그녀는 그들에게 비밀번호를 기억하라고 말했다.
2. 그는 내 손을 잡고 내게 결혼해 달라고 요청했다.
3. 우리 아빠가 산 컴퓨터는 수리해야 한다.
4. 여러분이 언제나 믿을 수 있는 친구를 찾는 것은 어려운 일이다.

해설 1. 'tell+목적어+to부정사' 형태이므로 목적격 them이 적절하다. '~에게 …라고 말하다'라는 뜻이다.
2. 'ask+목적어+to부정사' 형태이므로 to marry가 적절하다. '~에게 …해 달라고 요청하다'라는 뜻이다.
3. 선행사 The computer가 사물이므로 관계대명사 that이 적절하다.
4. 선행사가 a friend로 사람이므로 관계대명사 whom이 적절하다.

단어·숙어 password 명 비밀번호
marry 동 …와 결혼하다
repair 동 수리하다
trust 동 믿다, 신뢰하다

B 해석 1. 김민호는 야구 선수이다. 모든 한국인이 그를 안다.
→ 김민호는 모든 한국인이 아는 야구 선수이다.
2. 그 책들은 매우 유용했다. 너는 내게 그것들을 빌려주었다.
→ 네가 나에게 빌려주었던 그 책들은 매우 유용했다.
3. 나는 그 문제들을 풀기를 원한다. 우리는 몇 달 전에 그것들과 직면했다.
→ 나는 우리가 몇 달 전에 직면한 그 문제들을 풀기를 원한다.
4. 그 남자는 내 남동생이다. 너는 그를 월요일에 만났다.
→ 네가 월요일에 만났던 남자는 내 남동생이다.

해설 1. 주어진 두 문장에서 중복되는 요소는 a baseball player(him)이고, 사람을 나타내는 선행사가 된다. 뒤 문장에서 중복되는 요소가 목적어 역할을 하므로 목적격 관계대명사 who(m) 또는 that을 써야 한다.
2. 주어진 두 문장에서 중복되는 요소는 those books(them)이고, 사물을 나타내는 선행사가 된다. 뒤 문장에서 중복되는 요소가 목적어 역할을 하므로 목적격 관계대명사 which 또는 that을 써야 한다.
3. 주어진 두 문장에서 중복되는 요소는 the

problems(them)이고, 사물을 나타내는 선행사가 된다. 뒤 문장에서 중복되는 요소가 목적어 역할을 하므로 목적격 관계대명사 which 또는 that을 써야 한다.

4. 주어진 두 문장에서 중복되는 요소는 the man (him), 또는 my brother(him)이고, 사람을 나타내는 선행사가 된다. 뒤 문장에서 중복되는 요소가 목적어 역할을 하므로 목적격 관계대명사 who(m) 또는 that을 써야 한다.

단어·숙어 useful ⓗ 유용한
face ⓓ 직면하다, 마주하다
several ⓗ 몇몇의

C 해설 1. 'allow+목적격+to부정사'의 형태로 완성한다.
2. 'tell+목적격+to부정사'의 형태로 완성한다.
3. 'want+목적격+to부정사'의 형태로 완성한다.
4. 'ask+목적격+to부정사'의 형태로 완성한다. '항상'이라는 뜻의 빈도부사 always의 위치는 일반동사 앞에 와야 한다.

단어·숙어 dessert ⓜ 후식
salty ⓗ 짠
avoid ⓓ 피하다

D 해석 오늘은 새 학교의 첫날이었다. 모든 것이 새롭고 흥미롭게 보였다. 1교시는 영어였다. 영어는 내가 가장 좋아하는 과목이다. 영어 선생님이 들어오셨고 수업을 막 시작하려고 했다. 그런데 나는 내 교과서를 가져오는 것을 잊어버렸다! 나는 내 반 친구에게 그의 책을 같이 보자고 요청해야만 했다.

해설 1. the subject는 사물을 나타내는 선행사이므로 관계대명사 which나 that을 써야 한다.
2. '~에게 …하도록 요청하다'라는 뜻의 동사 ask는 목적격 보어 자리에 to부정사 형태를 취한다.

단어·숙어 period ⓜ 교시
be about to 막 …하려고 하다

단원 종합 평가

pp. 106~108

1. ③ 2. ③ 3. ① 4. ⑤ 5. ② 6. ⑤ 7. ⑤ 8. ② 9. ① 10. ④ 11. ③ 12. ③ 13. The teacher asked the students to be on time. 14. ④ 15. him 16. that 17. ④ 18. someone whom they loved 19. ④ 20. ③ 21. the maps at bus stops in Seoul 22. ④ 23. ④ 24. ① 25. ③

1

듣기 대본
G: What is this week's bestseller?
M: *Science Tour* is the most popular book this week.
G: What is it about?
M: It's about a boy who takes a tour to another planet.
G: Sounds interesting. Where can I find *Science Tour*?
M: Let me help you. It's in the science section over there.

해석
G: 이번 주 베스트셀러가 무엇인가요?
M: '과학 여행'이 이번 주에 가장 인기 있습니다.
G: 무엇에 관한 내용인가요?
M: 한 소년이 다른 행성으로 여행 가는 내용입니다.
G: 재미있겠네요. '과학 여행'은 어디에서 찾을 수 있나요?
M: 도와 드릴게요. 저쪽의 과학 구역에 있습니다.

해설 가장 잘 팔리는 책이 무엇이고, 무엇에 관한 내용인지 또 그 책은 어디에 있는지 묻고 있으므로 두 사람은 ③ '서점'에서 대화하고 있음을 알 수 있다.
① 학교 ② 공항 ④ 미술관 ⑤ 과학 실험실

단어·숙어 bestseller ⓜ 베스트셀러, 가장 잘 팔리는 것
popular ⓗ 인기 있는
planet ⓜ 행성
section ⓜ 구역, 부분
art gallery 미술관, 화랑
science lab 과학 실험실

2

듣기 대본
G: Happy birthday, Dad! I got this for you.
M: How wonderful! What is it?
G: I made this birthday cake with James. He helped me bake it.
M: Thanks a lot. I love it.
G: I'm glad you like it.

해석
G: 생신 축하드려요, 아빠! 아빠를 위해 준비했어요.
M: 정말 멋지구나! 뭐니?
G: 이 생일 케이크를 James와 함께 만들었어요. 그는 케이크 굽는 것을 도와주었어요.
M: 정말 고맙다. 마음에 드는구나.
G: 아빠가 좋아하시니 기뻐요.

해설 I made this birthday cake with James.에서 여자는 James와 함께 케이크를 만들었다는 것을 알 수 있으므로 일치하지 않는 것은 ③ '소녀는 케이크를 혼자서 만들었다.'이다.

① 오늘은 아빠의 생신이다.
② 소녀는 아빠에게 케이크를 드렸다.
④ James는 케이크 만드는 법을 알았다.
⑤ 아빠는 그의 딸이 준 선물을 좋아했다.

단어·숙어 bake ⑧ 굽다
all by oneself 혼자서

3 듣기 대본
G: Suho, are you okay with your English quiz result?
B: No, I feel bad about my score. I don't know what to do.
G: Well, I was like you before. But my English has improved a lot now.
B: Then could you be my mentor for English?
G: OK. Let me help you.

해석 G: 수호야, 영어 시험 결과에 만족하니?
B: 아니, 내 점수에 기분이 좋지 않아. 무엇을 해야 할지 모르겠어.
G: 음, 나도 예전에 너와 비슷했어. 그렇지만 내 영어는 지금 많이 향상되었어.
B: 그럼 나의 영어 멘토가 되어 줄래?
G: 그래. 내가 도와줄게.

해설 남자가 마지막에 여자에게 멘토가 되어 줄 것을 부탁하고 있으므로 도움을 수락하는 여자의 응답으로 ① '그래. 내가 도와줄게.'가 오는 것이 가장 적절하다.
② 음, 내가 전에 너를 도와줬었지.
③ 나는 선생님께 도움을 받았어.
④ 아마도 지민이가 너를 도울 수 있을 거야.
⑤ 물론이지. 나는 교과서로 배웠어.

단어·숙어 improve ⑧ 향상시키다
mentor ⑱ 멘토

4 해석 ① A: Robert, 너를 위해 준비했어. 나는 미술 수업 시간에 이것을 만들었어.
B: 정말 멋지다. 정말 마음에 들어.
② A: 너의 아이디어가 내 것보다 훨씬 더 나은 것 같아.
B: 네가 맘에 들어 해서 기뻐.
③ A: 내 컴퓨터로 무엇을 해야 할지 모르겠어.
B: 걱정하지 마. 내가 도와줄게.
④ A: 그것을 다시 읽어 보는 게 어때? 그럼 이해하게 될 거야.
B: 알려 줘서 고마워.
⑤ A: 네가 원하면 내가 너에게 도움을 줄 수 있어.
B: 내가 도와줄게.

해설 ⑤ A는 B에게 도움을 제안하고 있으므로 되레 도움을 다시 제안하는 B의 응답은 자연스럽지 않다.

5 해석 A: 내가 도와줄까? 피곤해 보인다. 내가 너의 숙제를 도와줄게.
B: 도와줘서 고마워.

해설 도움을 제안하는 A의 말에 ② '도와줘서 고마워.'라고 답하는 것이 알맞다.
① 비안하지만, 그럴 수 없어.
③ 괜찮아. 그가 할 수 있어.
④ 그를 도와줘서 고마워.
⑤ 내가 도와줄게.

단어·숙어 give ... a helping hand …에게 도움을 주다

6 해석 A: 제가 어버이날을 위해 이 쿠키들을 만들었어요. 우리는 멋진 파티를 할 거예요!
B: 멋지다! 네 덕분에 완벽한 어버이날이 될 거야.
A: 마음에 드신다니 기뻐요.

해설 ⑤ 상대방이 기뻐하며 칭찬하는 말에 응답하는 말로 '마음에 드신다니 저도 기뻐요'가 되도록 해야 하는데 feel sorry는 '유감이다'라는 뜻이므로 알맞지 않다.

7~8
해석 A: 다시 돌아온 걸 환영해, Brian. 이제 좀 괜찮아졌니?
B: 응, 고마워. 나는 병원에서 스스로 공부하려고 노력했는데, 어려웠어.
A: 내가 도와줄게. 우리 공부 모임에 합류하는 게 어때?
B: 공부 모임을 시작했니? 멋지다.
A: 고마워. 네게 정말 도움이 될 거야.
B: 동의해. 훌륭한 회원이 되기 위해 열심히 노력할게.
A: 내 생각을 좋아해 줘서 기뻐.

7 해설 ⑤ 자신이 상대방에게 해 준 일로 기쁨을 나타내는 표현인 I'm glad you like my idea.가 알맞다.

8 해설 '어려운'과 '열심히' 두 개의 뜻을 모두 가지는 단어는 ② hard이다.

9 해석 그는 공중전화 중 하나에 동전들을 붙일 것이다.
① 부서진 조각들을 풀로 붙여라.
② 우리는 불을 피우기 위해 마른 나뭇가지들을 모았다.
③ 하키를 하기 위해서, 우리는 단단한 막대가 필요하다.
④ 간호사가 내 팔에 바늘을 찌를 예정이었다.
⑤ 나는 보통 내 책상 서랍에 종이들을 집어넣는다.

해설 '붙이다'라는 뜻으로 쓰인 것은 ①이다.
② 나뭇가지 ③ 막대 ④ 찌르다 ⑤ 찔러 넣다

단어·숙어 broken ⑱ 부서진 glue ⑲ 풀
collect ⑧ 모으다, 수집하다 hockey ⑲ 하키(운동 경기)

hard ⓗ 단단한　　　drawer ⓜ 서랍

10 해석 • 그는 더 나은 학급을 만들기 위한 좋은 생각이 떠올랐다.
• 정부는 31번가에 도로 표지판을 더 설치하기로 결정했다.

해설 come up with (생각이) 떠오르다
put up …을 설치하다

단어·숙어 government ⓜ 정부
decide ⓢ 결정하다
road sign 도로 표지판
avenue ⓜ 거리, -가

11 해석 경험이 더 적고 주로 나이가 더 어린 사람을 가르치거나 도움과 충고를 해 주는 사람

해설 영영 풀이에 알맞은 단어는 ③ mentor(멘토)이다.
① 학급 친구 ② 자원봉사 ④ 멘티 ⑤ 회원, 구성원

12 해석 ① 나는 10달러가 넘는 생일 선물을 받았다.
② 이것들은 물속에 사는 동물들이다.
③ 저 남자는 내가 TV에서 본 변호사이다.
④ 내 할아버지는 탁자 위에 있는 잡지를 가져가셨다.
⑤ 그 소년은 피아노를 잘 치는 소녀와 사랑에 빠졌다.

해설 목적격 관계대명사는 생략할 수 있는데, ③의 that절에는 seen의 목적어가 없으므로 목적격 관계대명사로 쓰였음을 알 수 있다. 나머지 관계대명사는 주격이므로 생략할 수 없다.

단어·숙어 cost ⓢ (금액이) 들다
lawyer ⓜ 변호사
fall in love with …와 사랑에 빠지다

13 해설 '~에게 …하도록 요청하다'라는 뜻의 구문은 'ask+목적어+to부정사' 형태로 써야 한다.

단어·숙어 on time 제시간에

14 해석 ① 네가 어젯밤 만난 그 여자는 유명한 요리사이다.
② 나는 Kate가 떠올린 생각을 따라야 할 것 같다.
③ Mike가 아프리카에서 찍은 사진들은 아름다웠다.
④ 그 방에는 내가 모르는 사람들이 많다.
⑤ 우리는 내 친구 중 한 명이 추천한 식당을 방문했다.

해설 ④ 선행사가 many people로 사람이므로 관계대명사 which를 who(m)이나 that으로 고쳐야 한다. in the room은 people을 수식하는 수식어구로 선행사가 아니다.

단어·숙어 follow ⓢ 따르다
come up with (생각이) 떠오르다
recommend ⓢ 추천하다

15~16

해석 A: 무슨 일이니? 기분이 안 좋아 보여.
B: 응. 내 남동생이 내 장난감 로봇을 또 망가뜨렸어. 내가 로봇 가지고 놀 때 조심하라고 말했는데.
A: 유감이다. 아무도 찾을 수 없는 너의 비밀 상자에 로봇을 넣어 두는 게 어때?
B: 좋은 생각이다. 한번 시도해 볼게.

단어·숙어 careful ⓗ 조심스러운
give it a try 시도해 보다

15 해설 '~에게 …하라고 말하다'는 'tell+목적어+to부정사' 형태를 사용해 표현한다. 따라서 My brother를 가리키는 he의 목적격 him이 알맞다.

16 해설 선행사가 your secret box로 사물이므로 that이 알맞다.

17 해석 여기 내가 어제 읽은 두 이야기가 있어. 들어 볼래?
1. 여러분이 사랑하는 누군가에게 전화하세요
2. 멘토가 되어라
3. 빨간색 화살표 사나이
4. 행복한 냉장고 프로젝트
5. 비밀 계단

해설 자신이 어제 읽은 두 이야기에 대해 들어 볼 것을 제안하고 있으므로 이 글 뒤에는 그 두 이야기에 대한 내용이 이어질 것이다.

18~20

해석 뉴욕에는 길거리에 공중전화가 많이 있었다. 그러나 아무도 그것들을 실제로 사용하지 않았다. 어느 날, 한 남자에게 좋은 아이디어가 떠올랐다. 그는 공중전화 하나에 동전들을 붙였다. 그는 또한 "당신이 사랑하는 사람에게 전화하세요."라고 쓰인 표지판을 설치했다. 곧, 많은 사람들이 그 전화기를 사용했다. 그들이 사랑하는 누군가와 이야기하고 있을 때, 그들은 미소 짓는 것을 멈추지 않았다. 그의 아이디어는 커다란 성공이었다. 낮 동안, 모든 동전들이 사라졌다. 그 남자는 자신의 작은 아이디어가 많은 사람에게 행복을 가져다주었기 때문에 매우 행복했다.

18 해설 선행사 someone 뒤에 목적격 관계대명사 whom을 쓰고 관계대명사절의 주어와 동사인 they loved를 쓴다.

19 해설 그의 아이디어로 사랑하는 사람에게 전화하며 사람들이 행복을 느끼게 되었으므로 ④ happiness(행복)가 알맞다.
① 고통 ② 걱정 ③ 슬픔 ⑤ 외로움

20 해설 남자는 공중전화에 사랑하는 사람에게 전화하라는 표

지판을 설치하고 동전을 붙였으므로 ③은 stuck이 되어야 자연스럽다.

21~23

해석 몇 년 전, 서울의 버스 정류장 지도는 매우 혼란스러웠다. 지도에는 충분한 정보가 없었다. 사람들은 다른 사람들에게 지도를 설명해 달라고 요청해야 했다. "이 버스 정류장은 지도에 어디 있는 건가요?" "이 버스가 광화문으로 가나요?" 많은 사람들이 자주 버스를 잘못 타서 시간을 낭비하곤 했다.

어느 날, 한 청년이 이 문제를 해결하기로 결심했다. 매일 그는 자전거를 타고 서울 시내를 돌아다니며 버스 지도에 스티커를 붙였다. 아무도 그 청년에게 이 스티커 붙이는 일을 하라고 요청하지 않았다. 그의 노력 덕분에, 사람들은 지도를 쉽게 이해하고 시간을 절약할 수 있었다.

21 해설 충분한 정보가 없었던 것은 앞 문장에 나오는 '서울의 버스 정류장 지도(maps)'였다.

22 해설 주어진 문장에서 this는 '자전거를 타고 돌아다니며 버스 지도에 스티커를 붙이는 일'을 가리키므로 ④ 위치에 들어가는 것이 알맞다.

23 해설 ① 버스 도착 시간을 알려 주는 장치는 언급되지 않았다.
② 버스 정류장의 지도는 매우 혼란스러워 알아보기 어려웠다.
③ 직접 버스 운전기사에게 해결책을 요구했다는 내용은 언급되지 않았으며, 한 청년이 자발적으로 문제를 해결하고자 나섰다.
⑤ 화살표 스티커를 붙인 청년의 노력 덕분에 사람들이 지도를 쉽게 이해하게 되어 시간을 절약하게 되었다.

24~25

해석 내 이름은 세미이고 2학년입니다. 만약 내가 누군가의 멘토가 된다면, 나는 내 멘티의 숙제를 돕고 싶습니다. 나는 방과 후에 내 멘티를 만날 수 있습니다. 나는 나의 멘티에게 제시간에 올 것을 요청할 것입니다. 나는 좋은 멘토는 좋은 친구가 될 수 있다고 생각합니다. 그래서 나는 내 멘티가 믿을 수 있는 좋은 친구가 되어 주고 싶습니다.

24 해설 ① I'm in the second grade.에서 세미의 학년만 언급되어 있으므로 '세미의 멘티는 몇 학년인가요?'라는 질문에는 대답할 수 없다.
② 세미는 그녀의 멘티를 어떻게 도와주고 싶어 하나요?
③ 세미는 언제 그녀의 멘티를 만나고 싶어 하나요?
④ 세미는 그녀의 멘티에게 무엇을 하라고 요청할 것인가요?
⑤ 세미는 좋은 멘토가 무엇이라고 생각하나요?

25 해설 ③ 두 번째 문장 I want to help my mentee with her homework.에서 세미는 누군가의 멘토가 되어 방과 후에 숙제를 도와주고 싶어 한다고 했으므로 ③ '멘토 프로그램에 지원하기 위해'가 글을 쓴 목적으로 알맞다.
① 그녀의 멘티에게 조언을 해 주기 위해
② 그녀의 멘토의 도움에 감사하기 위해
④ 그녀의 멘토에게 좋은 친구가 되기 위해
⑤ 그녀의 멘티의 숙제를 도와주기 위해

서술형 평가

p. 109

1. |예시 답안|
   - wash the dishes for them • do the laundry

   When you are tired, I'll wash the dishes for you. / My pleasure.
2. (1) This is a T-shirt that my father gave me for my birthday.
   (2) This is a toy car that my sister gave me for my birthday.
3. |예시 답안|
   - be quiet • turn down your music

   you to be quiet / we are asking you to turn down your music

1 해석 부모님이 피곤하실 때 해 드리고 싶은 도움의 종류
- 마사지 해 드리기
- 설거지하기
- 빨래하기

A: 피곤하실 때 제가 마사지 해 드릴게요.
B: 고맙다.
A: 맘에 드신다니 기뻐요.

해설 부모님께 해 드리고 싶은 도움의 종류를 생각해 보고, 도움을 제안하고 감사 인사를 받았을 때 답하는 표현을 사용하여 대화를 완성한다.

단어·숙어 wash the dishes 설거지하다
do the laundry 빨래를 하다

2 해석 이것은 우리 엄마가 나에게 생일 선물로 주신 축구공입니다.
(1) 이것은 우리 아빠가 나에게 생일 선물로 주신 티셔츠입니다.
(2) 이것은 나의 여동생이 나에게 생일 선물로 준 장난감 자동차입니다.

해설 그림을 보고, 엄마와 아빠, 여동생이 준 선물을 사물

선행사에 맞는 목적격 관계대명사 that을 사용하여 문장을 완성한다.

3 해석 **도서관 규칙**
- 읽은 후에 책을 반납한다
- 조용히 한다
- 음악 소리를 줄인다

더 행복한 도서관이 되기 위해서, 우리는 책을 읽은 후에 반납할 것을 요청합니다. 또한, 우리는 조용히 할 것을 요청합니다. 마지막으로, 음악 소리를 줄일 것을 요청합니다.

해설 도서관에서 지켜야 할 규칙을 생각해 보고, '~에게 …할 것을 요청하다'라는 표현인 'ask+목적어+to부정사' 형태를 사용하여 작성한다.

Lesson 4

Word Preview Mini Test p. 118

A 1. bump 2. mosquito 3. scratch 4. sweat 5. Protein
B 1. prevent 2. buzz 3. sleeve 4. tiny 5. lay

A 해석 1. 그녀는 탁자에 부딪치면서 넘어져 이마에 큰 혹이 생겼다.
2. 때때로 모기 물린 자국은 며칠 동안 가려움이 지속된다.
3. 너는 네 자신의 등을 긁을 수 없다.
4. 그 주자는 마라톤 하는 동안 땀을 매우 많이 흘렸다.
5. 단백질은 영양의 매우 중요한 부분이다.

단어·숙어 fall against …에 넘어지다
forehead ⑱ 이마
continue ⑧ 계속되다
runner ⑱ 달리는 사람, 주자
heavily ⑭ 매우
nutrition ⑱ 영양

B 해석 1. …을 예방하다: 어떤 것이 일어나는 것을 막다
2. 윙윙거리다: 날아다니는 곤충처럼 낮고 연속적인 소리를 만들다
3. (옷의) 소매: 팔의 전체나 한 부분을 가리는 셔츠, 재킷 등의 부분
4. 아주 작은: 매우 작은
5. (알을) 낳다: 몸 바깥으로 알을 생산하다

단어·숙어 continuous ⑱ 연속적인
insect ⑱ 곤충
produce ⑧ 생산하다

Let's Read ❶ Mini Test p. 121

1. something cold to drink
2. ⓐ done ⓑ finished

해설 1. -thing으로 끝나는 대명사는 형용사가 뒤에서 수식하고 to부정사가 올 경우 '-thing+형용사+to부정사'의 순서로 쓴다.
2. 앞에 각각 have와 've가 있으므로 현재완료 시제를 만드는 과거분사가 알맞다.

Let's Read ❷ Mini Test p. 123

A 1. F 2. T
B protein, lay

A 해설 1. 모든 모기가 아니라 암컷 모기만이 피를 마신다고 했으므로 일치하지 않는다.
2. 모기는 길고 뾰족한 입을 가지고 있어서 피를 쉽게 마실 수 있다고 했으므로 일치한다.

B 해석 Q: 왜 암컷 모기는 피를 마시는가?
A: 그들은 알을 낳기 위해서 핏속의 단백질이 필요하다.

해설 암컷 모기가 피를 마시는 이유에 대해 묻고 있으므로 '그들은 알을 낳기(lay) 위해 핏속의 단백질(protein)이 필요하다'라는 대답이 되어야 한다.

Let's Read ❸ Mini Test p. 125

A scratch, cool, long, sleeves
B will go back to the river

A 해석 모기에 물렸을 때, 그곳을 긁지 않도록 해라. 그곳을 알코올 솜으로 닦아라. 그것은 가려움을 줄여 줄 것이다. 모기에 물리는 것을 예방하기를 원한다면, 시원하게 지내고, 소매가 긴 옷을 입어라.

해설 모기한테 물려서 부어오른 자국이 생기면 긁지 말라고 했고, 모기에 물리는 것을 예방하려면 시원하게 지내고 소매가 긴 옷을 입으라고 했다.

B 해석 Q. 모기는 이 대화 후에 어디로 가는가?
A. 그녀는 강으로 돌아갈 것이다.

해설 서준이가 모기에게 어디로 가느냐고 묻자, 모기는 강으로 돌아가려고 한다고 대답했다.

Word Check

p. 129

A 1. 굵다 2. 혹 3. 그때에
4. …으로 고통 받다 5. 산책하다 6. million
7. protein 8. buzz 9. mosquito
10. tiny

B 1. itchy 2. sweaty 3. pointed

C 1. feed 2. sleeve 3. blood
4. male 5. lay

B 해석 1. 모기가 나를 물어서 지금 물린 자국이 진짜 가렵다.
2. 무슨 일이야? 너 얼굴이 빨갛고 땀범벅이야.
3. 많은 뾰족한 이빨을 가진 커다란 상어들이 있다.

단어·숙어
huge 형 큰, 거대한
shark 명 상어

C 해석 1. 하이에나들은 죽은 작은 동물과 새를 먹고산다.
2. 나는 내 소매로 눈물을 닦았다.
3. 그녀는 적십자에서 캠페인을 할 때 헌혈했다.
4. 남자 모델들이 그들의 근육을 자랑한다.
5. 뻐꾸기들은 다른 새들의 둥지에 그들의 알을 낳는다.

단어·숙어
hyena 명 하이에나
dead 형 죽은
wipe away 닦다
donate 동 기부하다
the Red Cross 적십자
campaign 명 캠페인
show off 자랑하다
muscle 명 근육
cuckoo 명 뻐꾸기
nest 명 둥지

Grammar Check

p. 134

A 1. seen 2. become 3. has collected
4. Have you ever watched

B 1. 계속 2. 경험 3. 완료
4. 계속 5. 경험

C 1. have known 2. haven't, finished
3. has taught

D 1. something cold to drink
2. never do anything wrong
3. something delicious to eat

A 해석 1. Jessica와 나는 오랫동안 서로를 못 봤다.
2. K-pop의 인기는 이미 세계적인 이슈가 되었다.
3. 우리 언니는 2010년부터 다른 나라 동전들을 수집하고 있다.
4. 너는 이전에 Tom Cruise가 주연한 영화를 본 적이 있니?

해설 1. 과거부터 현재까지 오랫동안 못 봤으므로 현재완료 시제가 알맞고, see의 과거분사형은 seen이다.
2. 과거부터 현재까지 세계적인 이슈가 되어 왔으므로 현재완료 시제가 알맞고, become의 과거분사형은 become이다.
3. 2010년부터 지금까지 수집해 왔으므로 현재완료 시제가 와야 한다.
4. Tom Cruise가 주연한 영화를 본 경험을 묻고 있으므로 현재완료 시제가 와야 한다.

단어·숙어
boom 명 붐, 인기
global 형 세계적인
issue 명 이슈, 사안
star 동 주연을 맡다

B 해석 1. 세계 인구는 산업 혁명 이후로 증가하고 있다.
2. 너는 제주도를 지금까지 몇 번이나 가 봤니?
3. 우리는 아직 어떤 것도 하지 않았다.
4. 일주일 동안 내 컴퓨터에 문제가 있어 왔다.
5. 나는 일본어를 배워 본 적이 없지만 배워 보고 싶다.

해설 1. 산업 혁명 이래로 계속 인구가 증가해 왔다는 '계속'의 의미이다.
2. 지금까지 제주도에 몇 번이나 가 봤는지 '경험'을 묻고 있다.
3. 아직 어떤 것도 '완료'하지 못했다는 의미이다.
4. 일주일 동안 계속 컴퓨터에 문제가 있어 왔다고 말하고 있으므로 '계속'에 해당한다.
5 일본어를 배워 본 '경험'이 없다고 말하고 있다.

단어·숙어
population 명 인구
the Industrial Revolution 산업 혁명
so far 지금까지

C 해석 1. 우리는 십 년 동안 서로를 알아 왔다.
2. 왜 너는 숙제를 끝마치지 못했니? 너는 여전히 하고 있구나.
3. Emily는 중학생들에게 오 년 동안 영어를 가르쳐 왔다.

해설 1. '서로를 십 년 간 알아 왔다'는 내용이 되어야 하므로 have known의 형태가 와야 한다.
2. 아직도 숙제를 끝마치지 못했으므로 부정의 현재완료 시제를 동사 finish를 사용하여 쓴다.
3. '오 년 동안 학생들을 가르쳐 왔다'는 내용이므로 teach를 사용하여 현재완료 시제로 쓴다.

D 해석 1. 저에게 시원한 마실 것을 주실 수 있나요?
2. 너의 아들은 틀린 일은 절대로 하지 않을 것이다.
3. 나는 맛있는 먹을 것을 살 것이다.

해설 1. 형용사 cold는 something 뒤에서 수식하고, to부정사는 형용사 뒤에 온다.
2. 부사 never는 조동사와 일반동사 사이에 위치하고, 형용사 wrong은 anything 뒤에서 수식한다.
3. 형용사 delicious는 something 뒤에서 수식하고, to부정사는 형용사 뒤에 온다.

단원 종합 평가

pp. 140~142

1. ③ 2. ① 3. ② 4. ④ 5. sorry 6. ⑤ 7. ④ 8. ① 9. ② 10. ④ 11. with something sharp 12. ② 13. ③ 14. ⑤ 15. Junho has had the(his) smartphone since last year. 16. ④ 17. something 18. ② 19. hot 20. ④ 21. ③ 22. ⑤ 23. stay, cool, and, wear, long, sleeves 24. I'll keep your advice in mind. 25. ④

1

듣기 대본
G: Minho, why the long face?
B: Hi, Mina. Actually, my grandmother passed away three days ago.
G: Oh my god! I'm sorry to hear that. I remember the delicious cookies she made.
B: Yeah, I miss her so much.

해석
G: 민호야, 왜 우울한 얼굴을 하고 있니?
B: 안녕, 미나야. 사실은 할머니가 3일 전에 돌아가셨어.
G: 저런! 그 말을 들으니 유감이다. 할머니가 만들어 주셨던 맛있는 쿠키를 기억하는데.
B: 응, 할머니가 많이 그리워.

해설 남자의 할머니가 돌아가셨고 많이 그리워하므로 남자는 지금 ③ '슬플' 것이다.
① 자랑스러운 ② 만족하는 ④ 불안한 ⑤ 감사하는

단어·숙어
actually ㊫ 사실은
pass away 돌아가시다, 죽다

2

듣기 대본
G: I think exercising is the best way to stay healthy.
B: I agree. Why don't you play tennis with me?
G: Okay. Make sure you drink a lot of water when you play sports.
B: Okay. I'll keep that in mind.

해석
G: 운동이 건강을 유지하는 데 가장 좋은 방법인 것 같아.
B: 나도 동의해. 나와 같이 테니스 치는 게 어때?
G: 그래. 운동을 할 때는 반드시 물을 많이 마셔야 해.
B: 그래. 명심할게.

해설 여자는 남자에게 운동을 할 때 ① '물을 많이 마시기'를 당부하고 있다.
② 그의 가족들과 운동하기
③ 즉시 병원에 가기
④ 탁구와 같은 실내 운동하기
⑤ 그의 개와 함께 산책하기

단어·숙어
exercise ㊐ 운동하다
work out 운동하다
immediately ㊫ 즉시
indoor sports 실내 운동
table tennis 탁구

3

듣기 대본
G: It's so hot. I'm sweating.
B: Me, too. Would you like some fruit?
G: Sounds great! Did you put it in the refrigerator?
B: Well, I forgot to keep it cold.
G: Oh dear! Remember to keep all food in a cool, dry place especially in summer.
B: Okay, I will.

해석
G: 날씨가 너무 더워. 땀이 나.
B: 나도. 과일 좀 먹을래?
G: 좋아! 냉장고에 넣어 놨었니?
B: 음, 시원하게 두는 걸 잊어버렸어.
G: 오 저런! 특히 여름에는 모든 음식을 시원하고 건조한 곳에 두는 것을 기억해.
B: 응, 그럴게.

해설 두 사람은 여름에는 음식을 시원하고 건조한 곳에 보관해야 한다며 ② '여름철 음식 보관법'에 대해 이야기하고 있다.

단어·숙어
sweat ㊐ 땀을 흘리다
refrigerator ㊔ 냉장고
especially ㊫ 특히

4

해석
A: 나는 열심히 공부했는데 시험에서 C를 받았어.
B: ______________________________

해설 ④ '미안하지만, 나는 안 되겠어.'는 어떤 제안에 대한 거절 표현으로 나쁜 소식을 들었을 때 유감을 표현하는 말로 어울리지 않는다.
① 오 저런! ② (그 이야기를 들으니) 기분이 좋지 않구나. ③ 그것 참 안됐다. ⑤ 저런 안됐다.

5 해석 A: 나는 심한 감기에 걸려서 머리가 아파.
B: 그 말을 들으니 유감이다.

해설 좋지 못한 소식을 들었을 때 유감이나 동정의 표현으로 '그 말을 들으니 유감이다'라는 뜻이 되도록 빈칸에는 sorry가 들어가야 한다.

단어·숙어 headache ⓜ 두통

6 해석 A: 학교 소풍을 위한 모든 것을 확인했니?
B: 네. 지금 가방을 싸고 있어요.
A: 날씨는 확인했니?
B: 아니요, 아직이요.
A: 반드시 우산을 가져가도록 해. 내일 비가 내릴지도 몰라.

해설 우산을 가져가라는 당부, 조언의 말은 짐을 싸는 사람이 아닌 A가 하는 것이 자연스러우며, 비가 내릴 것이라는 말 앞에 나오는 것이 자연스러우므로 ⑤가 알맞다.

단어·숙어 school trip 학교 소풍
pack ⓢ (짐을) 싸다

7~8

해석 A: 아빠, 살충제 있나요?
B: 응, 싱크대 밑에 있어. 왜 그러니?
A: 쓰레기 주변에 초파리가 많아요.
B: 오 이런! 쓰레기 안에 무엇을 넣었니?
A: 과일 쓰레기요.
B: 초파리는 단것을 좋아해. 쓰레기통 안에 과일 쓰레기를 절대 넣지 마라.
A: 그 점을 명심할게요. 우리가 쓰레기통도 더 자주 비워야 할 것 같아요.
B: 좋은 생각이야.

단어·숙어 bug spray 살충제
sink ⓜ (부엌의) 싱크대
fruit fly 초파리
waste ⓜ 쓰레기

7 해설 A가 명심하겠다고 한 내용은 앞서 B가 조언한 ④ '과일 쓰레기를 쓰레기통에 넣지 않기'이다.
① 초파리에게 살충제를 사용하기
② 더 많은 과일 쓰레기를 만들지 않기
③ 쓰레기통을 더 자주 비우기
⑤ 부엌에서 단것을 제거하기

단어·숙어 empty ⓢ 비우다
take out 가져가다, 제거하다

8 해설 두 사람은 ① '초파리가 생기지 않게 하는 방법'에 대해 이야기하고 있다.
② 살충제로 곤충을 없애는 방법
③ 쓰레기통을 비우는 효과적인 방법
④ 쓰레기통에 무엇을 넣을 것인가
⑤ 살충제의 부작용

단어·숙어 prevent ⓢ 막다, 방지하다
insect ⓜ 곤충
effective ⓗ 효과적인
side effect 부작용

9 해설 나머지는 유의어 관계이나, ② '수컷-암컷'은 반의어 관계이다.
① 작은 ③ 느끼다, 감지하다 ④ 막다 ⑤ 뾰족한

10 해설 '…으로 고통 받다'라는 말 뒤에 ④ '건강함'은 어울리지 않는다.
① 햇볕에 심하게 탐 ② 가려움
③ 두통 ⑤ 모기에 물림

11 해석 긁다: 표면을 날카로운 무언가로 문지르다
해설 something은 형용사 sharp가 뒤에서 수식한다.

단어·숙어 rub ⓢ 문지르다
surface ⓜ 표면
sharp ⓗ 날카로운

12 해설 ① eat – eaten ③ lose – lost
④ give – given ⑤ catch – caught

13 해설 '…에 가 본 적이 있다'는 경험은 현재완료 시제를 사용하여 have been으로 써야 한다. ④ have gone은 그곳에 가 버려서 현재 주어가 대화하는 장소에 없다는 뜻이다.

단어·숙어 twice ⓟ 두 번

14 해석 ① 그는 작년에 한국을 떠났다.
② 나는 따를 정직한 누군가를 만났다.
③ 그녀에게는 무언가 특별한 것이 있다.
④ 숙제를 마쳤니?
⑤ 그는 은행에서 2017년부터 일했다.

해설 ① last year(작년)는 과거 시제와 함께 쓰인다.
② someone은 형용사 honest가 뒤에서 수식하고, 형용사 뒤에 to부정사가 오는 어순을 취한다.
③ 형용사 special은 something 뒤에서 수식해야 한다.
④ 현재완료 시제로 Did를 Have로 바꾸거나, 과거 시제로 finished를 finish로 써야 한다.

15 해석 • 준호는 작년에 스마트폰을 샀다.
• 그는 아직도 그것을 가지고 있다.

해설 작년부터 지금까지 스마트폰을 가지고 있으므로 현재 완료 시제 has had를 쓰고, since는 '… 이래로'라는 의미로 뒤에 과거의 특정 시점을 쓴다.

16 해석 ① 이틀 동안 비가 내렸다.
② Jim과 그의 가족은 방금 저녁을 먹었다.
③ 그녀는 일본에 여러 번 가 봤다.
④ 지아는 외국어를 배워 본 적이 전혀 없다.
⑤ 그는 아직 결정을 내리지 못했다.

해설 ④ 현재완료 시제의 부정형은 never나 not을 써서 나타내는데 hasn't와 never가 둘 다 있으므로 has never learned 또는 hasn't learned가 되어야 한다.

17~19

해석 무더운 여름 저녁이었습니다. 서준이는 공원에서 산책을 했습니다. 곧, 그는 땀을 흘리고 있었습니다.

서준: 목말라. 뭔가 시원한 것을 마시고 싶어.

그때에, 뭔가 작은 것이 그에게로 날아와서 그의 팔을 물었습니다.

모기: 이 봐, 네가 할 수 있다면 나를 잡아 봐.

서준: 너는 누구니? 나한테 무슨 짓을 한 거지?

모기: 나는 모기야. 난 방금 저녁 식사를 마쳤어.

17 해설 첫 번째 빈칸에는 '시원한 무언가'라는 뜻이, 두 번째 빈칸에는 '조그마한 무언가'라는 뜻이 되어야 하고, 각각 형용사 cold와 tiny가 뒤에서 꾸며 주고 있으므로 대명사 something이 와야 한다.

18 해석 ① 그는 그의 일생 동안 미국에 살았다.
② 나는 이미 숙제를 끝냈다.
③ 나는 그 충격적인 뉴스를 들어 본 적이 없다.
④ 아마도 그녀는 전에 한국 음식을 먹어 본 적이 없을 것이다.
⑤ 학생들은 그들의 학교에서 인터넷을 여러 번 사용해 보았다.

해설 밑줄 친 부분과 ②는 just(막, 방금), already(이미)와 함께 쓰여 '완료'의 의미를 나타내는 현재완료 시제이다. ①은 '계속', ③~⑤는 '경험'의 의미를 나타낸다.

19 해석 Q: 서준이는 왜 땀을 흘리고 있었는가?
A: 왜냐하면 날씨가 더웠기 때문이다.

해설 서준이는 더운 여름날에 산책을 나갔다가 땀을 흘렸다.

20~22

해석 서준: 너는 어디에서 왔니?

모기: 나는 근처 강에서 왔어.

서준: 너는 어떻게 강에서부터 내 냄새를 맡을 수 있었지?

모기: 모기들은 열과 냄새를 아주 잘 감지해. 그래서 우리가 수백만 년 동안 살아남은 거야.

서준: 모든 모기가 너처럼 피를 마셔?

모기: 아니. 오직 나와 같은 암컷 모기만이 피를 마셔. 수컷 모기들은 단지 과일과 식물의 즙만을 먹고살아.

서준: 그거 재미있네. 그럼 너는 왜 피를 마시는 거야?

모기: 알을 낳으려면 핏속의 단백질이 필요해.

서준: 너는 피를 어떻게 마시는 거야? 날카로운 이빨이 있니?

모기: 아니, 나는 이빨이 없어. 하지만 길고 뾰족한 입이 있지. 그래서 나는 너의 피를 쉽게 마실 수 있는 거야.

20 해설 '…같이, …처럼'의 뜻에 해당하는 전치사는 ④ like이다.

21 해설 암컷 모기만이 알을 낳기 위해 핏속의 단백질이 필요하다고 했다.

22 해석 Q: 서준이는 모기와 무엇을 하고 있는가?
A: 그는 모기와 인터뷰하는 중이다.

해설 서준이는 모기에게 궁금한 점을 물으며 ⑤ '인터뷰'를 하고 있는 중이다.
① 논쟁 ② 싸움 ③ 시험 ④ 저녁 식사

23~25

해석 서준: 네가 나를 문 다음에 부어오른 자국이 생겼어. 가려워.

모기: 그 얘기를 들으니 유감이군. 그것을 긁지 않도록 해. 또한, 그것을 알코올 솜으로 닦아.

서준: 알코올 솜? 나는 전에 그것을 한 번도 해 보지 않았어.

모기: 그것은 가려움을 줄여 줄 거야.

서준: 알았어, 집에서 한번 해 볼게. 고마워.

모기: 이제 가야겠어. 다음에 보자.

서준: 기다려! 많은 사람들이 모기에 물려서 고통 받고 있어. 어떻게 우리가 모기에 물리는 것을 막을 수 있을까?

모기: 시원하게 지내고 소매가 긴 옷을 입어.

서준: 고마워. 너의 충고를 명심할게.

23 해석 모기 물리는 것을 막기 위해 시원하게 지내고 소매가 긴 옷을 입도록 해.

해설 서준이가 모기 물리는 것을 막을 방법에 대해 묻자 모기는 Stay cool and wear long sleeves.라고 당부하고 있다.

24 해설 '…을 명심하다'는 keep … in mind 표현을 사용한다.

25 해설 ④ 서준이는 한 번도 알코올 솜으로 모기 물린 자리를 닦아 본 적이 없다.

서술형 평가

p. 143

1. |예시 답안|
   (1) have a toothache / That's too bad. / Make sure you go see a dentist.
   (2) cannot focus on classes / I'm sorry to hear that. / Don't forget to get lots of rest.
2. (1) has / finished(done) his homework
   (2) hasn't eaten lunch
   (3) has eaten(had) lunch
3. have been to / have eaten(had) / made(built)

1 해석 A: 나 배탈이 난 것 같아.
B: 그렇다니 안됐구나.
A: 내가 무엇을 해야 할까?
B: 찬물을 마시지 않도록 해.

해설 상대방의 문제에 유감이나 동정의 말을 할 때에는 I'm sorry to hear that. / That's too bad. 등의 표현을 쓰고, 당부의 표현으로는 Make sure you ... . 또는 Don't forget to ... . 등을 사용하여 완성한다.

2 해석 (1) 준수는 막 그의 숙제를 끝마쳤다.
(2) 준수는 아직 점심을 먹지 않았다.
(3) 준수는 한 시간 동안 점심을 먹었다.

해설 12시 30분에는 준수는 막 숙제를 끝냈고, 아직 점심을 먹지 않았으며, 12시 31분부터 한 시간 동안 점심을 먹었다.

3 해석 나는 나의 가족과 속초에 가 본 적이 있다. 우리는 그곳에서 냉면을 두 번 먹어 본 적이 있다. 그것은 맛있었다. 또한, 나와 내 여동생은 우리가 처음 그곳을 갔을 때 해변에서 모래성을 만들었다. 나는 우리가 곧 다시 속초를 방문하기를 바란다.

해설 첫 번째, 두 번째 빈칸에는 경험을 나타내는 현재완료 시제를 쓰고, '우리가 처음 그곳에 갔을 때'라는 명백한 과거 시점이 있는 세 번째 빈칸에는 과거 시제를 쓴다.

단어·숙어 noodle ⓝ 국수
build a sandcastle 모래성을 쌓다(만들다)

1학기 중간고사

pp. 146~150

1. ⑤ 2. ③ 3. ③ 4. ① 5. ④ 6. ③ 7. ③ 8. ⑤ 9. ③ 10. ④ 11. Why, don't / How, about 12. ⑤ 13. ④ 14. ③ 15. ④ 16. ③ 17. ② 18. The other change is breaking one of my bad habits. 19. ⑤ 20. ③ 21. ④ 22. ② 23. ⓐ a table or a desk ⓑ windows 24. ② 25. that 26. ⑤ 27. (1) Other → The other (2) take → will take
28. |예시 답안| health, exercise regularly
29. (1) I went to Australia which/that was a beautiful place to visit.
(2) I saw a woman who/that was carrying her baby in her arms.
30. learn how to be safe in an earthquake

1 해설 ⑤ '자연재해'가 ①~④의 단어를 모두 포함한다.
① 토네이도 ② 화산 ③ 폭설 ④ 지진

2 해석 ① 다치다(→ 보호하다): 누군가나 무언가가 해로움을 당하는 것으로부터 지키다
② 생존하다(→ 잊어버리다): 무언가를 생각하거나 기억해 낼 수 없다
③ 부상: 해로움 또는 피해
④ 결정하다(→ 깨물다): 이를 가지고 누군가를 누르거나 자르다
⑤ 지혜(→ 손잡이): 손에 의해 잡혀질 수 있도록 특별히 디자인된 부분

해설 ③은 injury의 영영 풀이이며, ①은 protect, ②는 forget, ④는 bite, ⑤는 handle에 해당하는 영영 풀이이다.

3 해석 • 너는 휴식을 취해야 한다.
• 지진 발생 시 탁자 아래로 숨어라.

해설 take a break는 '휴식을 취하다'라는 의미이고, take cover는 '숨다'라는 의미이다. 따라서 빈칸에는 take가 알맞다.

단어·숙어 take a break 휴식을 취하다
take cover 숨다

4 해석 나는 손톱을 물어뜯곤 했다. 이제 나는 나쁜 습관을 버렸다. 나는 그것을 더 이상 하지 않는다.

해설 not ... anymore는 '더 이상 …하지 않다'라는 의미이다.

5~7

해석 A: 준수야, 너 그거 아니? 나는 그림 수업을 들을 생각이야.
B: 정말? 너는 왜 그림 수업을 들으려고 결심했니, Emily?

A: 나는 예술 고등학교에 가고 싶어서야.
B: 너는 장래에 예술가가 될 생각이니?
A: 그러길 바라. 나는 그림 그리는 것에 관심이 있거든.
B: 그거 잘됐다. 네 꿈이 이뤄지기를 바라.
A: 고마워. 최선을 다할게.

5 해설 ⓐ of가 전치사이므로 뒤에 동명사인 taking이 와야 한다.
ⓑ decide는 to부정사를 목적어로 취하는 동사이므로 to take가 와야 한다.

6 해설 대화의 흐름상 그림 그리는 것을 좋아한다는 내용이 들어가야 하므로 ③ '싫어하다'는 알맞지 않다.

7 해설 Emily는 그림 그리는 것에 관심이 있다고 했으므로 일치하는 것은 ③이다.

8 해석 A: 이번 주 토요일에 너의 계획은 무엇이니?
B: 나는 영화를 볼 생각이야.

해설 밑줄 친 부분은 의도나 계획을 표현하는 말로 I'm planning to ... .와 바꿔 쓸 수 있다.
① 나는 영화를 봤다.
② 나는 영화를 보기로 결정했다.
③ 나는 지금 영화를 보고 있는 중이다.
④ 나는 영화를 보기로 계획했다.
⑤ 나는 영화를 볼 계획이다.

9 해석 A: 나는 폭설이 걱정돼.
B: 너는 실내에 있어야만 해.

해설 걱정에 대한 조언을 해주는 말이 와야 하므로 ③ '너는 실내에 있어야만 해.'가 알맞다.
① 나는 폭설을 생각 중이야.
② 왜 너는 실내에 있니?
④ 나는 눈을 좋아해.
⑤ 나는 실내에 있는 것을 좋아하지 않아.

10~12

해석 A: 어제 시립 도서관에서 큰 화재가 있었어.
B: 응, 들었어. 거기에 있었던 사람들이 걱정이 됐어.
A: 걱정하지 마. 모두 괜찮대. 사람들이 모두 안전 규칙을 따랐대.
B: 정말? 그 규칙이 뭔데?
A: 너는 젖은 수건으로 코와 입을 가려야만 해. 그러고 나서 낮은 자세로 탈출해야 해.
B: 아, 그건 몰랐네.
A: 너는 그것을 명심해야 해. 언젠가 도움이 될 수도 있어.

10 해설 대화의 흐름상 화재 피해를 입은 사람들을 ④ '걱정하는' 표현이 들어가야 한다.
① 관심이 있는 ② 기쁜 ③ 신이 난 ⑤ 두려운

11 해설 You should ... .는 충고나 조언을 할 때 쓰는 표현으로 Why don't you ... ?나 How about -ing ... ?로 바꿔 쓸 수 있다.

12 해석 ① 당신은 머리를 낮춰야 한다.
② 당신은 책상 아래로 숨어야 한다.
③ 당신은 실내에 머물러야만 한다.
④ 당신은 똑바로 서있어야 한다.
⑤ 당신은 젖은 수건으로 코와 입을 가려야 한다.

해설 A의 세 번째 말에서 화재가 발생하면 젖은 수건으로 코와 입을 가리고 낮은 자세로 탈출하라는 안전 규칙을 언급하고 있으므로 일치하는 것은 ⑤이다.

13 해석 나는 내 친구들이 좋다. 그들은 다른 사람들을 먼저 배려한다.

해설 두 문장에서 중복되는 명사는 my friends와 They이다. 선행사가 사람이므로 관계대명사 who나 that으로 연결해야 하고, 관계대명사는 선행사 뒤에 쓰이며, 관계대명사절의 주어는 삭제해야 한다. 따라서 ④ I like my friends who put others first.가 되어야 한다.

14 해석 만약 내일 비가 온다면, 나는 실내에 머물며 몇 권의 책을 읽을 것이다.

해설 if 조건절에서는 현재 시제가 미래의 의미를 대신하므로 ③ will be를 is로 고쳐야 한다.

15 해석 ① Brown 부인에게는 두 마리의 고양이가 있다. 한 마리는 회색이다. 나머지 다른 한 마리는 검고 흰색이다.
② 만약 네가 더 자주 운동을 한다면, 너는 더 건강해질 것이다.
③ 나는 어떻게 우체국을 가는지를 모른다.
④ 나는 사람들을 구한 개에 관한 책을 읽었다.
⑤ James는 그래픽 디자인에 관심이 있는 소년들을 안다.

해설 ① Other → The other: 2가지를 나열할 때는 One ... . The other ... . 구문을 사용한다.
② will work → work: if 조건절에서는 현재 시제가 미래의 의미를 대신한다.
③ to getting → to get: 'how to+동사원형' 구문이므로 to get이 되어야 한다.
⑤ is → are: 선행사가 the boys로 복수 명사이므로 관계대명사절의 동사는 are가 되어야 한다.

16 해석 ① 자전거를 타고 있는 소년이 있다.
② 나는 파리에 사는 사촌을 방문했다.
③ 만약 네가 일찍 떠난다면, 너는 기차를 탈 것이다.

④ 지나의 생일 파티에 무엇을 가져가야 할지 나에게 말해줄 수 있니?

⑤ 나는 두 개의 편지를 받았다. 하나는 나의 선생님으로부터 온 것이다. 나머지 다른 하나는 나의 친구로부터 온 것이다.

해설 ③ if 조건절에서는 현재 시제가 미래의 의미를 대신하므로 will leave는 leave로, you catch는 you will catch로 고쳐야 한다.

17~19

해석 안녕 Eric,

서울은 아름다운 봄이야. 지난겨울 방학은 나에게 멋진 시간이었어. 나는 방학 동안 두 가지 개인적인 변화가 있었어. 하나는 나의 새로운 취미야. 그것은 컵케이크를 만드는 거야. 나만의 컵케이크를 만드는 것은 정말 재미있어. 나머지 다른 변화는 나의 나쁜 습관 중 하나를 없애는 거야. 예전에 나는 종종 손톱을 물어뜯곤 했어. 이제 나는 더 이상 그러지 않아. 나는 그런 변화가 정말 기분 좋아. 만약 네가 변화하려고 노력한다면, 너도 나처럼 기분이 좋을 거라고 확신해. 곧 소식 전해 줘.

진정한 친구,

준호가

17 해설 준호가 지난겨울 방학 동안 겪은 두 가지 개인적인 변화에 관한 내용이므로 제목으로 알맞은 것은 ② '나의 새로운 변화'이다.

① 편지 쓰기 ③ 나쁜 습관 버리기 ④ 내가 가장 좋아하는 계절 ⑤ 컵케이크 만드는 방법

18 해설 두 가지 변화 중 나머지 하나를 언급하는 것으로 One … . The other … . 구문을 사용한다. 따라서 The other change is breaking one of my bad habits.가 되어야 한다.

19 해설 준호는 겨울 방학 동안 컵케이크를 만드는 새로운 취미를 가졌으므로 일치하지 않는 것은 ⑤이다.

20~21

해석 안녕 준호,

시드니에서는 3월이 가을이야. 너는 이메일에서 너에게 일어난 변화들을 말해 주었지. 이제 나의 새로운 변화를 말해 줄 차례야. 요즈음, 나는 3D 프린팅에 열중하고 있어. 나는 3D 프린터로 두 가지를 인쇄했어. 하나는 모형 드림 자동차야. 만약 교통이 혼잡하면, 그것은 날 수 있는 차로 바뀌어. 나머지 다른 하나는 우리 할아버지를 위한 특수 컵이야. 할아버지는 편찮으셔서 컵을 잘 들지 못하셔. 나의 특수 컵은 손잡이가 3개 있어서 들기 쉬워. 할아버지는 아주 행복해하셔. 그건 그렇고, 나는 너의 컵케이크를 언젠가 맛보고 싶다, 준호야. 잘 지내길.

행운을 빌어,

Eric

20 해설 if 조건절의 주절에서는 미래를 표현하기 위해 미래 시제를 사용하므로 ③ changes는 will change로 바꿔야 한다.

21 해설 ④ 'Eric이 장래에 되기를 원하는 것'에 대해서는 본문에 언급되지 않았다.

① 시드니의 계절

② Eric이 요즘에 빠져 있는 것

③ Eric이 3D 프린터로 만든 것

⑤ Eric이 세 개의 손잡이가 있는 특수 컵을 만든 이유

22~24

해석 퀴즈가 어떠셨나요? 당신은 지진에서 안전하게 살아남을 수 있나요? 여기에 지진 발생 시 도움이 될 수 있는 안전 팁이 몇 가지 있습니다. 하나하나 확인하면서 (지진이 발생하면) 무엇을 해야 하는지를 배워 봅시다.

물건들이 흔들리기 시작할 때 밖으로 뛰어나가지 마세요. 탁자나 책상을 찾아서 그 밑에 숨으세요. 자신을 보호하기 위해 탁자나 책상 다리를 붙들고 있으세요. 또한, 창문으로부터 멀리 떨어지세요. 지진이 일어나는 동안 창문들이 깨져 다칠 수 있으니까요.

22 해설 (A) 선행사인 some safety tips를 수식하는 관계대명사 which나 that이 와야 한다.

(B) '무엇을 해야 하는지를'이라는 의미가 되도록 what이 와야 한다.

23 해설 ⓐ it은 같은 문장 내의 a table or a desk를 가리킨다.

ⓑ They는 앞 문장의 windows를 가리킨다.

24 ① 물건들이 흔들릴 때 당신은 밖으로 뛰어나가야 한다.

② 물건들이 흔들릴 때 탁자를 찾아 그 아래로 숨어라.

③ 당신은 지진 발생 시 자기 자신을 보호하기 위해 창문을 꼭 잡아야 한다.

④ 당신은 지진 발생 시 밖을 보기 위해 창문 근처에 머물러야 한다.

⑤ 당신은 지진 발생 시 탁자나 책상으로부터 떨어져야 한다.

해설 물건들이 흔들릴 때는 실내의 탁자나 책상 밑으로 숨어 다리를 붙들고 있어야 한다. 또한, 창문이 깨질 수 있으므로 창문에서 떨어져 있어야 한다.

25~26

해석 흔들림이 멈추었을 때 밖으로 나가도 됩니다. 건물에서 나가기 위해 엘리베이터를 이용하지 마세요. 계단을 이용하세요. 그것이 훨씬 더 안전합니다. 일단 밖으로 나가면, 건물로부터 멀리 떨어진 공터를 찾으세요. 기둥이나 나무를 꼭 잡고 있으려는 사람들이 있을 수 있지만, 다시 생각해 보세요. 그것이 당신 위로 넘어질 수 있으므로 그것은 좋지 않은 생각입니다.

25 해설 주어진 빈칸에는 주격 관계대명사가 들어가야 하는데 선행사가 각각 an empty space로 사물, people로 사람이므로 사람과 사물에 모두 쓸 수 있는 관계대명사 that을 써야 한다.

26 해설 기둥이나 나무가 당신 위로 넘어질 수 있다고 했으므로 일치하지 않는 것은 ⑤이다.

27 해석 공원에 두 마리의 개가 있었다. 한 마리는 흰색이었다. 나머지 다른 한 마리는 갈색이었다. 그것들은 너무 귀여웠다. 만약 내가 애완견을 가진다면, 나는 그것을 잘 돌볼 것이다.

해설 (1) One ... . The other ... . 구문이 되어야 하므로 Other는 The other가 되어야 한다.
(2) if 조건절에서는 현재 시제가 미래를 대신하지만, 주절에서는 미래 시제가 쓰여야 하므로 take는 will take가 되어야 한다.

28 해설 be worried about ...은 '…에 대해 걱정하다'라는 의미로 고민을 나타낸다. 이에 대한 조언을 표현할 때는 You should ... 구문을 사용할 수 있다.

29 해석 (1) 나는 호주에 갔다. 호주는 방문할 아름다운 곳이었다.
(2) 나는 한 여성을 봤다. 그녀는 팔로 아기를 안고 있었다.

해설 (1) 두 문장에서 중복되는 명사는 Australia이다. 선행사가 나라 이름이므로 관계대명사 which나 that을 사용하여 I went to Australia which/that was a beautiful place to visit.이 되어야 한다.
(2) 두 문장에서 중복되는 명사는 a woman과 She이다. 선행사가 사람이므로 관계대명사 who나 that을 사용하여 I saw a woman who/that was carrying her baby in her arms.가 되어야 한다.

30 해석 지진은 언제든지 발생할 수 있다. 지진은 모두에게 무서운 경험일 것이다. 따라서 지진 발생 시 어떻게 안전할 수 있는지를 배우자. 부상을 방지하고 자신을 보호할 수 있다.

해설 'how to+동사원형' 구문은 '어떻게 …할지'를 의미하므로 이 구문을 사용하여 문장을 완성한다.

1학기 기말고사

pp. 151~155

1. ①	2. ③	3. ⑤	4. ①	5. ⑤	6. ①
7. ②	8. (B) → (A) → (D) → (C)			9. ④	10. ④
11. ④	12. ②	13. ①	14. ④	15. ①	16. ②
17. ③	18. enough information			19. ③	20. ②
21. ③	22. ①	23. ⑤	24. ②	25. ①	26. ⑤
27. ⑤					

28. (1) I have been there many times.
(2) I have been sick since last Thursday.

29. (1) I like the novel that(which) Charles Dickens wrote.
(2) The cake that(which) my mother baked is so delicious.

30. to join a summer English camp

1 해석 ① 매우 작은 – 작은 ② 사라지다 – 나타나다
③ 멘토 – 멘티 ④ 성공 – 실패
⑤ 혼란스러운 – 명백한

해설 ①은 유의어 관계이고, 나머지는 반의어 관계이다.

2 해석 ① 그들은 식사 후에 산책하러 가는 것을 좋아한다.
② 나는 그의 도움 덕분에 이 일을 끝냈다.
③ 그는 오랫동안 두통으로 고통 받았다.
④ 선생님은 기말고사에 대한 정보를 알려 주실 것이다.
⑤ 그 영화가 매우 지루했기 때문에 나는 내 시간을 낭비했다.

해설 ③ check out은 '책을 대출하다'라는 의미이므로 내용상 suffered from이 쓰여야 한다.

3 해석 팔의 모든 또는 부분을 덮는 셔츠나 재킷 등의 한 부분

해설 ⑤ sleeve(소매)에 대한 영영 풀이이다.
① 싱크대 ② 표지판 ③ 백만 ④ 비누

4 해석 • 나비들은 정원 화초들의 꽃에서 나는 꿀을 먹고산다.
• 기차는 제시간에 서울에 도착했다.

해설 feed on은 '…을 먹고살다'라는 의미이고, on time은 '제시간에'라는 의미이다. 따라서 빈칸에는 on이 알맞다.

단어 숙어 feed on …을 먹고살다
nectar 명 (꽃의) 꿀
on time 제시간에

5 해석 A: 내일 바닷가로 수영하러 갈 거야.
B: 반드시 자외선 차단제를 바르도록 해.

해설 바다로 수영을 가려는 사람에게 해 줄 말로는 ⑤ '반드시 자외선 차단제를 바르도록 해.'가 알맞다.
① 네 맘에 든다니 기뻐.

② 내가 그를 도울게.
③ 내가 한번 해 볼게. 도움이 될 거야.
④ 너의 유용한 충고 고마워.

단어•숙어 beach ⑱ 해변, 바닷가
sunscreen ⑱ 자외선 차단제

6~7

해석 A: 엄마, 이거 선물이예요. 제가 비닐봉지로 만들었어요.
B: 정말 귀엽구나. 내가 새로운 바구니가 필요했다는 걸 어떻게 알았니?
A: 지난번 우리가 저녁 먹을 때 엄마가 말씀하셨어요.
B: 정말 멋지구나! 이 바구니 정말 마음에 들어. 다양한 색깔로 되어 있구나.
A: 제 선물이 마음에 드신다니 기뻐요.

6 해석 ① 이거 선물이예요.
② 끔찍하군요.
③ 제가 도와 드릴 수 있어요
④ 제가 도와 드릴게요
⑤ 이것은 매우 맛이 좋아요

해설 엄마에게 바구니를 건네며 할 수 있는 말은 ① this is for you이다.

7 해설 ①, ③, ④, ⑤는 엄마에게 주는 선물, 즉 '새로운 바구니'를 가리키지만, ② '비닐봉지'는 바구니를 만든 재료이다.

8 해석 (B) 나는 창문을 열지 못하겠어. 누가 도와줄 수 있니?
(A) 내가 도와줄게.
(D) 고마워. 네가 최고야.
(C) 천만에.

해설 문제 상황을 말하고 도움을 요청한 후, 도움을 제안하는 말을 듣고 감사를 표현하는 순서로 배열하는 것이 자연스럽다.

9 해석 A: 이번 주말에 수영하러 가자.
B: 그러고 싶은데, 안 되겠어. 눈에 문제가 생겼는데 의사 선생님이 내게 당분간 수영하지 말라고 하셨어.
A: 그것 참 안됐구나. 아마도 다음 주말에는 갈 수 있을 거야.
B: 정말 그랬으면 좋겠다.

해설 주어진 문장은 유감이나 동정을 나타내는 표현으로 눈에 문제가 생겨 수영을 못한다는 내용 다음인 ④에 오는 것이 자연스럽다.

10 해석 A: 우리는 세 골 차이로 축구 경기에서 졌어.
B: 정말 안됐다.

해설 빈칸에는 유감이나 동정의 표현이 들어가야 하는데 ④는 '참 잘됐다.' 또는 '좋은 생각이다.'라는 의미이다.

11 해석 • 그녀는 나에게 진정하라고 말했고 나는 그렇게 했다.
• 나는 어젯밤에 여동생과 만화 영화를 보았다.
• 그때부터, 그 회사는 세계에서 제일 좋은 상품들을 생산해 왔다.

해설 '~에게 …라고 말하다'라는 의미는 'tell+목적어+to 부정사' 형태로 나타낸다.
'어젯밤'이라는 과거 시점을 나타내는 표현이 있으므로 과거 시제를 쓴다.
그때부터 지금까지 생산해 왔으므로 '계속'의 의미를 나타내는 현재완료 시제를 쓴다.

12 해석 • 소포가 아직 도착하지 않았다.
• 그 회사가 나에게 그것을 보냈다.
회사가 나에게 보낸 소포가 아직 도착하지 않았다.

해설 두 문장에서 중복되는 명사 The package와 it은 사물이므로 관계대명사 which나 that을 써야 하고, 그 관계대명사가 목적어 역할을 하므로 생략할 수 있다.

13 해석 ① 그들은 내가 거기에 9시까지 오기를 원한다.
② 너는 보고서를 막 끝냈니?
③ 우리가 그것에 대해 할 수 있는 일이 없다.
④ 좋은 먹을 것을 생각해 보는 게 어때?
⑤ 이것은 선생님이 나에게 하라고 요청하신 논문이다.

해설 ② 현재완료 시제의 의문문이므로 finishing이 아니라 과거분사형 finished가 되어야 한다.
③ 선행사가 nothing일 때는 관계대명사 that을 써야 하므로 who가 아닌 that이 되어야 한다.
④ something은 형용사 nice가 뒤에서 수식해야 하므로 something nice가 되어야 한다.
⑤ 선행사가 the paper이므로 whom이 아니라 which나 that이 되어야 한다.

14 해석 나는 10년 전에 부산에 이사 왔고 여전히 부산에 산다. 나는 부산에서 10년 동안 살고 있다.

해설 10년 동안 계속 살고 있으므로 '계속'의 의미를 나타내는 현재완료 시제를 써야 한다.

15~17

해석 뉴욕에는 길거리에 공중전화가 많이 있었다. 그러나 아무도 그것들을 실제로 사용하지 않았다. 어느 날, 한 남자에게 좋은 아이디어가 떠올랐다. 그는 공중전화 하나에 동전들을 붙였다. 그는 또한 "당신이 사랑하는 사람에게 전화하세요."라고 쓰인 표지판을 설치했다. 곧, 많은 사람들이 그 전화기를 사용했다. 그들이 사랑하는 누군가에게 전화하고 있을 때, 그들은 미소 짓는 것을 멈추지 않았다. 그의 아이디어는 커다란 성공이었다. 낮 동안, 모든 동전들이 사라졌다. 그 남자는 자신의 작은 아이디어가 많은 사람에게 행복을 가져다주었기 때문에 매우 행복했다.

15 해설 뉴욕에는 공중전화가 많이 있었지만 실제로 사용하지는 않았다는 내용이므로 ①은 somebody가 아닌 nobody가 되어야 한다.

16 해설 한 남자의 작지만 좋은 아이디어가 여러 사람들을 행복하게 했다는 내용이므로 ② '작은 아이디어가 행복하게 만들 수 있다'가 제목으로 알맞다.
① 동전들에 대한 유용한 아이디어들
③ 공중전화로 전화를 거는 방법
④ 부모님께 행복 드리기
⑤ 행복은 당신의 마음으로부터 온다

17 해설 사람들이 사랑하는 누군가에게 전화하며 미소 지었다는 내용으로 보아, 남자가 전화기에 붙인 표지판에 쓰인 말은 ③ '사랑하는 사람에게 전화하세요'가 알맞다.
① 당신이 사는 도시를 깨끗하게 하세요
② 대신에 당신의 전화기를 사용하세요
④ 가족으로부터 온 전화에 응답하세요
⑤ 공중전화에 대한 아이디어를 생각해 보세요

18~19

해석 몇 년 전, 서울의 버스 정류장의 지도는 매우 혼란스러웠다. 지도에는 충분한 정보가 없었다. 사람들은 다른 사람들에게 지도를 설명해 달라고 요청해야 했다. "이 버스 정류장은 지도에 어디 있는 건가요? 이 버스가 광화문으로 가나요?" 많은 사람들이 자주 버스를 잘못 타서 시간을 낭비하곤 했다.
어느 날, 한 청년이 이 문제를 해결하기로 결심했다. 그는 빨간색 화살표 스티커를 많이 샀다. 매일 그는 자전거를 타고 서울 시내를 돌아다니며 버스 지도에 스티커를 붙였다. 아무도 그 청년에게 이 일을 하라고 요청하지 않았다. 그는 단지 다른 사람들을 돕고 싶었다. 그의 노력 덕분에, 사람들은 지도를 쉽게 이해하고 시간을 절약할 수 있었다.

18 해석 Q: 사람들은 왜 윗글의 밑줄 친 질문들을 했는가?
A: 버스 지도에 충분한 정보가 없었기 때문이다.

해설 버스 정류장의 지도는 혼란스러웠고, '충분한 정보'가 없어 다른 사람들에게 질문을 해야만 했다.

19 해설 한 청년의 아이디어 덕분에 사람들은 ③ '지도를 쉽게 이해하고 시간을 절약할' 수 있었다.
① 어려움에 처한 다른 사람들을 돕고 돈을 벌다
② 버스가 오지 않을 때 자전거를 타다
④ 버스 지도들의 잘못된 정보를 고치다
⑤ 전 세계의 버스 지도들에 대한 정보를 얻다

단어·숙어
in need 어려움에 처한
ride ⓢ (탈것을) 타다
correct ⓢ 고치다, 수정하다

20~21

해석 무더운 여름 저녁이었습니다. 서준이는 공원에 산책을 갔습니다. 곧, 그는 땀을 흘리고 있었습니다.
서준: 목말라. 나는 마실 시원한 것을 원해.
그때에, 뭔가 작은 것이 그에게로 날아와서 그의 팔을 물었습니다.
모기: 이 봐, 나를 잡을 수 있으면 잡아 봐.
서준: 너는 누구니? 나한테 무슨 짓을 한 거지?
모기: 나는 모기야. 난 방금 저녁 식사를 마쳤어.

20 해설 something은 형용사가 뒤에서 수식하고 그 뒤에 to부정사가 와야 하므로 ② something cold to drink가 알맞다.

21 해석 ① 날씨는 어땠는가?
② 서준이는 무엇을 하고 있었는가?
③ 서준이는 무엇을 마셨는가?
④ 무엇이 서준이를 물었는가?
⑤ Mrs. Mosquito는 서준이에게 무엇을 했는가?

해설 서준이는 뭔가 시원한 것을 마시고 싶었으나 무엇을 마셨는지는 이 글에서 알 수 없다.

22~24

해석 서준: 너는 어떻게 강에서부터 내 냄새를 맡을 수 있었니?
모기: 모기들은 열과 냄새를 아주 잘 감지해. 그래서 우리가 수백만 년 동안 살아남은 거야.
서준: 모든 모기가 너처럼 피를 마셔?
모기: 아니. 오직 나와 같은 암컷 모기만이 피를 마셔. 수컷 모기들은 단지 과일과 식물의 즙만을 먹고살아.
서준: 그거 재미있네. 그럼 너는 왜 피를 마시는 거야?
모기: 알을 낳으려면 핏속의 단백질이 필요해.
서준: 너는 피를 어떻게 마시는 거야? 날카로운 이빨이 있니?
모기: 아니, 나는 이빨이 없어. 하지만 길고 뾰족한 입이 있지. 그래서 나는 너의 피를 쉽게 마실 수 있는 거야.

22 해설 ⓐ에는 '그래서 …하다'라는 뜻으로 That's why가 와서 뒤에 결과에 해당하는 내용이 온다. ⓒ에는 핏속의 단백질을 얻기 위해 피를 마신다는 이유를 설명하는 답에 대한 질문이므로 '왜'에 해당하는 why가 와야 한다.

23 해석 ① 우리는 막 아침을 먹었다.
② 나는 그의 이야기를 들어 본 적이 없다.
③ 그는 학위를 아직 마치지 못했다.
④ 너는 교사가 될 생각을 해 본 적이 있니?
⑤ Tyler는 대학생일 때부터 한국에서 살았다.

해설 ⓑ have survived는 수백만 년 동안 살아 왔다는 '계속'의 의미를 나타내는 현재완료 시제이고, ⑤ 역시

Tyler가 대학생 때부터 한국에서 살아 왔다는 '계속'의 의미를 나타내는 현재완료 시제이다.
① 완료 ② 경험 ③ 완료 ④ 경험

단어·숙어 degree ⑲ 학위
college ⑲ 대학

24 해설 서준이와 Mrs. Mosquito는 모기의 뛰어난 감각, 모기가 먹는 것, 모기가 피를 마시는 이유, 모기가 피를 마시는 방법 등 ② '모기의 생태'적 특징에 관해 묻고 답하고 있다.

25~27
해석 서준: 네가 나를 문 다음에 부어오른 자국이 생겼어. 가려워.
모기: 그 얘기를 들으니 유감이군. 그것을 긁지 않도록 해. 또한, 그것을 알코올 솜으로 닦아.
서준: 알코올 솜? 나는 전에 그것을 한 번도 해 보지 않았어.
모기: 그것은 가려움을 줄여 줄 거야.
서준: 알았어, 집에서 한번 해 볼게. 고마워.
모기: 나는 이제 가야겠어. 다음에 보자.
서준: 기다려! 많은 사람들이 모기에 물려서 고통 받고 있어. 어떻게 우리가 모기에 물리는 것을 막을 수 있을까?
모기: 시원하게 지내고 소매가 긴 옷을 입어.
서준: 고마워. 너의 충고를 명심할게.

25 해설 (A)에는 3인칭 단수 주어 It에 맞는 동사 형태인 itches가 와야 하고, (B)에는 동사 reduce의 목적어 자리이므로 명사 itchiness가 와야 한다.

단어·숙어 itch ⑧ 가렵다
itchiness ⑲ 가려움
itchy ⑱ 가려운

26 해석 너의 충고를 명심할게.
해설 주어진 문장은 조언이나 충고를 들었을 때 그에 대한 응답 표현이다. 모기가 모기에 물리는 것을 막기 위해 시원하게 지내고 긴 소매 옷을 입으라는 충고를 하였으므로 그 뒤에 감사 인사와 함께 오는 것이 자연스럽다.

27 해석 ① 멘토 – 멘티 ② 작가 – 기자
③ 강사 – 학생 ④ 고용주 – 직원
⑤ 인터뷰하는 사람 – 인터뷰 받는 사람
해설 서준이는 Mrs. Mosquito에게 궁금한 점을 묻고 답을 듣고 있으므로 둘의 관계로는 ⑤가 알맞다.

28 해설 (1) '가 보았다'는 경험을 표현하기 위해 현재완료 시제를 쓰고, there를 쓴 뒤 '여러 번'에 해당하는 many times를 쓴다.
(2) '…부터, …이래로'에 해당하는 표현은 since이고, since 앞에는 계속의 의미를 나타내는 현재완료 시제를 쓴다.

29 해석 (1) 나는 그 소설을 좋아한다. Charles Dickens가 그 소설을 썼다.
(2) 그 케이크는 매우 맛있다. 우리 엄마가 그 케이크를 구웠다.
해설 (1) 두 문장에서 중복되는 명사인 the novel이 사물이므로 관계대명사는 which나 that을 사용한다.
(2) 두 문장에서 중복되는 명사인 The cake(the cake)가 사물이므로 관계대명사는 which나 that을 사용한다.

단어·숙어 novel ⑲ 소설
bake ⑧ (빵, 케이크 등을) 굽다

30 해석 나는 학교에서 하는 여름 영어 캠프에 참가하고 싶었다. 그러나 부모님께서는 내가 여름 방학 동안에 수학을 공부하길 원하신다. 그분들은 내가 여름 영어 캠프에 참가하는 것을 허락하지 않을 것 같다.
해설 부모님은 여름 방학 동안 수학 공부하기를 원하여 여름 영어 캠프에 참가하는 것을 허락하지 않을 것이므로 '…가 ~하는 것을 허락하다'라는 뜻을 갖는 'allow+목적어+to부정사'를 사용한다.

Lesson 5

Word Preview Mini Test

p. 164

A 1. escape 2. for free 3. somewhere 4. clue 5. question
B 1. suspect 2. delete 3. accident 4. win 5. title

A 해석 1. 나는 죄수가 건물에서 어떻게 탈출할 수 있었는지 알고 싶다.
2. 그 프로그램을 공짜로 다운로드하는 것은 허용되지 않는다.
3. 나는 네가 너의 지갑을 어딘가에 떨어뜨렸다고 생각해. 내가 그것을 찾도록 도와줄게.
4. 형사들은 사건을 해결하기 위해 단서를 찾는 데 최선을 다했다.
5. 그는 전날 밤에 무엇을 했는지에 대해 신문받았다.

단어·숙어 prisoner ⑲ 죄수, 재소자
be allowed to …하는 것이 허용되다
try one's best 최선을 다하다
case ⑲ 사건

B 해석 1. 용의자: 범죄를 저질렀을 가능성이 있다고 생각되는 사람
2. 삭제하다: 문서, 컴퓨터 등에서 단어, 그림이나 파일 같은 무언가를 없애다

3. 사고: 피해를 주거나 상처를 입히는 계획에 없던 갑작스러운 일
4. …을 얻다: 경쟁, 경주 등에서 무언가를 얻다
5. 제목: 구분하거나 묘사하기 위해 책, 노래나 영화 같은 무언가에 주어지는 이름

단어·숙어
possibly ㊀ 아마
guilty ㊉ 유죄의
commit ㊍ (범죄를) 저지르다
crime ㊔ 범죄
remove ㊍ 없애다
document ㊔ 문서
injury ㊔ 상처
describe ㊍ 말하다, 묘사하다

Let's Read ❶ Mini Test p. 167

They can be found somewhere inside the room.

해설 Clues can be found somewhere inside the room.을 통해서 방 안 어딘가에 단서가 있다는 것을 알 수 있다.

Let's Read ❷ Mini Test p. 169

A 1. F 2. T
B Three suspects were questioned by a police officer.

A 해석 1. Doodle 씨는 차에 치였을 때 운전자를 보았다.
2. 사건의 용의자들 중 한 명인 B 씨는 개를 키웠다.

해설 1. Doodle 씨는 심하게 다치지는 않았지만, 운전자는 보지 못했다고 했으므로 주어진 문장은 일치하지 않는다.
2. 사건의 용의자들 중 한 명인 B 씨는 사건이 일어난 시간에 자신의 개를 산책시키고 있었다고 했으므로 개를 키운다고 볼 수 있다.

B 해설 수동태는 '주어+be동사+p.p.+by 행위자'의 형태로 쓴다.

Let's Read ❸ Mini Test p. 171

1. ③ 2. an email

해설 1. a lot, far, still, even, much는 비교급을 강조하는 부사로서 '훨씬'이라는 의미를 나타낸다. ③ very는 원급을 강조할 때 쓰여 비교급을 강조할 수 없다.
2. Jay는 이메일을 받고 놀라서 그것을 재빨리 열었다고 했으므로 it이 가리키는 것은 an email이다.

Word Check p. 175

A 1. …이 일어나던 때에 2. 상, 상품
3. 풀다, 해결하다 4. 용의자 5. 설명하다
6. delete 7. write down 8. escape
9. somewhere 10. question
B 1. puzzle 2. gain 3. clue
4. unluckily 5. question 6. disappear
C 1. write down 2. Suddenly 3. title
4. free to 5. turn over

B 해설 1. riddle과 puzzle은 '수수께끼'로 의미가 비슷하다.
2. win과 gain은 '얻다, 획득하다'로 의미가 비슷하다.
3. hint는 '힌트', clue는 '단서, 실마리, 힌트'로 의미가 비슷하다.
4. luckily는 '다행히도', unluckily는 '불행하게도'로 의미가 반대이다.
5. answer는 '답', question은 '질문'으로 의미가 반대이다.
6. appear는 '나타나다', disappear는 '사라지다'로 의미가 반대이다.

C 해석 1. 너의 일기에 해야 할 일들을 적는 것이 어떠니?
2. 갑자기 나는 밖에서 이상한 소리가 나는 것을 들었고 창문을 열었다.
3. 그것의 제목만으로 영화가 무엇에 관한 것인지 추측하기 어렵다.
4. 숙제를 끝내면 네가 원하는 무엇이든 자유롭게 해도 된다.
5. 내가 그렇게 하라고 말할 때까지 시험지를 뒤집지 마라.

단어·숙어
free to ㊍ 자유롭게 …하다
difficult ㊉ 어려운
guess ㊍ 추측하다
until ㊈ ㊇ …(때)까지

Grammar Check p. 180

A 1. be 2. used 3. wrote
4. was moved 5. caught
B 1. made 2. learned 3. stolen
4. found
C 1. will be invited 2. will not be painted
3. Can it be fixed
D will be finished, be sent, will be delivered

A 해석 1. 쿠키는 몇 명의 학생들에 의해 만들어질 것이다.
2. 이 전화는 여기에 있는 누구나 사용할 수 있다.
3. 그 작가는 유명한 추리 소설을 썼다.
4. 그 상자는 방의 구석으로 옮겨졌다.
5. 그 도둑은 어젯밤에 경찰관에 의해 잡혔다.

해설 1. 조동사 will 뒤에는 동사원형이 와야 하므로 be가 알맞다.
2. '사용될 수 있다'라는 의미가 되어야 하므로 '조동사+be+과거분사'의 형태로 써야 한다.
3. 작가가 추리 소설을 썼으므로 능동태로 써야 한다.
4. 상자는 옮겨진 것이므로 수동태(be동사+과거분사)로 써야 한다.
5. 도둑은 잡힌 것이므로 수동태(be동사+과거분사)로 써야 하고, catch의 과거분사는 caught이다.

단어·숙어 mystery ⓜ 추리, 추리 소설
corner ⓜ 구석

B 해석 1. 심지어 몇몇 실수들이 있었더라도 그것은 나쁘지 않았다.
2. 요즈음에 많은 사람들이 중국어를 배운다.
3. 우리가 시장에 있었을 때, 내 지갑을 도둑맞은 것 같다.
4. 해결책은 작년에 과학자에 의해 발견되었다.

해설 1. '만들어지다'라는 의미의 수동태 문장이므로 make의 과거분사 made가 와야 한다.
2. '배우게 되다'라는 의미의 수동태 문장이므로 learn의 과거분사 learned가 와야 한다.
3. '도둑맞다'라는 의미의 수동태 문장이므로 steal의 과거분사 stolen이 와야 한다.
4. '발견되다'라는 의미의 수동태 문장이므로 find의 과거분사 found가 와야 한다.

단어·숙어 even ⓟ 심지어
mistake ⓜ 실수
make a mistake 실수를 하다
solution ⓜ 해결책

C 해석 1. Susan은 나의 파티에 초대될 것이다.
2. 이 벽은 노란색으로 칠해지지 않을 것이다.
3. 그것은 오늘 고쳐질 수 있나요?

해설 1. '초대될 것이다'라는 의미로 'will+be+과거분사'의 형태로 써야 한다.
2. '칠해지지 않을 것이다'라는 의미로 'will+not+be+과거분사'의 형태로 써야 한다.
3. '고쳐질 수 있을까?'라는 의미로 'Can+주어+be+과거분사?'의 의문문 형태로 써야 한다.

D 해석 A: 한 선생님을 위한 선물 만드는 것 끝냈니?
B: 아니, 아직. 하지만 내일까지는 끝낼 거야.
A: 알았어. 그러면 그것은 언제 그에게 보내질까?
B: 음, 내가 내일 보낼 거야. 그러면 그것은 다음 주에는 배달될 거야.

해설 선물 만들기를 끝냈냐는 질문에 아직 끝내지 않았다고 대답했으므로 첫 번째 빈칸에는 '내일까지 끝낼 것이다'라는 의미로 'will+be+과거분사(finished)'의 형태가 들어가야 한다.
두 번째 빈칸에는 '언제 그것이 보내질까?'라는 의미가 되어야 하므로 수동태(be동사+과거분사)가 알맞고, 문장의 앞부분에 조동사 will이 있으므로 be동사의 원형인 be가 들어가야 한다.
세 번째 빈칸에는 '그것은 다음 주에 배달될 거야'라는 의미로 'will+be+과거분사(delivered)'의 형태가 들어가야 한다.

단원 종합 평가

pp. 186~188

1. ⑤ 2. ① 3. ② 4. (C)-(B)-(D)-(A) 5. ③ 6. ⑤ 7. ① 8. Can you explain why 9. ⑤ 10. ④ 11. ② 12. ④ 13. These pictures can be seen by many people. 14. ④ 15. ② 16. were built by my father last year 17. ② 18. Clues can be found somewhere 19. ③ 20. ② 21. ③ 22. ④ 23. ② 24. free 25. ④

1 듣기 대본 G: Do you want to watch my favorite animation?
B: Sure, what is it about, Sumi?
G: It is *Detective Conan*. Conan, a boy detective, solves riddles in the animation.
B: That sounds interesting. Can you explain why you like it?

해석 G: 내가 가장 좋아하는 만화 영화를 보고 싶니?
B: 물론이지, 무슨 내용이니, 수미야?
G: 그것은 '탐정 Conan'이야. 그 만화 영화에서 소년 탐정인 Conan이 수수께끼를 풀어.
B: 재미있겠다. 네가 그것을 왜 좋아하는지 설명해 줄 수 있니?

해설 남자의 마지막 질문이 '네가 그것을 왜 좋아하는지 설명해 줄 수 있니?'라는 의미이므로 이어질 여자의 말에는 그 만화 영화를 좋아하는 이유가 나오는 것이 알맞다.

2 듣기 대본 G: Hey, what are you doing?

B: Hi, I'm making a paper hat.

G: Wow, how do you make it?

B: First, fold the paper in half. Second, fold one corner into the center. Third, fold the other corner into the center. Then, fold the flaps up. Now you have a hat!

G: Wow, that's so easy.

해석 G: 이봐, 뭐 하고 있는 중이니?

B: 안녕, 나는 종이 모자를 만들고 있는 중이야.

G: 와, 그것을 어떻게 만드니?

B: 먼저, 종이를 반으로 접어. 두 번째로, 한쪽 모서리를 가운데로 접어. 세 번째로는 다른 한쪽 모서리도 가운데로 접어. 그 다음에, 아래 부분을 위로 접어 올려. 자, 종이 모자 완성이야!

G: 와, 그거 참 쉽다.

해설 종이 모자 만드는 과정을 물어보고 답하는 대화이다. 종이 '모자'를 만들기 위해서는 종이를 반으로 접고, 양쪽 끝 부분을 '가운데'로 접은 다음, 아래 부분을 위로 접어 올려야 한다. 그러므로 빈칸에는 '모자'와 '가운데'라는 단어가 들어가야 한다.

3 듣기 대본 G: Wow, something smells really great. Dad, what is it?

M: I made some fried rice. It's healthy and delicious.

G: Can you explain how to make it?

M: First, cut some vegetables into small pieces. Second, put the vegetables into the pan and fry them.

G: Okay. What's next?

M: Add some rice into the pan and cook for three minutes. You can add some sauce on top.

G: Sounds delicious!

해석 G: 와, 뭔가 정말 맛있는 냄새가 나요. 아빠, 그것은 뭐예요?

M: 볶음밥을 약간 만들고 있었어. 그것은 건강에 좋고 맛있단다.

G: 만드는 방법을 설명해 주실 수 있나요?

M: 먼저, 채소 약간을 작은 조각으로 자르렴. 두 번째로, 채소를 팬에 넣고 볶아.

G: 좋아요. 다음은요?

M: 팬에 밥을 넣고 3분 동안 조리하렴. 위에 소스를 약간 추가할 수 있단다.

G: 정말 맛있겠어요!

해설 여자의 아빠는 볶음밥 만드는 과정을 설명하고 있는데 첫 번째로 채소를 자르고, 두 번째로 그것들을 볶고, 그다음에 밥을 넣어서 조리하라고 했다. 볶음밥 재료로 언급된 것은 vegetables, rice, sauce이므로 내용과 일치하지 않는 것은 ②이다.

4 해석 내가 산 새로운 게임을 하고 싶니?

(C) 물론이지. 그게 뭐니, 지민아?

(B) 축구 시합 같은 것인데 선수들이 용과 해마야. 게임을 하려면 이 버튼들을 사용해야 해.

(D) 재밌을 거 같아. 버튼 사용법을 설명해 줄 수 있니?

(A) 물론이지.

해설 주어진 문장에서 내가 산 새로운 게임을 하고 싶은지 묻고 있으므로 게임이 무엇인지 묻는 (C)가 와야 하고, 그 게임에 대해 설명해 주는 (B)가 와야 하며, 그 설명을 듣고 좀 더 자세한 사용법을 물어보는 (D)가 이어지고 그에 대한 대답인 (A)가 마지막으로 와야 한다.

5~6

해석 B: 유진아, 내 종이 여우를 좀 봐.

G: 귀엽다. 너는 그것을 어떻게 만들었니?

B: 먼저, 종이를 반으로 접어서 세모를 만들어. 두 번째로, 세모의 꼭대기를 맨 아랫선 쪽으로 접어. 세 번째로, 맨 아랫선 양쪽 끝을 위로 접어서 귀를 만들면 마지막으로 / 그다음에 / 네 번째로 / 다음, 그것을 뒤집어서 얼굴을 그려.

G: 그거 쉽구나.

5 해설 유진이의 질문에 남자가 종이 여우 만드는 방법을 순서대로 나열하고 있으므로 알맞은 질문은 종이 여우를 어떻게 만들었냐는 것이다.

① 누가 그것을 만들었니?

② 너는 무엇을 만들었니?

④ 너는 언제 그것을 만들었니?

⑤ 너는 왜 그것을 만들었니?

6 해설 종이 여우를 만드는 과정 중 마지막을 나타내는 말이 와야 하는데, But은 순서를 나타내는 말이 아니라 앞 내용과 반대되는 내용이 올 때 쓴다.

① 마지막으로 ② 그다음에 ③ 네 번째로 ④ 다음

7~8

해석 B: Kelly, 여기 수수께끼가 하나 있어. 넌 이것을 1주에 두 번, 1년에 한 번 볼 수 있어. 하지만 1일에는 전혀 볼 수가 없어. 이게 뭐게?

G: 전혀 모르겠어.

B: 알파벳 'E'야.

G: 이해가 안 가. 이유를 설명해 줄 수 있니?

B: 음, 1주(week)에는 'E'가 2개 있고, 1년(year)에는 'E'가 1개

있고, 1일(day)에는 'E'가 없잖아.

G: 아! 이제 이해했어.

7 해설 ①은 수수께끼를 나타내고, 나머지 ②~⑤는 모두 알파벳 E를 가리킨다.

8 해설 수수께끼가 무슨 의미인지 이해되지 않으니 설명해 달라는 말이 나와야 흐름상 자연스럽다. 설명을 요청하는 표현은 Can you explain ... ?으로 쓴다.

9 해설 win은 경쟁, 경주 등에서 무언가를 잃어버리는 것이 아니라, 무언가를 얻는 것을 의미한다.

① 단서: 사람이 수수께끼를 푸는 데 도움이 되는 무언가

② 탈출하다: 교도소 같은 장소에서 달아나다

③ 사고: 계획되지 않고 피해나 상처를 입히는 갑작스런 일

④ 삭제하다: 단어, 그림, 또는 파일 같은 무언가를 없애다

10 해설 나머지 ①, ②, ③, ⑤는 ④ '직업'의 한 종류들이다.

① 탐정 ② 경찰 ③ 작가 ⑤ 예술가

11 해석 만약 네가 최선을 다한다면, 너는 일등상을 탈 수 있을 거야.

해설 동사 win 뒤에 '일등상'이라는 단어가 나왔으므로 이 문장에서 win은 '(상 등을) 타다, 획득하다'라는 의미로 해석하는 것이 알맞다.

12 해설 동사 come은 come–came–come으로 변화하므로 come의 과거분사형은 come이다.

13 해설 '보일 수 있다'는 수동태를 의미하므로 can saw가 can be seen으로 바뀌어야 한다.

14 해석 ① 그 영화는 며칠 동안 상영되었다.

② Smith 씨는 그의 친구의 파티에 초대되었다.

③ 많은 것들이 그 과학자에 의해 발명되었다.

④ 그 노래는 내가 가장 좋아하는 아이돌에 의해 불렸다.

⑤ 왜 그 창문이 깨졌니?

해설 ① 수동태 구문으로 be동사 다음에 과거분사형이 와야 하므로 show는 shown이 되어야 한다.

② 과거분사형 앞에 be동사가 와야 하므로 was invited가 되어야 한다.

③ 주어가 복수 명사 things이므로 be동사는 were가 되어야 한다.

⑤ 의문문이 있는 수동태이므로 broke가 아니라 broken이 되어야 한다.

15 해석 ① 이 과일은 언제든지 판매될 수 있다.

② 그 음식은 요리사에 의해 만들어질 것이다.

③ 그 탁자는 거실에 놓일 것이다.

④ 비 내리는 날에는 해를 볼 수 없다.

⑤ 그 아파트는 언제 지어질까?

해설 ② 수동태 구문에서 make는 과거분사형 made가 되어야 한다.

16 해석 나의 아빠는 작년에 이 집들을 지었다.

→ 이 집들은 작년에 나의 아빠에 의해 지어졌다.

해설 주어가 These houses로 복수이고 능동태 문장의 동사가 과거시제이므로 수동태 문장의 동사는 were built로 쓴다. 또한 능동태의 주어는 수동태 문장에서 'by+목적격'의 형태로 쓰여 by my father로 쓴다.

17~19

해석 '탈출 탑'에 오신 것을 환영합니다. 당신은 저희 탑의 첫 번째 방에 들어갈 것입니다. 당신은 탈출하기 위해서 몇 개의 수수께끼를 풀어야 합니다. 단서들은 방 안 어딘가에서 발견될 수 있습니다. 그러면 셜록 홈스처럼 생각할 준비가 되었나요?

17 해설 ②는 전치사 in이 들어가야 하고, 나머지는 to가 들어가야 한다.

18 해설 '발견될 수 있다'라는 의미로 'can+수동태(be+과거분사)'의 형태를 사용하여 Clues can be found somewhere가 되어야 알맞다.

19 해설 주어진 글은 탈출하기 위해서는 수수께끼를 풀어야 한다는 내용이므로 이어질 내용으로 ③이 알맞다.

20~22

해석 Doodle 씨는 일요일 오후에 차에 치였습니다. 다행히 그는 심하게 다치지 않았지만, 그는 운전자를 보지 못했습니다. 세 명의 용의자들이 경찰관에게 신문을 받았습니다. A 씨는 사고가 일어난 시간에 책을 읽고 있었다고 말했습니다. B 씨는 그의 개를 산책 시키고 있었다고 말했습니다. C 씨는 아침 식사를 만들고 있었다고 말했습니다. 누가 Doodle 씨를 치었을까요? 왜 그런지 설명할 수 있나요? 답을 알았나요? 적어 보세요. 그런 다음, 당신은 다음 방으로 갈 수 있습니다.

20 해설 (A) 맥락상 Doodle 씨가 차를 친 것이 아니라 차에 치인 것이므로 수동태(be동사+과거분사)가 되어야 하고, 주어가 단수이므로 was hit이 알맞다.

(B) 맥락상 '신문받았다'라는 의미가 되어야 하므로 수동태(be동사+과거분사)가 되어야 하고, 주어가 복수이므로 were questioned가 알맞다.

21 해설 빈칸에는 첫 번째 수수께끼의 답을 알면 일어날 수 있는 일이 들어가야 하므로 ③ '다음 방으로 이동하는'

것이 알맞다.
① 첫 번째 수수께끼를 풀다
② 이 첫 번째 방에 머무르다
④ 너의 친구에게 수수께끼를 내다
⑤ 이 수수께끼의 답을 찾다

22 해설 B 씨는 사건이 일어났을 때 개를 산책 시키고 있었다고 했으므로 실내에 있었다는 ④는 일치하지 않는다.

23~25
해석 축하합니다! 당신은 두 번째 방에 오는 데 성공하셨습니다. 하지만 두 번째 방은 첫 번째 방보다 탈출하기 훨씬 더 어렵습니다. 행운을 빌어요!
2번 방
Jay는 그가 가장 좋아하는 옷 가게로부터 이메일을 받습니다. 제목에는 "당신은 '행운의 날' 행사에 당첨되셨습니다!"라고 쓰여 있습니다. Jay는 놀랍니다. 그는 재빨리 그것을 열어봅니다.
축하합니다!
당신은 특별한 상품을 받게 되었습니다. 행운의 날 행사 동안, 당신은 우리 가게에서 일곱 가지 상품을 공짜로 선택할 수 있습니다! 11월 31일에 우리 가게로 오세요. 우리는 당신을 만나기를 몹시 기대하고 있습니다.
하지만 Jay는 그 행사가 사실이 아니라고 생각하고 이메일을 삭제합니다. 왜 그런지 설명할 수 있나요?
답을 알았나요? 적은 다음에 당신은 자유롭게 가실 수 있습니다!

23 해설 첫 번째 방을 탈출한 것을 축하한 후에 However 접속사가 나왔으므로 반대되는 내용이 나오는 것이 알맞다. 그러므로 두 번째 방이 첫 번째 방보다 '더 어렵다'는 내용이 들어가야 한다.

24 해설 첫 번째 ⓑ에는 for free가 와서 '공짜로'라는 의미가 되어야 하고, 두 번째 ⓑ에는 be free to ~를 써서 '자유롭게 ~하다'라는 의미가 되어야 한다.

25 해설 Jay는 11월 31일에 가게로 오라는 내용의 이메일을 보고 사실이 아니라고 생각하고 삭제했으므로 옷 가게에 간다는 ④는 일치하지 않는다.

서술형 평가

p. 189

1. how to make it[*gimbap*] / Second[Next/Then] / ingredients like eggs, cucumber and carrots into sticks / Third[Next/Then] / the rice onto some seaweed and put all the ingredients on the rice / roll the *gimbap* carefully
2. (1) will be moved in front of the table (2) can be hung on the wall (3) will be cleaned by
3. |예시 답안|
was broken by the dog, there are some bloodstains on the carpet next to the dog
was broken by the bird, the bird is out of its cage and its feathers are with the broken pieces of the vase
was broken by the cat, it is playing with the flowers that were put in the vase last night

1 해석 김밥 요리법
1. 밥에 참기름과 소금을 섞으세요.
2. 달걀, 오이, 당근 등의 재료를 막대기 모양으로 자르세요.
3. 김 위에 밥을 펴고 밥 위에 모든 재료들을 놓으세요.
4. 조심스럽게 김밥을 마세요.

B: Carrie, 너 뭐 하는 중이니?
G: 저녁으로 김밥 만들고 있는 중이야.
B: 와, 맛있어 보인다. 그것을 어떻게 만드는지 설명해 줄 수 있니?
G: 물론이지, 그건 전혀 어렵지 않아. 첫 번째로, 밥에 참기름과 소금을 섞어. 두 번째로(다음에/그러고 나서), 달걀, 오이, 당근 등의 재료를 막대기 모양으로 잘라. 세 번째로(다음에/그러고 나서), 김 위에 밥을 펴고 밥 위에 모든 재료를 놓아. 마지막으로, 조심스럽게 김밥을 말아.

단어·숙어
mix ⓢ 섞다
sesame oil 참기름
ingredient ⓜ 재료
cucumber ⓜ 오이
carrot ⓜ 당근
stick ⓜ 막대기
spread ⓢ 펴다
seaweed ⓜ 김

2 해석 (1) 의자는 탁자 앞으로 옮겨질 것이다.
(2) 그림은 수진이의 아빠에 의해 벽에 걸릴 수 있다.
(3) 방은 수진이와 그녀의 남동생에 의해 청소될 것이다.

해설 '…될 것이다'는 'will+be+p.p.', '… 될 수 있다'는 'can+be+p.p.'로 표현한다.

단어·숙어 hang ⓢ 걸다(–hung–hung)

3 해석 엄마는 어젯밤에 꽃병을 사서 거실 탁자 위에 놓았다. 오늘 아침, 엄마와 나는 꽃병이 산산조각이 난 것을 알게 되었다. 하지만 우리는 누가 그것을 깨뜨렸는지 모른다. 누가 그 꽃병을 깨뜨렸다고 생각하니? 그리고 왜 그런지 설명해 줄 수 있니?

몇몇 단서가 여기 있다. 개는 탁자 밑에 누워 있고 개 옆의 카펫에 핏자국이 약간 있다. 새는 탁자 위에 앉아 있고 새장의 문이 열려 있다. 그리고 깃털 몇 개가 꽃병의 깨진 조각들과 함께 있다. 고양이는 탁자 위에서 꽃을 가지고 놀고 있는데 그 꽃은 어젯밤에 꽃병에 꽂혀 있었다.

해설 주어진 단서를 근거로 꽃병을 깨뜨렸을 것이라고 생각하는 동물을 추측하고 이유를 쓴다. 주어는 the vase이고 '…에 의해 깨졌다'라는 의미가 되어야 하므로 수동태(be동사+과거분사)를 사용하여 문장을 완성해야 한다.

단어·숙어
vase ⓜ 꽃병
lie down 눕다
bloodstain ⓜ 핏자국
cage ⓜ 우리, 새장
feather ⓜ 깃털

Lesson 6

Word Preview Mini Test p. 198

A	1. popular	2. through	3. strength
	4. perform	5. allow	
B	1. movement	2. wild	3. originally
	4. fan	5. enemy	

A 해석 1. Anderson 선생님은 학생들 사이에서 매우 인기 있다.
2. 조금 전에 창문을 통해서 새가 날아가는 거 봤니?
3. 나는 약자들을 보호하기 위해 우리의 힘을 사용해야 한다고 들었다.
4. 너는 올해 학교 축제에서 무엇을 공연할지 결정했니?
5. 전시회 준비 때문에 방문객들은 안에 들어가는 것이 허용되지 않는다.

단어·숙어
protect ⓢ 보호하다
preparation ⓜ 준비
exhibition ⓜ 전시회

B 해석 1. 동작, 움직임: 당신의 몸이나 당신의 몸의 일부를 움직이는 행위
2. 야생의: 인간의 통제나 보살핌 없는 자연에 사는 것; 길들여지지 않은
3. 원래: 초반에; 무언가가 처음 일어났거나 시작했을 때
4. 부채: 자신을 시원하게 하기 위해 손에 쥐고 앞뒤로 흔드는 평평한 도구
5. 적: 다른 사람을 싫어하고, 공격하거나 해를 입히려고 하는 누군가

단어·숙어
tame ⓗ 길들여진 ⓢ 길들이다
flat ⓗ 평평한
device ⓜ 장치, 기구

Let's Read ❶ Mini Test p. 201

the body movements (of *Kathakali*) are so powerful

해설 마지막 문장 The body movements are so powerful that the dancers need to train for many years.를 통해서 무용수들이 수년 동안 연습을 해야 하는 이유는 몸 동작이 너무 힘이 넘치기 때문이라는 것을 알 수 있다.

Let's Read ❷ Mini Test p. 203

A 1. F 2. T
B The dancers looked as scary as wild animals before fighting.

A 해석 1. 하카 무용수들은 무서운 얼굴로 현대적인 춤을 춘다.
2. 뉴질랜드의 럭비 선수들은 주로 경기를 하기 전에 하카를 춘다.

해설 1. The dancers perform this traditional dance with scary faces.를 통해서 하카 무용수들은 무서운 얼굴로 전통적인 춤을 춘다는 것을 알 수 있다.
2. Nowadays, in New Zealand, rugby players usually perform a *haka* before a game to show their strength to the other team.을 통해서 뉴질랜드의 럭비 선수들이 경기 전에 하카 춤을 춘다는 것을 알 수 있다.

단어·숙어
modern ⓗ 현대적인

B 해설 '~만큼 …한'이라는 의미를 나타내기 위해서는 'as+형용사/부사의 원급+as+비교 대상'의 동등(원급) 비교 구문 형태를 쓴다.

Let's Read ❸ Mini Test

p. 205

1. ⓐ beauty ⓑ beautiful
2. ③
3. *Buchaechum*

해설 1. ⓐ '다양한 종류의 아름다움'이라는 의미가 되어야 하므로 명사형 beauty가 알맞다.
ⓑ 원급 비교인 'as ... as ~' 구문으로 as와 as 사이에는 형용사/부사의 원급 형태가 와야 하므로 beautiful이 알맞다.
2. '너무 ~해서 …하다'라는 의미의 'so ~ that ...' 구문이다.
3. 부채춤이 너무 인기가 있어서 많은 전통 축제에서 그것을 볼 수 있다는 문장이므로 it은 '부채춤'을 가리킨다.

Word Check

p. 209

A 1. 인기 있는 2. …이 허용되다 3. 우아하게
4. 계속 열심히 하다 5. 적 6. movement
7. take a look at 8. perform 9. originally
10. through

B 1. create 2. costume 3. comfortable
4. good 5. traditional 6. make it

C 1. creative 2. communicate 3. express
4. try your best 5. give up

B 해설 1. make 만들다 = create 만들다, 창조하다
2. clothes 옷, 의복 = costume 의상
3. cozy 편안한 = comfortable 편안한
4. evil 악 ↔ good 선
5. modern 현대적인 ↔ traditional 전통적인
6. fail 실패하다 ↔ make it 성공하다

C 해석 1. 계속 상상하는 것은 창의적이게 되는 가장 좋은 방법들 중의 하나이다.
2. 만약 내가 영어를 열심히 공부한다면, 나는 외국인과 의사소통할 수 있을 것이다.
3. 그들이 그들의 진짜 감정을 표현하는 것은 어려울 수 있다.
4. 만약 네가 모든 것에 최선을 다한다면 너는 그것을 후회하지 않을 것이다.
5. 쉽게 포기하는 것은 좋은 습관이 아니야, 그렇지?

해설 1. creative 창의적인
2. communicate 의사소통하다
3. express 표현하다
4. try one's best 최선을 다하다
5. give up 포기하다

단어·숙어 imagine ⓢ 상상하다
foreigner ⓜ 외국인
regret ⓢ 후회하다
habit ⓜ 습관

Grammar Check

p. 214

A 1. heavy 2. fast 3. that
4. so 5. delicious

B 1. more → much
2. wanting → wanted
3. beautifully → beautiful
4. as → that

C 1. No other building is as
2. is as cute as a doll
3. as comfortable as a bed

D Are lions as big as bears? / It was so hot that we couldn't stay outside long.

A 해석 1. 나를 도와줄 수 있니? 이 상자는 바위만큼 무거워.
2. 나는 어젯밤 사슴을 봤고, 그 사슴은 차만큼 빠르게 달렸다.
3. 아이들은 너무 피곤해서 곧 잠에 빠져들었다.
4. 너무 더워서 나는 에어컨을 틀지 않을 수 없었다.
5. 우리 엄마의 스파게티는 너무 맛있어서 나는 그것을 먹는 것을 멈출 수 없었다.

해설 1, 2. 'as ... as ~' 형태의 동등 비교 구문에서 as와 as 사이에는 형용사의 원급이 들어가는 것이 알맞다.
3, 4. 'so ... that ~'은 '너무 …해서 ~하다'라는 의미이다.
5. 'so ... that ~'은 '너무 …해서 ~하다'라는 의미로 so와 that 사이에는 형용사 또는 부사의 원급이 온다. 주어진 문장에서는 be동사 다음 에 쓰여 의미상 형용사 delicious가 와야 한다.

단어·숙어 can't help -ing …하지 않을 수 없다
air conditioner 에어컨

B 해석 1. 나는 내 친구들이 했던 만큼 많이 시험 준비를 할 수 없었다.
2. 이 불고기는 너무 맛있어서 그들은 그것을 요리하는 방법을 알고 싶어 했다.
3. 내가 가장 좋아하는 가수를 봐 봐! 그녀의 외모는 그녀의 목소리만큼 아름다워.
4. 그 공연은 너무 흥겨워서 나는 일어나지 않을 수 없었다.

해설 1, 3. 'as ... as ~' 형태의 동등 비교 구문에서 as와 as 사이에는 형용사나 부사의 원급이 들어가는 것

이 알맞다. 1번의 more는 비교급이므로 원급인 much를, 3번의 beautifully는 be동사 다음에 쓰여 의미상 beautiful로 쓰는 것이 알맞다.

2, 4. 'so ... that ~'은 '너무 …해서 ~하다'라는 뜻을 나타낸다. so와 that 사이에는 형용사나 부사를 쓰고, that 이하에는 주어와 동사가 쓰인 문장의 형태가 온다. 2번은 they 다음에 동사가 와야 하는데 시제가 과거이므로 wanted가 되어야 한다. 4번은 as가 아니라 that이 되어야 한다.

단어·숙어 prepare for …을 준비하다
performance ⓜ 공연
can't help but+동사원형 …하지 않을 수 없다

C 해석 1. 다른 어떤 건물도 이 건물만큼 높지 않다.
2. 내 여동생은 인형만큼 귀엽다.
3. 이 소파는 침대만큼 편안하니?

해설 1. 'No other+단수 명사+동사+as+형용사/부사의 원급+as+비교 대상'은 '다른 어떤 것도 …보다 ~하지 않다'라는 뜻으로 동등 비교의 형태로 쓰지만, 최상급의 의미를 나타내는 문장이다.
2. 'as ... as ~' 형태의 동등 비교 구문에서 as와 as 사이에는 형용사나 부사의 원급이 들어간다.
3. 'as ... as ~' 구문의 의문문 형태는 '동사+주어+as+형용사/부사의 원급+as+비교 대상?'이 되어야 한다.

D 해석 A: 어제 동물원으로 간 현장 체험 학습은 어땠니?
B: 나쁘진 않았어. 나는 사자와 곰이 정말 크다는 것을 알고 깜짝 놀랐어.
A: 사자가 곰만큼 크니?
B: 아니, 그렇지 않아. 곰이 사자보다 더 커.
A: 아, 그렇구나. 어제 날씨는 어땠어?
B: 너무 더워서 우리는 밖에 오래 머물 수 없었어.
A: 아, 그랬니? 그거 참 안됐구나.

해설 'as ... as ~' 구문의 의문문 형태는 '동사+주어+as+형용사/부사의 원급+as+비교 대상?'이 되어야 한다. 'so ... that ~'은 '너무 …해서 ~하다'라는 뜻을 나타낸다. so와 that 사이에는 형용사나 부사가 오고, that 이하에는 주어와 동사가 쓰인 문장의 형태가 오는 것에 유의한다. 날씨, 날짜, 시간, 거리, 명암 등을 나타낼 때는 주어 자리에 뜻이 없는 비인칭 주어 it을 쓴다.

단어·숙어 field trip 현장 체험 학습, 견학

단원 종합 평가

pp. 220~222

1. ③ 2. ⑤ 3. love, food 4. (B)–(C)–(A) 5. ③
6. ④ 7. ① 8. ④ 9. ③ 10. ⑤ 11. ①
12. as dark as → so dark that 13. ① 14. ④
15. as tall as his brother 16. ⓐ playing ⓑ allowed
17. The body movements are so powerful that
18. ② 19. ⑤ 20. Their movements look as beautiful as 21. ④ 22. perform 23. ④
24. Rugby players (usually perform a *haka* before a game).

1

듣기 대본 B: I signed up for the dance contest. I've practiced a lot, but I'm still nervous.
G: Don't worry. I'm sure you will do well.

해석 B: 나는 춤 경연 대회에 참가 신청을 했어. 난 연습을 많이 했지만 여전히 긴장돼.
G: 걱정하지 마. 나는 네가 잘할 거라고 확신해.

해설 남자는 춤 경연 대회에 신청해서 연습을 많이 해 왔지만 여전히 긴장된다고(nervous) 했으므로 남자의 심정으로 가장 적절한 것은 ③ '염려하는'이다.
① 행복한 ② 지루한 ④ 화난 ⑤ 실망한

2

듣기 대본 B: What are you reading, Jimin?
G: I'm reading a book about Picasso and Chagall.
B: Picasso and Chagall? Can you tell me more about them?
G: Sure. Picasso and Chagall were artists and friends. Picasso painted unique and unusual pictures. Chagall painted mysterious and magical pictures.
B: Wow, you're very interested in paintings. Jimin, you also have a dream to be an artist, right?
G: Yes. I will try my best to be a great artist like them.
B: Keep up the good work. I'm sure you can make it.

해석 B: 지민아, 너는 무엇을 읽는 중이니?
G: 나는 피카소와 샤갈에 관한 책을 읽는 중이야.
B: 피카소와 샤갈? 그들에 관해 더 이야기해 줄 수 있니?
G: 물론이지. 피카소와 샤갈은 화가이고 친구였어. 피카소는 독특하고 특이한 그림을 그렸어. 샤갈은 신비하고 황홀한 그림

을 그렸어.

B: 와, 너 그림에 매우 관심이 있구나. 지민아, 너도 화가가 되고 싶은 꿈이 있지, 그렇지?

G: 응. 나는 그들과 같은 위대한 화가가 되기 위해 최선을 다할 거야.

B: 계속 열심히 해. 나는 네가 해낼 수 있을 거라고 확신해.

해설 여자는 피카소와 샤갈 같은 위대한 화가가 되기 위해 최선을 다할 것이라고 말하고 있고, 이에 대해 남자가 격려하며 확신을 주는 말인 ⑤ '계속 열심히 해. 나는 네가 해낼 수 있을 거라고 확신해.'가 오는 것이 가장 적절하다.

① 신문을 읽는 게 어때?

② 나는 학생들이 좋은 책을 읽으려고 열심히 노력해야 한다고 생각한다.

③ 내 의견으로는, 너는 그러한 이야기들을 읽을 필요가 있어.

④ 응. 난 다음 주 토요일에 박물관에 가고 싶어.

---

3 듣기 대본 G: Did you know that some male birds dance?

B: No. Why do they dance?

G: They dance to show their love to female birds.

B: That's interesting. Do you know any other animals that can dance?

G: Yes, some bees dance to show where to find food.

B: That's cool. In my opinion, dancing is a great way to communicate.

G: I totally agree with you.

해석 G: 너는 일부 수컷 새들이 춤을 춘다는 것을 알았니?

B: 아니. 그것들은 왜 춤을 추니?

G: 그것들은 암컷 새들에게 그들의 사랑을 보여 주기 위해 춤을 춰.

B: 그거 흥미롭구나. 춤을 추는 또 다른 동물들을 알고 있니?

G: 응, 일부 벌들은 먹이를 찾을 수 있는 곳을 보여 주기 위해서 춤을 춰.

B: 그거 멋지다. 내 의견으로는, 춤추는 것은 의사소통하는 멋진 방법인 것 같아.

G: 네 말에 전적으로 동의해.

일부 수컷 새들은 암컷 새들에게 그들의 사랑을 보여 주려고 하기 때문에 춤을 추고, 일부 벌들은 먹이를 찾을 수 있는 곳을 보여 주려고 하기 때문에 춤을 춘다.

해설 첫 번째 빈칸에는 They dance to show their love to female birds.에서, 두 번째 빈칸에는 Yes, some bees dance to show where to find food.에서 각각 들어갈 말이 love와 food임을 알 수 있다.

단어·숙어 female ⓗ 암컷의
communicate ⓢ 의사소통하다
totally ⓟ 완전히

4 해석 민수야, 이 그림에 대해 어떻게 생각해?

(B) 음… 사람들이 재미있게 노는 것처럼 보여.

(C) 나도 동의해. 내 의견으로는, 춤추는 소년이 춤추는 것을 정말 즐기는 것 같아.

(A) 네 말이 맞아.

해설 What do you think about ... ?은 '…에 대해 어떻게 생각하니?'라는 의미로 의견이나 견해를 묻는 질문이다. 그러므로 주어진 질문에 이어서 자신의 의견을 말하는 (B)가 오고, 그 뒤로 상대방의 의견에 동의하는 (C)와 (A)가 따라오는 것이 알맞다.

단어·숙어 agree ⓢ 동의하다
opinion ⓜ 의견, 견해

5~7

해석 준수: 너희 그거 아니? 학교 춤 경연 대회가 곧 열릴 거야.

Emily: 맞아. 지민이네 반은 태권도 춤을 공연하고 Tim네 반은 K-pop 춤을 선보일 거라고 들었어.

Brian: 우리도 무엇을 해야 할지 결정해야 해.

미나: 부채춤 어떨까? 내 생각에, 그것은 배우기 쉽고 또한 아름다워.

Emily: 그거 좋은 생각이다. 하지만 누가 우리를 가르쳐 주지?

Brian: 미나는 전통 춤을 잘 춰. 미나야, 우리 좀 도와줄래?

미나: 물론이지, 내가 도와줄게. 나는 우리가 매우 재미있을 거라고 확신해.

준수: 좋아. 시도해 보자.

단어·숙어 contest ⓜ 시합, 대회 perform ⓢ 공연하다
decide ⓢ 결정하다 traditional ⓗ 전통적인
give it a try 시도하다

5 해설 학교 춤 경연 대회에서 어떤 춤을 공연할지에 대한 대화이다. 대화의 흐름상 Brian이 무엇을 해야 할지 결정해야 한다는 말 다음에, 미나가 내 생각에 그것은 배우기 쉽고 아름답다는 의견을 말하기 전에 주어진 문장 '부채춤은 어떨까?'가 ③에 오는 것이 자연스럽다.

6 해설 In my opinion, ...은 '내 의견으로는'이라는 의미로 자신의 의견이나 견해를 표현할 때 사용하는 말이다. In my view, I think/believe (that), To my mind 등과 바꿔 쓸 수 있다. ④ I'm sorry는 유감이

나 미안함을 나타낼 때 사용하는 표현이다.

7 해설 미나가 앞 문장에서 '물론이지, 도와줄게.'라고 했고 그 다음에 준수가 '좋아. 시도해 보자.'라고 했으므로 빈칸에는 ① '나는 우리가 매우 재미있을 거라고 확신해.'라는 말이 알맞다.
② 우리가 해낼 수 있을 거라고 생각하지 않아.
③ 나는 새로운 것을 시도하는 것이 두려워.
④ 미안하지만 나는 너희를 도와줄 수 없어.
⑤ 나는 네가 혼자서 그것을 할 수 있다고 믿어.

단어·숙어 make it 성공하다, 해내다
by oneself 혼자

8 해설 ④ enemy(적)는 '상대방을 싫어하거나, 공격하려는 사람'이다.
① 인기 있는: 많은 사람들에 의해 좋아하거나 즐기는
② 전통적인: 전통을 구성하거나 전통에서 유래된
③ 원래: 처음에; 무언가가 처음 일어났거나 시작했을 때
⑤ 등장인물: 이야기, 책, 연극, 영화, 또는 TV 쇼에 나오는 사람

단어·숙어 protect ⓢ 보호하다
appear ⓢ 나타나다

9 해석 ① 움직이다 – 움직임, 운동
② 표현하다 – 표현
③ 전통 – 전통적인
④ 공연하다 – 공연
⑤ 의사소통하다 – 의사소통

해설 ③은 '명사 – 형용사'의 관계이고, 나머지 단어들은 '동사 – 명사'의 관계이다.

단어·숙어 express ⓢ 표현하다
perform ⓢ 공연하다
communicate ⓢ 의사소통하다

10 해석 시도해 보는 것이 어떠니? 그렇지 않으면 너는 후회할 거야. 너 자신을 믿어 봐, 그리고 이번엔 포기하지 마.

해설 give it a try는 '시도해 보다', give up은 '포기하다'로 공통으로 들어갈 단어는 ⑤ give이다.

단어·숙어 otherwise ⓟ 그렇지 않으면
regret ⓢ 후회하다
trust ⓢ 믿다, 신뢰하다

11 해석 그는 재능 있는 가수이다. 나는 그가 세계적으로 유명한 가수로 성공할 수 있다고 믿는다.
① 실패하다 ② 성공하다 ③ 춤추다 ④ 노래하다 ⑤ 도착하다

해설 문장에서 make it은 '성공하다'라는 의미로 쓰였으므로 그의 반대말은 '실패하다'인 ① fail이다.

12 해설 '너무 …해서 ~하다'라는 의미의 구문은 'so+형용사/부사+that+주어+동사+…'의 형태로 쓰인다.

13 해석 ① 그 영화는 너무 지루해서 나는 그것을 그만 보고 싶었다.
② 그녀의 와플은 너무 맛있어서 모든 사람들이 그것을 좋아한다.
③ 나는 너무 피곤해서 바로 잠자리에 들었다.
④ 그녀는 너무 아름다워서 나는 그녀에게서 눈을 뗄 수가 없었다.
⑤ 그 아이들은 너무 신나서 계속 주위를 뛰어다녔다.

해설 'so ... that ~'은 '너무 …해서 ~하다'라는 뜻으로, so와 that 사이에 형용사 또는 부사가 오는 것과 that 이하에 '주어+동사+…'의 문장 형태가 오는 것에 유의한다.
② so와 that 사이에 부사가 올 수 있지만, 주어진 문장에서는 be동사 다음에 쓰여 의미상 형용사 delicious가 오는 것이 알맞다.
③ that 이하에 '주어+동사+…'의 문장 형태가 와야 하므로 I was so tired that I went to bed right away.가 되어야 한다.
④ to가 아니라 that이 와야 한다.
⑤ that 이하에 '주어+동사+…'의 문장 형태가 와야 하므로 The children were so excited that they kept running around.가 되어야 한다.

단어·숙어 right away 바로, 당장
can't take one's eyes off …에서 눈을 뗄 수 없다
keep -ing 계속해서 …하다

14 해석 ① 이 망고는 내가 전에 먹었던 것만큼 맛있지 않다.
② 이 도시의 사람들은 벌들만큼 바빠 보인다.
③ 그의 목소리는 천둥만큼 시끄럽지 않았니?
④ 나는 나의 체육 선생님이 했던 만큼 높게 뛰고 싶었다.
⑤ 프랑스의 어떤 도시도 여기만큼 아름답지 않다.

해설 'as ... as ~' 동등 비교 구문에서 as와 as 사이에는 형용사나 부사의 원급이 들어가는 것이 알맞다. ④ high는 형용사로는 '높은', 부사로는 '높이'의 뜻을 나타내는데, 주어진 문장에서는 부사로 쓰였다.
① 'as ... as ~' 구문의 부정문은 '주어+is+not+as+형용사/부사의 원급+as+비교 대상'이 되어야 하므로 This mango is not as yummy as the one I had before.가 되어야 한다.
② as와 as 사이에는 형용사/부사의 원급이 들어가야 하므로 People in this city look as busy as bees.가 되어야 한다.
③ as와 as 사이에는 형용사/부사의 원급이 들어가야 하는데 be동사 다음에 쓰여 의미상 형용사 loud가

오는 것이 알맞다. 따라서 Wasn't his voice as loud as thunder?가 되어야 한다.

⑤ 동등 비교 구문을 사용하지만 최상급의 의미를 나타내는 표현인 'No other+단수 명사+동사+as+형용사/부사의 원급+as+비교 대상'의 형태이다. 그러므로 No other city in France is as beautiful as here.가 되어야 한다.

단어·숙어
yummy ⓗ 맛있는
thunder ⓜ 천둥

15 해석 그는 키가 165 센티미터이다. 그의 형도 키가 165 센티미터이다.
→ 그는 그의 형만큼 키가 크다.

해설 그와 그의 형이 키가 같음을 나타내야 하므로 동등 비교 구문 'as ... as ~'를 써야 하고, as와 as 사이에는 tall이 와야 한다.

16~18

해석 카타칼리에는 이야기가 있습니다. 그 무용수들은 그들의 몸동작을 통해서 이야기합니다. 그 이야기들은 주로 선과 악의 싸움에 대한 것입니다. 선한 역할을 맡은 무용수들은 그들 자신의 얼굴을 초록색으로 칠합니다. 악한 역할을 맡은 무용수들은 검은색 화장을 합니다. 흥미롭게도, 카타칼리에서는 오직 남자들만 춤추는 것이 허락됩니다. 그 몸동작들은 매우 힘이 넘쳐서 무용수들은 수년 동안 훈련할 필요가 있습니다.

단어·숙어
through ⓙ …을 통해서
movement ⓜ 움직임
good and evil 선과 악
character ⓜ 등장인물
interestingly ⓑ 흥미롭게도
be allowed to …하는 것이 허용되다

16 해설 '선한 역할을 하고 있는 무용수'라는 의미의 문장으로 현재진행형인 'be동사+-ing'가 되어야 하므로 ⓐ는 playing이, be allowed to는 '…하는 것이 허락되다'라는 의미이므로 ⓑ는 allowed가 되어야 한다.

17 해설 '너무 …해서 ~하다'라는 의미의 구문이 되어야 하므로 '주어+동사+so+형용사+that+주어+동사+…'의 형태로 쓴다.

18 해설 본문을 통해 카타칼리 무용수들은 몸동작으로 이야기하고, 그 이야기들은 선과 악의 싸움에 관한 것으로 남자들만 그 춤을 추게 되어 있으며 선한 등장인물은 초록색을 얼굴에 칠한다는 것을 알 수 있다. ② '사람들이 언제 카타칼리를 추기 시작했는지'는 본문에서 알 수 없다.

① 카타칼리 무용수들이 어떻게 이야기하는지
③ 카타칼리의 이야기들은 무엇에 관한 것인지
④ 여자들이 카타칼리를 출 수 있는지 없는지
⑤ 선한 등장인물들은 어떤 색을 얼굴에 칠하는지

19~21

해석 부채춤은 한국 전통 춤입니다. 그 무용수들은 다채로운 한복을 입습니다. 그들은 밝은 색으로 칠해진 커다란 부채를 가지고 춤을 춥니다. 그 무용수들은 다양한 종류의 아름다움을 보여 주기 위해서 우아하게 부채를 움직입니다. 그들의 움직임은 꽃 또는 날아가는 새들만큼 아름답게 보입니다. 한국에서 부채춤은 너무 인기가 있어서 사람들은 많은 전통 축제에서 그것을 볼 수 있습니다.

단어·숙어
fan ⓜ 부채
colorful ⓗ 다채로운
bright ⓗ 밝은
gracefully ⓑ 우아하게
beauty ⓜ 아름다움, 미

19 해설 첫 번째 ⓐ에는 선행사(large fans)가 사물인 주격 관계대명사로서 which나 that이 들어가야 하고, 두 번째 ⓐ에는 '너무 …해서 ~하다'라는 의미의 구문으로 that이 들어가야 하므로 공통으로 알맞은 것은 ⑤ that이다.

20 해설 '…만큼 ~한'이라는 의미의 동등 비교 구문이 와야 하므로 'as ... as ~' 형태가 쓰여서 as와 as 사이에는 형용사나 부사의 원급이 와야 한다. 또한 감각동사인 look의 뒤에는 형용사를 써야 함에 유의한다.

21 해설 부채춤이 피어나는 꽃의 모습을 형상화한다는 내용은 언급되지 않았으므로 ④는 일치하지 않는다.

22~24

해석 사람들이 뉴질랜드에 방문할 때, 그들은 하카 무용수들의 무리를 마주칠지도 모릅니다. 그 무용수들은 무서운 얼굴로 이 전통 춤을 춥니다. 이 춤은 원래 싸움 전에 마오리족에 의해 행해졌습니다. 그들은 적에게 그들의 힘을 보여 주고 싶었습니다. 그 무용수들은 싸움 전에 야생 동물들만큼 무섭게 보였습니다. 요즘에는, 뉴질랜드에서 럭비 선수들이 주로 경기 전에 다른 팀에게 그들의 힘을 보여 주기 위해서 하카를 춥니다.

단어·숙어
traditional ⓗ 전통적인
scary ⓗ 무서운, 겁나는
originally ⓑ 원래
perform ⓓ 공연하다
strength ⓜ 힘
enemy ⓜ 적
nowadays ⓑ 요즘

22 해석 노래와 연기 등으로 청중을 즐겁게 하다
해설 주어진 영영 풀이에 해당하는 단어는 '공연하다'라는 뜻의 perform이다.

23 해설 ④ 'as ... as ~'의 동등 비교 구문으로 동사 looked 다음에 형용사 scary가 쓰인 것은 알맞다.
① 조동사 뒤에는 동사원형이 와야 하므로 met이 아니라 meet으로 바뀌어야 한다.
② '이 춤은 마오리족에 의해 행해졌다'라는 의미가 되어야 하므로 수동태(be동사+과거분사)인 performed로 바뀌어야 한다.
③ want는 to부정사를 목적어로 갖는 동사이므로 to show로 바뀌어야 한다.
⑤ '그들의 힘을 보여 주기 위해서'라는 의미가 되어야 하므로 목적을 나타내는 to부정사의 부사적 용법인 to show로 바뀌어야 한다.

24 해석 요즘은 뉴질랜드에서 보통 누가 하카를 춥니까?
해설 마지막 문장인 Nowadays, in New Zealand, rugby players usually perform a *haka* before a game to show their strength to the other team.을 통해서 요즘에는 럭비 선수들이 하카를 춘다는 것을 알 수 있다.

서술형 평가

p. 223

1. (1) The cookies were so delicious that I ate them all.
   (2) It was snowing so heavily that the school canceled the field trip.
   (3) This book was so interesting that she read it all night long.
2. |예시 답안|
   (1) I watched a movie
   (2) my opinion/view
   (3) interesting movie
   (4) sure you would like it
3. (1) are as expensive as watermelons
   (2) are as heavy as watermelons

1 해석 (1) 그 쿠키는 너무 맛있어서 나는 그것들을 모두 먹어 버렸다.
(2) 눈이 너무 많이 내리고 있어서 학교는 현장 학습을 취소했다.
(3) 이 책은 너무 재미있어서 그녀는 밤새 그 책을 읽었다.
해설 'so+형용사/부사+that+주어+동사 …' 구문을 사용하여 '너무 …해서 ~하다'라는 뜻을 나타내는 문장을 완성한다.

2 해석 A: Judy, 지난 주말에 뭐했니?
B: Tom, 안녕. 난 지난 주말에 'ZooTopia'라는 영화를 봤어.
A: 그거 어땠어?
B: 내 생각에, 그것은 흥미로운 영화인 것 같아. 그 영화 봤니?
A: 아니, 아직. 내가 그 영화를 좋아할 거라고 생각하니?
B: 응. 나는 네가 그 영화를 좋아할 거라고 확신해.
해설 Judy의 다이어리를 통해서 지난 주말에 영화를 보았는데 영화는 재미있고 모든 사람들이 좋아할 거라고 생각한다는 것을 알 수 있다. 자신의 의견이나 견해를 말할 때는 in my opinion, in my view라는 표현을 쓴다는 점에 유의한다. 또한 자신의 생각을 확신할 때는 I'm sure ...라는 표현을 사용한다.

3 해석 위의 표를 살펴보자. 저 과일들은 다양한 색깔을 지니고 있고 가격도 다르다. 몇몇은 비싸고, 나머지는 그렇지 않지만, 멜론은 수박만큼 비싸다. 또한 멜론은 수박만큼 무겁다.
해설 표에서 제공하는 정보를 보고, 주어진 과일들을 비교하는 문제이다. 동등 비교 구문을 쓸 때는 'as ... as ~' 형태로 쓰고, as와 as의 사이에는 형용사나 부사의 원급이 와야 한다.
단어·숙어 take a look at …을 살펴보다
table ⓔ 표
above ⓟ 위에
price ⓔ 가격

Lesson 7

Word Preview Mini Test

p. 232

A	1. disappear	2. turn	3. necessary
	4. confuse	5. pressure	
B	1. contract	2. material	3. trick
	4. expand	5. absorb	

A 해석 1. 좋은 기억과 나쁜 기억 둘 다 쉽게 사라지지 않는다.
2. 마녀는 왕자를 개구리로 바꿀 것이다.
3. 좋은 음식과 충분한 수면은 건강에 필수이다.
4. 너무 많은 정보는 그를 혼동시킬 것이다.
5. 이 약은 혈압을 낮추는 데에 사용된다.

단어·숙어 easily 부 쉽게
witch 명 마녀
lower 동 내리다, 낮추다
blood pressure 혈압

B 해석 1. 수축하다: 더 작게 되다
2. 재료, 물질: 무언가를 만들 수 있는 물질
3. 마술, 속임수: 누군가를 놀라게 하거나 혼동하게 하는 무언가
4. 팽창하다: 크기, 범위나 양이 증가하다
5. 흡수하다: 자연적으로 또는 점차적으로 무언가를 흡수하다

단어·숙어 substance 명 물질
be made from …으로 만들어지다

Let's Read ❶ Mini Test p. 235

1. magic tricks 2. Ken's magic tricks

해설 1. ⓐ them은 바로 앞 It's always exciting to see magic tricks.에서 magic tricks를 가리킨다.
2. ⓑ them은 앞의 Today, Ken, a member of the School Magic Club, will use science to perform his tricks.와 Which tricks will he show us?에서 알 수 있듯이 his tricks를 가리키는데, 구체적으로 써야 하므로 his를 Ken's로 바꾸고 tricks는 magic tricks를 말하므로 Ken's magic tricks라고 쓴다.

Let's Read ❷ Mini Test p. 237

A 1. F 2. T
B How come it rose into the glass

A 해석 1. 공기가 차가워지면 공기는 더 높은 압력을 만든다.
2. 불꽃이 다 타 버렸을 때 유리컵 속의 기압이 변했다.

해설 1. 공기가 차가워지면 공기는 수축해서 압력이 낮아진다는 본문의 내용과 일치하지 않는다.
2. 불꽃이 다 타 버리자 유리컵 속의 공기가 식었고, 공기가 수축하여 기압이 낮아졌다는 본문의 내용과 일치한다.

B 해설 How come ...?은 '도대체 왜, 어째서 …?'라는 뜻으로 이유를 묻는 의문문을 만들며, 뒤에 '주어+동사'가 나온다.

Let's Read ❸ Mini Test p. 239

1. into 2. the water

해설 1. put A into B: A를 B 안으로 넣다
turn A into B: A를 B로 바꾸다
따라서 공통으로 알맞은 전치사는 into이다.
2. The material absorbed the water and (the material) turned it into jelly.에서 특수 물질이 물을 흡수했고, 흡수한 물을 젤리로 바꾸었음을 알 수 있으므로 it은 앞에 나온 the water를 가리킨다.

Word Check p. 243

A 1. 재료, 물질 2. 마술, 속임수 3. 필요한
4. 불꽃 5. 초, 양초 6. absorb
7. pressure 8. burn out 9. sign up for
10. confuse

B 1. difference 2. sink 3. contract
4. appear

C 1. turned 2. act 3. stuck
4. filled 5. pushed

B 해석 1. 너와 나 사이에 닮은 점을 알고 있니?
2. 이 식물들은 물 위에 뜰 정도로 충분히 가볍다.
3. 금속이 뜨거워지면, 그것은 팽창할 것이다.
4. 그 부부는 그 남자를 믿었지만, 그는 그들의 돈을 가지고 사라졌다.

해설 1. similarity는 '유사성, 닮은 점'이라는 뜻으로 반의어는 difference(차이점)이다.
2. float는 '뜨다'라는 뜻으로 반의어는 sink(가라앉다)이다.
3. expand는 '팽창하다'라는 뜻으로 반의어는 contract(수축하다)이다.
4. disappear는 '없어지다, 사라지다'라는 뜻으로 반의어는 appear(나타나다)이다.

단어·숙어 enough 형 충분한
metal 명 금속

C 해석 1. 마술사가 달걀을 비둘기로 바꾸자 관중은 박수를 쳤다.
2. 부모는 아이가 아니라 부모처럼 행동해야 한다.
3. 내가 그 껌을 만졌을 때, 그것은 내 손가락에 달라붙었다.
4. 방이 연기로 가득 차서, 숨을 쉬기가 어려웠다.
5. 그들은 그를 차 속으로 밀어 넣고, 차를 몰고 떠났다.

해설 1. turn A into B A를 B로 바꾸다, 변화시키다
2. act like …처럼 행동하다, …의 역할을 하다

3. stick to …에 달라붙다, …을 고수하다
4. A be filled with B A가 B로 가득 차다 (← fill A with B)
5. push A into B A를 B로 밀어 넣다

단어·숙어 applaud ⓢ 박수를 치다
breathe ⓢ 숨을 쉬다
drive away (차를 몰고) 떠나다

Grammar Check

p. 248

A 1. It　2. of
3. How come　4. Why

B 1. It is / to go　2. It is / to master
3. It was / to tell　4. It is / to have

C 1. How come there are so many people
2. How come Tom could solve it
3. How come you didn't tell me anything

D 1. is important to read books
2. is really(truly) necessary to save
3. come you sold your old car
4. come she broke up with him

A 해석 1. 엎질러진 우유 앞에서 울어 봐야 소용없다.
2. 그가 나에게 그렇게 말하는 것은 무례했다.
3. 도대체 왜 너는 어제 나에게 전화하지 않았니?
4. 왜 너는 그렇게 실망해 있니?

해설 1. 'It is/was ~ to ...'에서 진주어인 to부정사를 대신하는 가주어는 It이 알맞다.
2. to부정사의 행동을 하는 주체가 일반인(people)이 아닐 경우, 의미상 주어를 'for+목적격'이나 'of+목적격' 형태로 to부정사 앞에 둔다. It is/was 다음에 사람의 성격이나 특성을 나타내는 형용사인 kind, nice, rude 등이 사용된 경우, to부정사의 의미상 주어로 'of+목적격'을 사용하므로 of를 쓰는 것이 알맞다.
3. 'How come+주어+동사 …?'의 어순으로 '도대체 왜, 어째서 …?'라는 뜻의 의문문을 만든다.
4. Why는 의문사로서 문장 내 동사가 be동사일 경우, '의문사+be동사+주어 …?'의 어순으로 의문문을 만든다.

단어·숙어 useless ⓗ 소용없는, 쓸모없는
spill ⓢ 쏟다, 흘리다 (–spilt–spilt)
disappointed ⓗ 실망한, 낙담한

B 해석 1. 밤에 혼자 밖에 나가는 것은 위험하다.
2. 한 달 안에 영어에 통달하는 것은 불가능하다.
3. 그에게 거짓말을 한 것은 좋은 생각이 아니었다.
4. 눈싸움하는 것은 재밌다.

해설 주어 자리에 가주어 It을 두고, to부정사 형태는 진주어로서 문장 뒤로 보낸다.

단어·숙어 master ⓢ …을 완전히 익히다, …에 통달하다
tell a lie to …에게 거짓말하다
have a snowball fight 눈싸움하다

C 해석 1. 도대체 왜 여기 안에는 사람들이 이렇게 많이 있나요?
2. 도대체 왜 Tom은 이것을 그렇게 쉽게 풀 수 있었나요?
3. 어째서 너는 나에게 이것에 대해 아무것도 말해 주지 않았니?

해설 'How come+주어+동사 …?'는 '도대체 왜, 어째서 …?'라는 의미로 다른 의문사의 의문문과 달리 평서문 어순을 취한다.
1. 'there is/are+주어'는 '…이 있다'라는 의미로, 이때 there는 유도부사로서 해석하지 않는다.
2. 주어가 될 수 있는 것은 Tom과 it인데, could solve(해결할 수 있다, 풀 수 있다)를 할 수 있는 주체는 Tom이 알맞으므로 Tom을 주어 자리에 두어야 한다.
3. 'tell+간접목적어+직접목적어'의 어순이므로 주어 자리에는 me가 아닌 you가 와야 한다. 따라서 How come 다음에 you didn't tell me anything의 어순으로 와야 한다.

D 해설 1, 2. 주어의 내용이 길 경우, 주어 자리에 가주어 It을 두고 긴 내용의 진주어는 to부정사 형태로 문장 뒤에 두는 것이 일반적이다.
3, 4. 'How come+주어+동사 …?'는 '도대체 왜, 어째서 …?'라는 의미로 평서문 어순이 온다.

단어·숙어 constantly ⓟ 끊임없이, 늘
break up with …와 헤어지다

단원 종합 평가

pp. 254~256

1. ④　2. ③　3. ②　4. 상한 달걀(신선하지 않은 달걀)　5. ②
6. ③　7. ④　8. ⑤　9. ④　10. ②　11. ⑤　12. ③
13. Why are you here? / How come you are here?
14. ③　15. ①　16. ②　17. ⓐ It ⓑ to　18. ⑤
19. to show you something amazing
20. How come it rose into the glass?
21. air　22. ①　23. ④　24. ③　25. ②

1 듣기 대본
B: Kate, have you decided whom to interview this Career Day?
G: No, not yet, but I'm thinking about a vet or a zookeeper. How about you?
B: I'm going to interview Ken's uncle. He is a magician, so I asked Ken for help.
G: Really? Good for you. I heard that you're very interested in magic tricks.
B: Yes, especially ones that use science. I can't wait to interview him.

해석 B: Kate, 이번 직업의 날에 누구를 인터뷰할지 정했니?
G: 아니, 아직 정하지 않았지만, 수의사나 동물원 사육사에 대해 생각 중이야. 너는 어때?
B: 나는 Ken의 삼촌을 인터뷰할 거야. 그는 마술사여서 내가 Ken에게 도움을 청했지.
G: 정말? 잘됐다. 네가 마술 묘기에 매우 관심이 있다고 들었어.
B: 응, 특히 과학을 이용하는 것들에. 나는 빨리 그를 인터뷰하고 싶어.

해설 남자가 인터뷰하게 될 사람은 Ken의 삼촌이며, 그의 직업은 ④ '마술사(magician)'이다.

단어 숙어
zookeeper ⓜ 동물원 사육사
vet ⓜ 수의사 (= veterinarian)
especially ⓟ 특히

2 듣기 대본
B: Look at this picture, Mina.
G: How come people are floating in the water without sinking? Some people are even reading newspapers.
B: Yeah. It's the Dead Sea. It is so dense that people float in the water. In other words, the water is heavier than the human body.
G: That's quite interesting. I hope I can see the Dead Sea some day.

해석 B: 이 사진 좀 봐, 미나야.
G: 어째서 사람들이 가라앉지 않고 물에 떠 있는 거지? 어떤 사람들은 심지어 신문을 읽고 있어.
B: 응. 여기는 사해(死海)야. 사해는 밀도가 너무 높아서 사람들이 물에 떠. 다시 말해서, (사해)물이 인간의 몸보다 더 무겁다는 거지.
G: 정말 흥미롭다. 언젠가 나도 사해를 볼 수 있기를 바라.

해설 'How come+주어+동사 …?'는 '도대체 왜, 어째서 …?'라는 의미로 How come 뒤에 '주어+동사'의 어순이 오는 것에 주의한다.

단어 숙어
sink ⓢ 가라앉다 (-sank-sunk)
the Dead Sea 사해
dense ⓗ 빽빽한, 밀집한; 밀도가 높은
in other words 다시 말해서

3 듣기 대본
B: Sumi, what are you going to do this Saturday?
G: I'm going to go to the Science Magic Show. There will be over twenty magic tricks that use science.
B: Oh, really? Which trick do you want to see?
G: The fire trick looks interesting! Can you go with me?
B: Sure. I can't wait to see the show.

해석 B: 수미야, 이번 토요일에 뭐 할 거니?
G: 나는 과학 마술 쇼에 갈 거야. 과학을 이용한 20여 개가 넘는 마술 묘기가 있을 거야.
B: 오, 정말? 너는 어떤 마술을 보고 싶니?
G: 불을 이용한 마술이 흥미로워 보여! 나랑 같이 갈 수 있니?
B: 물론이지. 그 쇼를 빨리 보고 싶다.

해설 소년이 수미에게 이번 토요일에 무엇을 할 예정인지를 묻고, 수미는 과학 마술 쇼를 보러 갈 것이라고 하면서 같이 갈 것을 물었다. 이에 소년도 좋다고 했으므로 두 사람이 이번 토요일에 할 일로 가장 적절한 것은 ② '마술 쇼 보러 가기'이다.

4~5
해석 B: 유진아, 왜 달걀을 물속에 넣었니?
G: 나는 상한 달걀을 골라내고 있어.
B: 어떤 달걀이 신선하고, 어떤 게 신선하지 않은 거야?
G: 물에 가라앉는 달걀이 신선해. 달걀이 물에 뜨면 신선한 게 아니야. 그것들은 먹으면 안 돼.
B: 그거 재미있다. 상한 달걀은 왜 물에 뜨지?
G: 상한 달걀은 속에 가스가 차기 때문이야. 가스가 풍선 속의 공기 같은 역할을 해.
B: 아, 이제 이해했다.

단어 숙어
pick out …을 골라내다, 가려내다
inside ⓟ …의 안[속/내부]에
act like …처럼 행동하다, …와 같은 역할을 하다

4 해설 대명사 them이 가리키는 것은 앞 문장의 they're not fresh, 즉 bad eggs(상한 달걀)이다.

5 해설 달걀이 물에 뜨는 이유가 달걀 속의 가스 때문이므로, 뜰 수 있는 물건 안에서 뜨는 역할을 하는 것인 ② '풍

선 속의 공기'에 비유되어야 한다.
① 물속의 물고기 ③ 하늘의 구름
④ 차 안의 엔진 ⑤ 덫에 걸린 쥐 (독 안에 든 쥐)

단어·숙어 rat 명 쥐
trap 명 덫, 함정

6~7

해석 B: 미나야, 우리 테니스 동아리에 가입할래?
G: 재미있겠다. 하지만 나는 이번 가을에 특별 수업을 신청했어.
B: 어떤 수업을 신청했는데?
G: 마술 수업을 신청했어. 거기서 새로운 마술 묘기를 빨리 배우고 싶어.
B: 멋지다! 전에 마술 묘기를 배운 적이 있니?
G: 응, 전에 조금 배웠지만 연습이 더 필요해.
B: 언젠가 네 마술 묘기를 볼 수 있기를 바라.

단어·숙어 join 동 가입하다
sign up for …를 신청하다
practice 명 연습 동 연습하다

6 해설 주어진 문장은 희망이나 기대를 나타내는 표현인 I can't wait to ...가 쓰였다. 미나가 마술 수업을 신청했고, 그다음에 거기서 빨리 배우고 싶다는 의미가 되어야 자연스러우므로 ③에 들어가는 것이 알맞다.

7 해설 소년이 Have you learned magic tricks before? 라고 묻자 미나가 Yes, I learned some before, ...라고 답했으므로 ④는 내용과 일치하지 않는다.

8 해석 네 시계를 빨리 보고 싶구나.
해설 희망이나 기대를 나타내는 표현인 I can't wait to ...는 I'm dying to ... (…하고 싶다) / I'm eager to ... (…하기를 바라다) / I'm longing to ... (…을 간절히 바라다) 등과 같은 뜻을 나타낸다. I'm looking forward to+-ing도 '…하기를 고대하다'라는 뜻으로 유사한 표현이지만, to 다음에 동명사(-ing) 형태가 와야 하므로 주어진 문장처럼 동사원형이 올 경우에는 바꿔 쓸 수가 없다.

9 해석 무엇을 생각하거나 할 것인지 관해 누군가를 불확실하게 만들다
해설 무언가에 관해 불확실하게 만드는 것은 ④ '혼란시키다'를 뜻한다.
① 흡수하다 ② 수축하다 ③ 비교하다 ⑤ 팽창하다

10 해석 ① 뜨다 – 가라앉다 ② 덮다, 가리다 – 숨기다
③ 불을 붙이다 – (불을) 끄다 ④ 수축하다 – 팽창하다
⑤ 나타나다 – 사라지다
해설 나머지는 모두 반의어 관계인데, ②는 유의어 관계이다.

11 해설 나머지 네 가지는 모두 어떤 물건을 만드는 ⑤ '물질(재료)'이다.
① 금속 ② 나무 ③ 플라스틱 ④ 고무

12 해석 해결책을 찾는 것은 간단하지 않다.
① 진정해.
② 나날이 추워지고 있다.
③ 그녀가 그의 의견을 무시한 것은 어리석었다.
④ 그것은 두 개의 긴 귀와 작은 꼬리가 있다.
⑤ 그것은 맛있고 만들기 쉽다.
해설 주어진 문장과 ③에 쓰인 It은 'It is ~ to ...' 구문에서의 가주어 It이고, to 이하가 진주어이다.
① '막연한 상황'을 나타내는 it이다.
② '날씨'를 나타내는 비인칭 주어 It이다.
④ 대명사 It으로 '그것'이라는 의미를 지닌다.
⑤ 대명사 It(그것)으로 앞에 나온 명사를 가리킨다. 여기서 to make는 easy라는 형용사를 한정하는 to부정사의 부사적 용법으로 쓰였다.

단어·숙어 day by day 나날이
ignore 동 무시하다

13 해석 네가 여기에 어쩐 일이야? (무슨 일로 네가 여기에 왔어?)
해설 이유를 묻는 의문문을 만들어야 한다. How come의 경우 뒤에 평서문의 어순인 '주어+동사'가 오는 반면에 Why의 경우 be동사, 조동사가 있는 의문문으로 'Why+be동사+주어 …? / Why+조동사+주어+동사원형 …?'의 어순이고, 일반동사가 있는 의문문은 'Why+do(es)/did+주어+동사원형 …?'의 어순이다. be동사가 있으므로 Why are you here? 또는 How come you are here?로 써야 한다.

14 해석 아직 일어나지 않은 일들을 두려워하는 것은 꽤 어리석다.
해설 'It is/was ~ to ...'의 진주어, 가주어 용법에서 to부정사는 'to+동사원형'의 형태가 와야 한다. afraid는 '두려워하는, 겁내는'이라는 뜻의 형용사이므로 to 다음에 be가 와야 한다. ⑤ that 이하는 주격 관계대명사절로 앞의 things(선행사)를 수식한다.

단어·숙어 quite 부 꽤
silly 형 어리석은
be afraid of …을 두려워하다

15 해석 ① 네 친구들에게 작별 인사를 할 시간이다.
② 내 목표는 행복하고 건강한 삶을 사는 것이다.
③ 나는 오늘 밤 Jake와 영화 보러 가기를 원한다.
④ 너의 상황에서 최선을 다하는 것이 중요하다.

⑤ 그것에 대해 미리 계획을 세운다는 것은 좋은 생각이다.

해설 to부정사의 명사적 용법은 문장 내에서 주어, 보어, 목적어 역할을 한다. ②는 보어, ③은 want의 목적어, ④, ⑤는 진주어 역할을 하고 있으므로 to부정사의 명사적 용법으로 쓰였다. 반면에 ①은 앞의 time을 수식하는 형용사적 용법으로 쓰였고, 여기에서 It은 시간을 나타내는 비인칭 주어 It이다.

단어·숙어 say goodbye to …에게 작별 인사를 하다
in advance 미리, 사전에

16 해설 'How come+주어+동사 …?'의 구문이 쓰였고 'send+간접목적어(~에게)+직접목적어(~을/를)'의 어순이므로 ② How come you didn't send me an invitation?이 알맞다.

단어·숙어 invitation ⑲ 초대장

17~18

해석 특별 과학 마술 쇼에 오신 것을 환영합니다! 마술을 보는 것은 항상 신나는 일입니다. 그리고 마술 뒤에 숨겨진 비밀을 알아내는 것은 더 신나는 일입니다. 어떤 사람들은 마술의 비밀이 과학이라고 생각합니다. 오늘 학교 마술 동아리 회원인 Ken은 마술을 수행하기 위해 과학을 이용할 것입니다. 그는 우리에게 어떤 마술을 보여 줄까요? 빨리 보고 싶군요.

단어·숙어 magic ⑲ 마술, 마법 ⑳ 마술의
trick ⑲ 마술, 속임수
find out 알아내다
perform ⑧ 행하다, 수행하다, 공연하다

17 해설 주어의 내용이 길 경우, 동명사 주어로 하거나 'It is/was ~ to ...'의 진주어, 가주어의 형태로 주어 자리에 가주어 It을 두고, 진주어는 to부정사로 문장 뒤에 둔다.

18 해석 ① 그는 결혼할 사람이 아무도 없다.
② 나는 이야기를 나눌 친구가 거의 없다.
③ 너는 건강을 위해 운동할 필요가 있다.
④ Ella는 우리에게 팬케이크를 만드는 법을 가르쳐주었다.
⑤ Tracy는 그녀의 엄마를 도와드리기 위해서 집을 청소했다.

해설 to perform은 '…하기 위해서'라는 의미로 to부정사의 부사적 용법(목적)이다.
① no one을 수식하는 to부정사의 형용사적 용법이다.
② friends를 수식하는 to부정사의 형용사적 용법이다.
③ need의 목적어인 to부정사의 명사적 용법이다.
④ '의문사+to부정사'는 to부정사의 명사적 용법이다.
⑤ '도와드리기 위해서'라는 의미이므로 to부정사의 부사적 용법(목적)이다.

19~22

해석 A: 안녕하세요, 여러분. 오늘 저는 여러분에게 놀라운 무언가를 보여 주려고 합니다. 여기에 물이 담긴 접시가 있습니다. 이제, 저는 접시 한가운데에 초를 놓을 것입니다. 그다음에 초에 불을 켜고 유리컵으로 초를 덮어 보겠습니다. "수리수리 마수리!"
B: 물을 보세요! 어째서 물이 유리컵 속으로 올라간 거지요?
A: 공기가 뜨거워지면 팽창해서, 더 높은 압력을 만듭니다. 공기가 차가워지면 수축해서 더 낮은 압력을 만듭니다. 불꽃이 다 타 버렸을 때, 유리컵 속의 공기는 식어 버렸습니다. 공기가 식었을 때, 기압이 낮아졌습니다. 그래서 유리컵 밖의 공기 압력이 더 높아졌습니다. 높아진 압력의 공기가 물을 유리컵 속으로 밀어 넣었습니다.

단어·숙어 in the middle of …의 한가운데에, ~의 중앙에
light ⑧ 불을 붙이다(켜다) (–lit–lit)
cover ⑧ 씌우다, 덮다
expand ⑧ 팽창하다, 확장하다
pressure ⑲ 압력, 압박
contract ⑧ 수축하다, 줄어들다
flame ⑲ 불꽃
burn out 다 타 버리다, 다 타고 꺼지다
cool down 차가워지다, 식다

19 해설 '여러분에게 놀라운 무언가를 보여 주려고 한다'라는 뜻이 되어야 하므로 'be going to+동사원형'을 써서 '…할 예정이다'의 의미를 나타내고, 'show+간접목적어+직접목적어'의 어순이므로 you를 먼저 쓴다. '-thing, -one, -body'로 끝나는 대명사는 형용사가 뒤에서 수식해야 하므로 something amazing을 직접목적어로 써 준다.

20 해설 'How come+주어+동사?'의 어순이 되어야 하므로 조동사 did가 주어 it 앞에 오면 안 된다. How come it rose into the glass?로 써야 한다.

21 해설 it은 앞 문장의 air(공기)를 가리키는 대명사이다.

22 해설 유리컵 속으로 물이 들어가는 마술에 관한 설명이므로 빈칸에 ① '물을 유리컵 속으로'가 알맞다.
② 유리컵을 물속으로 ③ 물을 불꽃 속으로
④ 공기를 물속으로 ⑤ 물을 공기 속으로

23~25

해석 A: 이 컵들 중 하나를 물로 채워 보겠습니다. 여러분을 헷갈리게 하려고 이 컵들을 섞어 보겠습니다. 지나, 어떤 컵에 물이 있을까요?

B: 쉽네요! 가운데 컵이에요.
A: 좋습니다. 확인해 봅시다. 보이죠? 물이 없네요.
B: 다른 컵들도 보여 주세요.
A: 보이죠? 물이 없어요.
B: 와! 어째서 물이 사라진 거죠?
A: 마술 전에, 저는 특별한 물질을 컵들 중 하나에 넣어 두었습니다. 그 물질은 물을 흡수하고 그것을 젤리로 변하게 했습니다. 그러고 나서 젤리는 컵 바닥에 달라붙었습니다. 여러분이 이 마술을 해 보고자 한다면, 속을 들여다볼 수 없는 컵을 사용하는 것이 필요합니다.
B: 멋진 공연 고맙습니다. 정말 놀라웠습니다!

단어·숙어
fill A with B A를 B로 채우다
confuse ⓢ 혼동하게 하다, 혼란시키다
disappear ⓢ 사라지다
material ⓜ 물질, 재료
absorb ⓢ 흡수하다, 빨아들이다
turn A into B A를 B로 바꾸다, 변화시키다
stick to …에 달라붙다, 고수하다
see through 속을 들여다보다, 간파하다

23 해설 물이 사라지는 마술에 관한 내용이므로 ④ '사라지는 물의 비밀'이 제목으로 알맞다.
① 젤리를 만드는 방법 ② 숨겨진 컵의 비밀
③ 사라지는 컵의 비밀 ⑤ 물을 젤리로 바꾸는 방법

24 해설 ③은 'turn A into B(A를 B로 바꾸다)'로 바르게 연결되어 있다. (= change A into B)
① fill A with B (A를 B로 채우다)
② put A into B (A를 B 속으로 넣다)
④ stick to (…에 달라붙다, 고수하다)
⑤ thank A for B(-ing) (A에게 B에 대해 감사하다)

25 해설 마술을 하기 전에 컵에 미리 어떤 물질을 넣어 두어야 하므로 ② '속을 들여다볼 수 없는' 컵을 사용하는 것이 필요하다.
① 쉽게 잡을 수 있는
③ 물이 통과할 수 없는
④ 투명하고 색깔이 없는 유리로 만들어진
⑤ 물을 담기에 충분히 깊은

단어·숙어 pass through 통과하다

서술형 평가

p. 257

1. (1) Which movie do you want to see
(2) I can't wait to see it
2. 2-1 (1) It is safe to wear a helmet
(2) It is necessary to turn off the lights
(3) It is dangerous to change a light bulb
2-2 (1) how come you didn't answer my phone calls
(2) how come you didn't call me back
3. (1) important to prepare appropriate materials
(2) How come the egg falls
(3) ⓐ contracts ⓑ air, pressure ⓒ higher, air, pressure

1 해석 A: Amy, 이번 주말에 영화 보러가지 않을래?
B: 재밌겠다. 봐 봐. 신문에 최신 영화 포스터들이 좀 있어.
A: 넌 어떤 영화를 보고 싶어?
B: 이 마블 영화는 어때? 나는 슈퍼히어로 영화에 관심이 많아.
A: 나도 그래. 이번 주 토요일로 표 두 장을 예매할게.
B: 좋아. 빨리 보고 싶다.
A: 나도 그래.

해설 (1) 선택 범위 내에서 '어떤 …?'이므로 Which …?로 묻는 것이 알맞다.
(2) 문맥상 '빨리 보고 싶다'라는 말이 와야 하므로 I can't wait to see it.이 알맞다. 또한 Me neither.라고 앞의 문장에 대한 맞장구가 부정어인 neither이므로 앞 문장은 부정문이어야 한다.

단어·숙어
the latest ⓗ 최신의
book ⓢ 예약하다

2

2-1 해석 (1) 자전거를 탈 때 헬멧을 착용하는 것이 안전하다.
(2) 방을 떠날 때 전등을 끄는 것이 필요하다.
(3) 젖은 손으로 전구를 가는 것은 위험하다.

해설 'It is/was ~ to …'의 진주어, 가주어 용법을 사용하여 문장을 완성한다.

단어·숙어
turn off 끄다
light bulb ⓜ 전구

2-2 해석 A: 너 어젯밤에 어디 있었니?
B: 어젯밤? 나 집에 있었는데.
A: 그러면 어째서 내 전화를 받지 않았어? 내가 여러 번 전화했었는데.
B: 아, 그때 샤워하고 있는 중이었어.
A: 부재중 전화 확인하지 않았어?
B: 했어.

A: 그러면 어째서 나에게 다시 전화하지 않았어?
B: 아, 잊어버렸어. 너무 피곤했었거든.

해설 'How come+주어+동사 …?'는 '도대체 왜, 어째서 …?'라고 '이유'를 묻는 문장으로 how come 뒤에 평서문 어순이 오는 것에 유의한다.

단어·숙어 answer someone's phone call …의 전화를 받다
take a shower 샤워하다

3 해석 **달걀에 손대지 않고 병 속으로 집어넣기**

달걀에 손대지 않고 병 속으로 집어넣을 수 있을까? 한번 시도해 보자.

실험을 위해서 (1) 알맞은 재료를 준비하는 것이 중요하다. 껍데기를 깐 완숙된 달걀과 달걀보다 입구가 작은 유리병이 필요하다.

어떻게 하는가?

먼저 성냥에 불을 켜고 그것을 병 속으로 집어넣는다. 그 다음 재빨리 병 입구에 달걀을 둔다.

무슨 일이 일어나는가?

불꽃이 다 타 버리면 달걀이 병 속으로 떨어진다.

(2) **어째서 달걀이 떨어지는가?**

불꽃이 다 타고 나면, 병 속의 공기가 차가워지고 (3) 수축한다. 그 결과, 병 속의 기압이 낮아진다. 그러면 병 밖의 더 높은 기압이 달걀을 병 속으로 밀어 넣는다.

단어·숙어 appropriate ⓗ 적절한, 알맞은
hard-boiled ⓗ 완숙의, 잘 삶아진
shell ⓜ 껍질, 껍데기
match ⓜ 성냥
fall into …속으로 떨어지다
as a result 그 결과, 결과적으로

해설 (1) '(실험에) 알맞은 재료를 준비하는 것이 중요하다'라는 의미가 되도록 괄호 안에 주어진 표현을 활용하여 영작한다. It is/was ~ to ...의 진주어, 가주어 용법을 사용하여 문장을 완성한다.
(2) '어째서 달걀이 떨어지는가?'라는 의미가 되도록 괄호 안에 주어진 표현과 본문의 단어를 활용하여 영작한다. 'How come+주어+동사 …?'는 '도대체 왜, 어째서 …?'라고 '이유'를 묻는 문장으로 how come 뒤에 평서문 어순이 오는 것에 유의한다.
(3) 교과서 본문 중 The Amazing Rising Water의 과학실험 내용을 참고하여 온도 변화에 따른 기압의 변화를 보면, 병 속이 차가워지면 공기가 ⓐ 수축하고(contract), ⓑ 기압(air pressure)이 낮아진다. 그렇게 되면 상대적으로 병 밖의 공기는 병 속의 공기보다 기온이 높아 ⓒ 더 높은 기압(higher air pressure)을 지니게 되므로 높은 기압의 공기가 낮은 기압의 공기를 누르기 때문에 달걀이 병 속으로 떨어지게 된다. ⓐ의 경우 주어가 the air이므로 3인칭 단수 현재 시제로 contracts가 된다.

Lesson 8

Word Preview Mini Test p. 266

A	1. laugh	2. give	3. fall
	4. fact	5. about	
B	1. gather	2. villager	3. everywhere
	4. bare	5. slippery	

A 해석 1. 네가 바보짓을 하면 다른 사람들이 너를 비웃을 것이다.
2. 그는 희망을 포기하지 않고 열심히 공부하기로 결정했다.
3. 얼음이 깨진다면 너는 몹시 차가운 물에 빠질지도 모른다.
4. 그녀는 십 대처럼 보이지만, 사실 그녀는 30세이다.
5. 그가 막 말을 하려고 했지만 그녀가 말을 막았다.

단어·숙어 make a fool of oneself 바보짓을 하다, 웃음거리가 되다
look like ~처럼 보이다

B 해석 1. 물건들을 골라서 모으다
2. 마을에 사는 사람
3. 모든 장소 안에 또는 어디에나
4. 옷, 신발, 모자 등으로 가려져 있지 않은
5. 매끄럽거나, 젖거나 얼어서 잡거나 서 있기 어려운

단어·숙어 covered by …에 의해 가려진
smooth ⓗ 매끄러운, 부드러운

Let's Read ❶ Mini Test p. 269

1. Although 2. to make

해설 1. because가 이끄는 절은 주절의 내용이 일어난 '이유'나 '원인'을 나타내는 반면에 although가 이끄는 절은 주절과 상반되는 내용을 담고 있다. '축구를 해보지 않았다'라는 문장과 '축구 보는 것을 좋아했다'라는 문장은 상반되는 내용이므로 although가 알맞다.
2. decide는 to부정사를 목적어로 취하는 동사이므로 to make가 알맞다.

Let's Read ❷ Mini Test

p. 271

A 1. F 2. F

B They had no place to play soccer.

A 해석 1. 소년들은 너무 낙담해서 축구팀 만들기를 포기했다.
2. 마을 사람들은 소년들이 축구팀을 만들겠다는 생각에 찬성했다.

해설 1. Don't give up. / Let's make our own soccer field.에서 알 수 있듯이 소년들은 포기하지 않고 축구 연습을 위한 축구장을 만들자고 하고 있으므로 주어진 문장은 본문의 내용과 일치하지 않는다.
2. That's impossible. / Where are you going to play soccer?에서 알 수 있듯이 마을 사람들은 소년들의 생각에 부정적인 반응을 하고 있으므로 주어진 문장은 본문의 내용과 일치하지 않는다.

단어·숙어 in favor of …에 찬성하여, …에 우호적인

B 해설 앞의 명사를 뒤에서 수식하는 to부정사의 형용사적 용법을 써서 문장을 완성한다.

Let's Read ❸ Mini Test

p. 273

1. much 2. playing

해설 1. work가 셀 수 없는 명사이므로 수를 나타내는 many가 아니라 양을 나타내는 much가 알맞다.
2. enjoy는 동명사만을 목적어로 취하는 동사이므로 playing이 알맞다.

Let's Read ❹ Mini Test

p. 275

A 1. T 2. F

B They decided to give it a try.

A 해석 1. 몇몇 마을 사람들은 소년들의 경기를 보러 왔다.
2. 소년들은 결승 후반전에서 신발을 벗었다.

해설 1. Some even came to watch the game.에서 몇몇 마을 사람들이 소년들의 경기를 보러 왔음을 알 수 있다.
2. 소년들은 결승(the final)이 아니라 준결승(the semi-final) 후반전에서 신발을 벗고 경기했다.

B 해설 decide는 to부정사만을 목적어로 취하는 동사인데, '결정했다'라는 뜻의 과거 시제로 나타내야 하므로 decided를 쓴다. '한번 해 보다'라는 뜻의 표현은 give it a try이다.

Word Check

p. 279

A 1. 떠 있는 2. 벌거벗은, 맨− 3. 모으다
4. 모든 곳에, 어디나 5. 흔들리는, 휘청거리는
6. achievement 7. courage 8. semi-final
9. give up 10. nail

B 1. complete → completely
2. courageous → courage
3. discouraging → discouraged
4. villages → villagers
5. because → although

C 1. at 2. In 3. try
4. into 5. off

B 해석 1. 그 신발을 신기전에 완전히 말려라.
2. 우리는 새로운 일을 시도할 용기를 가져야 한다.
3. 그녀는 그 소식을 듣고 낙담했다.
4. 수백 명의 마을 사람들이 마을 회관에 모였다.
5. Anderson 씨는 비록 나이가 많을지라도 매우 강하다.

단어·숙어 courageous ⓗ 용기 있는
discouraging ⓗ 낙담시키는
hundreds of 수백의
villager ⓜ 마을 사람
town hall 마을 회관

C 해석 1. 처음에 나는 내가 못생겨서 그들이 날 비웃는다고 생각했다.
2. 사실 그녀는 우리 학교에서 가장 똑똑한 학생이다.
3. 나는 스도쿠 게임을 잘할 거라고 생각하지 않지만 그저 한번 시도해 보고 싶다.
4. 갑자기 내 세 살짜리 아들이 미끄러져 수영장으로 빠졌다.
5. 코트를 벗고 이것을 한번 입어 보시겠어요?

해설 1. laugh at …을 비웃다
2. in fact 사실은, 실제로 (= actually)
3. give it a try 한번 시도해 보다
4. fall into …에 빠지다
5. take off 벗다; 이륙하다

단어·숙어 ugly ⓗ 못생긴, 추한
all of a sudden 갑자기 (= suddenly)
slip ⓢ 미끄러지다
put ... on …을 입다

Grammar Check

p. 284

A 1. although 2. Although 3. use
4. talk 5. wait

B 1. to see → see 2. to cry → cry
3. washes → wash 4. standing → (to) stand

C 1. Because she was sick, she stayed home all day long. / She stayed home all day long because she was sick.
2. Although she was sick, she went to work. / She went to work although she was sick.
3. Although it was true, he didn't believe it. / He didn't believe it although it was true.

D Although, made, clean, because, share, Although, sleep, Although

A 해석 1. 비록 나는 그녀를 좋아하지 않지만, 그녀가 옳다고 생각한다.
2. 비록 그는 그 시험에 또 실패했지만, 그는 신경 쓰지 않는 것처럼 보였다.
3. Jessy는 쉬는 시간 동안 친구가 자신의 휴대 전화를 사용하게 해 주었다.
4. 경찰은 여러 시간 동안 그가 이야기하게 하려고 노력했다.
5. 그는 우리를 안으로 들이는 대신, 로비에서 기다리게 했다.

해설 1. 앞의 주절과 뒤의 부사절이 상반되는 내용이므로 둘을 연결하는 접속사로 '비록 …일지라도'의 뜻인 although가 알맞다.
2. 앞의 부사절과 뒤의 주절의 내용이 상반되므로 접속사 although가 알맞다.
3. Jessy가 친구에게 자신의 휴대 전화를 사용하게 했다는 의미가 되어야 하므로 'let+목적어+동사원형'의 형태인 let her friend use가 알맞다.
4. 경찰이 그가 이야기하게 했다는 의미여야 하므로 'make+목적어+동사원형'의 형태인 make him talk가 알맞다.
5. 그가 우리를 로비에서 기다리게 했다는 의미가 되어야 하므로 'have+목적어+동사원형'의 형태인 had us wait가 알맞다.

단어·숙어 care ⓢ 관심을 가지다, 마음을 쓰다
break ⓜ 휴식 (시간), 쉬는 시간
for hours 여러 시간 동안
instead of …하는 대신에
let in 안으로 들이다

B 해석 1. 당신의 학생증을 보여 주세요.
2. 나는 어린 소년에게 그의 엄마가 어디 있는지 물었는데, 그것이 그를 울게 만들었다.
3. Parker 씨는 오늘 아침 아들에게 세차하게 했다.
4. 나는 그가 자립할 수 있도록 도왔다.

해설 사역동사 make/have/let 다음에는 목적어가 오고 목적격 보어로 동사원형이 온다. help는 준사역동사로서 뒤에 목적격 보어로 동사원형이나 to부정사를 취한다.

단어·숙어 student ID card 학생증
stand on one's own two feet 자립하다

C 해석 1. 그녀는 아팠기 때문에, 하루 종일 집에 있었다.
2. 비록 그녀는 아팠지만, 일하러 갔다.
3. 비록 그것이 사실이었지만, 그는 그것을 믿지 않았다.

해설 부사절을 이끄는 접속사 although가 이끄는 내용은 주절의 내용과 상반된다. 부사절을 이끄는 접속사 because는 주절의 내용이 일어나게 된 이유나 원인의 내용을 나타낸다.

단어·숙어 stay ⓢ 계속 있다[머무르다]
all day long 하루 종일 (= all day)

D 해석 비록 나는 어젯밤 일찍 잠자리에 들었지만, 늦게 일어났다. 김 선생님은 방과 후 나에게 창문을 닦도록 시키셨는데, 학교에 지각했기 때문이었다. 내 짝인 소라가 영어 책을 가져오지 않아서, Johnson 선생님은 나에게 내 책을 소라와 함께 보도록 하셨다. 비록 나는 어젯밤 잠을 많이 잤지만, 수업 중에 졸렸다. 나는 점심시간에 짧게 낮잠을 자고 싶었지만, 친구들은 내가 잠을 자게 두지 않았다. 우리는 점심 식사 후 축구를 했는데 재미있었다. 비록 방과 후에 창문을 청소해야 했지만, 오늘은 좋은 하루였다.

해설 두 문장의 내용이 상반될 경우, 접속사 although를 사용하고, 두 문장이 원인과 결과의 관계이면 접속사 because를 사용한다. 사역동사 make, have, let은 뒤에 목적어와 목적격 보어가 오고 목적격 보어로 동사원형이 쓰인다.

단어·숙어 share ⓢ 함께 쓰다, 나누다
be late for …에 지각하다

단원 종합 평가

pp. 290~293

01. ④ 02. ⑤ 03. ③ 04. ④ 05. ⓓ-ⓑ-ⓐ-ⓒ
06. ① 07. ① 08. ③ 09. ④ 10. ⑤ 11. ③
12. ⑤ 13. often has me buy eggs
14. ③ playing → play 15. ② 16. ③ 17. ④
18. ① 19. ③ 20. ① 21. ② 22. ⑤
23. This made them feel better. 24. ③ 25. ⑤

1 듣기 대본 M: Have you heard of wakeboarding?
W: No, what is it?
M: It's an extreme sport. A wakeboarder rides over water on a short board and performs tricks such as hopping and spinning while holding a rope pulled by a motorboat.
W: Aha, it's a kind of water sport, is it?
M: That's right. It's getting more and more popular these days.

해석 M: 너는 웨이크보딩에 관해 들어 봤니?
W: 아니, 그게 뭔데?
M: 극한 스포츠야. 웨이크보드를 타는 사람은 모터보트가 이끄는 줄을 잡은 채로 짧은 보드 위에서 물을 타면서 뛰거나 회전하는 묘기를 부려.
W: 아하, 일종의 수상 스포츠구나, 그렇지?
M: 맞아. 이것은 요즘 점점 더 인기가 높아지고 있어.

해설 남자의 말 중 rides over water on a short board라는 내용이 있으므로 ④가 일치하지 않는다.
① 수상 스포츠이다.
② 모터보트가 필요하다.
③ 극한 스포츠(익스트림 스포츠)이다.
④ 긴 보드가 필요하다.
⑤ 요즈음 점점 더 많은 사람들이 이것을 즐기고 있다.

단어·숙어
extreme ⓗ 극도의, 극심한 such as …와 같은
hop ⓢ 깡충깡충 뛰다 spin ⓢ 회전하다
a kind of 일종의

2 듣기 대본 W: Ted, why the long face?
M: I lost the badminton match yesterday.
W: That's too bad.
M: I don't know what to do.
W: Cheer up. You'll do better next time.

해석 W: Ted, 왜 그렇게 우울해 하니?
M: 나는 어제 배드민턴 시합에서 졌어.
W: 그거 참 안됐구나.
M: 무엇을 해야 할지 모르겠어.
W: 기운 내. 다음번에는 더 잘할 거야.

해설 남자는 지금 우울해 하고 있고, 시합에서 졌다는 말에서 ⑤ '낙담한' 심정임을 알 수 있다.
① 행복한 ② 화난 ③ 지루한 ④ 신이 난

단어·숙어
a long face 우울한 얼굴
cheer up 기운을 내다

3 듣기 대본 W: Have you heard of Ludwig van Beethoven? He was a German composer and pianist. In his late 20s, he began suffering from hearing loss. But he continued even after he lost it. Now, he is regarded as one of the greatest composers of all time. Although you may have difficulties, be like Beethoven and don't give up.

해석 W: 당신은 Ludwig van Beethoven에 대해 들어 본 적이 있나요? 그는 독일의 작곡가이자 피아니스트였습니다. 그는 20대 후반에 청력 손실로 고통 받기 시작했습니다. 그러나 그는 청력을 잃은 후에도 계속했습니다. 지금 그는 역사상 위대한 작곡가들 중에 한 명으로 여겨집니다. 비록 당신에게 어려움이 있을 수 있지만, Beethoven처럼 포기하지 마세요.

해설 Beethoven은 독일인이며, 그의 청력이 손실되기 시작한 것은 20대 후반이었다. 그는 청력을 잃은 후에도 작곡을 계속했으며, 이 이야기는 사람들이 Beethoven처럼 어려움을 겪어야 한다는 내용이 아니라 어려움 속에서도 포기하지 말라고 격려하는 내용이다.

4 해석 A: 학교 댄스 경연 대회에 신청할 거니?
B: 글쎄, 잘 모르겠어. 우리 학교에는 춤을 잘 추는 애들이 많아.
A: 오, 힘내. 너 역시 춤을 잘 춰. ________________
B: 알았어, 한번 해 볼게. 정말 고마워.

해설 A는 기가 죽어 있는 B를 격려하고 있는 상황이므로 ④는 어울리지 않는다.
① 걱정하지 마. ② 그냥 부딪쳐 봐.
③ 포기하지 마. ④ 내 말 오해하지 마.
⑤ 해 보기 전까지는 모르는 법이야.

단어·숙어
sign up for …에 신청하다
get ... wrong …을 오해하다

5 해석 A: 학교 아이스하키 팀에 지원할 거니? 새 시즌이 곧 시작돼.
ⓓ 잘 모르겠어.
ⓑ 왜 몰라?
ⓐ Tony와 Brad도 그 팀에 지원할 거라고 들었어. 그 애들은 정말 잘해.
ⓒ 음, 너도 아이스하키를 잘하니까 포기하지 마!
B: 알았어, 최선을 다할게. 정말 고마워.

해설 아이스하키 팀에 지원할 거냐는 말에 'ⓓ 잘 모르겠어. – ⓑ 왜? – ⓐ 잘하는 애들이 지원한대. – ⓒ 너도 잘하니까 포기하지 마.'라는 흐름이 되어야 자연스럽다.

단어·숙어 try out for 지원하다
be about to 막 …하려고 하다
try one's best 최선을 다하다 (= do one's best)

6 해석 Alex: Sera, 올해의 '못생긴 스웨터 파티'는 12월 5일에 열려, 맞지?
Sera: 맞아. 너는 갈 거니?
Alex: 가고 싶지만 나는 못생긴 스웨터가 없어.
Sera: 집에 내가 입지 않는 스웨터가 한 벌 있어. 원하면 네가 가져도 돼.
Alex: 고마워. 그러면 정말 좋을 거야.
Sera: 학생회관 앞에서 만나서 같이 들어가자.
Alex: 좋아. 그때 보자.

해설 Alex는 파티에 가고 싶지만 못생긴 스웨터가 없어서 곤란해 하고 있다. 이에 Sera가 집에 안 입는 못생긴 스웨터가 있으며 원한다면 그것을 주겠다고 제안하고 있다. 그들은 학생회관 앞에서 만나 함께 들어가기로 약속했다.
① Alex와 Sera는 파티에 참석하기 위해서 못생긴 스웨터가 필요하다.
② Alex는 파티에 가고 싶지 않다.
③ Sera는 못생긴 스웨터가 없다.
④ Alex는 Sera에게 스웨터를 한 벌 줄 것이다.
⑤ Alex와 Sera는 학생회관 안에서 만날 것이다.

단어·숙어 ugly ⓗ 못생긴, 추한 in front of …의 앞에
Student Center 학생회관 attend ⓢ 참석하다

7 해석 아빠: Emily, 토요일에 있을 경기로 들떠 있니?
Emily: 그렇지는 않아요. 약한(→ 강한) 팀하고 경기하거든요. 우리가 질 것 같아요.
아빠: 그런 말 하지 마. 2004년 유로컵에서 그리스 팀에 대해 들어 봤니?
Emily: 아니요, 들어 보지 못했어요. 그들이 어땠는데요?
아빠: 그들은 약한 팀이어서 모두 그들이 질 거라고 생각했단다.
Emily: 무슨 일이 있었는데요?
아빠: 그들은 한 팀으로 뭉쳐 열심히 노력했어. 결국 그들이 유로컵에서 우승했어. 그러니까 포기하지 마.
Emily: 고마워요, 아빠. 우리도 최선을 다할게요.

해설 아빠는 약한 팀이 우승한 전례를 들면서 딸에게 포기하지 말라며 격려하고 있으므로 딸의 상대팀은 ① '강한(strong)' 팀이어야 자연스럽다.

단어·숙어 match ⓜ 시합, 경기
against ⓙ …에 맞서

8 해석 건강하기 위해서 여러분은 무엇을 할 수 있나요? 첫째, 매일 운동하도록 하세요. 둘째, 건강에 좋은 음식을 먹도록 하세요. 패스트푸드는 너무 많이 먹지 마세요. 셋째, 식사하기 전에 손을 씻으세요. 이런 조언들이 실천하기에 어렵게 들리나요? 자, 한 번에 하나씩 해 나가고 포기하지 마세요. 그러면 여러분은 건강한 삶을 살게 될 것입니다.

해설 본문에서 건강하기 위해서 매일 운동할 것, 건강에 좋은 음식을 먹을 것, 패스트푸드를 너무 많이 먹지 말 것, 식사 전에 손을 씻을 것 등의 조언들을 하고 있다. ③ 한 번에 한 종류의 음식을 먹으라는 내용은 언급하지 않았다.

단어·숙어 healthy ⓗ 건강한, 건강에 좋은 meal ⓜ 식사
tip ⓜ 조언
take one step at a time 한 발 한 발 내딛다

9 해석 ① 지다 – 이기다 ② 약한 – 강한
③ 흔들리는 – 안정된 ④ 완전히 – 완전히
⑤ 기운 나게 하는 – 낙담한

해설 나머지는 모두 반의어 관계인데, ④는 유의어 관계이다.

10 해석 당신에게 일어난 일을 하거나 보다

해설 일어난 일을 하거나 보는 것과 관련된 알맞은 단어는 ⑤ experience(경험하다)이다.
① 웃다 ② 모으다 ③ 성취하다 ④ 운동하다

11 해석
• 두려워하지 말고 그냥 한번 해 봐.
• 사실 나는 처음에는 네 의견에 반대했어.
• 나는 비옷을 벗고 깊게 한숨을 쉬었다.

해설 '한번 해 보다, 시도해 보다'라는 의미의 표현은 give it a try이고, '사실은'이라는 의미의 표현은 in fact이며, '벗다'라는 의미의 표현은 take off이다.

단어·숙어 at first 처음에는
sigh ⓢ 한숨을 쉬다

12 해석 비록 우리가 서로를 안지 오래되었지만, 우리는 그다지 사이좋은 친구가 아니다.

해설 주어진 두 문장이 but으로 이어진 것은 상반되는 내용이기 때문이다. 상반되는 내용을 잇는 적절한 접속사는 although이다.

13 해설 '…가 ~하게 하다'라는 의미의 '사역동사 have+목적어+동사원형'의 형태로 써야 한다. My mother는 3인칭 단수이므로 have 대신 has를 사용하고, 빈도부사 often은 일반동사 앞에 오므로 often has의 순서로 써야 한다. 따라서 My mother often has me buy eggs.가 되어야 한다.

14 해석 그녀는 결코 아들이 하루에 두 시간 이상 동안 컴퓨터 게임을 하게 두지 않는다.

해설 '…가 ~하도록 두다, 허락하다'의 의미인 '사역동사 let+목적어+동사원형'의 형태로 써야 한다. 따라서 playing을 동사원형 play로 바꿔야 한다.

15 해석 • 나는 아무것도 먹지 않았다.
• 나는 배가 고팠다.

해설 '배가 고팠지만 나는 아무것도 먹지 않았다.' 혹은 '아무것도 먹지 않아서 나는 배가 고팠다.'라는 의미가 되어야 자연스럽다. 따라서 I didn't eat anything although I was hungry. 또는 Because I didn't eat anything, I was hungry.가 되어야 한다. although 뒤에는 절(주어+동사)이 와야 하고, 같은 의미의 despite, in spite of 뒤에는 명사(구)가 와야 한다. 따라서 ①, ⑤는 I didn't eat anything in spite of[despite] being hungry.로 바꾸면 같은 의미가 된다.

① 아무것도 먹지 않았음에 불구하고, 나는 배가 고팠다.
② 비록 배가 고팠지만, 나는 아무것도 먹지 않았다.
③ 배가 고팠기 때문에 나는 아무것도 먹지 않았다.
④ 배가 고팠음에도 불구하고 나는 아무것도 먹지 않았다.
⑤ 비록 아무것도 먹지 않았지만, 나는 배가 고팠다.

단어 숙어 despite 전 …에도 불구하고
in spite of …에도 불구하고

16 해석 ① 무엇이 너를 거기에 가도록 했니?
② 나는 네가 그녀를 공부하게 만들 거라고 확신한다.
③ 그의 나태함이 그가 일자리를 잃게 했다.
④ Jay는 아픈 어머니를 위해 스파게티를 만들었다.
⑤ 나는 우리가 제시간에 콘서트에 도착할 거라고 생각하지 않아.

해설 ③ '…가 ~하도록 시키다, 만들다'의 의미인 '사역동사 make+목적어+동사원형'의 형태가 되어야 하므로 to lose를 lose로 바꿔야 한다.

단어 숙어 laziness 명 게으름, 나태함
make it to …에 이르다, 도착하다
on time 제시간에

17~19

해석 Koh Panyee는 바다 가운데 떠 있는 작은 수상 마을이었다. 비록 그 마을의 소년들이 이전에 축구를 해 본 적이 없었지만, 그들은 TV로 축구 경기 보는 것을 정말 좋아했다. 어느 날, 소년들은 그들만의 축구팀을 만들기로 결정했다. 그러나 사람들은 그들의 생각을 비웃었다.

"그것은 불가능해."
"왜 그렇게 말하는 거죠?"
"주위를 둘러봐. 너희가 어디서 축구를 할 거니?"
마을 사람들이 옳았다. 소년들은 축구를 할 장소가 없었다. 그들은 낙담했다.
"포기하지 마! 우리는 여전히 축구를 할 수 있어."
"어떻게?"
"우리만의 축구장을 만들자."

단어 숙어 floating 형 떠 있는
in the middle of …의 가운데에
look around 둘러보다
discouraged 형 낙담한

17 해설 ⓐ decide는 목적어로 to부정사를 취하므로 to make가 알맞다. ⓑ 사역동사 make는 목적격 보어로 동사원형을 취하므로 say가 알맞다. ⓒ '(축구를) 할 장소'라는 의미가 되도록 place를 수식하는 to부정사의 형용사적 용법이 필요하므로 to play 가 알맞다.

18 해설 마을 사람들이 축구팀을 만들겠다는 아이들의 생각에 불가능하다고 말했으므로 빈칸에는 부정적인 표현인 ① laughed at(비웃었다)이 들어가야 한다.
② 동의했다 ③ 자랑스러워했다
④ 이용했다 ⑤ 생각해 냈다

19 해석 ① 소년들은 어디에 살았는가?
② 소년들은 TV로 무엇을 보는 것을 좋아했는가?
③ 소년들이 살았던 나라 이름은 무엇이었나?
④ 왜 소년들은 전에 축구를 할 수 없었는가?
⑤ 소년들이 자신들의 축구팀을 만들기 전에 무엇이 필요했나?

해설 ③ 마을 이름은 나와 있지만 나라 이름은 나와 있지 않다. 나머지 질문에는 다음과 같이 답할 수 있다.
① They lived in Koh Panyee, a small village in the middle of the sea.
② They loved watching soccer on TV.
④ They had no place to play soccer.
⑤ They needed a soccer field.

20~21

해석 소년들은 낡은 배들과 나무 조각들을 모았다. 그들은 배들을 합치고 그것들에 나무를 못으로 박았다. 매우 열심히 일한 후, 그들은 마침내 물 위에 떠 있는 축구장을 가지게 되었다. 그것은 흔들리고 곳곳에 못이 있었다. 공과 소년들은 종종 바다에 빠져서 축구장은 항상 젖어 있고 미끄러웠다. 그들은 신발이 없어서 맨발로 축구를 해야 했다. 그런데도 그들은 상관하지 않았다. 실제로 그들은 훌륭한 기술을 쌓고 축구를 더 즐겼다.

단어 숙어 gather 동 모으다
put ... together …을 합치다, 조립하다
nail 명 못 동 못을 박다

shaky ⓗ 흔들리는, 휘청거리는
fall into …에 빠지다
slippery ⓗ 미끄러운
bare ⓗ 벌거벗은, 맨-

20 해설 주어진 글에서 소년들은 의욕을 가지고 열심히 축구장을 만들고, 흔들거리는 축구장에서 맨발로 축구를 하는 것에도 전혀 상관하지 않았으므로 ① '그들은 신이 나 있고 에너지로 가득 차 있었다.'는 설명이 알맞다.
② 그들은 축구장을 만드는 것에 지쳤다.
③ 그들은 자신들의 상황에 실망했다.
④ 그들은 축구할 때 맨발인 것이 유감스러웠다.
⑤ 축구장이 너무 미끄러워서 그들은 축구를 잘할 수 없었다.

단어·숙어 be full of …로 가득 차 있다
feel tired of …에 지치다
be disappointed with …에 실망하다
feel sorry about …에 유감스러워하다

21 해석 그것은 흔들리고 곳곳에 못이 있었다.
해설 It이 가리키는 것은 the field(축구장)이다. 공과 소년들이 바다에 빠지는 이유가 바로 이 축구장이 흔들리기(shaky) 때문이므로 주어진 문장이 들어가기에 알맞은 곳은 ②이다.

22~25
해석 어느 날 한 소년이 축구 토너먼트에 관한 포스터를 가지고 왔다. 그들은 그 토너먼트에 참가하기로 결정했다. 그들이 떠나려고 할 때, 마을 사람들이 그들에게 새 신발과 축구복을 주었다. 몇몇은 심지어 경기를 보러 왔다. 이것은 소년들의 기분을 더 좋게 만들었다. 처음에, 사람들은 그들을 가장 약한 팀으로 보았다. 그러나 토너먼트가 시작되었을 때, 그 축구팀은 모두를 놀라게 했다.
준결승전 날, 비가 심하게 내리고 있었다. 그들은 두 골 차로 지고 있었고, 이기는 것은 불가능하게 보였다.
"다른 팀이 너무 강해."라고 그들은 생각했다.
그러나 소년들은 포기하지 않았다. 그들은 후반전에 맨발로 했고 경기는 완전히 바뀌었다. 고향의 미끄러운 축구장 덕분에 그들은 빗속에서 더 잘 했다. 그들은 시합에서 졌지만, 그럼에도 불구하고, 그들은 스스로를 자랑스럽게 여겼다. 그들은 지고 있을 때 포기하지 않았다. 그들은 끝까지 최선을 다했다.

단어·숙어 make a decision 결정하다 semi-final ⓜ 준결승전
thanks to … 덕분에

22 해설 ⑤ 전치사 by가 '양과 정도'를 나타내므로 by two goals로 써서 '두 골 차이로'라는 의미가 되어야 한다. 전치사 on은 특정한 날(day) 앞에 쓰인다.

23 해설 '사역동사 make+목적어+동사원형'의 형태로 써야 하므로 동사를 과거형인 made로 쓰고, 목적어 them이 온 후에 목적격 보어로 동사원형 feel과 feel의 보어인 better를 쓴다.

24 해설 (B)의 앞 문장이 사람들이 소년들의 팀을 가장 약한 팀으로 보았다는 내용이고, 뒤 문장은 소년들이 모두를 놀라게 했다는 내용이므로 내용이 상반된다. 따라서 ③ However(그러나)가 알맞다.

25 해설 빗속에서 경기를 더 잘 할 수 있었던 것은 고향의 미끄러운 축구장에서 연습했기 때문이다. 따라서 빈칸에 알맞은 것은 ⑤ slippery(미끄러운)이다.
① 약한 ② 안정적인 ③ 거친 ④ 매끄러운

서술형 평가

p. 294

01. (1) Have you seen the notice
(2) Don't give up
02. (1) Tony left school during school hours because he felt sick. / Because he felt sick, Tony left school during school hours.
(2) She couldn't sleep well although she was very tired. / Although she was very tired, she couldn't sleep well.
(3) I thought I'd better invite them to my housewarming party although I don't like them very much. / Although I don't like them very much, I thought I'd better invite them to my housewarming party.
03. (1) He has me wash his car
(2) It made me cry a lot
(3) won't let me stay out

01 해석 A: 우리 학교 연극 동아리에서 배우들을 몇 명 모집하고 있어. 그 안내문 본 적 있니?
B: 응, 봤어. 너는 학교 연극 동아리에 지원할 거니?
A: 잘 모르겠어.
B: 왜?
A: Tina와 Kate도 그 동아리에 지원할 거라고 들었거든. 그 애들은 매우 예쁘고 연기를 잘해.
B: 글쎄, 그처럼 어리석은 말을 하다니 너답지 않아. 너 역시 연기에 재능이 많아. 포기하지 마! 그냥 해 봐.
A: 알았어, 최선을 다할게. 정말 고마워.

해설 (1) B의 대답이 Yes, I have.이므로 A는 현재완료 시제로 물어봐야 한다. 따라서 Have you seen the notice?라고 묻는 것이 알맞다.

(2) 격려하는 표현 중 not give가 들어가는 것은 Don't give up!이다.

단어·숙어 try out for (지위, 회원 자격 등을 얻으려고 경쟁에) 지원하다
have a talent for …에 재능이 있다
go for it 한번 해 보다

02 해석 (1) Tony는 수업 중에 조퇴했다. 그는 아팠다.
→ Tony는 아팠기 때문에 수업 중에 조퇴했다.
(2) 그녀는 잘 잘 수가 없었다. 그녀는 매우 피곤했다.
→ 비록 그녀는 매우 피곤했지만 잘 잘 수가 없었다.
(3) 나는 그들을 내 집들이에 초대하는 편이 더 낫다고 생각했다. 나는 그들을 그다지 좋아하지 않는다.
→ 비록 나는 그들을 그다지 좋아하지 않지만 그들을 내 집들이에 초대하는 편이 더 낫다고 생각했다.

해설 (1) 두 문장이 원인과 결과의 관계이므로 이유를 나타내는 접속사 because를 사용한다.
(2) 두 문장이 상반되는 내용이므로 양보를 나타내는 접속사 although를 사용한다.
(3) 두 문장이 상반되는 내용이므로 양보를 나타내는 접속사 although를 사용한다.

단어·숙어 leave school during school hours 수업 중에 조퇴하다
had better(+동사원형) …하는 편이 더 낫다
housewarming party 집들이

03 해석 A: Jane, 지난 주말에 뭐 했니?
B: 나는 아버지 차를 세차했어. 매주 토요일마다 그는 나에게 그의 차를 세차하게 하셔. 보답으로 나에게 추가로 용돈을 좀 주셔.
B: 그렇구나. 이번 주말에는 뭐 할 거니? 너 'My Old Days'라는 영화 봤어?
A: 응, 나는 이미 봤어. 그것은 나를 많이 울게 했어.
B: 정말? 그게 그렇게 슬펐어?
A: 응, 슬펐어. 그런데 Anna의 집에서 자는 건 어때? Anna가 이번 주 금요일에 파자마 파티를 연다고 들었어.
B: 그럴 수 없을 것 같아. 우리 부모님은 내가 외박하게 두시질 않거든.

해설 '…가 ~하게 만들다/(허락)하다/놔두다'의 의미가 되도록 'have/make/let+목적어+동사원형'의 형태로 쓴다.

단어·숙어 in return (…에 대한) 보답으로
pocket money 용돈 (= allowance)
sleep over (남의 집에서) 자고 오다
pajama party 파자마 파티 (십 대 소녀들이 친구 집에서 파자마 바람으로 밤새 노는 것)
stay out overnight 외박하다

2학기 중간고사

pp. 297~301

1. ⑤ 2. ② 3. ② 4. ③ 5. ② 6. ④
7. ② 8. ④ 9. ② 10. ④ 11. ③ 12. ③
13. ⑤ 14. ④ 15. ① 16. ⑤ 17. Three suspects were questioned by a police officer. 18. ② 19. ②
20. ④ 21. ② 22. ⑤ 23. ③ 24. ⑤ 25. ①
26. ③ 27. ④
28. (1) Dennis is so young that he can't drive.
(2) I'm so healthy that I can climb the mountain.
29. (1) was broke → was broken
(2) can it explain → can it be explained
30. Can you explain why?

1 해설 ⑤ 이외의 나머지 단어들은 추리 소설에 자주 등장하는 단어이고, culture(문화)는 이와 관련이 적다.
① 수수께끼 ② 형사, 탐정 ③ 용의자 ④ 단서

2 해석 ① 공연하다: 노래하는 것, 연기하는 것 등으로 청중을 즐겁게 하다
② 야생의: 자연에서 인간의 제어 또는 보살핌으로 살아가는
③ 탈출하다: 교도소 같은 장소로부터 벗어나다
④ 획득하다: 경쟁, 경주 등에서 무언가를 얻다
⑤ 지우다: 문서, 컴퓨터 등에서 단어, 사진, 또는 파일 같은 무언가를 없애다

해설 ② wild(야생의)는 '자연에서 인간의 제어나 보살핌 없이 살아가는'이다.

3 해석 그녀는 재능 있는 무용수야. 나는 그녀가 세계 최상급 무용수로 성공할 것이라고 확신해.

해설 make it은 '성공하다, 도착하다' 등의 뜻을 나타내는데, 주어진 문장에서는 '성공하다'라는 뜻으로 쓰였다. ①, ⑤는 '도착하다'라는 의미로, ③, ④는 문자 그대로 '그것을 만들다'라는 의미로 쓰였다.
① 나는 우리가 제시간에 도착할 수 있다고 생각하지 않아.
② 그가 더 열심히 노력한다면 그는 성공할 수 있다.
③ 제발, 나를 위해 그것을 악화시키지 말아주세요.
④ 이거 맛있다. 그거 어떻게 만들었니?
⑤ 너는 그 장소에 몇 시에 도착했니?

4 해석 • 그것은 어려울 수도 있지만 용감하게 시도해 보렴.
• 나의 선생님들은 항상 우리를 가르치는 데 최선을 다하신다.

해설 '시도해 보다'라는 의미의 give it a try와 '최선을 다하다'라는 의미의 try one's best가 되어야 하므로 빈칸에 알맞은 단어는 ③ try이다.

5 해석 A: 이 소설에 대해 어떻게 생각하니?
B: ________________

해설 What do you think about ... ?은 '…에 대해 어떻게 생각하니?'라는 뜻으로 상대방의 의견을 묻는 말이므로 그에 대한 응답으로 ② '나는 너의 의견에 전적으로 동의해.'는 어울리지 않는다.
① 내 생각에 그것은 조금 지루한 것 같아.
③ 나는 그 소설이 흥미로운 이야기라고 생각해.
④ 내 생각에 아이들이 그 이야기를 읽는 것을 좋아할 것 같아.
⑤ 네가 일단 읽기 시작하면 넌 좋아할 거야.

6 해석 A: 이 게임은 축구 경기와 비슷하지만 선수들이 용과 해마야. 게임하는데 이 버튼들을 사용해야 해.
B: 재밌겠다. 버튼 사용하는 방법을 설명해 줄 수 있니?
A: 물론이지.

해설 게임을 하려면 버튼을 사용해야 한다고 했으므로 버튼 사용하는 방법을 물어보는 질문이 와야 자연스럽다. 따라서 ④ '버튼 사용하는 방법을 설명해 줄 수 있니?'가 알맞다.
① 축구공을 빌려 줄 수 있니?
② 나는 축구공을 사고 싶어.
③ 나는 축구 경기를 하고 싶지 않아.
⑤ 왜 버튼이 고장 났는지 설명해 줄 수 있니?

7 해석 ① A: 수수께끼 하나 풀어볼래?
B: 좋지. 뭔데?
② A: 그 소식에 대해 말해줄 수 있니?
B: 알겠어. 나는 그것에 대해 들어본 적이 없어.
③ A: 나는 내일 말하기 경연 대회가 걱정돼.
B: 걱정하지 마. 나는 네가 잘 할 수 있다고 확신해.
④ A: 먼저, 세모를 만들기 위해 종이를 반으로 접어.
B: 응. 그다음에 무엇을 해야 하니?
⑤ A: 나는 운동을 규칙적으로 하는 것이 중요하다고 생각해.
B: 나는 너의 말에 전적으로 동의해.

해설 ② 그 소식에 대해 말해줄 수 있냐는 질문에 알겠다고 대답하고 나서 그것에 대해 들어본 적이 없다는 말이 나오는 것은 어색하다.

8~9

해석 A: 민수야, 학생 탐정이 나오는 TV 쇼를 아니?
B: 응. 나 그 프로그램 좋아하는데 이번 주는 못 봤어. 무슨 내용이었어?
A: 음, 학교의 모든 자전거들이 사라졌어.
B: 그래서 그가 무엇을 했니?
A: 첫째로, 그는 학교 주변을 둘러 봤어. 그러고 나서 몇몇 용의자를 만나서 질문을 했어. 마침내, 그는 도둑을 찾았어. 그 도둑은 … .
B: 안 돼, 말하지 마! 내가 나중에 볼 거야.

8 해설 ④를 제외한 나머지는 모두 the TV show about the student detective를 가리킨다.

9 해설 학생 탐정이 사건을 해결하는 과정을 순서대로 나열하고 있다. 첫 문장을 First로 시작했고, 그다음의 일을 나열하는 문장의 처음 부분에 빈칸이 있으므로 ② '그러고 나서'가 알맞다.
① 하지만 ③ 마침내 ④ 그러나 ⑤ 셋째로

10~12

해석 준수: 너희 그거 아니? 학교 춤 경연 대회가 곧 개최될 거야.
Emily: 맞아. 지민이네 반이 태권도 춤을 공연하고 Tim네 반은 K-pop 춤을 선보일 거라고 들었어.
Brian: 우리도 무엇을 해야 할지 정해야 해.
미나: 부채춤 어때? 내 생각에 그건 배우기도 쉽고 아름다워.
Emily: 그거 좋은 생각 같다. 하지만 누가 우리를 가르쳐 주지?
Brian: 미나는 전통 춤을 잘 춰. 미나야, 우리를 도와줄 수 있니?
미나: 물론이지, 그럴게. 나는 우리가 굉장히 즐거울 거라고 확신해.
준수: 좋아. 시도해 보자.

10 해설 빈칸 다음에 우리가 굉장히 즐거울 거라는 말이 이어지고 있으므로 빈칸에는 허락의 대답인 ④ '물론이지, 그럴게.'가 알맞다.
① 고맙지만 괜찮아. ② 미안하지만 할 수 없어.
③ 나는 그것을 잘하지 않아. ⑤ 그것은 너무 많아.

11 해석 Q: 미나는 부채춤에 대해 어떻게 생각하는가?
A: 그녀는 그것이 배우기 쉬우며 아름답다고 생각한다.

해설 미나의 말 In my opinion, it is easy to learn, and it's also beautiful.에서 부채춤이 ③ '배우기 쉬우며 아름답다고' 생각한다는 것을 알 수 있다.
① 그것이 그녀에게 도움이 되지 않는다고
② 그것이 많은 사람들에게 새롭다고
④ 그것이 태권도 춤보다 낫다고
⑤ 그것은 대회에서 공연하기에 좋지 않다고

12 해석 ① 곧 학교 춤 경연 대회가 있을 것이다.
② Tim의 반은 경연 대회 동안 무엇을 할지 결정했다.
③ 미나는 어떤 종류의 춤에도 관심이 없다.
④ Emily는 부채춤을 공연하자는 생각을 좋아하는 것 같다.
⑤ Brian은 미나가 그들에게 부채춤을 가르쳐 주기를 원한다.

해설 미나가 전통 춤을 잘 추고 친구들에게 부채춤을 가르쳐 주기로 했으므로 어떤 종류의 춤에도 관심이 없다는 ③은 대화의 내용과 일치하지 않는다.

13 해석 ① 이 사진들은 어디서 찍혔니?
② 영어는 많은 사람들에 의해 말해진다.
③ 그 의자는 어제 만들어지지 않았다.
④ 이 편지는 내일 너에게 보내질 것이다.
⑤ 이 노트북이 이번 주까지 고쳐질 수 있을까?

해설 ① 주어가 these pictures로 복수이므로 was는 복수형인 were가 되어야 한다.
② '말해지다'라는 의미로 수동태를 써야 하므로 spoke의 과거분사인 spoken이 되어야 한다.
③ 수동태의 부정문은 'be동사+not+과거분사'의 형태이므로 not was made는 was not made가 되어야 한다.
④ '보내질 것이다'라는 의미로 수동태의 미래형을 써야 하므로 will sent는 will be sent가 되어야 한다.

14 해석 ① 그 바위는 그 집만큼 크다.
② 그 수수께끼는 너무 어려워서 풀 수 없다.
③ 너무 더워서 나는 밖에 나가고 싶지 않다.
④ 그 책은 이해하기에 충분히 쉽다.
⑤ 그녀는 그녀의 오빠만큼 똑똑하다.

해설 ④ '~하기에 충분히 …한'이라는 의미는 '형용사+enough+to+동사원형' 형태로 표현하므로 enough easy는 easy enough가 되어야 한다.

15 해석 이 빌딩만큼 높은 빌딩은 없다.

해설 'no other+단수 명사+동사+as ... as ~'는 최상급의 의미를 나타낸다.

16 해석 A: 이것 봐! 이건 특별한 펜이야.
B: 특별한 점이 뭔데?
A: 너는 그걸로 쓸 수 있어. 또한 그것은 스피커로 사용될 수 있어. 네가 쓸 때, 음악을 들을 수 있어!

해설 주어가 this pen으로 사물이고 '스피커로 사용될 수 있다'라는 의미를 나타내야 하므로 조동사의 수동태 형태인 'can+be동사+과거분사'가 와야 한다.

17~18

해석 Doodle 씨는 일요일 오후에 차에 치였습니다. 다행히 그는 심하게 다치지 않았지만, 운전자를 보지 못했습니다. 경찰관은 세 명의 용의자를 신문했습니다. A 씨는 사고가 일어난 시간에 책을 읽고 있었다고 말했습니다. B 씨는 그의 개를 산책시키고 있었다고 말했습니다. C 씨는 아침 식사를 만들고 있었다고 말했습니다. 누가 Doodle 씨를 치었을까요? 답을 알았나요? 적어 보세요. 그런 다음, 당신은 다음 방으로 갈 수 있습니다.

17 해설 수동태는 'be동사+과거분사+by 행위자'의 형태로 써야 하고 능동태 문장의 목적어가 수동태의 주어가 되는 것에 유의한다. 능동태 문장의 시제가 과거형이므로 수동태의 be동사는 were가 되어야 한다.

18 해석 ① Doodle 씨는 언제 차에 치였나요?
② Doodle 씨는 사고로 어디를 다쳤나요?
③ Doodle 씨는 사고 후에 운전자를 보았나요?
④ 경찰관은 용의자들이 그때 무엇을 하고 있었는지 어떻게 알았나요?
⑤ 당신은 다음 방으로 가려면 무엇을 해야 하나요?

해설 Doodle 씨는 일요일 오후에 차에 치였고, 사고 후에 운전자를 보지 못했다. 경찰관은 용의자들을 신문해서 용의자들이 사고가 났을 때 무엇을 하고 있었는지 알았고, 다음 방으로 가려면 누가 Doodle 씨를 차로 치었는지 답을 적어야 한다. ② 사고로 Doodle 씨가 어디를 다쳤는지는 본문에 언급되지 않았다.

19 해석 축하합니다! 당신은 두 번째 방에 오는 데 성공하셨습니다. 하지만 두 번째 방은 첫 번째 방보다 탈출하기 훨씬 더 어렵습니다. 행운을 빕니다!

해설 ② much는 비교급을 강조하여 '훨씬'이라는 의미를 나타내는 말로 even, a lot, far, still 등과 바꿔 쓸 수 있다. very는 비교급을 강조할 수 없다.
① 도착했다 ③ 더 어려운
④ 나가다 ⑤ 행운을 빕니다

20~21

해석 Jay는 그가 가장 좋아하는 옷 가게로부터 이메일을 받습니다. 제목에는 "당신은 행운의 날 행사에 당첨되셨습니다!"라고 쓰여 있습니다. Jay는 놀랍니다. 그는 재빨리 그것을 열어봅니다.
축하합니다!
당신은 특별한 상품을 받게 되었습니다. 행운의 날 행사 동안, 당신은 우리 가게에서 일곱 가지 상품을 공짜로 선택할 수 있습니다! 11월 31일에 우리 가게로 오세요. 우리는 당신을 만나기를 몹시 기대하고 있습니다.
그럼 이만, Kay Brown
하지만 Jay는 그 행사는 사실이 아니라고 생각합니다. 그리고 그는 그 이메일을 삭제합니다. 왜 그런지 설명할 수 있나요?

20 해설 주어진 문장은 맥락상 어떤 행사에 대한 내용인지 알고 난 다음의 상황이므로 이메일을 읽은 후여야 하고, 그 이메일을 지우기 전에 나오는 것이 자연스러우므로 ④에 들어가는 것이 알맞다.

21 해설 Jay is surprised.라고 했으므로 ②는 일치한다.
① Jay는 그가 가장 좋아하는 옷 가게로부터 이메일을 받았다.

③ 옷 가게로부터 온 이메일에는 행사 동안 일곱 가지 상품을 공짜로 선택할 수 있다고 했다.
④ 옷 가게가 11월에 개점한다는 언급은 없다.
⑤ Jay는 이메일을 읽은 뒤 삭제했다.

22~23

해석 카타칼리에는 이야기가 있습니다. 그 무용수들은 그들의 몸 동작을 통해서 이야기합니다. 그 이야기들은 주로 선과 악의 싸움에 대한 것입니다. 선한 역할을 맡은 무용수들은 자신의 얼굴을 초록색으로 칠합니다. 악한 역할을 맡은 무용수들은 검은색 화장을 합니다. 흥미롭게도, 카타칼리에서는 남자들만 춤추는 것이 허락됩니다. 몸동작이 매우 힘이 넘쳐서 무용수들은 여러 해 동안 연습을 해야 합니다.

22 해설 ⑤ 'so ... that ~' 구문이 쓰여서 '너무 …해서 ~하다'라는 의미를 나타내는 문장이므로 as는 that이 되어야 한다.

23 해설 선한 역할을 맡은 무용수들은 초록색으로 얼굴을 칠하고, 악한 역할을 맡은 무용수들은 검은색으로 화장한다고 했으므로 내용과 일치하지 않는 것은 ③ '모든 카타칼리 무용수들은 그들의 얼굴을 초록색으로 칠한다.'이다.
① 카타칼리 무용수들은 이야기를 한다.
② 선과 악의 싸움은 카타칼리의 주제이다.
④ 여자들은 인도에서 카타칼리를 추면 안 된다.
⑤ 카타칼리 무용수들은 여러 해 동안 연습해야 한다.

24~25

해석 사람들이 뉴질랜드에 방문할 때, 그들은 하카 무용수들의 무리를 만날지도 모릅니다. 그 무용수들은 무서운 얼굴로 이 전통 춤을 춥니다. 이 춤은 원래 싸움 전에 마오리족에 의해 행해졌습니다. 그들은 적에게 그들의 힘을 보여 주고 싶었습니다. 그 무용수들은 싸움 전에 야생 동물들만큼 무섭게 보였습니다. 요즘에는 뉴질랜드에서 럭비 선수들이 주로 경기 전에 다른 팀에게 그들의 힘을 보여 주기 위해서 하카를 춥니다. (럭비는 뉴질랜드에서 가장 인기 있는 운동 중 하나입니다.)

24 해설 뉴질랜드의 전통 춤 하카에 관한 이야기이므로 럭비가 뉴질랜드에서 가장 인기 있는 운동 중 하나라는 ⑤는 글의 흐름상 어색하다.

25 해석 ① 나는 새 농구공을 나의 친구들에게 보여 주기 위해서 가져올 것이다.
② 그가 그의 진짜 감정을 보여 주는 것은 힘들지도 모른다.
③ 그 마술사는 보여 줄 것들이 너무 많았다.
④ 그들은 사람들이 그들로부터 보고 싶어 하는 것을 보여 주고 싶어 한다.
⑤ 너에게 나의 새 집을 보여 주게 되어서 너무 행복하다.

해설 to show는 '보여 주기 위해서'라는 의미로 to부정사의 부사적 용법 중 '목적'을 나타낸다.
② to show 이하는 진주어로 명사적 용법이다.
③ 앞에 있는 명사 many things를 수식하므로 형용사적 용법이다.
④ want는 to부정사를 목적어로 취하는 동사이므로 명사적 용법이다.
⑤ '보여 주게 되어서'라는 의미로 부사적 용법의 감정의 원인을 나타낸다.

26~27

해석 부채춤은 한국 전통 춤입니다. 무용수들은 다채로운 한복을 입습니다. 그들은 밝은 색으로 칠해진 커다란 부채를 가지고 춤을 춥니다. 그 무용수들은 다양한 종류의 아름다움을 보여 주기 위해서 우아하게 부채를 움직입니다. 그들의 움직임은 꽃 또는 날아가는 새들만큼 아름답게 보입니다. 한국에서 부채춤은 너무 인기가 많아서 사람들은 많은 전통 축제에서 그것을 볼 수 있습니다.

26 해설 ③ 'as ... as ~'에서 as와 as 사이에는 형용사나 부사의 원급이 와야 하고, 앞에 동사 look에 이어져야 하므로 형용사 beautiful로 바꾼 것은 알맞다.
① 선행사가 large fans로 복수이고, 주격 관계대명사 that 다음에 '칠해진'이라는 의미로 수동태 형태가 와야 하므로 are painted로 바뀌어야 한다.
② 목적의 의미를 나타내므로 to show로 바뀌어야 한다.
④ '나는 새들'이라는 의미이므로 현재분사 flying으로 바뀌어야 한다.
⑤ 'so ... that ~' 구문에서 so 뒤에는 형용사나 부사의 원급이 들어가야 하므로 popular로 바뀌어야 한다.

27 해설 한국의 부채춤에 관련된 내용이므로 제목으로 알맞은 것은 ④ '한국의 전통 춤, 부채춤'이다.
① 한복에서 보는 한국의 미
② 한국의 많은 전통 축제들
③ 한국의 전통 부채를 만드는 방법
⑤ 부채춤에서 다양한 종류의 움직임

28 해석 • 나는 너무 피곤해서 너를 도와줄 수 없다.
• 이것은 배울 수 있을 만큼 충분히 쉽다.
→ 이것은 너무 쉬워서 나는 그것을 배울 수 있다.
(1) Dennis는 너무 어려서 운전을 할 수 없다.
(2) 나는 그 산에 올라갈 만큼 충분히 건강하다.

해설 (1) 'too+형용사+to+동사원형'은 '너무 …해서 ~할 수 없다'라는 의미이다. 이 구문은 'so+형용사+that+주어+can't+동사 ~'로 바꿔 쓸 수 있다.

(2) '형용사+enough+to+동사원형'은 '~하기에 충분히 …한'이라는 의미이다. 이 구문은 'so+형용사+that+주어+can+동사 ~'로 바꿔 쓸 수 있다.

29 해석 도훈이는 집에 있었다. 갑자기, 그는 옆방에서 소리를 들었다. 그가 그 방으로 들어갔을 때, 창문은 깨져 있었다. 그가 밖을 보았을 때, 수진이는 야구 방망이를 쥐고 있었고 Ted는 그의 개에게 공을 던져 주고 있었다. 누가 창문을 깨뜨렸을까? 그것은 어떻게 설명될 수 있을까?

해설 (1) '창문이 깨져 있었다'라는 수동의 의미가 되어야 하므로 'be동사+과거분사' 형태가 되어야 한다. 따라서 was broken이 알맞다.

(2) '그것은 어떻게 설명될 수 있을까?'라는 수동의 의미가 되어야 하는데 조동사 can이 있으므로 'can+be동사+과거 분사' 형태가 되어야 하고, 의문문이므로 How can it be explained?가 알맞다.

30 해석 누가 Doodle 씨를 치었나요? 당신은 왜 그런지 설명할 수 있나요? 답을 아나요? 적어 보세요.

해설 '너는 …을 설명할 수 있니?'라는 의미의 표현은 Can you explain … ?이다.

2학기 기말고사

pp. 302~306

1. ⑤	2. take off		3. ⑤	4. ④	5. ③
6. ②	7. ③	8. ③	9. ③	10. ②	11. ④
12. ④	13. ②	14. ⑤	15. ⑤	16. ①	17. ①
18. ④	19. ②	20. ②	21. ④	22. ③	
23. (A) → (C) → (B)		24. ③	25. ⑤	26. ②	27. ④

28. (1) It is fun to play dodgeball.
(2) It is not safe to meet people online.
(3) It is necessary to follow the class rules.

29. (1) Although Kevin succeeded in business, he still felt unhappy. / He still felt unhappy although Kevin succeeded in business.
(2) Kate didn't want to walk home because she was tired. / Because she was tired, Kate didn't want to walk home.
(3) I couldn't get to sleep because my neighbors made a lot of noise. / Because my neighbors made a lot of noise, I couldn't get to sleep.

30. (1) How come you cleaned the classroom alone?
(2) My teacher made me clean it alone.

1 해설 ⑤ '완전히'라는 뜻의 부사이며, 나머지는 형용사이다.
① 마른 ② 못생긴 ③ 필요한 ④ 흔들리는

2 해석 • 실내에서는 모자를 벗어 주시겠습니까?
• 그 비행기는 오전 7시 10분에 이륙할 것이다.
• 나는 다음 주에 이틀을 쉬기를 원하므로 이번 주에 열심히 일해야 한다.

해설 take off는 '…을 벗다, 이륙하다, (기간을) 쉬다' 등의 뜻이 있다. 명사가 take와 off 사이에 와서 take your cap off나 take two days off로 표현할 수도 있다.

단어·숙어 flight ⑲ 항공기(항공편), 비행

3 해석 • 작은 변화가 큰 차이를 만들 수 있다는 것을 기억하라.
• 그는 어려움 없이 나의 모든 질문에 답했다.
• 그들은 김 선생님이 떠난 후 완전히 통제 불능이었다.

해설 big이라는 형용사가 수식할 수 있는 것은 명사이므로 difference가 맞다. 전치사 without 뒤에 오는 것은 명사(구)이므로 difficulty가 맞다. out of control은 형용사구이고, 형용사를 수식하는 것은 부사이므로 completely가 맞다.

단어·숙어 difficulty ⑲ 어려움
complete ⑱ 완벽한, 완료된
out of control 통제 불능의

4 해석 금속, 나무 또는 플라스틱과 같은 물건들을 만들 수 있는 물질

해설 주어진 영영 풀이는 ④ '재료'에 대한 설명이다.
① 상자 ② 유리 ③ 양초 ⑤ 성취

5~6

해석 A: 정 선생님, 물고기가 들어 있으면 컵의 물은 무게가 더 나가나요?
B: 응, 그렇단다. 우리는 지금 실험해 볼 수 있어.
A: 하지만 어떻게요? 물고기가 없는데요.
B: 우리는 물고기 대신에 손가락을 사용할 수 있단다.
A: 어떻게 할 수 있어요?
B: 우선 물 한 컵의 무게를 잴 거야. 그다음에 비교하기 위해 물 속에 내 손가락을 넣고 무게를 잴 거란다.
A: 아, 그 차이를 빨리 보고 싶어요.

단어·숙어 weigh ⑧ 무게가 나가다, 무게를 재다
work ⑧ 작용을 하다, 영향을 미치다
compare ⑧ 비교하다

5 해설 물고기가 없는데 어떻게 실험이 가능한지를 묻는 질문에 '물고기 대신 손가락을 이용하면 된다.'라는 응답이 나오는 것이 자연스러우므로 ③ '… 대신에'가 알맞다.
① …로 ② … 덕분에 ④ … 때문에 ⑤ 예를 들어

6 해석 ① 보기를 기다릴 수 있다 ② 보기를 갈망하고 있다
③ 보게 되어서 기쁘다 ④ 볼 수 없을 것 같다
⑤ 보기 위해서 죽을 수는 없다

해설 I'm looking forward to -ing는 '…을 기대하고 있다'라는 의미의 표현으로 I can't wait to, I'm dying for, I'm eager to, I'm longing to 등과 바꿔 쓸 수 있다.

7~8

해석 Brian: 미나야, 우리 테니스 동아리에 가입할래?
미나: 재미있겠다. 하지만 나는 이번 가을에 특별 수업을 신청했어.
Brian: 어떤 수업을 신청했는데?
미나: 마술 수업을 신청했어. 거기서 새로운 마술 묘기를 빨리 배우고 싶어.
Brian: 멋지다! 전에 마술 묘기를 배운 적이 있니?
미나: 응, 전에 조금 배웠지만 연습이 더 필요해.
Brian: 언젠가 네 마술 묘기를 볼 수 있기를 바라.

단어·숙어 sign up for …을 신청하다
magic trick 마술 묘기
practice ⓜ 연습

7 해설 ③ I can't wait to ... 표현이 쓰인 문장이므로 to 다음에 동사원형 learn이 와야 한다.

8 해설 미나의 두 번째 말인 I can't wait to ...에서 알 수 있듯이, 미나는 마술 수업을 신청해 놓고 아직 수업은 한 번도 들어보지 못한 상태이므로 ③ '미나는 마술 수업이 마음에 들었다.'는 시간상 일치하지 않는다.
① Brian은 이미 테니스 동아리에 가입했다.
② 미나는 테니스 동아리에 가입하지 않을 것이다.
④ 미나가 할 수 있는 마술들이 몇 가지 있다.
⑤ Brian은 미나의 마술을 보고 싶어 한다.

9 해석 건강하기 위해서 여러분은 무엇을 할 수 있을까요? 첫째, 매일 운동하도록 하세요. 둘째, 건강에 좋은 음식을 먹도록 하세요. 패스트푸드는 너무 많이 먹지 마세요. 셋째, 식사하기 전에 손을 씻으세요. 이런 조언들이 실천하기에 어렵게 들리나요? 자, 한 번에 하나씩 해 나가고 포기하지 마세요. 그러면 여러분은 건강한 삶을 살게 될 것입니다.

해설 주어진 문장은 (건강에 좋지 않은 음식) 패스트푸드는 적게 먹으라는 충고이므로 건강에 좋은 음식을 먹으라는 조언 바로 뒤인 ③에 오는 것이 알맞다.

단어·숙어 meal ⓜ 식사
take one step at a time 한 발 한 발 내딛다, 차근차근하다
give up 포기하다

10~11

해석 A: Tim, 너는 고비 사막에 대해 들어 봤니?
B: 응, 들어 봤어. 그것은 몽골과 중국에 있지 않니?
A: 응, 맞아. 나는 어제 걸어서 그 사막을 건넌 사람들에 관한 TV 쇼를 봤어.
B: 단지 걸어서만?
A: 응, 51일 정도 걸렸대.
B: 와, 놀랍구나. 나는 사막에서 삶을 경험하고 싶지만 걸어서 그곳을 건너고 싶지는 않아.
A: 음, 나는 시도해 보고 싶고 50일 안에 고비 사막을 건너고 싶어.

단어·숙어 desert ⓜ 사막
on foot 걸어서, 도보로

10 해설 B의 대답이 Yes, I have.로 이어지고 있으므로 ② have you heard of(너는 …에 대해 들어 봤니)가 오는 것이 알맞다.
① 좋아하지 않니 ③ 귀 기울여 들어 봤니
④ 가기를 원하니 ⑤ 무엇을 알고 있니

11 해설 ①, ②, ③, ⑤는 모두 the Gobi Desert를 가리키지만, ④는 시간을 나타내는 비인칭 주어 it이다.

12 해석 A: 호준아, 너 학교 아이스하키 팀에 지원할 거니? 새 시즌이 곧 시작돼.
B: 잘 모르겠어.
A: 왜 몰라?
B: Tony와 Brad도 팀에 지원할 거라고 들었어. 그 애들은 정말 잘해.
A: 음, 너도 아이스하키를 잘하니까 포기하지 마!
B: 알았어, 최선을 다할게. 정말 고마워.

해설 아이스하키를 잘하는 친구들이 팀에 지원한다는 얘기에 지원을 망설이고 있는 호준이에게 격려하는 의미의 ④ '포기하지 마'가 알맞다.
① 몸 건강해 ② 진정해
③ (그것들을) 한번 입어 봐
⑤ 유니폼을 벗어

단어·숙어 try out for (지위, 회원 자격 등을 얻으려고 경쟁에) 지원하다
be about to 막 …하려고 하다
try one's best 최선을 다하다

13 해석 제시간에 역에 도착하는 것은 힘들었다.

해설 주어진 문장과 ①, ③, ④, ⑤의 It(it)은 가주어로 뒤에 나온 to부정사인 진주어를 대신한다. ②의 It은 비인칭 주어이다.
① 그 문제를 해결하는 것은 쉬웠다.

② 학교부터 우리 집까지는 500m이다.
③ 시골에서 사는 것이 훨씬 더 좋다.
④ 나는 최악의 경우에 대비하는 것이 중요하다고 생각한다.
⑤ 너는 내가 모든 것을 할 것이라고 기대하는 것이 불공평하다는 것을 알고 있다.

단어·숙어 on time 제시간에, 정각에
unfair ⓗ 불공평한

14 해석 A: 어젯밤 Andy의 파티는 환상적이었어! 대체 왜 너는 오지 않았니?
B: 음, 우리 엄마가 많이 편찮으셨어.

해설 B의 응답에서 B는 엄마가 편찮으셔서 파티에 가지 못했다. 따라서 A는 B에게 왜 파티에 오지 않았는지 물어야 한다. 'How come+주어+동사 …?'는 '도대체 왜 …?'라는 의미이다.

15 해석 ① 나는 그가 나를 집까지 태워 주도록 했다.
② 안경은 나를 더 나이 들어 보이게 한다.
③ 나는 그들이 나를 우울하게 만들도록 두지 않을 것이다.
④ 그들은 나에게 어떤 것이든 하게 만들 수 없다.
⑤ Smith 선생님은 내가 교실을 청소하게 하셨다.

해설 ⑤ 사역동사 make/have/let은 목적격 보어로 동사원형을 쓰고, '…가 ~하게 만들다/하다/놔두다'의 의미이다.
① to drive → drive ② to look → look
③ to get → get ④ doing → do

단어·숙어 get ... down …을 우울하게 하다

16 해석 비록 그녀는 아주 열심히 공부하지는 않았지만, 졸업 시험에 통과했다.

해설 두 문장의 내용이 상반될 때, 접속사 although를 사용한다. 따라서 빈칸에는 ① although가 알맞다.

단어·숙어 exit exam 졸업 시험

17~18

해석 특별 과학 마술 쇼에 오신 것을 환영합니다! 마술을 보는 것은 항상 신나는 일입니다. 그리고 마술 뒤에 숨겨진 비밀을 알아내는 것은 더 신나는 일입니다. 어떤 사람들은 마술의 비밀이 과학이라고 생각합니다. 오늘 학교 마술 동아리 회원인 Ken은 마술을 수행하기 위해 과학을 사용할 것입니다. 그는 우리에게 어떤 마술을 보여 줄까요? 빨리 보고 싶군요.

단어·숙어 magic ⓗ 마술의 ⓜ 마술
trick ⓜ 마술, 속임수
find out 알아내다
perform ⓢ 수행하다, 공연하다

17 해석 ① 심폐소생술 하는 법을 배우는 것은 유용하다.
② 그녀는 내가 집에 있는 것을 알고 놀랐다.
③ 그것은 걱정할 만큼 충분히 심각했다.
④ James는 그의 숙제를 끝내기 위해 밤을 샜다.
⑤ 우는 것을 멈추고 새로운 것을 시도할 때이다.

해설 밑줄 친 ⓐ와 ①은 둘 다 to부정사의 명사적 용법으로 진주어 부분이다.
② surprised(감정)의 '이유나 원인'을 나타내는 to부정사의 부사적 용법이다.
③ enough와 함께 쓰여 '정도'를 나타내는 to부정사의 부사적 용법이다.
④ '…하기 위해'로 해석하며, '목적'을 나타내는 to부정사의 부사적 용법이다.
⑤ time을 수식하는 to부정사의 형용사적 용법이다.

단어·숙어 CPR(cardiopulmonary resuscitation) ⓜ 심폐소생술
stay up all night 밤을 새다

18 해설 마술 뒤에 숨겨진 '비밀'을 알아내는 것은 신나는 일이며, 마술의 '비밀'이 과학이라는 내용으로 ④ '비밀'이 알맞다.
① 조언 ② 기술 ③ 도구 ⑤ 문제

19~20

해석 Ken: 안녕하세요, 여러분. 오늘 저는 여러분에게 놀라운 무언가를 보여 주려고 합니다. 여기에 물이 담긴 접시가 있습니다. 이제, 저는 접시 한가운데에 초를 놓을 것입니다. 그다음에 초에 불을 켜고 유리컵으로 초를 덮어 보겠습니다. "수리수리마수리!"
지나: 물을 보세요! 왜 물이 유리컵 속으로 올라갔나요?
Ken: 공기가 뜨거워지면 팽창해서 더 높은 압력을 만듭니다. 공기가 차가워지면 수축해서 더 낮은 압력을 만듭니다. 불꽃이 다 타 버렸을 때, 유리컵 속의 공기는 식어 버렸습니다. 공기가 식었을 때 기압이 낮아졌습니다. 그래서 유리컵 밖의 공기 압력이 더 높아졌습니다. 높아진 압력의 공기가 물을 유리컵 속으로 밀어 넣었습니다.

단어·숙어 light ⓢ 불을 붙이다[켜다]
expand ⓢ 팽창하다, 확장하다
pressure ⓜ 압력
contract ⓢ 수축하다, 줄어들다
flame ⓜ 불꽃
burn out 타 버리다, 다 타고 꺼지다
cool down 차가워지다, 식다

19 해설 ② 가리키는 것이 the candle로 단수 명사이므로 it

이 되어야 한다.

20 해설 ② 지나가 How come it rose into the glass?라고 한 것으로 보아 물은 유리컵 속으로 올라갔다.

21~22

해석 Ken: 이제, 이 컵들 중 하나를 물로 채워 보겠습니다. 여러분을 헷갈리게 하려고 이 컵들을 섞어 보겠습니다. 지나, 어떤 컵에 물이 있을까요?

지나: 쉽네요! 가운데 컵이에요.

Ken: 좋습니다. 확인해 봅시다. 보이죠? 물이 없네요.

지나: 다른 컵들도 보여 주세요.

Ken: 보이죠? 물이 없어요.

지나: 와! 왜 물이 사라진 거죠?

Ken: 마술 전에, 저는 특별한 물질을 컵들 중 하나에 넣어 두었습니다. 그 물질은 물을 흡수하고 그것을 젤리로 변하게 했습니다. 그러고 나서 젤리는 컵 바닥에 달라붙었습니다. 여러분이 이 마술을 해 보고자 한다면, 속을 들여다볼 수 없는 컵을 사용하는 것이 필요합니다.

지나: 멋진 공연 고맙습니다. 정말 놀라웠습니다!

단어·숙어
fill A with B A를 B로 채우다
confuse ⓢ 혼란시키다
material ⓜ 물질, 재료
observe ⓢ 관찰하다, 준수하다
absorb ⓢ 흡수하다, 빨아들이다
turn A into B A를 B로 변화시키다
stick to …에 달라붙다, 고수하다
see through 속을 들여다보다, 간파하다

21 해설 (A) 앞의 내용에서 컵에 물이 보이지 않는다고 했으므로 disappear(사라지다)가 알맞다.
(B) 특별한 물질이 물을 흡수하여 젤리로 변하게 했다는 의미가 되어야 하므로 absorbed(흡수하다)가 알맞다.
(C) 특별한 물질이 물을 젤리로 변하게 해서 컵에 달라붙은 것이므로 turned(변하다)가 알맞다.

22 해설 이 마술에서 가장 중요한 것은 특수 물질을 사용해서 물을 사라진 것처럼 보이게 하는 것이므로, 컵 안이 보이지 않는 것을 사용하는 것이 필요하다.

단어·숙어
useless ⓗ 쓸모없는
necessary ⓗ 필요한

23~24

해석 (A) Koh Panyee는 바다 가운데 떠 있는 작은 수상 마을이었다. 비록 마을의 소년들이 이전에 축구를 해 본 적이 없었지만, 그들은 TV로 축구 경기 보는 것을 정말 좋아했다. 어느 날, 소년들은 그들만의 축구팀을 만들기로 결정했다. 그러나 사람들은 그들의 생각을 비웃었다.
(C) "그것은 불가능해."
"왜 그렇게 말하는 거죠?"
"주위를 둘러봐. 너희는 어디서 축구를 할 거니?"
마을 사람들이 옳았다. 소년들은 축구를 할 장소가 없었다. 그들은 낙담했다.
(B) "포기하지 마! 우리는 여전히 축구를 할 수 있어."
"어떻게?"
"우리만의 축구장을 만들자."

단어·숙어
floating ⓗ 떠 있는
laugh at 비웃다
give up 포기하다
soccer field 축구 경기장
look around 둘러보다
discouraged ⓗ 낙담한

23 해설 Koh Panyee라는 수상 마을과 이 마을에 사는 소년들의 이야기가 시작되는 (A)가 가장 먼저 와야 한다. 그다음 축구팀을 만들겠다는 소년들을 비웃는 마을 사람들의 내용인 (C)가 이어져야 하며, 이에 포기하지 말자며 다독이는 소년들의 모습인 (B)가 이어지는 것이 자연스럽다.

24 해설 소년들이 축구팀을 만들기로 결정했지만 사람들이 그것을 비웃고 있으므로 역접의 접속사 ③ However '하지만'이 알맞다.
① 대신에 ② 그러므로 ④ 게다가 ⑤ 그 결과

25 해석 소년들은 낡은 배들과 나무 조각들을 모았다. 그들은 배들을 합치고 그것들에 나무를 못으로 박았다. 매우 열심히 일한 후, 그들은 마침내 물 위에 떠 있는 축구장을 가지게 되었다. 그것은 흔들리고 곳곳에 못이 있었다. 공과 소년들은 종종 바다에 빠져서 축구장은 항상 젖어 있고 미끄러웠다. 그들은 신발이 없어서 맨발로 축구를 해야 했다. 그런데도 그들은 상관하지 않았다.

해설 축구장을 만든 기간이 구체적으로 나와 있지 않으므로 ⑤에 대한 대답은 할 수 없다.
① 소년들이 만든 축구장은 어땠습니까?
② 왜 소년들은 맨발로 축구를 했습니까?
③ 축구장은 왜 항상 젖어 있고 미끄러웠습니까?
④ 소년들은 축구장을 만들기 위해서 무엇을 사용했습니까?
⑤ 얼마나 오랫동안 소년들은 축구장을 만들기 위해 일했습니까?

단어·숙어
put ... together …을 합치다, 조립하다
nail ⓢ 못을 박다 ⓜ 못
shaky ⓗ 흔들리는
fall into …에 빠지다
slippery ⓗ 미끄러운
bare ⓗ 벌거벗은, 맨-

26~27

해석 어느 날 한 소년이 축구 토너먼트에 관한 포스터를 가지고 왔다. 그들은 한번 해 보기로 결정했다. 그들이 떠나려고 할 때 마을 사람들이 그들에게 새 신발과 축구복을 주었다. 심지어 몇몇은 경기를 보러 왔다. 이것은 소년들의 기분을 더 좋게 만들었다. 처음에 사람들은 그들을 가장 약한 팀으로 보았다. 그러나 토너먼트가 시작되었을 때 그 축구팀은 모두를 놀라게 했다.

준결승전 날, 비가 심하게 내리고 있었다. 그들은 두 골 차로 지고 있었고 이기는 것은 불가능해 보였다.

"다른 팀이 너무 강해."라고 그들은 생각했다.

그러나 소년들은 포기하지 않았다. 후반전에서 그들은 신발을 벗었고 경기는 완전히 바뀌었다. 고향의 미끄러운 축구장 덕분에 그들은 빗속에서 더 잘했다. 비록 그들은 3대 2의 점수로 졌지만 그들은 스스로를 자랑스럽게 여겼다. 그들은 지고 있을 때 포기하지 않았다. 그들은 끝까지 최선을 다했다.

단어·숙어
tournament 명 토너먼트(승자진출전)
give it a try 한번 해 보다
be about to 막 …하려고 하다
semi-final 명 준결승전
take off 벗다
thanks to …덕분에
by a score of …의 점수로

26 해설 '…가 ~하게 만들다'의 의미를 표현하기 위해 'make+목적어+동사원형'의 형태를 쓴 ② This made the boys feel better.가 알맞다.

27 해석
① 마을 사람들은 토너먼트에 참가하겠다는 소년들의 결정을 지지했다.
② 사람들은 처음에는 소년들이 약한 팀이라고 생각했다.
③ 고향의 축구장에서 경기한 것이 빗속에서 소년들이 경기를 더 잘하게 하는 데 도움이 되었다.
④ 소년들은 결국 준결승전에서 2점차로 졌다.
⑤ 소년들은 포기하지 않았기 때문에 스스로 자랑스럽게 여겼다.

해설 마지막 단락의 Although they lost by a score of three to two, ...에서 경기가 3대 2로 끝났음을 알 수 있으므로 ④가 일치하지 않는다.

단어·숙어
support 동 지지하다
decision 명 결정
at first 처음에는
in the end 결국, 마침내

28 해석 매일 똑같은 일을 하는 것은 지루하다.
(1) 피구를 하는 것은 재밌다.
(2) 온라인으로 사람들을 만나는 것은 안전하지 않다.
(3) 학급 규칙을 따르는 것이 필요하다.

해설 주어 자리에 to부정사가 올 경우 대부분 주어 자리에 가주어 It을 쓰고, 뒤에 진주어 to부정사를 쓴다.

단어·숙어 dodgeball 피구

29 해석
(1) Kevin은 사업에 성공했다. 그는 여전히 불행했다.
(2) Kate는 집에 걸어가고 싶지 않았다. 그녀는 피곤했다.
(3) 나는 잠이 들 수 없었다. 내 이웃들이 많은 소음을 냈다.

해설 두 문장의 내용이 상반 관계이면 although(비록 …일지라도)를 사용하고, 두 문장의 내용이 원인과 결과의 관계이면 because(이유)를 사용한다. although절이나 because절이 문두에 오면 주절과의 사이에 콤마(,)를 사용한다. 주절이 앞에 올 경우에는 두 절 사이에 콤마(,)를 사용하지 않는다.
(1) 두 문장의 내용이 상반되므로 although를 쓴다.
(2), (3) 두 문장의 내용이 원인과 결과의 관계이므로 because를 사용하되, 뒤 문장이 원인이므로 뒤 문장의 문두에 붙인다.

단어·숙어
succeed in …에 성공하다
noise 명 소음

30 해설
(1) 'How come+주어+동사 …?'는 '도대체 왜, 어째서 …?'의 의미로 다른 의문사의 의문문과 달리 평서문의 어순을 취한다.
(2) '…가 ~하게 만들다, 시키다'의 의미를 표현할 때는 'make+목적어+동사원형'의 형태를 쓴다.